Весь Эркюль Пуаро

AGATHA CHRISTIE

Весь Эркюль Пуаро

Murder of the Orient Express

•

Taken at the Flood

•

Curtain

The Novels

Агата Кристи
Весь Эркюль Пуаро

Убийство
в Восточном экспрессе

Убийство в Восточном экспрессе

• Прилив

• Занавес

Романы

Москва
ЦЕНТРПОЛИГРАФ
2001

УДК 820-31
ББК 84(4Вел)
К82

Серия «Весь Эркюль Пуаро»
выпускается с 2000 года

Выпуск 13

*Разработка серийного оформления
художника И.А. Озерова*

Иллюстрации художника Е.М. Ульяновой

Кристи Агата

К82   Убийство в Восточном экспрессе: Детективные романы. — Пер. с англ. / Комментарии. — «Весь Эркюль Пуаро». — М.: ЗАО Изд-во Центрполиграф, 2001. — 602 с.

ISBN 5-227-01152-4 (Вып. 13)
ISBN 5-227-00641-5

Даже если подозреваемых слишком много и мотивы преступления неясны, гениальный сыщик найдет правильный ход в хитросплетениях криминальной интриги. Путем логических размышлений он безошибочно определяет убийцу в поезде («Убийство в Восточном экспрессе»), разоблачает преступника, обратив внимание на нечаянно оброненную им фразу («Прилив»), и, зная о готовящемся злодеянии, выясняет имя предполагаемой жертвы («Занавес»).

УДК 820-31
ББК 84(4Вел)

ISBN 5-227-01152-4 (Вып. 13)
ISBN 5-227-00641-5

Убийство
в Восточном экспрессе

Роман

Murder of the Orient Express

Посвящается М.Э.Л.М.
Арпачия, 1933 г.

Часть первая

ФАКТЫ

Глава 1

ВАЖНЫЙ ПАССАЖИР ЭКСПРЕССА «ТАВР»[1]

Было пять часов зимнего утра в Сирии. У платформы вокзала в Алеппо стоял поезд, величественно именуемый в железнодорожных справочниках экспрессом «Тавр» и состоящий из вагона-ресторана, спального вагона и двух вагонов местного сообщения.

У подножки спального вагона молодой французский лейтенант в великолепном мундире беседовал с маленьким человечком, закутанным до самых ушей в шарфы, из-под которых не было видно ничего, кроме розового носа и кончиков закрученных кверху усов.

Стоял жуткий холод, так что поручению проводить выдающегося иностранца трудно было позавидовать, но лейтенант Дюбо отважно исполнял свой долг. С его уст слетали вежливые фразы на изысканном французском, хотя он едва ли понимал, что все это означает. Конечно, в гарнизоне ходили слухи, как всегда бывает в подобных случаях. Настроение генерала, под началом которого служил Дюбо, все ухудшалось. Но вот из Англии приехал этот бельгиец. С неделю в атмосфере ощущалось странное напряжение, после чего один весьма популярный офицер покончил с собой, другой ушел в отставку, лица начальства утратили беспокой-

---

[1] Т а в р ы — горы на юге Турции. *(Здесь и далее примеч. перев.)*

7

ное выражение, меры предосторожности отменили, а генерал словно помолодел на десять лет.

Дюбо случайно подслушал обрывок разговора между генералом и незнакомцем. «Вы спасли нас, mon cher[1], — говорил генерал, подрагивая седыми усами от переполнявших его эмоций. — Вы спасли честь французской армии и предотвратили кровопролитие! Как я могу отблагодарить вас за то, что вы согласились на мою просьбу? Отправиться в такую даль...»

На что иностранец, которого звали мсье Эркюль Пуаро, дал надлежащий ответ, включающий фразу: «Разве я мог забыть, что вы спасли мне жизнь?» Генерал, в свою очередь, отказался поставить себе в заслугу это давнее событие, и после ряда упоминаний Франции, Бельгии, славы, чести и тому подобного беседа завершилась дружеским объятием.

Хотя лейтенант Дюбо по-прежнему пребывал в неведении относительно смысла происходящего, на его долю выпала задача посадить Пуаро в экспресс «Тавр», и он выполнял ее с усердием, подобающим молодому офицеру, перед которым открыта многообещающая карьера.

— Сегодня воскресенье, — заметил лейтенант Дюбо. — В понедельник вечером вы будете в Стамбуле.

Это высказывание звучало уже не в первый раз. Беседа на перроне перед отходом поезда располагает к повторам.

— Совершенно верно, — согласился мсье Пуаро.

— Полагаю, вы намерены провести там несколько дней?

— Mais oui[2]. Я еще ни разу не был в Стамбуле. Было бы досадно проехать мимо, comme ça[3]. — Он выразительно щелкнул пальцами. — Спешить мне некуда, так что я пробуду там несколько дней в качестве туриста.

— Святая София[4] очень красива, — промолвил лейтенант Дюбо, хотя никогда в жизни ее не видел.

---

[1] Мой дорогой (*фр.*).
[2] Ну да (*фр.*).
[3] Вот так (*фр.*).
[4] С в я т а я   С о ф и я — собор в Константинополе, переделанный в мечеть после завоевания Византии турками.

Порыв ледяного ветра заставил мужчин поежиться. Лейтенант Дюбо украдкой взглянул на часы. Без пяти пять, осталось всего пять минут.

— В это время года мало кто путешествует, — быстро добавил он, опасаясь, что компаньон заметил его взгляд, и посмотрел на окна спального вагона.

— Пожалуй, — согласился мсье Пуаро.

— Будем надеяться, что вы не попадете в заносы в горах.

— А это бывает?

— Иногда. Правда, в этом году такого пока не случалось.

— Тогда действительно будем надеяться на лучшее, — сказал мсье Пуаро. — Сводки погоды из Европы неутешительны.

— Хуже некуда. На Балканах сильный снегопад.

— Я слышал, в Германии тоже.

— Eh bien[1], — поспешно сказал лейтенант Дюбо, пока не возникла очередная пауза. — Завтра в девятнадцать сорок вы будете в Константинополе.

— Да, — кивнул мсье Пуаро, отчаянно пытаясь поддержать разговор. — Я слышал, что Святая София в самом деле прекрасна.

— Просто великолепна.

Над их головами в окне одного из купе спального вагона поднялась шторка и появилось лицо молодой женщины.

Мэри Дебенхем мало спала после отъезда из Багдада в прошлый четверг. И в поезде до Киркука, и в гостинице для путешественников в Мосуле, и прошлой ночью в экспрессе «Тавр» ей с трудом удавалось заснуть. Теперь, устав лежать без сна в душном купе, она встала и выглянула в окно.

Должно быть, это Алеппо. Конечно, смотреть тут не на что. Только длинная, тускло освещенная платформа, с которой доносятся сердитые крики на арабском. Двое мужчин под ее окном разговаривали по-французски. Один из них был французский офицер, а

---

[1] Ну что ж (фр.).

другой — маленький человечек с большими усами. Мэри улыбнулась — она еще никогда не видела, чтобы так кутались. Должно быть, снаружи очень холодно — вот почему в вагоне так топят. Она попыталась опустить окно пониже, но оно не поддавалось.

Проводник спального вагона подошел к двоим мужчинам и сообщил, что поезд отправляется и что мсье лучше подняться в вагон. Маленький человечек снял шляпу. Какая же у него яйцевидная голова! Несмотря на одолевавшие ее мысли, Мэри Дебенхем улыбнулась. Забавный человечек — из тех, которых невозможно принимать всерьез.

Лейтенант Дюбо произнес прощальную речь, которую тщательно подготовил заранее и приберегал до последней минуты. Не желавший уступать ему мсье Пуаро отозвался в том же духе.

— En voiture[1], мсье, — повторил проводник.

С явным неудовольствием мсье Пуаро поднялся в вагон. Проводник последовал за ним. Мсье Пуаро махнул рукой, и лейтенант Дюбо отсалютовал в ответ. Резко дернувшись, поезд медленно тронулся с места.

— Enfin![2] — пробормотал мсье Эркюль Пуаро.

— Бр-р! — произнес лейтенант Дюбо, только теперь осознав, как сильно он продрог.

— Voilà[3], мсье. — Проводник театральным жестом открыл перед Пуаро дверь его купе, демонстрируя, как аккуратно размещен багаж. — Маленький саквояж мсье я поместил здесь.

Протянутая рука выглядела недвусмысленно. Эркюль Пуаро вложил в нее сложенный банкнот.

— Merci[4], мсье. — Тон проводника сразу стал деловитым. — Билеты мсье у меня. Я также возьму паспорт.

---

[1] В вагон (*фр.*).
[2] Наконец-то! (*фр.*)
[3] Вот (*фр.*).
[4] Благодарю (*фр.*).

Насколько я понимаю, мсье прервет путешествие в Стамбуле?

Мсье Пуаро ответил утвердительно.

— Полагаю, в поезде мало пассажиров? — осведомился он.

— Да, мсье. У меня только двое — оба англичане. Полковник из Индии и молодая леди из Багдада. Мсье что-нибудь нужно?

Мсье попросил маленькую бутылку перье.

Пять утра — неподходящее время, чтобы садиться в поезд. До рассвета оставалось еще два часа. Преисполненный сознания успешно выполненной миссии, мсье Пуаро свернулся калачиком в углу и заснул.

Проснувшись в половине десятого, он отправился в вагон-ресторан на поиски горячего кофе.

В ресторане находилась только одна пассажирка — очевидно, английская леди, о которой упоминал проводник. Это была молодая женщина лет двадцати восьми, высокая, стройная, темноволосая. Она деловито заканчивала свой завтрак, попросив официанта принести еще кофе, причем тоном человека, знающего свет и привыкшего к путешествиям. На ней было темное дорожное платье из тонкой ткани, подходящее для вагонной духоты.

Не имея других дел, мсье Эркюль Пуаро развлекался тайком изучая пассажирку.

По-видимому, эта молодая леди в состоянии позаботиться о себе, где бы она ни оказалась. От нее словно исходило ощущение уверенности и самообладания. Пуаро нравились строгие, правильные черты ее лица, прозрачная бледность кожи, волнистые темные волосы, холодные, серые глаза. Но она выглядела чересчур деловитой, чтобы ее можно было назвать по-настоящему jolie femme[1].

Вскоре в вагоне-ресторане появился еще один пассажир. Это был высокий мужчина, возраста от сорока до пятидесяти, худощавый, смуглый, с легкой сединой на висках.

---

[1] Хорошенькая женщина (*фр.*).

«Полковник из Индии», — подумал Пуаро.

Вновь пришедший слегка поклонился девушке:

— Доброе утро, мисс Дебенхем.

— Доброе утро, полковник Арбатнот.

Полковник стоял, положив руку на спинку стула по другую сторону столика.

— Не возражаете? — спросил он.

— Конечно нет. Садитесь.

— Знаете, завтрак не всегда располагает к болтовне.

— Пожалуй. Но я не кусаюсь.

Полковник опустился на стул.

— Официант! — повелительно окликнул он и заказал яичницу и кофе.

На мгновение его взгляд задержался на Эркюле Пуаро, но равнодушно скользнул дальше. Пуаро, отлично знавший английский склад ума, правильно прочитал его мысли: «Всего лишь паршивый иностранец».

Верные национальной традиции, двое англичан разговаривали мало. Они обменялись несколькими краткими замечаниями, а вскоре девушка встала и направилась в свое купе.

Во время ленча пара вновь оказалась за одним столиком и вновь игнорировала третьего пассажира. Их разговор был более оживленным, чем за завтраком. Полковник Арбатнот рассказывал о Пенджабе, а иногда спрашивал девушку о Багдаде, где, как выяснилось, она работала гувернанткой. В процессе беседы у них обнаружилось несколько общих друзей, что сразу же сделало их чуть менее чопорными. Они увлеченно обсуждали каких-то Томми и Джерри. Полковник спросил девушку, отправится ли она сразу в Англию или задержится в Стамбуле.

— Нет, я поеду прямо домой.

— Вам не жаль упускать такую возможность?

— Два года назад я уже проделала этот путь и провела в Стамбуле три дня.

— Понимаю. Должен признаться, что рад этому, так как тоже не стану там задерживаться.

Он слегка покраснел и довольно неуклюже поклонился.

«Наш бравый полковник неравнодушен к женской красоте, — весело подумал Эркюль Пуаро. — В этом отношении путешествовать поездом так же опасно, как морем!»

Мисс Дебенхем сдержанно произнесла, что снова оказаться попутчиками было бы очень приятно.

Эркюль Пуаро заметил, что полковник проводил девушку к ее купе. Когда поезд проезжал мимо живописных склонов Тавра и они стояли рядом в коридоре, глядя на перевал Киликийские Ворота, девушка неожиданно вздохнула. Стоявший поблизости Пуаро услышал, как она пробормотала:

— Какая красота! Мне бы хотелось...

— Да?

— Мне бы хотелось, чтобы я могла ею наслаждаться!

Арбатнот не ответил. Квадратные очертания его подбородка стали более жесткими.

— Видит Бог, я хотел бы, чтобы вы были в стороне от всего этого.

— Пожалуйста, тише!

— Все в порядке. — Он метнул слегка тревожный взгляд в сторону Пуаро и продолжал: — Просто мне не нравится, что вам приходится работать гувернанткой, быть на побегушках у матерей с замашками тиранов и их утомительных отпрысков.

Девушка рассмеялась:

— Вы не должны так думать. Угнетенные гувернантки отошли в область мифов. Могу вас заверить, что родители побаиваются меня, а не я их.

Больше они не разговаривали. Возможно, Арбатнот стыдился своей вспышки.

«Странную комедию я здесь наблюдаю», — подумал Пуаро.

Позднее ему пришлось вернуться к этой мысли.

Они прибыли в Конью около половины двенадцатого ночи. Полковник и гувернантка вышли размять ноги и стали прогуливаться по заснеженной платформе.

Мсье Пуаро предпочел наблюдать за царящей на станции кипучей деятельностью через окно. Однако минут через десять он решил, что глоток воздуха ему не повредит. Он принял меры предосторожности, закутавшись в несколько шарфов и надев ботинки с галошами, проворно спустился на перрон и зашагал в сторону локомотива.

Голоса позволили ему опознать две неясные фигуры, стоящие в тени багажного вагона.

— Мэри... — начал Арбатнот.

Девушка прервала его:

— Не сейчас. Когда все будет кончено. Если все останется позади, тогда...

Мсье Пуаро скромно отвернулся. Он едва узнал голос мисс Дебенхем, обычно холодный и деловитый.

«Любопытно», — подумал он.

Однако на следующий день его заинтересовало, не поссорились ли его попутчики. Они почти не разговаривали друг с другом. Девушка казалась обеспокоенной, под глазами темнели круги.

Около половины третьего поезд неожиданно остановился. Из окон высовывались головы. У полотна стояла группа людей, смотревших на что-то находящееся под вагоном-рестораном.

Пуаро тоже высунулся в окно и задал вопрос пробегавшему мимо спального вагона проводнику. Получив ответ, он неловко повернулся и едва не налетел на стоящую рядом Мэри Дебенхем.

— В чем дело? — с тревогой спросила она по-французски. — Почему мы стоим?

— Пустяки, мадемуазель. Что-то загорелось под вагоном-рестораном. Ничего серьезного. Огонь уже погасили и сейчас устраняют повреждение. Уверяю вас, нет никакой опасности.

Она нетерпеливо отмахнулась, словно мысль об опасности казалась ей абсолютно неважной.

— Да-да, понимаю. Но время!

— Время?

— Да, это ведь нас задержит.

— Возможно, — согласился Пуаро.

— Поезд должен прибыть без пяти семь, а еще нужно переправиться через Босфор и успеть на экспресс

14

«Симплон—Восток» к девяти вечера. Если мы задержимся на час или два, то опоздаем!

— Может быть, — снова признал Пуаро.

Он с любопытством посмотрел на девушку. Ее рука, вцепившаяся в оконную раму, слегка подрагивала; губы тоже дрожали.

— Для вас это так важно, мадемуазель? — спросил он.

— Очень важно! Я... я должна успеть на этот поезд.

Она отвернулась от него и пошла по коридору к полковнику Арбатноту.

Однако ее тревога оказалась напрасной. Через десять минут поезд тронулся и, нагнав время в пути, прибыл в Хайдапассар всего с пятиминутным опозданием.

Босфор был неспокойным, и переправа не доставила удовольствия мсье Пуаро. Он потерял из виду своих попутчиков на пароходе, и больше они не попадались ему на глаза.

По прибытии к Галатскому мосту Пуаро сразу же поехал в отель «Токатлиан».

Глава 2

ОТЕЛЬ «ТОКАТЛИАН»

В отеле Эркюль Пуаро попросил номер с ванной, потом подошел к столику портье и осведомился о письмах.

На его имя пришли три письма и телеграмма. При виде телеграммы Пуаро слегка поднял брови. Она оказалась неожиданной.

Как всегда не спеша, Пуаро вскрыл телеграмму и прочитал четко отпечатанный текст:

«Дело Кэсснера внезапно начало принимать непредвиденный оборот. Пожалуйста, возвращайтесь немедленно».

— Voilà ce qui est embêtant[1], — недовольно проворчал Пуаро и посмотрел на часы. — Я вынужден уехать

---

[1] Какая досада (фр.).

вечером, — сказал он портье. — В котором часу отправляется экспресс «Симплон—Восток»?

— В девять, мсье.

— Вы можете забронировать мне спальное место?

— Разумеется, мсье. В такое время года это нетрудно. Поезда почти пустые. Вам первый класс или второй?

— Первый.

— Très bien[1], мсье. Куда вы едете?

— В Лондон.

— Bien[2], мсье. Я приобрету для вас билет до Лондона и забронирую спальное место в вагоне «Стамбул—Кале».

Пуаро снова взглянул на часы. Было без десяти восемь.

— Я успею пообедать?

— Конечно, мсье.

Маленький бельгиец кивнул и, отказавшись от номера, направился в ресторан.

Делая заказ официанту, он почувствовал на своем плече руку.

— Ах, mon vieux[3], какая приятная неожиданность, — произнес позади чей-то голос.

Говоривший оказался низеньким, толстым, пожилым человеком с волосами, подстриженными en brosse[4].

Пуаро вскочил на ноги:

— Мсье Бук!

— Мсье Пуаро!

Мсье Бук был бельгийцем, директором Международной компании спальных вагонов. Его знакомство с бывшим светилом бельгийской полиции состоялось много лет назад.

— Далеко же вы забрались, mon cher, — заметил мсье Бук.

— Маленькое дельце в Сирии.

— И вы возвращаетесь домой. Когда вы отбываете?

---

[1] Очень хорошо (*фр.*).
[2] Хорошо (*фр.*).
[3] Старина (*фр.*).
[4] Под ежик (*фр.*).

— Этим вечером.

— Превосходно! Я тоже. Еду в Лозанну, у меня там дела. Полагаю, вы на экспрессе «Симплон—Восток»?

— Да. Я только что попросил зарезервировать мне спальное место. Сначала я собирался провести здесь несколько дней, но получил телеграмму, вызывающую меня в Англию по неотложному делу.

— Ах! — вздохнул мсье Бук. — Les affaires, les affaires![1] Но вы сейчас в зените славы, mon vieux.

— Возможно, я добился кое-каких успехов. — Эркюль Пуаро попытался выглядеть скромным, но это ему не удалось.

Бук рассмеялся.

— Увидимся позже, — сказал он.

Пуаро старался изо всех сил не искупать усы в супе. Успешно справившись с этим, он в ожидании следующего блюда огляделся вокруг. В ресторане было всего около полудюжины посетителей, и из этого числа только двое заинтересовали Эркюля Пуаро.

Эти двое сидели неподалеку. Младший был симпатичным молодым человеком лет тридцати, явно американцем, но внимание детектива привлек не он, а его компаньон.

На вид этому человеку можно было дать от шестидесяти до семидесяти лет. Внешне он производил впечатление типичного филантропа — лысеющая голова, выпуклый лоб, улыбка, демонстрирующая ослепительно белые вставные зубы, — все, казалось, свидетельствовало о благожелательности. Только глаза, маленькие, глубоко посаженные, с хитрецой, противоречили этому впечатлению. Отвечая своему младшему компаньону, мужчина окинул взглядом зал, на мгновение задержавшись на Пуаро, который почувствовал в этом взгляде непонятную злобу и напряжение.

— Оплатите счет, Гектор, — приказал пожилой мужчина, поднимаясь со стула.

В его негромком хрипловатом голосе слышалась странная угроза.

---

[1] Дела, дела! (*фр.*)

Когда Пуаро присоединился к своему другу в комнате отдыха, двое мужчин покидали отель. Младший из них наблюдал за тем, как выносят багаж. Вскоре он открыл стеклянную дверь и сообщил:

— Все готово, мистер Рэтчетт.

Пожилой что-то буркнул и вышел.

— Eh bien, — сказал Пуаро. — Что вы думаете об этой паре?

— Они американцы, — ответил мсье Бук.

— Разумеется. Я имел в виду, что вы думаете о них как о личностях.

— Молодой человек производит симпатичное впечатление.

— А постарше?

— По правде говоря, друг мой, он мне очень не понравился. А вам?

Эркюль Пуаро медлил с ответом.

— Когда он проходил мимо меня в ресторане, у меня возникло странное ощущение, словно мимо идет дикий зверь.

— Хотя он выглядит вполне респектабельно.

— Précisément![1] Тело, клетка — вполне респектабельно, но сквозь прутья проглядывает зверь.

— У вас богатое воображение, mon vieux, — заметил мсье Бук.

— Возможно. Но я не могу избавиться от ощущения, что совсем рядом со мной прошло зло.

— В лице этого респектабельного американского джентльмена?

— Совершенно верно.

— Ну, может быть, вы и правы, — весело сказал мсье Бук. — В мире достаточно зла.

В этот момент дверь открылась, и к ним подошел портье. Вид у него был виноватый и озабоченный.

— Очень странно, мсье, — обратился он к Пуаро, — но в поезде нет ни одного свободного спального места первого класса.

---

[1] Вот именно! (фр.)

— Comment!¹ — воскликнул мсье Бук. — В это время года? Очевидно, какая-то группа журналистов или политиков...

— Не знаю, мсье, — почтительно отозвался портье, — но мест нет.

— Ну и ну! — Мсье Бук повернулся к Пуаро: — Не беспокойтесь, друг мой, мы все устроим. Место номер 16 всегда остается незанятым — об этом заботится проводник. — Он улыбнулся и посмотрел на часы. — Нам пора.

На вокзале мсье Бука с почтением приветствовал проводник спального вагона в коричневой униформе:

— Добрый вечер, мсье. Ваше место номер 1.

Он подозвал носильщиков, которые покатили тележки с багажом вдоль вагона с табличкой: «Стамбул—Триест—Кале».

— Я слышал, у вас все места заняты?

— Просто невероятно, мсье! Как будто весь мир решил сегодня ехать в этом вагоне!

— Надеюсь, вы найдете купе для этого господина? Он мой друг. Его можно устроить на месте номер 16.

— Оно занято, мсье.

— Что? Шестнадцатое место?

Они обменялись понимающими взглядами, и проводник улыбнулся. Это был высокий мужчина средних лет с желтоватым лицом.

— Увы, мсье. Как я говорил вам, весь вагон заполнен.

— Что происходит? — сердито осведомился мсье Бук. — Какая-то группа едет на конференцию?

— Нет, мсье. Просто много людей случайно решили уехать сегодня вечером.

Мсье Бук раздосадованно прищелкнул языком.

— В Белграде к составу прицепят вагон из Афин и вагон «Бухарест—Париж», — сказал он. — Но мы прибудем в Белград только завтра вечером. Проблема заключается в ближайшей ночи. Во втором классе нет свободной полки?

¹ Как? (фр.)

— Есть, мсье...

— Ну, тогда...

— Но это дамское купе. Другую полку занимает горничная-немка.

— Да, это неловко, — согласился мсье Бук.

— Не огорчайтесь, друг мой, — утешил его Пуаро. — Я могу ехать и в обычном вагоне.

— Ни за что! — Мсье Бук снова повернулся к проводнику: — Все пассажиры уже прибыли?

Проводник колебался.

— Да говорите же!

— Седьмое место во втором классе пока не занято. Пассажир еще не прибыл, а уже без четырех минут девять.

— Кто этот пассажир?

Проводник заглянул в список.

— Англичанин — мсье Харрис.

— Хорошее предзнаменование, — заметил Пуаро. — Если я правильно помню Диккенса, мсье Харрис так и не появится[1].

— Отнесите багаж мсье на седьмое место, — распорядился мсье Бук. — Если этот мсье Харрис прибудет, скажем ему, что он опоздал, что полки нельзя держать незанятыми так долго, в общем, как-нибудь выкрутимся. Что мне за дело до мсье Харриса?

— Как будет угодно мсье, — ответил проводник и заговорил с носильщиком Пуаро, указывая, куда ему идти.

Потом он шагнул в сторону, пропуская Пуаро в вагон.

— Tout à fait au bout[2], мсье! — крикнул он ему вслед. — Предпоследнее купе.

Пуаро медленно продвигался по коридору, так как большинство пассажиров стояло возле своих купе.

Его вежливое «pardon»[3] повторялось с регулярностью часового механизма. Добравшись наконец до указанно-

---

[1] В романе Ч. Диккенса «Жизнь и приключения Мартина Чезлвита» медсестра Сара Гэмп постоянно упоминает выдуманную подругу, миссис Харрис.

[2] В самом конце (фр.).

[3] Простите (фр.).

го купе, он увидел там высокого молодого американца из «Токатлиана», который укладывал чемодан на багажную полку.

При виде Пуаро американец нахмурился.

— Простите, — сказал он, — но думаю, вы ошиблись. — Он старательно повторил то же самое по-французски: — Je crois que vous avez un erreur.

— Вы мистер Харрис? — отозвался по-английски Пуаро.

— Нет, меня зовут Маккуин. Я...

Но в этот момент над плечом Пуаро послышался прерывистый голос проводника:

— В вагоне больше нет свободных полок, мсье. Этому господину придется ехать в вашем купе.

Он поднял оконную раму в коридоре и начал протискивать багаж Пуаро.

Маленького детектива позабавил виноватый тон проводника. Несомненно, ему обещали хорошие чаевые, если он не посадит в купе второго пассажира. Но даже самые щедрые посулы бессильны перед распоряжением директора компании.

Забросив чемоданы наверх, проводник вышел из купе.

— Voilà, мсье, — сказал он. — Все в порядке. Ваша полка верхняя, седьмое место. Мы отправляемся через минуту.

Проводник поспешил по коридору. Пуаро вернулся в купе.

— Редко наблюдаемый мной феномен, — весело промолвил он. — Проводник спального вагона сам укладывает багаж! Просто неслыханно!

Его попутчик улыбнулся. Очевидно, он справился с досадой, возможно решив отнестись к неприятности философски.

— Поезд набит до отказа, — отозвался он.

Паровоз загудел, и двое мужчин вышли в коридор.

Снаружи послышался голос:

— En voiture!

— Кажется, отъезжаем, — заметил Маккуин.

Но гудок раздался снова.

— Если вы предпочитаете нижнюю полку, — внезапно предложил молодой человек, — то я охотно с вами поменяюсь.

— Нет-нет, — запротестовал Пуаро. — Не хочу причинять вам неудобства.

— Никаких неудобств.

— Вы слишком любезны.

После вежливых протестов с обеих сторон Пуаро наконец согласился.

— Это только на одну ночь, — объяснил он. — В Белграде...

— Да, понимаю. Вы сходите в Белграде?

— Не совсем. Видите ли...

Вагон неожиданно дернулся. Мужчины повернулись к окну, глядя на медленно ускользающую длинную освещенную платформу.

Восточный экспресс начал трехдневное путешествие по Европе.

Глава 3
ПУАРО ОТКАЗЫВАЕТСЯ ОТ ДЕЛА

На следующий день мсье Эркюль Пуаро с опозданием явился в вагон-ресторан на ленч. Он рано поднялся, позавтракал едва ли не в полном одиночестве и провел утро читая заметки о деле, призывавшем его в Лондон. Своего соседа по купе он почти не видел.

Мсье Бук жестом приветствовал своего друга, указав на пустое место напротив. Пуаро сел и вскоре понял, что оказался за привилегированным столиком, который обслуживается в первую очередь, причем еда была лучшей.

Только когда они закусывали нежным сливочным сыром, мсье Бук позволил себе отвлечься от трапезы. Он пребывал в той стадии насыщения, за которой следует желание пофилософствовать.

— Ах! — вздохнул мсье Бук. — Будь у меня перо Бальзака, я бы описал эту сцену.

Он взмахнул рукой.

— Недурная идея, — одобрил Пуаро.

— Вы согласны со мной? Кажется, такого еще никто не делал. А между тем это настраивает на романтический лад, друг мой. Вокруг нас люди самых различных классов, национальностей и возрастов. Они незнакомы друг с другом, но в течение трех дней будут находиться рядом — спать и есть под одной крышей. Через три дня они расстанутся, чтобы больше, возможно, не встретиться никогда.

— А если произойдет какой-нибудь несчастный случай? — возразил Пуаро.

— Только не это, друг мой!

— С вашей точки зрения, это было бы весьма прискорбно, согласен. Но предположим, что такое случится. Тогда все эти люди, возможно, окажутся связанными смертью.

— Выпейте еще вина, — сказал мсье Бук, спешно наполняя бокал Пуаро. — Вы мрачно настроены, mon cher. Очевидно, это пищеварение.

— Сирийская пища в самом деле не слишком подходила для моего желудка, — признал Пуаро.

Сделав глоток вина, он окинул ресторан задумчивым взглядом. Кроме них, за столиками сидели тринадцать человек, как правильно отметил мсье Бук, принадлежащих к различным классам и разным национальностям. Пуаро начал изучать их.

За столиком напротив — трое мужчин. Пуаро догадался, что они путешествуют в одиночестве и посажены вместе благодаря безошибочному инстинкту официантов. Высокий смуглый итальянец с увлечением ковырял в зубах. Напротив него восседал худощавый англичанин с пренебрежительной миной на чопорной физиономии хорошо вышколенного слуги. Рядом с англичанином колоритно смотрелся широкоплечий американец в ярком костюме, вероятно коммивояжер.

— Дела нужно делать по-крупному, — говорил он громким гнусавым голосом.

— Верно, — подхватил итальянец, жестикулируя зубочисткой, которую извлек изо рта. — Я все время твержу то же самое.

Англичанин посмотрел в окно и кашлянул.

Пуаро перевел взгляд.

За маленьким столиком сидела едва ли не самая безобразная старая леди, каких ему когда-либо приходилось видеть. Ее уродство было настолько необычным, что скорее привлекало, чем отталкивало. На шее у нее красовалась нитка жемчуга, который, несмотря на очень крупный размер, был настоящим. Пальцы были унизаны кольцами, на плечи накинуто соболье манто. Маленькая черная шляпка без полей на редкость не подходила к желтому, жабьему лицу.

Леди говорила с официантом вежливым, но властным тоном:

— Будьте любезны поставить в мое купе бутылку минеральной воды и большой стакан апельсинового сока. Проследите, чтобы вечером к обеду мне подали цыпленка без подливы и отварную рыбу.

Официант почтительно заверил, что все будет выполнено.

Старая леди милостиво кивнула и поднялась, скользнув по Пуаро небрежным, незаинтересованным взглядом аристократки.

— Это княгиня Драгомирова, — вполголоса сказал мсье Бук. — Она русская. Ее муж успел до революции перевести все капиталы за границу. Она невероятно богата. Истинная космополитка.

Пуаро кивнул. Он слышал о княгине Драгомировой.

— Яркая личность, — продолжал мсье Бук. — Страшна как смертный грех, но держится дай Бог каждому.

Пуаро снова согласился.

За столиком побольше сидели Мэри Дебенхем и еще две женщины. Одна из них — высокая дама в очках, средних лет, в блузе из шотландки и твидовой юбке. Ее выцветшие желтоватые волосы были закручены в большой пучок, абсолютно не подходивший к длинному добродушному лицу, в кротком выражении которого было нечто овечье. Она слушала полную пожилую американку с симпатичным лицом, в чьем неторопливом монотонном монологе не ощущалось и намека на паузу.

24

— ...«В этой стране невозможно применять американские методы, — говорила моя дочь. — У здешних людей в крови нет ни капли энергии — они ленивы от природы». Тем не менее вы бы удивились, узнав об успехах нашего колледжа. Они набрали превосходный коллектив преподавателей. Хорошее образование — это все! Мы должны прививать наши западные идеалы и учить Восток признавать их. Моя дочь говорит...

Поезд нырнул в туннель, и монотонная речь утонула в шуме.

За соседним маленьким столиком в одиночестве сидел полковник Арбатнот. Его взгляд был устремлен в затылок Мэри Дебенхем. Они легко могли сесть вместе, но не сделали этого.

Интересно, почему?

Возможно, подумал Пуаро, против этого возражала Мэри Дебенхем. Гувернанткам приходится быть осмотрительными. Внешние приличия для них очень важны. Девушка, сама зарабатывающая себе на жизнь, должна выглядеть скромной.

Пуаро перевел взгляд в другой угол салона. Там, у стены, сидела женщина средних лет, с широким невыразительным лицом, одетая в черное. Очевидно, немка или скандинавка. Возможно, та самая горничная-немка.

Сидящие за соседним столиком мужчина и женщина оживленно беседовали, склонившись друг к другу. Свободный твидовый костюм джентльмена был английского покроя, хотя он явно не был англичанином. Правда, Пуаро мог видеть только его затылок, но форма плеч и посадка головы свидетельствовали о континентальном происхождении. Внезапно он повернул голову, и Пуаро стал виден его профиль. Красивый мужчина лет тридцати с небольшим, с пушистыми светлыми усами, высокий, хорошо сложенный.

Напротив него сидела девушка лет двадцати в черном, обтягивающем фигуру жакете и такой же юбке, белой атласной блузе и кокетливо сдвинутой набок черной шляпке без полей. У нее было красивое лицо иностранки, матово-белая кожа, большие карие глаза, черные как смоль волосы и холеные руки с ярко-красными ногтями. На одном из пальцев поблескивало платиновое кольцо с крупным изумрудом. Она курила сигарету в длинном мундштуке. Она мило, непринужденно улыбалась.

— Elle est jolie — et chic[1], — пробормотал Пуаро. — Муж и жена, не так ли?

Мсье Бук кивнул:

— Кажется, они из венгерского посольства. Красивая пара.

Оставалось еще два пассажира — попутчик Пуаро Маккуин и его работодатель мистер Рэтчетт. Последний сидел лицом к Пуаро, который вторично изучил его незавидную внешность, опять отметив маленькие злые глазки на обманчиво доброжелательном лице.

Мсье Бук обратил внимание, как помрачнел его друг.

— Смотрите на вашего дикого зверя? — осведомился он.

Пуаро кивнул.

Когда подали кофе, мсье Бук поднялся. Он приступил к ленчу раньше Пуаро и, соответственно, раньше его закончил.

— Я возвращаюсь в свое купе, — сказал он. — Приходите поболтать.

— С удовольствием.

Сделав глоток кофе, Пуаро заказал ликер. Официант переходил от столика к столику, принимая плату и кладя деньги в коробку. Среди гула голосов раздался пронзительно-жалобный всхлип пожилой американской леди:

— Моя дочь говорила: «Возьми книжечку талонов на питание, и у тебя не будет никаких хлопот». Как бы не так! Оказывается, нужно платить десять процентов чаевых и еще отдельно за бутылку минеральной воды. Да и вода у них какая-то странная, нет ни эвианской, ни виши.

---

[1] Она хорошенькая — и элегантная (*фр.*).

— Они должны... как это будет по-английски... подавать местную воду, — объяснила леди с овечьим лицом.

— Все равно мне это кажется странным. — Американка с отвращением покосилась на лежащую перед ней мелочь. — Посмотрите, что мне вручили в качестве сдачи. Динары, или как это называется. По-моему, это просто кучка металла. Моя дочь говорила...

Мэри Дебенхем отодвинула свой стул и вышла из ресторана, кивнув обеим дамам. Полковник Арбатнот встал и последовал за ней. Собрав презренные динары, американка удалилась вместе с овцеподобной леди. Венгры ушли еще раньше. В вагоне-ресторане остались только Пуаро, Рэтчетт и Маккуин.

Рэтчетт что-то сказал своему компаньону, тот встал и вышел. Пожилой американец тоже поднялся, но, вместо того чтобы последовать за Маккуином, неожиданно сел напротив Пуаро.

— Нельзя ли попросить у вас огоньку? — Его голос был негромким, к тому же он слегка гнусавил. — Моя фамилия Рэтчетт.

Слегка поклонившись, Пуаро сунул руку в карман, извлек спичечный коробок и протянул американцу. Тот взял коробок, но не стал зажигать спичку.

— Кажется, — продолжал он, — я имею удовольствие говорить с мсье Эркюлем Пуаро?

Детектив снова поклонился:

— Вас правильно информировали, мсье.

Американец сверлил его глазами-буравчиками.

— В моей стране быстро переходят к делу, — сказал Рэтчетт. — Мистер Пуаро, я хочу, чтобы вы выполнили для меня одну работу.

Брови Эркюля Пуаро поползли вверх.

— Сейчас моя clientèle[1] весьма ограничена, мсье. Я берусь лишь за немногие дела.

— Разумеется. Но это дело, мистер Пуаро, подразумевает большие деньги. — Он повторил многозначительным тоном: — Очень большие деньги.

---

[1] Клиентура (*фр.*).

27

Несколько секунд Пуаро хранил молчание.

— И что же вы намерены мне поручить, мсье... э-э... Рэтчетт? — спросил он наконец.

— Я богатый человек, мистер Пуаро, даже очень богатый. У людей в моем положении бывают враги. У меня тоже есть враг.

— Только один?

— Что вы имеете в виду? — резко осведомился Рэтчетт.

— Я знаю по опыту, мсье, что, когда положение, как вы говорите, обязывает человека иметь врагов, дело обычно не ограничивается только одним врагом.

Казалось, слова Пуаро успокоили Рэтчетта.

— Да-да, понимаю. Враг или враги — это не имеет значения. Важна моя безопасность.

— Безопасность?

— Моей жизни угрожают, мистер Пуаро. Я могу о себе позаботиться. — Сунув руку в карман, он продемонстрировал маленький пистолет и мрачно добавил: — Не думаю, что меня можно застигнуть врасплох. Но подстраховка не помешает. Думаю, такой человек, как вы, мистер Пуаро, стоит моих денег. Не забывайте — больших денег.

Некоторое время Пуаро задумчиво рассматривал американца. Его лицо оставалось абсолютно бесстрастным.

— Сожалею, мсье, — сказал он наконец, — но я не могу принять ваше предложение.

Рэтчетт понимающе кивнул:

— Назовите сами сумму вашего гонорара.

Пуаро покачал головой:

— Вы не понимаете, мсье. Я профессионал высокого класса и имею достаточно денег, чтобы удовлетворять не только свои нужды, но и свои капризы. Теперь я берусь за те дела, которые меня интересуют.

— Вы крепкий орешек, — усмехнулся Рэтчетт. — Вас не соблазнят даже двадцать тысяч долларов?

— Нет.

— Если вы рассчитываете на большее, то напрасно. Я знаю, что почем.

— Я тоже, мсье Рэтчетт.

— Тогда почему вам не нравится мое предложение? Пуаро поднялся.

— Простите, что перехожу на личности, — сказал он, — но мне не нравится ваше лицо, мсье Рэтчетт.

С этими словами он покинул вагон-ресторан.

Глава 4

КРИК В НОЧИ

Экспресс «Симплон—Восток» прибыл в Белград вечером, без четверти девять. Учитывая двадцатиминутную стоянку, Пуаро спустился на платформу. Впрочем, долго он там не оставался. Холод был пронизывающим, правда, перрон защищал навес, но вокруг валил снег. Пуаро вернулся к своему вагону. Проводник, вышедший на платформу, топал ногами и размахивал руками, чтобы согреться.

— Ваши вещи, мсье, перенесли в купе номер 1, где ехал мсье Бук.

— А где же тогда мсье Бук?

— Он перешел в вагон из Афин, который только что прицепили.

Пуаро отправился на поиски своего друга. Мсье Бук отмахнулся от его протестов:

— Ничего страшного. Так будет удобнее. Вы едете в Англию, поэтому вам лучше оставаться в одном вагоне до Кале. А мне хорошо и здесь. Тут так спокойно. В вагоне нет никого, кроме меня и грека-врача. Ну и ночка! Говорят, что уже несколько лет не было такого снегопада. Будем надеяться, что мы не застрянем. Я очень опасаюсь заносов.

Ровно в четверть десятого поезд отошел от станции. Пуаро пожелал другу доброй ночи и направился в свой вагон, находившийся позади ресторана.

На второй день путешествия пассажиры стали невольно сближаться. Полковник Арбатнот стоял в дверях своего купе, разговаривая с Маккуином.

При виде Пуаро молодой американец внезапно умолк. Он выглядел удивленным.

— Я думал, вы нас покинули! — воскликнул он. — Вы сказали, что сойдете в Белграде.

— Вы меня не поняли, — улыбнулся Пуаро. — Теперь я припоминаю, что поезд тронулся как раз в тот момент, когда мы об этом говорили.

— Но ваш багаж исчез.

— Его перенесли в другое купе, вот и все.

— О, понимаю...

Он возобновил беседу с Арбатнотом, а Пуаро двинулся дальше по коридору.

За две двери до его купе пожилая американка, миссис Хаббард, разговаривала с похожей на овцу леди, оказавшейся шведкой. Она навязывала собеседнице журнал.

— Возьмите его, дорогая. У меня достаточно чтива. Господи, ну и холод! — Она приветливо кивнула Пуаро.

— Вы очень любезны, — отозвалась шведская дама.

— Пустяки. Надеюсь, вы хорошо выспитесь, а утром вашей голове станет легче.

— Это простуда. Сейчас приготовлю чашку чаю.

— У вас есть аспирин? Вы уверены? У меня его полным-полно. Ну, спокойной ночи, дорогая. — Американка повернулась к Пуаро: — Бедняжка, оказывается, шведка. Насколько я поняла, она занимается миссионерской деятельностью, что-то преподает. Славная женщина, но так плохо говорит по-английски. Ее очень заинтересовало то, что я рассказывала о моей дочери.

К этому времени Пуаро, как и другие пассажиры, понимающие по-английски, уже знали все о дочери миссис Хаббард: что она и ее муж работают в большом американском колледже в Смирне, что сама миссис Хаббард впервые на Востоке и она думает, что турки очень неряшливы и у них ужасные дороги.

Дверь соседнего купе открылась, оттуда вышел тощий и бледный слуга-англичанин. В купе Пуаро заметил сидящего на полке мистера Рэтчетта. При виде де-

30

тектива его лицо потемнело от гнева. Дверь резко закрылась.

Миссис Хаббард отвела Пуаро в сторону:

— Знаете, я смертельно боюсь этого человека. Нет, не слугу, а его хозяина. С ним явно что-то не так! Моя дочь всегда утверждает, что у меня потрясающая интуиция. «Если мама что-то подозревает, то всегда оказывается права», — говорит она. А этот тип мне очень подозрителен. У него соседнее купе с моим, и мне это очень не нравится. Прошлой ночью я даже приставила чемоданы к двери в смежное купе. Мне показалось, будто я слышу, как он дергает ручку. Знаете, меня бы нисколько не удивило, если бы этот человек оказался убийцей, одним из этих грабителей, орудующих в поездах, про которых столько пишут. Может, это глупости, но я ужасно его боюсь. Моя дочь говорила, что путешествие будет легким, но у меня дурные предчувствия. Мне кажется, произойдет нечто ужасное. Понять не могу, как только этот симпатичный молодой парень соглашается работать у него секретарем.

Полковник Арбатнот и Маккуин шли по коридору по направлению к ним.

— Пройдемте в мое купе, — предложил Маккуин. — Там еще не постелили. Вот что мне непонятно в вашей политике в Индии...

Мужчины прошли мимо, в сторону купе Маккуина.

— Пожалуй, я сразу лягу и что-нибудь почитаю, — сказала миссис Хаббард. — Спокойной ночи.

— Спокойной ночи, мадам.

Войдя в свое купе, следующее после купе Рэтчетта, Пуаро разделся и лег в постель, около получаса читал, потом выключил свет.

Через несколько часов он внезапно проснулся. Его разбудил громкий стон, почти крик, где-то совсем рядом. Потом сразу же резко зазвенел звонок.

Пуаро сел и зажег свет. Поезд стоял, очевидно на станции.

Крик испугал его. Вспомнив, что соседнее купе занимает Рэтчетт, он встал и приоткрыл дверь как раз в тот момент, когда проводник, пробежав по коридору, постучал в купе Рэтчетта. Пуаро наблюдал за ним через щелку в двери. Проводник постучал снова. Звонок прозвенел опять, и свет зажегся над дверью дальше по коридору. Кондуктор обернулся в ту сторону.

В ту же секунду из соседнего купе послышался голос:

— Ce n'est rien. Je me suis trompé[1].

— Bien, мсье. — Проводник поспешил к двери, над которой горела лампочка.

Успокоившись, Пуаро лег и выключил свет. Перед этим он посмотрел на часы: без двадцати трех минут час.

Глава 5
ПРЕСТУПЛЕНИЕ

Пуаро никак не удавалось заснуть снова. Прежде всего ему мешало, что поезд стоит. Если это станция, то снаружи царила довольно странная тишина. По контрасту звуки в вагоне казались необычайно громкими. Пуаро слышал, как в соседнем купе двигается Рэтчетт — щелчок открываемого умывальника, плеск воды, опять щелчок. Из коридора донеслись шаркающие шаги: очевидно, кто-то шел в шлепанцах.

Эркюль Пуаро лежал, глядя в потолок. Почему на станции так тихо? У него пересохло в горле, а он забыл попросить бутылку минеральной воды. Пуаро снова посмотрел на часы — еще только четверть второго. Лучше позвонить проводнику и попросить воды. Он потянулся к кнопке, когда в тишине раздался резкий звонок.

Не может же проводник отвечать на два звонка сразу.

Динь-динь-динь... Звонок дребезжал без устали. Где же проводник? Звонивший явно терял терпение, он уже не снимал палец с кнопки.

---

[1] Ничего. Я ошибся (*фр.*).

Внезапно в коридоре послышались торопливые шаги проводника, который постучал в дверь, неподалеку от купе Пуаро.

Потом зазвучали голоса: проводника — почтительный и виноватый; и женщины — настойчивый и неугомонный.

Пуаро улыбнулся. Миссис Хаббард!

Спор, если это был спор, продолжался довольно долго. В основном раздавался голос миссис Хаббард, изредка слышался усталый голос проводника, пытающегося ее успокоить. Наконец конфликт вроде бы удалось уладить. Пуаро услышал голос проводника: «Bonne nuit[1], мадам» и звук закрываемой двери.

Он тут же нажал кнопку.

Проводник появился почти сразу. Он выглядел взволнованным и разгоряченным.

— De l'eau minérale, s'il vous plaît[2].

— Bien, мсье. — Возможно, насмешливые искорки в глазах Пуаро побудили проводника облегчить душу. — La dame américaine...[3]

— Да?

Проводник вытер лоб:

— С ней пришлось нелегко. Она настаивала, что в ее купе мужчина! Представляете, мсье? В таком помещении! — Он обвел купе рукой. — Где ему тут спрятаться? Я пытался доказать, что это невозможно. Но она настаивала, что проснулась и рядом был мужчина. Как же, говорю я, он смог выйти и закрыть дверь на задвижку? Но она и слушать не желала. Будто нам и без этого недостаточно хлопот! Этот проклятый снег...

— Снег?

— Да, мсье. Разве мсье не заметил, что поезд стоит? Мы попали в заносы, и один Бог знает, сколько здесь проторчим. Помню, однажды поезд простоял вот так целую неделю.

---

[1] Доброй ночи (*фр.*).
[2] Минеральной воды, пожалуйста (*фр.*).
[3] Американская дама (*фр.*).

— Где мы находимся?

— Между Винковци и Бродом.

— Là, là[1], — недовольно произнес Пуаро.

Проводник вышел и вернулся с водой.

— Bonne nuit, мсье.

Пуаро выпил стакан воды и попытался заснуть.

Он уже дремал, когда что-то снова его разбудило. На сей раз это походило на падение тяжелого предмета, со стуком ударившегося о дверь.

Вскочив с полки, Пуаро открыл дверь и выглянул наружу. Ничего. Правда, на некотором расстоянии, удаляясь от него, по коридору шла женщина в алом кимоно. В другом конце коридора проводник на своем маленьком сиденье производил какие-то подсчеты на листе бумаги. Все тихо и спокойно.

«Решительно, у меня разыгрались нервы», — подумал Пуаро и снова лег. На этот раз он проспал до утра.

Когда Пуаро проснулся, поезд все еще стоял. Он поднял шторку и посмотрел в окно. Вагон окружали сугробы снега.

Пуаро взглянул на часы — было начало десятого.

Без четверти десять Пуаро, как всегда элегантно, пожалуй, даже щегольски одетый, появился в вагоне-ресторане, где его встретил жалобный хор.

Все барьеры между пассажирами рухнули окончательно. Их объединила общая неприятность. Сетования миссис Хаббард были самыми громкими.

— Моя дочь говорила, что это самое легкое путешествие, какое только можно себе представить. Просто сидишь в вагоне до самого Парижа. И вот мы застряли здесь на несколько дней, а мой пароход отплывает послезавтра. Как же я теперь на него успею? Я даже не могу послать телеграмму, чтобы отказаться от места. Просто с ума схожу, когда думаю об этом!

Итальянец заявил, что у него неотложное дело в Милане. Широкоплечий американец произнес: «Скверно, мэм» — и выразил надежду, что поезд наверстает упущенное время.

---

[1] Так, так (фр.).

— Меня ждут моя сестра и ее дети, — всхлипывала шведская дама. — Я не могу их предупредить. Они подумают, что со мной случилось несчастье.

— Кто-нибудь знает, сколько мы здесь пробудем? — осведомилась Мэри Дебенхем.

В ее голосе звучало нетерпение, но Пуаро отметил, что в нем не было признаков того почти лихорадочного беспокойства, которое она проявляла во время задержки экспресса «Тавр».

— В этом поезде никто ничего не знает, — снова заговорила миссис Хаббард. — И никто ничего не пытается предпринять. Компания абсолютно бесполезных иностранцев. Если бы это произошло в Америке, кто-нибудь, по крайней мере, попытался бы что-то сделать.

Арбатнот повернулся к Пуаро и произнес на аккуратном французском, сразу выдававшем британца:

— Vous êtes un directeur de la ligne, je crois, monsieur. Vous pouvez nous dire...[1]

— Нет-нет, — улыбаясь, поправил его Пуаро. — Это не я. Вы перепутали меня с моим другом, мсье Буком.

— О! Прошу прощения.

— Не за что. Это вполне естественно. Я сейчас занимаю купе, которое раньше занимал он.

Мсье Бука не было в вагоне-ресторане. Пуаро огляделся вокруг, отмечая, кто еще отсутствует.

Не хватало княгини Драгомировой, венгерской пары, а также Рэтчетта, его слуги и горничной-немки.

Шведская дама вытерла глаза.

— Я глупая, — сказала она. — Плачу, как ребенок. Все, что ни делается, к лучшему.

Однако другие вряд ли разделяли эту христианскую точку зрения.

— Мы можем застрять здесь на несколько дней, — с беспокойством заметил Маккуин.

---

[1] Кажется, вы директор компании, мсье. Не могли бы вы сказать... (фр.)

— Что это за страна? — жалобно осведомилась миссис Хаббард. Услышав, что это Югославия, она промолвила: — О, Балканы! Чего же еще здесь можно ожидать?

— Вы одна сохраняете терпение, мадемуазель, — сказал Пуаро мисс Дебенхем.

Она пожала плечами:

— А что еще остается делать?

— Вы философ, мадемуазель.

— Философия подразумевает беспристрастное отношение, а моя позиция более эгоистична. Просто я научилась обходиться без лишних эмоций.

Она не смотрела на Пуаро. Ее взгляд был устремлен в окно, за которым громоздились снежные сугробы.

— У вас сильный характер, мадемуазель, — заметил Пуаро. — Думаю, сильнее, чем у всех нас.

— Ну нет. Я знаю человека с куда более сильным характером, чем мой.

— И это?..

Казалось, Мэри Дебенхем внезапно пришла в себя, осознав, что говорит с незнакомым иностранцем, с которым до сегодняшнего утра обменялась всего лишь несколькими фразами.

Она вежливо, но холодно улыбнулась:

— Ну... хотя бы та старая леди. Возможно, вы ее заметили. На редкость безобразная старуха, но приковывает к себе внимание. Ей достаточно шевельнуть мизинцем, и весь персонал бросится ее обслуживать.

— Точно так же будут обслуживать и моего друга, мсье Бука, — сказал Пуаро, — но не из-за сильного характера, а потому, что он директор железнодорожной компании.

Мэри Дебенхем снова улыбнулась.

Несколько человек, в том числе Пуаро, задержались в вагоне-ресторане. В обществе время тянулось не так медленно. Пуаро получил дополнительную информацию о дочери миссис Хаббард, а также об образе жизни покойного мистера Хаббарда — начиная от

36

привычки есть кашу на завтрак и кончая укладыванием в постель на ночь в носках, собственноручно связанных для этой цели его супругой.

Когда Пуаро слушал сбивчивое повествование о миссионерской деятельности шведской дамы, к нему подошел один из проводников:

— Pardon, мсье.

— Да?

— Мсье Бук спрашивает, не будете ли вы так любезны зайти к нему на несколько минут.

Поднявшись, Пуаро извинился перед шведской дамой и вышел вслед за проводником из вагона-ресторана.

Это был проводник не из их вагона, а другой — высокий блондин.

Пуаро проследовал за провожатым по коридору своего вагона, затем в соседний вагон. Проводник постучал в дверь и отошел, пропуская Пуаро внутрь.

Это оказалось не купе мсье Бука, а купе второго класса, которое выбрали из-за несколько большего размера. Но и оно производило впечатление переполненного.

Мсье Бук поместился на узком сиденье в углу. В противоположном углу сидел маленький брюнет, смотревший в окно на снег. Дальнейшему продвижению Пуаро препятствовали стоящие начальник поезда, высокий мужчина в униформе, и проводник из его спального вагона.

— Входите, друг мой! — воскликнул мсье Бук. — Мы так нуждаемся в вас.

Темноволосый человечек отодвинулся от окна, и Пуаро, протиснувшись между начальником поезда и проводником, сел напротив своего друга.

Выражение лица мсье Бука заставило его мозг, как выразился бы сам Пуаро, бешено функционировать. Было очевидно, что произошло нечто из ряда вон выходящее.

— Что случилось? — спросил Пуаро.

— Многое. Во-первых, заносы и вынужденный простой. А во-вторых...

Он сделал паузу, а проводник спального вагона испустил сдавленный вздох.

— А во-вторых?

— А во-вторых, пассажир найден мертвым на своей полке. Его закололи.

Голос мсье Бука звучал спокойно, но это было спокойствие отчаяния.

— Пассажир? Какой пассажир?

— Американец по фамилии... — Мсье Бук заглянул в лежащие перед ним бумаги. — Рэтчетт, не так ли?

— Да, мсье. — Проводник судорожно сглотнул.

Пуаро посмотрел на него: он был белым как мел.

— Лучше позвольте проводнику сесть, — посоветовал Пуаро. — Иначе он может упасть в обморок.

Начальник поезда кивнул. Проводник сел в углу и закрыл лицо руками.

— Бр-р! — поежился Пуаро. — Это серьезно!

— Разумеется, серьезно. Убийство само по себе достаточная беда, а тут еще необычные обстоятельства. Мы можем простоять здесь несколько часов и даже несколько дней. К тому же в большинстве стран в поездах присутствует местная полиция, но только не в Югославии. Понимаете, что это означает?

— Положение не из легких, — согласился Пуаро.

— Хуже некуда. Доктор Константине... Я забыл вас представить. Доктор Константине — мсье Пуаро.

Маленький брюнет отвесил поклон. Пуаро также поклонился.

— Доктор Константине считает, что смерть наступила около часу ночи.

— В таких делах трудно точно определить время, — сказал доктор, — но, думаю, можно не сомневаться, что смерть наступила между двенадцатью и двумя часами.

— Когда этого мсье Рэтчетта в последний раз видели живым? — спросил Пуаро.

— Известно, что он был жив без двадцати час, когда говорил с проводником, — ответил мсье Бук.

— Совершенно верно, — кивнул Пуаро. — Я сам это слышал. И с тех пор он не давал о себе знать?

— Нет.

— Окно в купе мсье Рэтчетта, — продолжал доктор, — было открыто полностью, наводя на мысль, что убийца скрылся таким путем. Но по-моему, это уловка. Если бы кто-то скрылся через окно, он оставил бы следы на снегу, а их там не было.

— Когда обнаружили труп? — спросил Пуаро.

— Мишель!

Проводник спального вагона выпрямился на сиденье. Его лицо все еще было бледным и испуганным.

— Расскажите этому господину, что именно произошло, — велел ему мсье Бук.

— Этим утром слуга мсье Рэтчетта несколько раз стучал в дверь его купе, но ответа не было, — сбивчиво начал проводник. — Через полчаса пришел официант из вагона-ресторана узнать, принести ли мсье завтрак. Было уже одиннадцать. Я открыл для него дверь своим ключом. Но она была закрыта изнутри на цепочку. Ответа по-прежнему не было, а из купе тянуло холодом — снег попадал внутрь через открытое окно. Я подумал, что джентльмену, возможно, стало плохо, и привел начальника поезда. Мы сломали цепочку и вошли. Он был... Ah! c'était terrible![1]

Проводник снова закрыл лицо руками.

— Значит, дверь была заперта и закрыта на цепочку изнутри, — задумчиво произнес Пуаро. — Это точно не самоубийство?

Грек-доктор иронически усмехнулся.

— Может человек, совершая самоубийство, ударить себя ножом десять, двенадцать или даже пятнадцать раз? — осведомился он.

Глаза Пуаро широко открылись.

— Выходит, убийца был в ярости, — заметил он.

— Это женщина, — впервые заговорил начальник поезда. — Помяните мое слово. Только женщина способна на такое.

Доктор Константине задумчиво наморщил лоб.

— Если так, то это была очень сильная женщина, — сказал он. — Не хочу вдаваться в медицинские подроб-

---

[1] Ах, это было ужасно! (фр.)

ности, они только все запутают, но, уверяю вас, один-
два удара были нанесены с такой силой, что прошли
через мышцы и кость.

— Да, не похоже на профессиональное преступление, — промолвил Пуаро.

— Оно было в высшей степени непрофессиональ-
ным, — отозвался доктор Константине. — Удары наносили как попало и куда попало, от некоторых
остались лишь царапины. Как будто кто-то в бешеной
ярости наносил удары, закрыв глаза.

— C'est une femme[1], — повторил начальник поезда. — Они все таковы: придя в ярость, обретают
огромную силу. — Он кивнул с такой уверенностью,
что можно было заподозрить, будто тут не обошлось
без личного опыта.

— Возможно, я могу добавить кое-какие сведения, — сказал Пуаро. — Мсье Рэтчетт говорил со
мной вчера, и, насколько я его понял, он опасался за
свою жизнь.

— То есть его, как говорят в Америке, замочили, —
уточнил мсье Бук. — Тогда это не женщина, а гангстер.

Начальнику поезда явно не нравилось, что его теория сходит на нет.

— Если так, — заметил Пуаро с чисто профессио-
нальным неодобрением в голосе, — то гангстер, кажется, действовал весьма любительски.

— В вагоне есть один американец, — развивал свою
идею мсье Бук. — Простоватый на вид верзила, одетый
ужасно безвкусно. Все время жует резинку, что, по-
моему, не принято в высшем обществе. Вы знаете, кого
я имею в виду? — обратился он к проводнику.

Тот кивнул:

— Oui[2], мсье, этот пассажир занимает шестнадцатое
место. Но это не мог быть он. Я бы заметил, если бы
он вошел в купе или вышел оттуда.

— Кто знает, могли и не заметить. Но мы скоро
этим займемся. Вопрос в том, что нам делать. — Мсье

---

[1] Да, это женщина (*фр.*).
[2] Да (*фр.*).

40

Бук устремил взгляд на Пуаро, который в свою очередь посмотрел на него. — Вы знаете, о чем я собираюсь вас попросить, друг мой, — продолжал директор компании. — Мне известны ваши таланты. Возьмите расследование на себя. Нет-нет, не отказывайтесь. Для нас это очень серьезно, я говорю о Международной компании спальных вагонов. Как было бы удачно, если бы мы ко времени прибытия югославской полиции могли сообщить, что преступление раскрыто! В противном случае начнутся задержки, проволочки и миллион других неприятностей — возможно, очень серьезных неприятностей для абсолютно невинных людей. Но если вы разгадаете тайну, мы скажем: «Произошло убийство — вот преступник!»

— А предположим, я ее не разгадаю?

— Ах, mon cher, — в голосе мсье Бука послышались льстивые нотки, — я ведь говорил, что мне известна ваша репутация. Я кое-что знаю о ваших методах. Для вас это идеальное дело. Покопаться в прошлом этих людей, проверить их благонадежность — все это потребует времени и бесчисленных хлопот. Но разве я не слышал, как вы утверждали, будто для раскрытия дела достаточно сесть поудобнее и подумать? Сделайте это! Допросите пассажиров, обследуйте труп, поищите улики... Я уверен, что ваши слова не пустая похвальба. Сядьте поудобнее и подумайте, используя, как вы часто говорили, маленькие серые клеточки мозга, и вы доберетесь до истины!

Он склонился вперед, умоляюще глядя на своего друга.

— Ваша вера трогает меня, — взволнованно сказал Пуаро. — Вы правы — это дело едва ли может оказаться очень сложным. Я сам прошлой ночью... Но сейчас не будем об этом говорить. Проблема меня интригует. Не более получаса тому назад я размышлял о том, какое скучное время нам предстоит, пока мы не выберемся отсюда. А теперь передо мной интересная задача.

— Значит, вы согласны? — живо осведомился мсье Бук.

— C'est entendu[1]. Я беру дело в свои руки.

— Отлично! Мы все к вашим услугам.

— Прежде всего я бы хотел получить план вагона «Стамбул—Кале» с указаниями, какое место занимает каждый пассажир, а также взглянуть на их паспорта и билеты.

— Мишель все вам принесет.

Проводник вышел из купе.

— Как насчет других пассажиров поезда? — спросил Пуаро.

— В этом вагоне едем только мы с доктором Константине, а в вагоне из Бухареста — пожилой хромой джентльмен, хорошо известный проводнику. Есть еще обычные вагоны, но они нас не касаются, так как их заперли после обеда вчера вечером. Впереди вагона «Стамбул—Кале» только вагон-ресторан.

— Тогда, — медленно произнес Пуаро, — мы как будто должны искать нашего убийцу в вагоне «Стамбул—Кале». — Он обернулся к доктору: — Думаю, вы на это намекали?

Грек кивнул:

— В половине первого мы попали в заносы. С тех пор никто не мог покинуть поезд.

— Следовательно, — торжественно провозгласил мсье Бук, — убийца сейчас среди нас!

Глава 6

ЖЕНЩИНА?

— Для начала, — сказал Пуаро, — я бы хотел немного побеседовать с мсье Маккуином. Возможно, он сообщит нам ценную информацию.

— Конечно, — кивнул мсье Бук и повернулся к начальнику поезда: — Приведите сюда мсье Маккуина.

Проводник вернулся с пачкой паспортов и билетов. Мсье Бук взял их у него.

---

[1] Разумеется (*фр.*).

— Благодарю вас, Мишель. Думаю, вам лучше вернуться на ваш пост. Позднее мы официально выслушаем ваши показания.

— Хорошо, мсье.

Мишель снова вышел.

— После того как мы повидаем молодого Маккуина, — сказал Пуаро, — возможно, мсье доктор пройдет со мной в купе убитого?

— Разумеется.

— А когда мы все закончим там...

Но в этот момент начальник поезда вернулся с Гектором Маккуином.

Мсье Бук поднялся.

— У нас здесь тесновато, так что займите мое место, мсье Маккуин, — любезно предложил он. — Мсье Пуаро сядет напротив вас, вот так. — Он обратился к начальнику поезда: — Уведите всех из вагона-ресторана и освободите его для мсье Пуаро. Не возражаете против того, чтобы проводить беседы там, mon cher?

— Это было бы весьма удобно, — согласился Пуаро.

Маккуин переводил взгляд с одного на другого, будучи не в состоянии уследить за быстрой французской речью.

— Qu'est-ce qu'il y a?[1] — старательно проговорил он. — Pourquoi?..[2]

Пуаро энергичным жестом велел ему занять место в углу. Маккуин повиновался.

— Pourquoi?.. — снова начал он, затем не выдержал и перешел на родной язык. — Что происходит в поезде? Что-нибудь случилось?

Пуаро кивнул:

— Совершенно верно. Кое-что случилось. Приготовьтесь к потрясению. Ваш шеф, мсье Рэтчетт, мертв!

Маккуин присвистнул. Если не считать того, что его глаза заблестели чуть ярче, он не проявлял никаких признаков огорчения.

---

[1] В чем дело? (*фр.*)
[2] Почему?.. (*фр.*)

— Значит, они все-таки до него добрались!

— Что вы имеете в виду, мсье Маккуин?

Молодой человек колебался.

— Вы предполагаете, что мсье Рэтчетта убили? — допытывался Пуаро.

— А разве это не так? — На сей раз Маккуин казался удивленным. — Да, именно это я и предполагаю. Не хотите же вы сказать, что старик умер во сне? Да ведь он был крепок, как... как... — Молодой человек умолк, не найдя подходящего сравнения.

— Нет-нет, — покачал головой Пуаро. — Ваше предположение абсолютно верно. Мистер Рэтчетт был убит, заколот. Но мне бы хотелось знать, почему вы были так уверены, что это убийство, а не естественная смерть?

Маккуин вновь заколебался.

— А почему вы, собственно говоря, об этом спрашиваете? — сказал он наконец. — Кто вы такой?

— Я представляю Международную компанию спальных вагонов. — После паузы Пуаро добавил: — Я детектив. Меня зовут Эркюль Пуаро.

Если он ожидал какого-то эффекта, то его не последовало. Маккуин всего лишь произнес:

— Вот как? — и умолк.

— Возможно, вам знакомо это имя?

— Вроде бы да, только я всегда думал, что это дамский портной.

Эркюль Пуаро посмотрел на него с нескрываемым отвращением.

— Просто невероятно! — воскликнул он.

— Что невероятно?

— Ничего. Не будем терять время. Я хочу, мсье Маккуин, чтобы вы рассказали мне все, что знаете о покойном. Вы не были его родственником?

— Нет. Только секретарем.

— Сколько времени вы занимали этот пост?

— Чуть более года.

— Пожалуйста, сообщите мне все, что вам известно.

— Ну, я повстречал мистера Рэтчетта более года тому назад, когда был в Персии...

Пуаро прервал его:

— Что вы там делали?

— Приехал из Нью-Йорка по поводу нефтяной концессии. Едва ли вы об этом слышали. Мои друзья и я сдуру ввязались в эту историю. Мистер Рэтчетт остановился в одном отеле со мной. Он как раз поругался с секретарем и предложил мне его место. Я согласился, так как оказался на мели и был рад хорошо оплачиваемой работе.

— А потом?

— Мы много путешествовали. Мистер Рэтчетт хотел повидать мир, но ему мешало незнание языков. Я исполнял при нем скорее обязанности курьера, чем секретаря. Но мне было грех жаловаться.

— А теперь расскажите поподробнее о вашем работодателе.

Молодой человек пожал плечами. Его лицо приняло озадаченное выражение.

— Это не так-то легко.

— Как его полное имя?

— Сэмюэл Эдуард Рэтчетт.

— Он был американским гражданином?

— Да.

— Из какой части Америки он был родом?

— Не знаю.

— Ну, тогда расскажите то, что знаете.

— Правда состоит в том, мистер Пуаро, что я не знаю ничего! Мистер Рэтчетт никогда не говорил ни о себе, ни о своей жизни в Америке.

— Как вы думаете, почему?

— Понятия не имею. Я предполагал, что он, возможно, стыдился своего происхождения. Такое бывает.

— Этот вывод кажется вам удовлетворительным?

— Честно говоря, нет.

— У него были какие-нибудь родственники?

— Он никогда о них не упоминал.

— Но у вас должна была иметься на этот счет собственная теория, мсье Маккуин, — настаивал Пуаро.

— Ну, вообще-то да. Прежде всего, я не верил, что Рэтчетт — его настоящая фамилия. Думаю, он покинул Америку спасаясь от кого-то или от чего-то. Очевидно, это ему удавалось... до последних недель.

— А затем?

— Он начал получать письма с угрозами.

— Вы их видели?

— Да. В мои обязанности входило заниматься его корреспонденцией. Первое письмо пришло две недели тому назад.

— Эти письма уничтожены?

— Думаю, пара сохранилась в моих бумагах. Одно Рэтчетт порвал в ярости. Принести их вам?

— Если вас не затруднит.

Маккуин вышел из купе. Через несколько минут он вернулся и положил перед Пуаро два довольно грязных листа бумаги.

Первое письмо гласило:

«Ты думал, что надул нас и смылся, верно? Черта с два! Мы достанем тебя, Рэтчетт!»

Подпись отсутствовала.

Воздержавшись от комментариев, если не считать приподнятых бровей, Пуаро взял второе письмо:

«На этот раз мы доберемся до тебя, Рэтчетт. Тебе от нас не уйти, понял?»

— Стиль удручающе однообразен, — заметил Пуаро, положив письмо. — В отличие от почерка.

Маккуин уставился на него.

— Вы этого не могли заметить, — продолжал Пуаро. — Тут требуется глаз, привычный к подобным вещам. Это письмо писал не один человек, мсье Маккуин, а два или даже больше — каждый по букве или по слову. К тому же буквы печатные, что затрудняет идентификацию почерка. — Помолчав, он осведомился: — Вы знаете, что мсье Рэтчетт обратился ко мне за помощью?

— К вам?!

Изумленный тон Маккуина красноречиво свидетельствовал, что он об этом не знал.

— Да, — кивнул Пуаро. — Ваш шеф был встревожен. Скажите, как он вел себя, получив первое письмо?

Маккуин задумался:

— Трудно сказать. Он... передал его мне со смехом, но я чувствовал, что это веселье было неискренним.

Пуаро снова кивнул и задал неожиданный вопрос:

— Скажите честно, мистер Маккуин, как вы относились к вашему шефу? Он вам нравился?

Гектор Маккуин помедлил несколько секунд.

— Нет, — ответил он наконец. — Не нравился.

— Почему?

— Не могу точно объяснить. По-своему он всегда держался вежливо, но... — Молодой человек снова сделал паузу. — По правде говоря, мистер Пуаро, я не любил его и не доверял ему. Я не сомневался, что он был опасным и жестоким человеком. Хотя должен признать — у меня нет никаких аргументов, подкрепляющих мое мнение.

— Благодарю вас, мсье Маккуин. Еще один вопрос: когда вы в последний раз видели мсье Рэтчетта живым?

— Вчера вечером, около... — Он немного подумал. — Около десяти. Я пришел к нему в купе получить кое-какие указания.

— Насчет чего?

— Насчет изразцов и старинной керамики, купленных им в Персии. Ему доставили совсем не то, что он приобрел. По этому поводу была долгая и нудная переписка.

— И больше вы не видели его живым?

— Пожалуй, да.

— Вы не знаете, когда мсье Рэтчетт получил последнее угрожающее письмо?

— Утром того дня, когда мы покинули Константинополь.

— Я должен задать вам еще один вопрос, мсье Маккуин. Вы были в хороших отношениях с вашим работодателем?

Неожиданно глаза молодого человека весело блеснули.

— Полагаю, в этот момент у меня должны забегать мурашки по спине. Но, как пишут в бестселлерах, «у вас ничего на меня нет». Рэтчетт и я были в превосходных отношениях.

— Возможно, мсье Маккуин, вы сообщите мне ваше полное имя и адрес в Америке.

Молодой человек назвал свое имя — Гектор Уиллард Маккуин — и нью-йоркский адрес.

Пуаро откинулся на подушки.

— Кажется, все, мсье Маккуин, — сказал он. — Буду вам очень обязан, если вы пока сохраните в тайне смерть мсье Рэтчетта.

— Его слуга Мастермен все равно об этом узнает.

— Возможно, он уже знает, — сухо сказал Пуаро. — Если так, постарайтесь убедить его держать язык за зубами.

— Это не составит труда. Он британец, так что общительным его не назовешь. К тому же у него невысокое мнение об американцах и крайне низкое о всех прочих нациях.

— Благодарю вас, мсье Маккуин.

Американец вышел из купе.

— Ну? — осведомился мсье Бук. — Вы верите этому молодому человеку?

— Он кажется честным и искренним — не притворяется скорбящим по своему боссу, что, возможно, сделал бы, будучи замешанным в убийстве. Правда, мсье Рэтчетт не сообщил ему о неудачной попытке заручиться моими услугами, но я не думаю, что это подозрительное обстоятельство. Очевидно, покойный джентльмен предпочитал по возможности помалкивать о своих делах.

— Итак, по крайней мере одного человека вы освобождаете от подозрений, — бодро заявил мсье Бук.

Пуаро бросил на него укоризненный взгляд.

— Я подозреваю всех до самой последней минуты, — сказал он. — Тем не менее должен признаться, что не могу себе представить благоразумного и предусмотрительного Маккуина потерявшим голову и наносящим своей жертве двенадцать или четырнадцать ударов ножом. Это не соответствует его психологии.

— Да, — задумчиво промолвил мсье Бук. — Это поступок человека, обезумевшего от ненависти, скорее в духе латинского темперамента или, как утверждает наш друг chef de train[1], женщины.

Глава 7
ТРУП

В сопровождении доктора Константине Пуаро перешел в соседний вагон и направился к купе, которое занимал убитый. Подошедший проводник отпер дверь своим ключом.

Двое мужчин вошли внутрь. Пуаро вопросительно посмотрел на своего компаньона:

— В этом купе многое переставили?

— Здесь ничего не трогали. Я старался не передвигать тело во время осмотра.

Пуаро кивнул и огляделся.

Прежде всего он ощутил жуткий холод. Окно было опущено до отказа, а шторка поднята.

— Бр-р! — поежился Пуаро.

Доктор понимающе улыбнулся.

— Я не хотел закрывать окно, — объяснил он.

Пуаро подошел к окну и тщательно его осмотрел.

— Вы правы, — заявил он. — Никто не покидал купе таким путем. Возможно, окно открыли, чтобы внушить нам, будто им воспользовались, но, если так, снег помешал намерению убийцы.

Внимательно обследовав оконную раму, Пуаро посыпал ее порошком из коробочки, которую вынул из кармана.

— Никаких отпечатков пальцев, — сказал он. — Значит, окно вытерли. Но даже если бы отпечатки были,

---

[1] Начальник поезда (*фр.*).

49

они мало что могли бы нам поведать. По всей вероятности, они оказались бы принадлежащими мсье Рэтчетту, его слуге или проводнику. В наши дни преступники не совершают подобных ошибок. А раз так, мы можем закрыть окно. Здесь настоящий холодильник!

Пуаро подкрепил слова действием и впервые перенес внимание на неподвижную фигуру на полке.

Рэтчетт лежал на спине. Его пижамная куртка, покрытая ржавыми полосами, была расстегнута и подтянута к голове.

— Я должен был обследовать раны, — объяснил доктор.

Кивнув, Пуаро склонился над трупом. Вскоре он выпрямился с легкой гримасой.

— Зрелище не из приятных. Очевидно, кто-то стоял здесь и наносил удар за ударом. Сколько на теле ран?

— Я насчитал двенадцать. Одна или две совсем поверхностные, практически царапины. С другой стороны, по меньшей мере три могли вызвать смерть.

Что-то в голосе доктора привлекло внимание Пуаро. Он внимательно на него посмотрел. Маленький грек ошеломленно уставился на труп.

— Вам что-то кажется странным, не так ли? — спросил Пуаро. — Говорите, друг мой. Что вас озадачивает?

— Вы правы, — отозвался доктор. — Взгляните на эти две раны — здесь и здесь. — Он указал на них пальцем. — Они очень глубокие, каждый удар должен был перерезать кровеносные сосуды, однако края не разошлись. Раны не кровоточили, как следовало бы ожидать.

— И что это означает?

— Что когда были нанесены эти раны, человек был уже мертв. Но это звучит абсурдно.

— Как будто да, — задумчиво произнес Пуаро. — Если только наш убийца не вообразил, будто не довел дело до конца, и не вернулся закончить работу, но это явный вздор. Что-нибудь еще?

— Ну, еще одна вещь.

— А именно?

— Видите эту рану, под мышкой, возле правого плеча? Возьмите мой карандаш. Могли бы вы нанести такой удар?

Пуаро поднял руку:

— Précisément. Я вас понял. Правой рукой сделать это крайне трудно, почти невозможно. Пришлось бы сильно изогнуть руку. А вот левой...

— Правильно, мсье Пуаро. Этот удар наверняка нанесли левой рукой.

— Выходит, наш убийца — левша? Нет, тут все не так просто, верно?

— Верно, мсье Пуаро. Другие удары все-таки нанесены правой рукой.

— Значит, убийц было двое. Мы снова к этому возвращаемся, — пробормотал детектив. — Свет был включен?

— Трудно сказать. Кондуктор выключает его каждое утро около десяти.

— Об этом нам расскажут выключатели. — Пуаро обследовал выключатель верхнего света и лампочки у изголовья. Оба были выключены. — Eh bien, — задумчиво произнес он. — Здесь перед нами возникает гипотеза о Первом и Втором убийце, как охарактеризовал бы их великий Шекспир. Первый убийца заколол свою жертву и вышел из купе, погасив свет. Второй убийца вошел в темноте, не видя, что его или ее работу уже выполнили, и нанес трупу по меньшей мере два удара. Que pensez-vous de ça?[1]

— Великолепно! — с энтузиазмом воскликнул доктор.

Глаза Пуаро насмешливо блеснули.

— Вот как? Рад слышать. А мне это показалось чепухой.

— Какое же тут может быть другое объяснение?

— Именно об этом я себя и спрашиваю. Мы имеем дело с совпадением или с чем-то еще? Нет ли дру-

---

[1] Что вы об этом думаете? (фр.)

гих несоответствий, указывающих, что здесь замешаны двое?

— Пожалуй, есть. Как я уже говорил, некоторые удары были всего лишь скользящими, что свидетельствует об отсутствии силы или решимости. Но вот этот и этот... — Он снова указал на две раны. — Для таких ударов нужна огромная сила. Они пронзили мышечную ткань.

— По-вашему, их нанес мужчина?

— Безусловно.

— А женщина никак не могла их нанести?

— Молодая и атлетически сложенная могла бы, особенно пребывая в сильном возбуждении, но мне это кажется крайне маловероятным.

Несколько секунд Пуаро хранил молчание.

— Вам ясна моя точка зрения? — нетерпеливо спросил доктор.

— Абсолютно, — ответил Пуаро. — Дело начинает проясняться с удивительной быстротой! Убийца — мужчина огромной силы и в то же время очень слабый, а также женщина, правша и левша одновременно. Ah! C'est rigolo, tout ça![1] — В его голосе внезапно послышался гнев. — А что делает жертва? Кричит? Сопротивляется? Пытается защищаться?

Пуаро сунул руку под подушку и извлек оттуда пистолет, который Рэтчетт показывал ему вчера.

— Как видите, он полностью заряжен.

Они осмотрели купе. Одежда Рэтчетта была развешана на крючках на стене. На маленьком столике, служившем одновременно крышкой умывальника, находились различные предметы — вставные зубы в стакане с водой, пустой стакан, бутылка минеральной воды, большая фляга, пепельница с окурком сигары, обрывками сожженной бумаги и двумя обгоревшими спичками.

Доктор взял пустой стакан и понюхал его.

— Вот почему жертва не сопротивлялась, — сказал он.

---

[1] Все это попросту нелепо! (фр.)

— Снотворное?

— Да.

Пуаро кивнул. Подобрав две спички, он стал их разглядывать.

— Нашли улику? — энергично осведомился маленький доктор.

— Эти две спички разной формы, — отозвался Пуаро. — Одна из них более плоская. Видите?

— Такие выдают в поездах в картонных упаковках, — сказал доктор.

Пуаро начал ощупывать карманы одежды Рэтчетта, вскоре извлек коробок спичек и сравнил их с обгорелыми.

— Более круглую зажигал мсье Рэтчетт, — сказал он. — Посмотрим, нет ли у него и плоских.

Но других спичек обнаружить не удалось.

Пуаро вновь окинул взглядом купе. Чувствовалось, что от его острого взгляда ничего не может ускользнуть.

Внезапно он издал негромкий возглас и подобрал что-то на полу.

Это был изящный квадратик тонкого батиста с вышитым в углу инициалом «Н»[1].

— Женский носовой платок! — воскликнул доктор. — Наш друг начальник поезда оказался прав. Тут замешана женщина.

— Которая весьма кстати оставила свой носовой платок, — добавил Пуаро. — Совсем как в книге или кинофильме — к тому же платок помечен инициалом, чтобы еще сильнее облегчить нашу задачу.

— Нам здорово повезло! — восторгался доктор.

— Не правда ли? — откликнулся Пуаро.

Что-то в его голосе удивило доктора.

Но прежде чем он успел задать вопрос, Пуаро снова наклонился и поднял что-то еще.

На сей раз у него на ладони лежал ершик для чистки трубок.

---

[1] В английском языке буква «Н» в начале слова произносится как «х».

— Возможно, он принадлежал мсье Рэтчетту? — предположил доктор.

— В карманах у него нет ни трубки, ни табака, ни кисета.

— Тогда это улика!

— О, безусловно. И снова оставленная весьма кстати. Обратите внимание, эта улика указывает на мужчину. В этом деле не приходится жаловаться на отсутствие улик: они представлены в изобилии. Между прочим, что вы сделали с орудием убийства?

— Здесь не было никакого орудия. Очевидно, преступник унес его с собой.

— Интересно, почему? — пробормотал Пуаро.

— Ах! — вскрикнул доктор, осторожно ощупывая карманы пижамы убитого. — Я это упустил, просто расстегнул куртку и оттянул ее наверх.

Он вытащил из нагрудного кармана золотые часы. На корпусе виднелись вмятины, а стрелки показывали четверть второго.

— Видите? — возбужденно воскликнул Константине. — Теперь мы знаем время преступления. Оно согласуется с моими расчетами. Я говорил, что смерть наступила где-то между двенадцатью и двумя, вероятно около часу, хотя в таких делах трудно быть точным. Eh bien, вот вам подтверждение — четверть второго.

— Вполне возможно.

Доктор с любопытством посмотрел на него:

— Простите, мсье Пуаро, но я не совсем вас понимаю.

— Я сам ничего не понимаю, — отозвался Пуаро, — и, как видите, это меня беспокоит. — Вздохнув, он склонился над маленьким столиком, разглядывая обгоревший клочок бумаги, и пробормотал себе под нос: — Все, что мне сейчас нужно, — это старомодная женская шляпная коробка.

Доктор Константине не понял, что означает это странное замечание. Но Пуаро не дал ему времени для вопросов. Открыв дверь в коридор, он позвал проводника, который тотчас же примчался.

— Сколько женщин в этом вагоне?

Проводник стал считать на пальцах:

— Одна, две, три... шесть, мсье. Пожилая американская дама, шведская дама, молодая английская леди, графиня Андреньи и мадам княгиня Драгомирова со своей служанкой.

Пуаро задумался.

— У всех имеются шляпные коробки?

— Да, мсье.

— Тогда принесите мне... дайте подумать... коробки шведской дамы и служанки. Только на них вся надежда. Скажите им, что это таможенное правило... или все, что придет вам в голову.

— Все будет в порядке, мсье. Ни той ни другой леди сейчас нет в купе.

— Тогда поторопитесь.

Проводник удалился и вскоре вернулся с двумя шляпными коробками. Пуаро открыл коробку служанки и тут же отбросил ее, потом проделал то же с коробкой шведской дамы, издав возглас удовлетворения. Аккуратно вытащив шляпы, он обнаружил под ними полукруглые проволочные сетки.

— Вот то, что нам нужно. Лет пятнадцать назад шляпные коробки изготовляли подобным образом. Шляпу насаживали на сетку и прикрепляли к ней булавкой. — Говоря, Пуаро ловко отделил обе сетки, упаковал шляпы в коробку и велел проводнику отнести обе коробки назад. Когда дверь снова закрылась, он повернулся к греку: — Понимаете, мой дорогой доктор, я не из тех, кто полагается на разные экспертизы. Для меня психология важнее отпечатков пальцев и сигаретного пепла. Но в этом деле без науки не обойтись. Купе переполнено уликами, но как я могу быть уверен, что они таковы, какими кажутся?

— Я снова не вполне вас понимаю, мсье Пуаро.

— Ну, к примеру, мы нашли дамский носовой платок. Действительно ли его уронила женщина? Или же мужчина, совершивший это убийство, сказал себе: «Я сделаю это преступление похожим на женское — нанесу жертве множество ударов ножом, причем некоторые из них будут слабыми и неэффективными, а потом оставлю на видном месте этот носовой платок». Вот вам одна возможность. Есть и другая. Что, если убийство совершила женщина, которая нарочно обронила ершик для трубки, дабы заставить думать окружающих, что это дело рук мужчины? Не можем же мы всерьез предполагать, будто тут действовали двое — мужчина и женщина, независимо друг от друга, причем каждый оказался настолько беспечен, что оставил улику, указывающую на его личность. Это было бы слишком большим совпадением!

— А при чем тут шляпная коробка? — спросил все еще озадаченный доктор.

— Я как раз к этому подхожу. Как я говорил, все эти улики — часы, остановившиеся в четверть второго, носовой платок, ершик для трубки — могут быть подлинными или ложными. Каковы они в действительности, я еще не могу сказать. Но есть одна улика, которая, по-моему, не была сфабрикована (хотя я могу и ошибаться). Я имею в виду плоскую спичку, мсье доктор. Мне кажется, ею воспользовался убийца, а не мсье Рэтчетт, чтобы сжечь какую-то компрометирующую его бумагу, возможно свою же записку. Если так, то в этой записке была какая-то оплошность, указывающая на преступника. Я попытаюсь восстановить текст и узнать, что же это за оплошность.

Пуаро вышел из купе и вернулся через несколько минут со спиртовкой и парой изогнутых щипчиков.

— Я пользуюсь ими для усов, — объяснил он, имея в виду щипчики.

Доктор наблюдал за ним с неослабевающим интересом. Пуаро распрямил две проволочные сетки и с величайшей осторожностью прикрепил к одной из них обгорелый клочок бумаги. Положив сверху другую сетку и держа обе щипчиками, он поднес их к пламени спиртовки.

— Кустарное изделие, — бросил он через плечо. — Будем надеяться, что оно послужит своей цели.

Металл начал накаляться. Внезапно доктор увидел, как на бумаге начали проступать буквы, которые медленно соединялись в слова, написанные огнем.

На маленьком клочке проявились только три слова и фрагмент четвертого:

«...омни маленькую Дейзи Армстронг».

— Есть! — воскликнул Пуаро.

— Это говорит вам о чем-нибудь? — спросил доктор.

Сверкнув глазами, Пуаро аккуратно положил щипчики.

— Да, — ответил он. — Я знаю настоящее имя убитого. Я знаю, почему ему пришлось покинуть Америку.

— Как же его звали?

— Кассетти.

— Кассетти... — Константине сдвинул брови. — Это напоминает мне о чем-то, происшедшем много лет назад... Кажется, в Америке.

— Да, — кивнул Пуаро. — В Америке. — Явно не расположенный к дальнейшим откровениям, он огляделся и добавил: — Вскоре мы к этому вернемся. Давайте сначала убедимся, что мы нашли здесь все, что можно.

Пуаро снова обыскал карманы одежды убитого, но не обнаружил ничего интересного. Он повернул ручку двери, ведущей в соседнее купе, но она была закрыта на задвижку с другой стороны.

— Одного я не могу понять, — сказал доктор Константине. — Если убийца не скрылся через окно, а дверь в смежное купе была заперта с другой стороны, дверь же в коридор не только заперта изнутри, но и закрыта на цепочку, то каким образом он вообще покинул купе?

— Точно так же рассуждает публика в цирке, когда человека со связанными руками и ногами закрывают в ящике и он исчезает.

— Вы имеете в виду...

— Я имею в виду, — объяснил Пуаро, — что если убийца хотел заставить нас поверить, будто он скрылся через окно, то, естественно, он должен был создать впечатление, что воспользоваться двумя другими выходами было невозможно. Это такой же фокус, как исчезновение человека в ящике. Наша задача — выяснить, как был проделан этот фокус. — Пуаро запер изнутри соединяющую дверь. — На случай, если великолепной миссис Хаббард взбредет в голову непосредственно ознакомиться с местом преступления, чтобы написать об этом дочери. — Он снова огляделся. — Думаю, здесь нам больше нечего делать. Давайте вернемся к мсье Буку.

Глава 8
ДЕЛО О ПОХИЩЕНИИ
РЕБЕНКА АРМСТРОНГОВ

Они застали мсье Бука доедающим омлет.

— Я подумал, что будет лучше подать ленч сразу же в вагоне-ресторане, — сказал он. — Потом все разойдутся, и мсье Пуаро сможет провести там допрос пассажиров. А для нас троих я приказал принести еду сюда.

— Отличная идея, — одобрил Пуаро.

Ни он, ни доктор Константине не успели проголодаться, поэтому ленч занял мало времени, однако мсье Бук заговорил на интересующую всех тему, только когда они перешли к кофе.

— Eh bien? — осведомился он.

— Eh bien, я установил личность убитого и знаю, почему ему пришлось покинуть Америку.

— Кто же он?

— Помните дело о похищении ребенка Армстронгов? Рэтчетт в действительности Кассетти — тот, кто убил маленькую Дейзи Армстронг.

— Теперь я припоминаю. Кошмарная история — хотя, конечно, я не в курсе всех подробностей.

— Полковник Армстронг был англичанин, кавалер креста Виктории, но его мать была американкой, дочерью У.К. ван дер Холта — миллионера с

58

Уолл-стрит. Полковник был женат на дочери Линды Арден, самой знаменитой в свое время американской трагической актрисы. Армстронги жили в Америке со своим единственным ребенком — девочкой, которую они обожали. Когда ей было три года, ее похитили и потребовали в качестве выкупа колоссальную сумму. Не стану утомлять вас описанием последующих перипетий, скажу лишь, что после уплаты двухсот тысяч долларов обнаружили труп девочки, которая была мертва уже по меньшей мере две недели. Общественность негодовала. Но беды на этом не кончились. Миссис Армстронг была беременна и в результате потрясения преждевременно родила мертвого ребенка и умерла сама. Ее муж, убитый горем, застрелился.

— Mon Dieu[1], какая трагедия! — воскликнул мсье Бук. — Если я правильно помню, произошла еще одна смерть?

— Да, несчастной горничной — француженки или швейцарки. Полиция считала, что она замешана в преступлении, хотя она плакала и все отрицала. В конце концов бедная девушка в приступе отчаяния выбросилась из окна и погибла. Впоследствии выяснилось, что она была абсолютно невиновна.

— Даже подумать страшно, — вздохнул мсье Бук.

— Примерно через полгода Кассетти арестовали как главаря шайки, похитившей ребенка. Они не впервые использовали такие методы. Если им казалось, что полиция напала на след, они убивали пленника, прятали тело и продолжали вымогать деньги до тех пор, пока труп не был обнаружен. Разумеется, Кассетти был убийцей. Но благодаря огромным деньгам, которые он успел накопить, и тайной власти над многими влиятельными лицами его оправдали на основании какой-то юридической неаккуратности. Толпа все равно линчевала бы его, но он был достаточно умен, чтобы ускользнуть. Теперь мне понятно, что произошло. Кассетти сменил имя и покинул Америку. С тех пор он вел праздное

---

[1] Боже мой (*фр.*).

существование, путешествуя за границей и живя на rentes[1].

— Ah! Quel animal![2] — В голосе мсье Бука звучало глубокое отвращение. — Не могу сожалеть о его гибели!

— Согласен с вами.

— Tout de même[3] совершенно необязательно было убивать его в Восточном экспрессе. Есть полным-полно других мест.

Пуаро улыбнулся, понимая, что мсье Бук относится к делу несколько пристрастно.

— Теперь мы должны задать себе следующий вопрос, — сказал он. — Является ли это убийство делом рук какой-то конкурирующей банды, которой Кассетти досадил в прошлом, или же актом личной мести?

Пуаро кратко сообщил о расшифровке нескольких слов на обгоревшем клочке бумаги.

— Если мое предположение верно, значит, записку сжег убийца. Почему? Потому что там упоминалось имя Дейзи Армстронг, являющееся ключом к тайне.

— А жив ли кто-нибудь из семьи Армстронгов?

— К сожалению, этого я не знаю. Кажется, я читал о младшей сестре миссис Армстронг.

Пуаро рассказал о выводах, сделанных им совместно с доктором Константине. При упоминании о сломанных часах мсье Бук оживился:

— Теперь нам как будто известно точное время преступления.

— Да, — сказал Пуаро. — Это очень удобно.

Что-то в его голосе заставило обоих собеседников посмотреть на него с любопытством.

— Значит, вы сами слышали, как Рэтчетт говорил с проводником без двадцати час?

Пуаро поведал о ночном эпизоде.

— Ну, — промолвил мсье Бук, — по крайней мере, это доказывает, что Кассетти, или Рэтчетт, как я бу-

---

[1] Доходы с капитала (*фр.*).
[2] Какое животное! (*фр.*)
[3] Тем не менее (*фр.*).

ду по-прежнему его называть, был жив без двадцати час.

— Точнее, без двадцати трех.

— Выражаясь официально, в ноль часов тридцать семь минут мсье Рэтчетт был еще жив. Это факт.

Пуаро не ответил. Он сидел, задумчиво глядя перед собой.

В дверь постучали, вошел официант.

— Вагон-ресторан свободен, мсье, — доложил он.

— Мы пойдем туда, — сказал мсье Бук, вставая.

— Я могу вас сопровождать? — спросил Константине.

— Разумеется, доктор, если только мсье Пуаро не возражает.

— Нисколько, — сказал Пуаро.

После вежливых пререканий: «Après vous, monsieur» — «Mais non, après vous»[1] — они вышли из купе.

---

[1] «После вас, мсье». — «Ну нет, только после вас» (*фр.*).

Часть вторая

ПОКАЗАНИЯ

Глава 1

ПОКАЗАНИЯ ПРОВОДНИКА СПАЛЬНОГО ВАГОНА

В вагоне-ресторане все было приготовлено.

Пуаро и мсье Бук сидели рядом за столиком. Доктор поместился по другую сторону прохода.

На столике перед Пуаро лежал план вагона «Стамбул—Кале» с именами пассажиров, написанными красными чернилами.

Паспорта и билеты были сложены в стопку сбоку. Рядом находились бумага, чернила, ручка и карандаши.

— Отлично, — сказал Пуаро. — Можем начинать заседание нашей следственной комиссии. Думаю, прежде всего мы должны выслушать показания проводника спального вагона. Возможно, вы что-нибудь знаете о нем. Что он за человек? На его слова можно полагаться?

— По-моему, да. Пьер Мишель служит в компании более пятнадцати лет. Он француз, живет около Кале. Честен и порядочен, хотя, возможно, не блещет умом.

Пуаро понимающе кивнул:

— Хорошо. Давайте с ним побеседуем.

Пьер Мишель успел прийти в себя, но все еще нервничал.

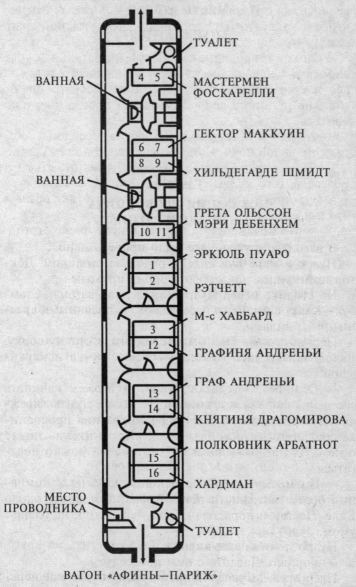

ВАГОН-РЕСТОРАН

ТУАЛЕТ

ВАННАЯ

4 5 МАСТЕРМЕН
ФОСКАРЕЛЛИ

ГЕКТОР МАККУИН

6 7
8 9 ХИЛЬДЕГАРДЕ ШМИДТ

ВАННАЯ

ГРЕТА ОЛЬССОН
МЭРИ ДЕБЕНХЕМ

10 11

ЭРКЮЛЬ ПУАРО

1

2 РЭТЧЕТТ

М-с ХАББАРД

3

12 ГРАФИНЯ АНДРЕНЬИ

ГРАФ АНДРЕНЬИ

13

14 КНЯГИНЯ ДРАГОМИРОВА

ПОЛКОВНИК АРБАТНОТ

15

16 ХАРДМАН

МЕСТО
ПРОВОДНИКА

ТУАЛЕТ

ВАГОН «АФИНЫ—ПАРИЖ»

— Надеюсь, мсье не думает, что я пренебрег своими обязанностями, — с тревогой заговорил он, переведя взгляд с Пуаро на мсье Бука. — Мсье не считает, что я в какой-то мере виноват в этой ужасной трагедии?

Успокоив проводника, Пуаро приступил к расспросам. Сначала он узнал у Мишеля его имя, адрес и срок службы на этой линии. Все это он уже знал, но рутинные вопросы помогли проводнику успокоиться.

— А теперь, — продолжал Пуаро, — перейдем к событиям прошлой ночи. Когда мсье Рэтчетт пошел спать?

— Почти сразу же после обеда. Перед отбытием из Белграда. В то же время, что и вчера. Мсье Рэтчетт велел мне приготовить постель, пока он будет обедать, что я и сделал.

— Кто-нибудь входил к нему в купе после этого?

— Его слуга, мсье, и молодой американский джентльмен — его секретарь.

— А кто-нибудь еще?

— Насколько я знаю, нет.

— Хорошо. И больше вы его не видели и не слышали?

— Нет, мсье, вы забыли, что он позвонил где-то без двадцати час, вскоре после того, как поезд остановился.

— Что именно тогда произошло?

— Я постучал в дверь, но он ответил, что ошибся.

— По-английски или по-французски?

— По-французски.

— Что именно он сказал?

— «Ce n'est rien. Je me suis trompé».

— Совершенно верно, — подтвердил Пуаро. — То, что я слышал. И тогда вы отошли?

— Да, мсье.

— Вернулись на свое место?

— Нет, мсье, сначала я пошел ответить на другой звонок.

— Теперь, Мишель, я задам вам важный вопрос. Где вы были в четверть второго?

— Я? На моем сиденье в конце вагона, лицом к коридору.

— Вы уверены?

— Ну да. По крайней мере...

— Да?

— Я ходил в соседний, афинский вагон поболтать с коллегой. Мы говорили о заносах. Это было в начале второго, точнее сказать не могу.

— А когда вы вернулись?

— Когда мне позвонила американская леди. Я рассказывал вам, мсье. Она звонила несколько раз.

— Да, помню, — сказал Пуаро. — А после этого?

— После этого? Я ответил на ваш звонок и принес вам минеральной воды. Потом, примерно через полчаса, постелил секретарю мсье Рэтчетта.

— Мсье Маккуин был один в купе, когда вы вошли?

— С ним был английский полковник, занимающий пятнадцатое место. Они сидели и разговаривали.

— Что сделал полковник, выйдя из купе мсье Маккуина?

— Вернулся в свое купе.

— Пятнадцатое место недалеко от того места, где вы сидели, не так ли?

— Да, мсье, это второе купе от конца коридора.

— Его постель уже была приготовлена?

— Да, мсье. Я постелил, пока он обедал.

— В котором часу вы были в купе мсье Маккуина?

— Точно не помню, мсье. Не позже двух.

— А потом?

— Потом я просидел на своем месте до утра.

— Больше вы не ходили в афинский вагон?

— Нет, мсье.

— Возможно, вы спали?

— Не думаю, мсье. Обычно я дремлю, но поезд стоял, и это мешало мне заснуть.

— Вы не видели в коридоре кого-нибудь из пассажиров?

Проводник задумался.

— По-моему, одна из дам ходила в туалет в дальнем конце.

— Кто именно?

— Не знаю, мсье. Это было в другом конце коридора, и она шла спиной ко мне. На ней было алое кимоно с драконами.

Пуаро кивнул:

— А затем?

— Больше ничего не происходило до самого утра.

— Вы уверены?

— Ах да, мсье, вы открыли дверь и выглянули на секунду.

— Отлично, друг мой, — сказал Пуаро. — Меня интересовало, запомнили ли вы это. Между прочим, меня разбудил звук, как будто что-то тяжелое ударилось о мою дверь. Как по-вашему, что это могло быть?

Проводник уставился на него:

— Ничего не падало, мсье. Я абсолютно уверен.

— Должно быть, мне приснился кошмар, — философски заметил Пуаро.

— Если только вы не слышали какой-то звук в соседнем купе, — добавил мсье Бук.

Пуаро не обратил внимания на это предположение. Возможно, он не хотел этого делать в присутствии проводника.

— Перейдем к другому пункту, — сказал он. — Предположим, прошлой ночью убийца проник в поезд. Он никак не мог покинуть его, совершив преступление?

Пьер Мишель покачал головой.

— А может он прятаться где-нибудь?

— Поезд тщательно обыскали, — сказал мсье Бук. — Так что отбросьте эту идею, друг мой.

— Кроме того, — добавил Мишель, — никто не мог сесть в спальный вагон незаметно для меня.

— Где была последняя остановка?

— В Винковци.

— В котором часу?

— Мы должны были отбыть в 23.58. Но из-за погоды задержались на двадцать минут.

— Кто-нибудь мог пройти сюда из обычных вагонов?

— Нет, мсье. После обеда дверь между обычными и спальными вагонами запирается.

— Вы выходили из вагона в Винковци?

— Да, мсье. Я, как обычно, спустился на перрон и стоял у подножки. Другие проводники поступили так же.

— А как насчет передней двери, рядом с вагоном-рестораном?

— Она всегда заперта изнутри.

— Сейчас она не заперта.

Проводник выглядел удивленным, затем его лицо прояснилось.

— Наверно, один из пассажиров открыл ее, чтобы посмотреть на сугробы.

— Возможно.

С минуту Пуаро задумчиво барабанил по столу.

— Мсье не винит меня? — робко осведомился проводник.

Пуаро дружелюбно улыбнулся.

— Вам просто не повезло, друг мой, — ответил он. — Ах да, еще один момент, пока я о нем не забыл! Вы сказали, что раздался другой звонок, когда вы стучали в купе мистера Рэтчетта. Да я и сам его слышал. Кто вам звонил.

— Мадам княгиня Драгомирова. Она просила вызвать ее служанку.

— Вы сделали это?

— Да, мсье.

Пуаро внимательно посмотрел на лежащий перед ним план, потом кивнул:

— Пока этого достаточно.

— Благодарю вас, мсье.

Проводник встал и посмотрел на мсье Бука.

— Не волнуйтесь, — успокоил его директор компании. — Я не вижу никакого недосмотра с вашей стороны.

Удовлетворенный, Пьер Мишель вышел из купе.

Глава 2

ПОКАЗАНИЯ СЕКРЕТАРЯ

Пару минут Пуаро оставался погруженным в свои мысли.

— Думаю, — сказал он наконец, — учитывая то, что мы теперь знаем, нам лучше снова побеседовать с мсье Маккуином.

Молодой американец явился незамедлительно.

— Ну, — осведомился он, — как продвигается дело?

— Не так плохо. После нашего последнего разговора я выяснил подлинную личность мсье Рэтчетта.

Гектор Маккуин с интересом наклонился вперед:

— Кем же он был в действительности?

— Как вы подозревали, Рэтчетт всего лишь псевдоним. В действительности это Кассетти — человек, осуществивший несколько знаменитых похищений, в том числе маленькой Дейзи Армстронг.

На лице Маккуина отразилось крайнее изумление, потом оно помрачнело.

— Мерзкая вонючка! — воскликнул он.

— Вы об этом не подозревали, мсье Маккуин?

— Нет, сэр, — решительно ответил молодой американец. — В противном случае я скорее отрубил бы себе правую руку, чем стал бы на него работать!

— Это сообщение пробудило у вас такие сильные эмоции?

— У меня есть основания. Мой отец был окружным прокурором, который занимался этим делом. Я несколько раз видел миссис Армстронг — она была очаровательной женщиной. Горе убило ее. — Его лицо стало суровым. — Если кто-нибудь когда-либо получал по заслугам, так это Рэтчетт, или Кассетти. Очень рад, что его прикончили. Такой человек не имел права на существование!

— Вы говорите так, словно с удовольствием бы сами с ним расправились.

— Так оно и есть. Я... — Он умолк и смущенно покраснел. — Кажется, я навлекаю на себя подозрения.

— Я был бы более склонен подозревать вас, мсье Маккуин, если бы вы выражали чрезмерное горе по поводу кончины вашего шефа.

— Не думаю, чтобы я смог это сделать, даже спасаясь от электрического стула, — мрачно произнес Маккуин. Помолчав, он добавил: — Вы не сочтете мой вопрос излишним любопытством, но как вы обнаружили это? Я имею в виду его настоящее имя.

— По фрагменту записки, найденной в его купе.

— Но ведь... Я хотел сказать, это было неосторожностью со стороны старика.

— Как знать, — отозвался Пуаро.

Казалось, молодого человека озадачило это замечание. Он недоуменно уставился на собеседника.

— Сейчас моя задача — выяснить передвижения всех, находившихся в поезде. Вы не должны обижаться, это всего лишь рутинная процедура.

— Разумеется. Начинайте, а я уж попытаюсь оправдаться, если у меня это получится.

— Едва ли мне нужно узнавать номер вашего купе, — улыбнулся Пуаро, — так как я делил его с вами всю ночь. Это купе второго класса с местами 6 и 7, которое после моего ухода осталось целиком в вашем распоряжении.

— Совершенно верно.

— А теперь, мсье Маккуин, я хочу, чтобы вы описали ваши действия вчера вечером и прошлой ночью после того, как покинули вагон-ресторан.

— Это нетрудно. Я вернулся в купе, немного почитал, вышел на перрон в Белграде, но решил, что слишком холодно, и вернулся в вагон. Потом я обменялся несколькими фразами с молодой английской леди из соседнего купе и завязал беседу с тем англичанином, полковником Арбатнотом, — кажется, вы проходили мимо, когда мы разговаривали. Затем я пошел к мистеру Рэтчетту, получил, как уже рассказывал, инструкции насчет писем, которые он поручил мне написать, пожелал ему доброй ночи и вышел. Полковник Арбатнот все еще стоял в коридоре. У него в купе уже постелили, поэтому я предложил ему пойти в мое. Я заказал выпивку, и мы стали беседовать о колониальной политике в Индии, о наших финансовых неприятностях и кризисе на Уолл-стрит. Вообще-то я британцев не слишком жалую, уж очень они чопорные, но этот мне понравился.

— В котором часу полковник ушел от вас?

— Очень поздно. По-моему, около двух.

— Вы обратили внимание, что поезд остановился?

— Конечно. Нас это удивило. Мы посмотрели в окно и увидели снежные сугробы, но не подумали, что это так серьезно.

— Что произошло, когда полковник Арбатнот наконец простился с вами?

— Он пошел в свое купе, а я вызвал проводника и попросил мне постелить.

— Где вы были, пока проводник этим занимался?

— Стоял в коридоре у двери и курил сигарету.

— А потом?

— Потом лег и проспал до утра.

— Вечером вы выходили из поезда?

— Мы с Арбатнотом вышли размять ноги в... как же это место называется?.. Винковци. Но был жуткий холод и снегопад, так что мы скоро вернулись в вагон.

— Через какую дверь вы выходили из вагона?

— Через ту, которая ближе к нашему купе.

— Ту, что рядом с вагоном-рестораном?

— Да.

— Не помните, она была заперта изнутри на засов?

Маккуин задумался:

— По-моему, была. По крайней мере, через ручку был просунут какой-то металлический прут. Вы это имели в виду?

— Да. Вернувшись в поезд, вы вставили прут на место?

— Кажется, нет. Я вошел последним. Нет, не припоминаю, чтобы я это сделал. А это важно?

— Может быть. Полагаю, мсье, когда вы беседовали с полковником Арбатнотом, дверь из вашего купе в коридор была открыта?

Маккуин кивнул.

— Не помните, проходил кто-нибудь по коридору после того, как поезд отошел из Винковци, и до того, как вы расстались с полковником?

Секретарь сдвинул брови.

— Кажется, проводник один раз прошел со стороны вагона-ресторана, — ответил он. — И женщина проходила в другую сторону.

— Какая женщина?

— Не знаю. Я не обратил внимания: увлекся спором с Арбатнотом. Помню только, что мимо двери промелькнула фигура в алом шелке. Я не стал выглядывать, а если бы сделал это, то все равно не увидел бы ее лица. Как вам известно, в моем купе сидеть можно только лицом к вагону-ресторану, так что женщина, идущая в том направлении, пройдя мимо двери, сразу оказалась спиной ко мне.

Пуаро кивнул:

— Очевидно, она направлялась в туалет?

— Думаю, что да.

— А вы видели, как она возвращалась?

— Вроде бы не видел, но полагаю, она должна была вернуться.

— Еще один вопрос. Вы курите трубку, мсье Маккуин?

— Нет, сэр.

Последовала пауза.

— Ну, пожалуй, на данный момент это все, — сказал Пуаро. — Теперь я хотел бы повидать слугу мсье Рэтчетта. Между прочим, вы и он всегда путешествовали вторым классом?

— Он — да. Я обычно ездил первым, по возможности в купе, соседнем с купе мистера Рэтчетта. Обычно он помещал большую часть своего багажа в мое купе, чтобы и я и вещи были рядом. Но на сей раз все места в первом классе были распроданы, кроме того, которое занял он.

— Понятно. Благодарю вас, мсье Маккуин.

Глава 3
ПОКАЗАНИЯ СЛУГИ

Американца сменил бледный англичанин с бесстрастным лицом, которого Пуаро уже приметил вчера. Войдя, он застыл в вежливом ожидании. Пуаро указал ему на стул.

— Насколько я понимаю, вы слуга мсье Рэтчетта?

— Да, сэр.

— Ваше имя?

— Эдуард Генри Мастермен.

— Возраст?

— Тридцать девять лет.

— Ваш домашний адрес?

— Клеркенуэлл, Фрайар-стрит, 21.

— Вы слышали, что ваш хозяин убит?

— Да, сэр. Скандальная история.

— Не скажете ли, в котором часу вы видели мсье Рэтчетта в последний раз?

Слуга задумался:

— Должно быть, около девяти вечера, сэр. Может быть, немного позже.

— Опишите, как именно это произошло.

— Как обычно, сэр, я вошел к мистеру Рэтчетту, чтобы обслужить его перед сном.

— Что именно входило в ваши обязанности?

— Складывать или развешивать его одежду, сэр, класть в воду вставные зубы и следить, чтобы у него на ночь было все необходимое.

— Вчера вечером его поведение было обычным?

Слуга немного подумал:

— По-моему, сэр, он был расстроен.

— В каком смысле?

— Из-за письма, которое читал. Мистер Рэтчетт спросил, не я ли принес это письмо в его купе. Конечно, я ответил, что не делал этого, но он начал ругаться и придираться ко мне.

— Это было не похоже на него?

— О нет, сэр, он легко выходил из себя по любому поводу.

— Ваш хозяин когда-нибудь принимал снотворное? Доктор Константине склонился вперед.

— Всегда, когда ехал в поезде, сэр. Он говорил, что иначе не может заснуть.

— Вы знаете, какое именно снотворное он обычно принимал?

— Нет, сэр. На пузырьке не было указано название, только надпись: «Снотворное. Принимать на ночь».

— Он принимал его вчера вечером?

— Да, сэр. Я налил его в стакан и поставил на туалетный столик.

— Но вы не видели, как он его выпил?

— Нет, сэр.

— Что произошло потом?

— Я спросил, не будет ли других распоряжений и когда мистер Рэтчетт хочет, чтобы его разбудили утром. Он сказал, чтобы его не беспокоили, пока он не позвонит.

— Это было в порядке вещей?

— Да, сэр. Мистер Рэтчетт обычно звонил проводнику и посылал его за мной, когда собирался вставать.

— Как правило, он вставал рано или поздно?

— В зависимости от настроения, сэр. Иногда вставал к завтраку, а иногда не поднимался до ленча.

— Значит, вы не встревожились, когда утром вас не вызвали?

— Нет, сэр.

— Вы знали, что у вашего хозяина есть враги?

— Да, сэр. — В голосе слуги не слышалось никаких эмоций.

— Откуда?

— Я слышал, сэр, как он обсуждал какие-то письма с мистером Маккуином.

— Вы были привязаны к вашему хозяину, Мастермен?

Лицо слуги, если только это возможно, стало еще более бесстрастным, чем обычно.

— Мне бы не хотелось говорить об этом, сэр. Он был щедрым хозяином.

— Но вам он не нравился?

— Мне вообще не слишком нравятся американцы, сэр.

— Вы когда-нибудь бывали в Америке?

— Нет, сэр.

— Вы помните сообщения в газетах о похищении ребенка Армстронгов?

На щеках слуги появился легкий румянец.

— Помню, сэр. Это была маленькая девочка, не так ли? Страшная трагедия.

— Вы знали, что ваш хозяин, мсье Рэтчетт, руководил этим похищением?

— Нет, сэр! — В голосе Мастермена впервые послышалось нечто похожее на чувства. — Я не могу в это поверить.

— Тем не менее это правда. А теперь перейдем к вам лично. Как вы понимаете, это чисто рутинная процедура. Что вы делали, выйдя из купе вашего хозяина?

— Передал мистеру Маккуину, сэр, что хозяин хочет его видеть. Потом прошел в свое купе и читал.

— Ваше купе?..

— Последнее купе второго класса, сэр. Ближайшее к вагону-ресторану.

Пуаро сверился с планом.

— Понятно. Какую полку вы занимаете?

— Нижнюю, сэр.

— Место номер 4?

— Да, сэр.

— Кто-нибудь едет с вами в купе?

— Да, сэр. Высокий итальянец.

— Он говорит по-английски?

— Если это можно назвать английским, сэр, — снисходительным тоном ответил слуга. — Он из Америки, насколько я понял, из Чикаго.

— Вы с ним часто разговариваете?

— Нет, сэр. Я предпочитаю читать.

Пуаро улыбнулся. Он хорошо себе представил, как этот «джентльмен при джентльмене» осаживает говорливого итальянца.

— Могу я узнать, что вы читаете?

— В настоящее время, сэр, я читаю «Пленника любви» мисс Арабеллы Ричардсон.

— Хорошая книга?

— Я нахожу ее весьма занимательной, сэр.

— Ладно, продолжим. Вы вернулись в купе и читали «Пленника любви» до которого часа?

— Примерно в половине одиннадцатого, сэр, итальянец захотел лечь. Пришел проводник и постелил ему и мне.

— И тогда вы легли и заснули?

— Лег, сэр, но не заснул.

— Почему?

— У меня болел зуб, сэр.

— О, là, là — это мучительно.

— Крайне мучительно, сэр.

— Вы приняли какие-нибудь меры?

— Я положил в зуб гвоздичного масла, которое немного успокоило боль, но заснуть все равно не мог. Поэтому я включил лампочку у изголовья и снова стал читать, чтобы как-нибудь отвлечься.

— И вы совсем не спали?

— Заснул около четырех утра, сэр.

— А ваш попутчик?

— Итальянец? Храпел вовсю.

— Он не выходил из купе ночью?

— Нет, сэр.

— А вы?

— Тоже нет, сэр.

— Вы ничего не слышали ночью?

— Ничего, сэр. Я имею в виду, ничего необычного. Поезд стоял, и стало совсем тихо.

Пуаро помолчал несколько секунд.

— Ну, думаю, больше говорить не о чем. Вы никак не можете пролить свет на эту трагедию?

— Боюсь, что нет. Очень сожалею, сэр.

— У кого вы служили до мсье Рэтчетта?

— У сэра Генри Томлинсона, на Гросвенор-сквер.

— Почему вы ушли от него?

— Он собирался в Восточную Африку, сэр, и больше не нуждался в моих услугах. Но я уверен, сэр, что

75

он хорошо обо мне отзовется. Я прослужил у него несколько лет.

— А у мсье Рэтчетта?

— Чуть более девяти месяцев.

— Благодарю вас, Мастермен. Между прочим, вы курите трубку?

— Нет, сэр, я курю только недорогие сигареты.

— Спасибо. Это все.

Пуаро кивнул, но слуга неуверенно переминался с ноги на ногу.

— Простите, сэр, но пожилая американская леди, можно сказать, в возбужденном состоянии. Она утверждает, что знает все об убийстве.

— В таком случае, — улыбнулся Пуаро, — нам лучше повидать ее следующей.

— Передать ей это, сэр? Она уже давно требует встречи с кем-нибудь из представителей власти. Проводник пытается ее успокоить.

— Пригласите ее сюда, друг мой, — сказал Пуаро. — Мы выслушаем ее историю.

Глава 4

ПОКАЗАНИЯ АМЕРИКАНСКОЙ ЛЕДИ

Миссис Хаббард вошла в вагон-ресторан задыхаясь от возбуждения. Она с трудом могла связно выражать свои мысли.

— Скажите, кто здесь главный? У меня имеется очень важная информация, которую я должна сообщить как можно скорее! Если вы, джентльмены... — Ее взгляд перебегал с одного на другого.

Пуаро наклонился вперед.

— Сообщите ее мне, мадам, — сказал он. — Но сначала, пожалуйста, сядьте.

Миссис Хаббард села на стул напротив него.

— Прошлой ночью в поезде произошло убийство и убийца был в моем купе!

Она сделала драматическую паузу.

— Вы уверены в этом, мадам?

— Конечно уверена! Я знаю, что говорю. Сейчас я вам все расскажу. Я уже легла, стала засыпать и вдруг проснулась в темноте, чувствуя, что в купе находится мужчина. От страха я даже крикнуть не могла, только лежала и думала: «Боже, меня сейчас убьют!» Не могу описать вам, что я чувствовала! Я сразу вспомнила о преступлениях в поездах, про которые читала, и подумала: «Ну, до моих драгоценностей ему не добраться», потому что я засунула их в чулок и спрятала под подушку. Конечно, спать на них жестковато, но... Так на чем я остановилась?

— Вы почувствовали, мадам, что в вашем купе мужчина.

— Да, я лежала с закрытыми глазами, не зная, что мне делать, и думала: «Слава Богу, моя дочь не догадывается, в какую передрягу я попала!» Потом я собралась с духом, нащупала кнопку звонка и нажала ее. Но проводник никак не приходил, и мне казалось, что у меня сердце останавливается. «А вдруг всех в поезде уже поубивали?» — подумала я. Поезд стоял, и в вагоне царила жуткая тишина. Я продолжала жать на кнопку, пока с огромным облегчением не услышала быстрые шаги в коридоре и стук в дверь. «Войдите!» — крикнула я и зажгла свет. Но, хотите — верьте, хотите — нет, в купе не было ни души!

Этот момент миссис Хаббард явно считала кульминацией, а не разрядкой напряжения.

— И что произошло дальше, мадам?

— Я все рассказала проводнику, но он мне не поверил. Кажется, он вообразил, будто мне все это приснилось. Я заставила его заглянуть под полку, хотя он уверял, что человек не в состоянии туда протиснуться. Я поняла, что мужчина ускользнул, но ведь он был в купе, а увещевания проводника меня просто с ума сводили! Я не из тех, которые воображают невесть что, мистер... Кажется, я не знаю вашу фамилию?

— Пуаро, мадам, а это мсье Бук, директор компании спальных вагонов, и доктор Константине.

— Рада познакомиться, — машинально буркнула миссис Хаббард и продолжила монолог: — Не стану притворяться, будто я сразу все поняла. Мне пришло в голову, что это был мужчина из соседнего купе, тот бедняга, которого убили. Я попросила проводника проверить дверь между купе, и, конечно, она не была закрыта на задвижку. Я велела ему запереть дверь, а когда он ушел, встала и придвинула к ней чемодан для большей верности.

— В котором часу это было, миссис Хаббард?

— Не знаю. Я не смотрела на часы, так как была слишком взволнована.

— А в чем состоит ваша теперешняя теория?

— По-моему, все ясно как день. В моем купе побывал убийца. Кто же еще это мог быть?

— И вы думаете, он вернулся в соседнее купе?

— Откуда я знаю, куда он делся? Я лежала с закрытыми глазами.

— Должно быть, он выскользнул через дверь в коридор.

— Не знаю. Повторяю: я зажмурила глаза. — Миссис Хаббард конвульсивно вздохнула: — Господи, как же я перепугалась! Если бы моя дочь знала...

— Вам не кажется, мадам, что вы слышали, как кто-то двигается в соседнем купе, в купе убитого?

— Нет, не кажется, мистер... как вас там... Пуаро. Этот мужчина находился в одном купе со мной. К тому же у меня есть доказательство.

С торжествующим видом миссис Хаббард поставила на колени внушительную сумку и начала рыться в ней.

Она извлекла оттуда два больших носовых платка, очки в роговой оправе, пузырек аспирина, пачку глауберовой соли, целлулоидный тюбик с ярко-зелеными мятными лепешками, связку ключей, ножницы, чековую книжку «Америкэн экспресс», фотографию на редкость уродливого ребенка, несколько писем, пять ниток псевдовосточных бус и маленький металлический предмет — пуговицу.

— Видите? Это не моя пуговица. На моих вещах таких нет. Я нашла ее утром, когда встала.

Когда она положила пуговицу на стол, мсье Бук склонился вперед и воскликнул:

— Да ведь это пуговица от форменной куртки проводника спального вагона!

— Для этого может существовать вполне естественное объяснение, — заметил Пуаро. Он повернулся к леди: — Пуговица, мадам, могла оторваться от формы проводника, когда он либо обыскивал вашу кабину, либо готовил постель вчера вечером.

— Не знаю, что творится со всеми вами! Как будто вам больше делать нечего, кроме как возражать! Слушайте. Вчера вечером, перед сном, я читала журнал. Прежде чем выключить свет, я положила журнал на чемоданчик, который стоял на полу у окна. Ясно?

Мужчины кивнули.

— Так вот. Проводник заглядывал под полку, стоя у двери в коридор, а потом запер на задвижку дверь между моим и соседним купе, но он ни разу не подходил к окну. А сегодня утром эта пуговица лежала на журнале. Как вы это назовете, хотела бы я знать?

— Я бы назвал это уликой, мадам, — отозвался Пуаро.

Ответ вроде бы умиротворил леди.

— Меня доводит до исступления, когда мне не верят, — объяснила она.

— Вы дали нам в высшей степени интересные и ценные показания, — успокаивающе произнес Пуаро. — А теперь могу я задать вам несколько вопросов?

— Конечно можете.

— Почему вы, хотя и боялись Рэтчетта, не заперли на задвижку дверь между купе?

— Я заперла ее, — сразу же ответила миссис Хаббард.

— Вот как?

— Точнее, я спросила эту симпатичную шведку, заперта ли дверь, и она сказала, что да.

— А почему вы не могли посмотреть сами?

— Потому что я уже лежала в постели, а моя сумка с туалетными принадлежностями висела на ручке двери.

— В котором часу вы попросили эту даму взглянуть на дверь?

— Дайте подумать. Должно быть, около половины одиннадцатого или без четверти одиннадцать. Она пришла попросить у меня аспирин. Я сказала ей, где его искать, и она достала аспирин из моего саквояжа.

— А вы сами были в постели?

— Да. — Миссис Хаббард неожиданно рассмеялась. — Бедняжка была так взволнована. Понимаете, она по ошибке открыла дверь соседнего купе.

— Мсье Рэтчетта?

— Да. Знаете, как трудно найти нужную дверь, идя по коридору вагона, когда все купе закрыты. Она очень расстроилась. Вроде бы этот человек стал над ней смеяться и сказал какую-то гадость. Бедная женщина в себя прийти не могла. «Я ошиблась, и мне было стыдно, — рассказывала она, — а этот неприятный мужчина говорит: «Вы слишком старая».

Доктор Константине хихикнул, и миссис Хаббард устремила на него ледяной взгляд.

— Мужчина действительно был не из приятных, — сказала она. — Такие вещи не принято говорить даме. И смеяться тут не над чем.

Доктор поспешно извинился.

— После этого вы слышали какие-нибудь звуки из купе мсье Рэтчетта? — спросил Пуаро.

— Почти никаких.

— Что вы имеете в виду, мадам?

— Понимаете... — Она сделала паузу. — Он храпел.

— Храпел?

— Ужасно. Предыдущей ночью это не давало мне заснуть.

— А после того, как вас напугал мужчина в вашем купе, вы не слышали храпа?

— Как я могла его слышать, мистер Пуаро? Ведь он был мертв.

— Ах да, верно. — Пуаро казался смущенным. — Вы помните дело о похищении ребенка Армстронгов, миссис Хаббард? — спросил он.

— Конечно помню. И как только негодяю, который сделал это, удалось выйти сухим из воды? Хотела бы я до него добраться!

— Он не вышел сухим из воды. Этот человек мертв — умер прошлой ночью.

— Вы хотите сказать... — От возбуждения миссис Хаббард приподнялась со стула.

— Да. Это был Рэтчетт.

— Ну и ну! Подумать только! Я должна написать об этом дочери! Разве я не говорила вам вчера вечером, что у этого человека злое лицо? Видите, я оказалась права. Моя дочь всегда говорит: «Если мама о чем-то догадывается, можно ставить последний доллар, что так оно и есть».

— Вы были знакомы с кем-то из семьи Армстронгов, миссис Хаббард?

— Нет. Они вращались в избранных кругах. Но я всегда слышала, что миссис Армстронг была очень красивой женщиной и что муж обожал ее.

— Вы нам очень помогли, миссис Хаббард. Возможно, вы назовете мне ваше полное имя?

— Разумеется. Кэролайн Марта Хаббард.

— Пожалуйста, напишите здесь ваш адрес.

Миссис Хаббард писала не прекращая говорить:

— Ушам своим не верю. Кассетти — в этом поезде! Я ведь правильно догадалась насчет этого человека, не так ли мистер Пуаро?

— Да, мадам. Между прочим, у вас есть алый шелковый халат?

— Господи, что за странный вопрос! Нет. У меня с собой два халата: из розовой фланели, удобный для морских путешествий, и тот, что подарила мне дочь, — местное изделие из пурпурного шелка. А почему вас заинтересовали мои халаты?

— Понимаете, мадам, прошлой ночью какая-то женщина в алом кимоно входила либо в ваше купе, либо в купе мистера Рэтчетта. Как вы сами только что сказали, когда все двери закрыты, трудно найти нужное купе.

— Ну, в мое купе не входил никто в алом халате.

— Тогда она, должно быть, вошла к мсье Рэтчетту. Миссис Хаббард поджала губы и мрачно промолвила:

— Меня бы это не удивило.

Пуаро склонился вперед:

— Значит, вы слышали женский голос в соседнем купе?

— Не знаю, как вы об этом догадались, мсье Пуаро, но это в самом деле так.

— Однако, когда я спросил у вас, слышали ли вы что-нибудь в соседнем купе, вы сказали, что только храп мистера Рэтчетта.

— Это действительно так. Он храпел очень долго. Что до остального... — Миссис Хаббард покраснела. — О таких вещах не слишком приятно рассказывать.

— В котором часу вы слышали женский голос?

— Не знаю. Я проснулась на минуту, услышала, что говорит женщина, и сразу поняла, где она находится. Я только успела подумать, что удивляться тут нечему, от такого человека иного ожидать не приходится, и снова заснула. Если бы вы не вытянули это из меня, я ни за что не стала бы упоминать о таких вещах трем незнакомым джентльменам.

— Это произошло до или после того, как вас напугал какой-то мужчина?

— Опять вы о том же! Женщина не стала бы с ним разговаривать, если бы он был мертв, верно?

— Pardon. Должно быть, вы считаете меня очень глупым, мадам.

— Очевидно, и вы иногда ошибаетесь. Я просто не могу прийти в себя из-за этого монстра Кассетти. Что скажет моя дочь...

Пуаро ловко помог леди собрать содержимое сумки и проводил ее к двери.

В самый последний момент он сказал:

— Вы уронили носовой платок, мадам.

Миссис Хаббард посмотрела на кусочек батиста, который он протянул ей.

— Это не мой платок, мистер Пуаро. Мой находится при мне.

— Pardon. Просто, увидев инициал «Н»[1], я подумал...

---

[1] «Н» — начальная буква фамилии Хаббард.

— Действительно, любопытное совпадение, но это, безусловно, не мой платок. Мои платки помечены инициалами «С[1].М.Н.» — к тому же я пользуюсь практичными вещами, а не дорогими парижскими безделушками. Какой толк от платка, в который даже не высморкаешься?

Так как на этот вопрос никто из троих мужчин не смог дать ответа, миссис Хаббард торжествующе выплыла из вагона.

Глава 5

ПОКАЗАНИЯ ШВЕДСКОЙ ДАМЫ

Мсье Бук вертел в руках пуговицу, оставленную миссис Хаббард.

— Не могу понять. Неужели Пьер Мишель все-таки замешан в преступлении? — Он сделал паузу и, так как Пуаро молчал, осведомился: — Что скажете, друг мой?

— За этой пуговицей скрыто многое, — задумчиво промолвил Пуаро. — Прежде чем обсуждать показания, которые мы уже выслушали, давайте побеседуем со шведской дамой. — Он просмотрел стопку паспортов. — Ага, вот она! Грета Ольссон, сорок пять лет.

Мсье Бук отдал распоряжение официанту, и тот вскоре привел даму с блеклыми желтоватыми волосами и продолговатым лицом. Во всем ее облике сквозила какая-то овечья покорность. Она уставилась на Пуаро близорукими глазами сквозь стекла очков, причем выглядела абсолютно спокойной.

Оказалось, что женщина понимает и говорит по-французски, поэтому беседа велась на этом языке. Сначала Пуаро задал вопросы, на которые уже знал ответы, — о ее имени, возрасте и адресе, — потом спросил о роде ее занятий.

Грета Ольссон ответила, что заведует хозяйством в миссионерской школе неподалеку от Стамбула. Она также была дипломированной медсестрой.

---

[1] «С» — начальная буква имени Кэролайн (Caroline).

83

— Вы, конечно, знаете, что произошло прошлой ночью, мадемуазель?

— Естественно. Это ужасно. Американская леди говорит, что убийца был в ее купе.

— Я слышал, мадемуазель, что вы последней видели мсье Рэтчетта живым?

— Не знаю. Может быть. Я открыла дверь его купе по ошибке. Мне было очень стыдно. Такая неловкость.

— Вы действительно видели его?

— Да. Он читал книгу. Я быстро извинилась и вышла.

— Он сказал вам что-нибудь?

Щеки женщины слегка порозовели.

— Он засмеялся и произнес несколько слов. Я... я не вполне их разобрала.

— А что вы сделали потом, мадемуазель? — спросил Пуаро, тактично меняя тему.

— Пошла к американской леди, миссис Хаббард. Я попросила у нее аспирин, и она дала мне его.

— Она спросила у вас, закрыта ли на задвижку дверь между ее купе и купе мсье Рэтчетта?

— Да.

— И дверь была закрыта?

— Да.

— А потом?

— Потом я вернулась к себе в купе, приняла аспирин и легла.

— В котором часу все это происходило?

— Когда я легла, было без пяти одиннадцать, я посмотрела на часы, прежде чем завести их.

— Вы быстро заснули?

— Не очень. Боль в голове уменьшилась, но какое-то время я лежала без сна.

— Поезд остановился раньше, чем вы заснули?

— Не думаю. Когда я задремала, мы как раз подъехали к станции.

— Очевидно, это были Винковци. Ваше купе здесь, мадемуазель? — Он указал на план.

— Да.

— Вы занимали верхнюю или нижнюю полку?

— Нижнюю, место номер 10.

— И у вас была попутчица?

— Да, молодая английская леди. Очень симпатичная и приветливая. Она ехала из Багдада.

— После того как поезд отошел от Винковци, она выходила из купе?

— Уверена, что нет.

— Как вы можете быть уверены, если вы спали?

— Я сплю очень чутко и обычно просыпаюсь от любого звука. Если бы она спустилась с полки, я бы обязательно проснулась.

— А вы сами выходили из купе?

— Нет, до сегодняшнего утра.

— У вас есть алое шелковое кимоно, мадемуазель?

— Нет. У меня очень удобный халат из. шерстяного трикотажа.

— А у леди из вашего купе — мисс Дебенхем? Какого цвета ее халат?

— Светло-лиловый, из тех, что обычно покупают на Востоке.

Пуаро кивнул.

— Почему вы отправились в это путешествие? — дружелюбно поинтересовался он. — У вас отпуск?

— Да, я еду домой в отпуск. Но сначала погощу неделю у сестры в Лозанне.

— Не будете ли вы любезны написать имя и адрес вашей сестры?

— С удовольствием.

Она взяла у Пуаро бумагу и карандаш и написала требуемые сведения.

— Вы когда-нибудь бывали в Америке, мадемуазель?

— Нет. Хотя однажды едва не побывала. Я должна была сопровождать туда даму-инвалида, но в последний момент поездку отменили. Было очень жаль. Американцы — хорошие люди, расходуют много денег на школы и больницы. Они очень практичны.

— Вы помните дело о похищении ребенка Армстронгов?

— Нет. А что это за дело?

Пуаро объяснил.

Грета Ольссон была возмущена. Пучок желтоватых волос дрожал от волнения.

— Неужели на свете бывают такие злые люди? От этого можно утратить веру! Бедная мать! У меня сердце болит при мысли о ней.

Добрая шведка удалилась с покрасневшим лицом и полными слез глазами.

Пуаро что-то писал на листе бумаги.

— Что вы там пишете, друг мой? — полюбопытствовал мсье Бук.

— Mon cher, я привык действовать аккуратно и методично. Я составил маленькую таблицу хронологии событий.

Закончив писать, он протянул бумагу мсье Буку.

«21.15. Поезд отходит из Белграда.

Около 21.40. Слуга выходит из купе Рэтчетта, оставив там снотворное.

Около 22.00. Маккуин выходит из купе Рэтчетта.

Около 22.40. Грета Ольссон последней видит Рэтчетта живым. Он не спал и читал книгу.

0.10. Поезд отходит из Винковци (с опозданием).

0.30. Поезд попадает в заносы.

0.37. Звонок из купе Рэтчетта. Проводник отвечает на него. Рэтчетт говорит: «Ce n'est rien. Je me suis trompé».

Около 1.17. Миссис Хаббард думает, что в ее купе находится мужчина. Звонит проводнику».

Мсье Бук одобрительно кивнул.

— Все ясно, — сказал он.

— Вам ничего не кажется здесь странным?

— Нет. Вполне очевидно, что преступление было совершено в час пятнадцать. Это подтверждают часы и показания миссис Хаббард. Если хотите знать мое мнение, друг мой, то убийца — итальянец. Он из Америки, из Чикаго. Не забывайте, что нож — итальянское оружие. К тому же убийца нанес не один, а несколько ударов.

— Это верно.

— Не сомневаюсь, что это и есть разгадка тайны. Итальянец и Рэтчетт были сообщниками в похищении ребенка. Кассетти — итальянская фамилия. Каким-то образом Рэтчетт его, что называется, надул. Итальянец выследил его, сначала отправил угрожающие письма, а потом жестоко отомстил. Все очень просто.

Пуаро с сомнением покачал головой.

— Боюсь, что все едва ли так просто, — промолвил он.

— А я убежден, что все именно так и было, — заявил мсье Бук, которому все больше нравилась собственная теория.

— Как же тогда быть со слугой, у которого болел зуб и который клянется, что итальянец не покидал купе?

— Это осложняет дело.

Пуаро подмигнул ему:

— Еще как осложняет. То, что у слуги мсье Рэтчетта болел зуб, играет на руку нашему итальянскому другу, но разбивает вашу теорию.

— Наверняка это можно как-нибудь объяснить, — с восхитительной уверенностью отозвался мсье Бук.

Пуаро снова покачал головой.

— Нет, это едва ли так просто, — повторил он.

Глава 6
ПОКАЗАНИЯ РУССКОЙ КНЯГИНИ

— Давайте послушаем, что Пьер Мишель скажет об этой пуговице, — предложил Пуаро.

Проводника вызвали вновь. Он вопросительно посмотрел на них.

Мсье Бук откашлялся.

— Мишель, — заговорил он, — эта пуговица от вашей куртки. Ее нашли в купе американской леди. Что вы об этом скажете?

Рука проводника машинально метнулась к куртке.

— У меня все пуговицы на месте, мсье, — ответил он. — Должно быть, тут какая-то ошибка.

— Очень странно.

— Не знаю, как это объяснить, мсье.

Проводник выглядел удивленным, но отнюдь не смущенным или виноватым.

— Учитывая обстоятельства, при которых нашли пуговицу, — многозначительно произнес мсье Бук, — не вызывает сомнений, что ее уронил человек, который находился в купе миссис Хаббард прошлой ночью, когда она позвонила вам.

— Но, мсье, там никого не было. Очевидно, леди почудилось.

— Ей не почудилось, Мишель. Убийца мсье Рэтчетта прошел через ее купе и обронил эту пуговицу.

Когда смысл слов мсье Бука дошел до Пьера Мишеля, он впал в состояние крайнего возбуждения.

— Это неправда, мсье! — закричал он. — Вы обвиняете меня в преступлении? Но я абсолютно невиновен! Зачем мне убивать мсье, которого я раньше никогда не видел?

— Где вы были, когда звонила миссис Хаббард?

— Я же говорил вам, мсье, в соседнем вагоне, болтал со своим коллегой.

— Мы пошлем за ним.

— Сделайте это, мсье, умоляю вас!

Вызвали проводника соседнего вагона. Он сразу же подтвердил заявление Пьера Мишеля, добавив, что там был и проводник бухарестского вагона. Они втроем обсуждали положение, в которое попали из-за заносов, и говорили минут десять, когда Мишелю показалось, что он слышит звонок. Когда он открыл двери между двумя вагонами, звонок услышали все. Мишель помчался на вызов.

— Как видите, мсье, я не виновен, — с тревогой повторил он.

— А как вы объясните пуговицу от куртки проводника спального вагона?

— Никак, мсье. Для меня это тайна. Все мои пуговицы на месте.

Оба других проводника также заявили, что не теряли пуговиц и никогда не заходили в купе миссис Хаббард.

— Успокойтесь, Мишель, — сказал мсье Бук, — и попытайтесь вспомнить тот момент, когда вы побежали к купе миссис Хаббард. Вы встретили кого-нибудь в коридоре?

— Нет, мсье.

— Вы видели кого-нибудь идущего впереди вас в том же направлении?

— Тоже нет, мсье.

— Странно, — промолвил мсье Бук.

— Не так уж странно, — возразил Пуаро. — Это вопрос времени. Миссис Хаббард просыпается оттого, что кто-то есть в ее купе. Минуту-две она лежит, как парализованная, с закрытыми глазами. Возможно, тогда этот человек выскользнул в коридор. Затем она начинает звонить. Но проводник приходит не сразу — он слышит только третий или четвертый звонок. Думаю, времени было достаточно...

— Для чего, mon cher? Помните, что поезд окружают глубокие снежные сугробы.

— Для нашего таинственного убийцы открыты два пути, — медленно произнес Пуаро. — Он мог направиться в один из туалетов или скрыться в одном из купе.

— Но они все были заняты!

— Вот именно.

— Вы имеете в виду, что он мог скрыться в собственном купе?

Пуаро кивнул.

— Да, это возможно, — признал мсье Бук. — В течение десятиминутного отсутствия проводника убийца выходит из своего купе, идет в купе Рэтчетта, убивает его, запирает и закрывает на цепочку дверь изнутри, выходит через купе миссис Хаббард и возвращается к себе в купе перед приходом проводника.

— Все не так просто, — сказал Пуаро. — Наш друг доктор объяснит вам.

Мсье Бук жестом отпустил троих проводников.

— Нам нужно повидать еще восемь пассажиров, — продолжал Пуаро. — Пятерых из первого класса — княгиню Драгомирову, графа и графиню Андреньи, полковника Арбатнота и мистера Хардмана; и трех из второго — мисс Дебенхем, Антонио Фоскарелли и служанку княгини, фрейлейн Шмидт.

— Кого вы вызовете первым? Итальянца?

— Дался вам этот итальянец! Нет, мы начнем с самого верха. Возможно, княгиня будет столь любезна, что уделит нам несколько минут. Передайте ей эту просьбу, Мишель.

— Oui, мсье, — отозвался проводник, уже выходя из вагона.

— Если ей трудно двигаться, скажите, что мы можем прийти в ее купе! — крикнул ему вслед мсье Бук.

Но княгиня Драгомирова не воспользовалась этим предложением. Она пришла в вагон-ресторан, кивнула и села напротив Пуаро.

Ее маленькое сморщенное личико выглядело еще более желтым, чем вчера. Она была чудовищно безобразна, но ее глаза, как и у жабы, поблескивали, словно драгоценные камни, — темные, притягивающие, они светились скрытой энергией и умом, которые в любой момент могли дать о себе знать.

Глубоким, слегка скрипучим голосом с четкой дикцией княгиня оборвала цветистые извинения мсье Бука.

— Вам незачем извиняться, господа. Как я понимаю, произошло убийство. Естественно, вы должны расспросить всех пассажиров. Буду рада оказать вам посильную помощь.

— Вы очень любезны, мадам, — сказал Пуаро.

— Вовсе нет. Это мой долг. Что вы хотите знать?

— Ваше полное имя и адрес, мадам. Возможно, вы предпочитаете их написать?

Пуаро предложил лист бумаги и карандаш, но княгиня отмахнулась от них:

— Записывайте сами. Тут нет ничего трудного. Наталья Драгомирова. Париж, авеню Клебер, 17.

— Вы возвращаетесь домой из Константинополя, мадам?

— Да, я останавливалась там в австрийском посольстве. Со мной моя горничная.

— Не согласитесь ли вы дать мне краткий отчет о ваших передвижениях вчера вечером после обеда?

— Охотно. Я велела проводнику постелить, пока я буду в вагоне-ресторане, и сразу после обеда легла. До одиннадцати я читала, а потом выключила свет. Я не могла заснуть из-за ревматических болей, которыми страдаю. Примерно без четверти час я позвонила, чтобы вызвать мою горничную. Она сделала мне массаж и читала вслух, пока я не почувствовала, что засыпаю. Не могу сказать точно, когда она ушла. Может быть, через полчаса, а может быть, и позже.

— Поезд тогда стоял?

— Да.

— В течение этого времени вы не слышали ничего... ничего необычного, мадам?

— Абсолютно ничего.

— Как зовут вашу горничную?

— Хильдегарде Шмидт.

— Она с вами давно?

— Пятнадцать лет.

— Вы ей доверяете?

— Полностью. Ее родители из поместья моего покойного мужа в Германии.

— Полагаю, мадам, вы бывали в Америке?

Резкая перемена темы побудила старую даму приподнять брови.

— Много раз.

— Вы были знакомы с кем-нибудь из семьи Армстронгов, в которой произошла страшная трагедия?

— Вы говорите о моих друзьях, мсье, — с волнением в голосе ответила княгиня.

— Значит, вы хорошо знали полковника Армстронга?

— Только слегка, зато его жена, Соня Армстронг, была моей крестницей. Я дружила с ее матерью, Линдой Арден, одной из величайших трагических актрис мира. В роли леди Макбет и Магды[1] никто не мог с нею сравниться. Я была не только горячей поклонницей ее искусства, но и близкой подругой.

— Она умерла?

— Нет, она живет в полном уединении. У нее слабое здоровье, и большую часть времени она проводит лежа на диване.

— Кажется, у нее была еще одна дочь?

— Да, намного младше миссис Армстронг.

— А эта дочь жива?

— Разумеется.

— И где она сейчас?

Старуха резко взглянула на него:

— Должна спросить о причине этих вопросов. Какое отношение они имеют к убийству в поезде?

— Убитый, мадам, был тем человеком, который руководил похищением ребенка миссис Армстронг.

— Что?! — Княгиня сдвинула брови и выпрямилась на стуле. — В таком случае я могу только радоваться его гибели. Надеюсь, вы простите мою слегка пристрастную точку зрения.

— Она вполне естественна, мадам. А теперь вернемся к вопросу, на который вы не ответили. Где сейчас младшая дочь Линды Арден, сестра миссис Армстронг?

— Не знаю, мсье. Я потеряла связь с младшим поколением. Кажется, несколько лет назад она вышла замуж за англичанина и уехала в Англию, но сейчас я даже не могу вспомнить ее имени. — Сделав паузу, княгиня добавила: — У вас есть еще какие-нибудь вопросы, джентльмены?

— Только один, довольно личный вопрос. Какого цвета ваш халат?

Княгиня приподняла брови:

— Полагаю, у вас имеются причины для этого вопроса. Мой халат из голубого атласа.

— Тогда это все, мадам. Очень признателен вам за то, что вы так охотно ответили на вопросы.

---

[1] М а г д а — очевидно, персонаж пьесы Г. Гауптмана «Потонувший колокол».

Едва шевельнув унизанной кольцами рукой, княгиня встала. Мужчины тоже поднялись.

— Простите, мсье, — внезапно заговорила она, — но могу я узнать ваше имя? Ваше лицо кажется мне знакомым.

— Эркюль Пуаро, мадам, к вашим услугам.

Несколько секунд княгиня молчала.

— Эркюль Пуаро, — наконец сказала она. — Да, теперь я вспомнила. Это судьба.

Она вышла, держась прямо, но двигаясь чуть скованно.

— Voilà une grande dame[1], — промолвил мсье Бук. — Что вы о ней думаете, друг мой?

Эркюль Пуаро покачал головой.

— Интересно, — сказал он, — что она имела в виду под словом «судьба»?

Глава 7
ПОКАЗАНИЯ ГРАФА И ГРАФИНИ АНДРЕНЬИ

Следующими вызвали графа и графиню Андреньи. Тем не менее граф явился в вагон-ресторан в одиночестве.

Это был очень красивый мужчина ростом не менее шести футов, широкоплечий, с узкими бедрами. Он был одет в отлично скроенный костюм из английского твида и мог бы сойти за англичанина, если бы не очертания скул и излишне длинные усы.

— Ну, господа, — осведомился он, — чем могу служить?

— Вы понимаете, мсье, — сказал Пуаро, — что, учитывая обстоятельства, я должен задать ряд вопросов всем пассажирам.

— Разумеется, — отозвался граф. — Я вполне понимаю ваше положение. Но боюсь, что я и моя жена едва ли в состоянии вам помочь. Мы спали и ничего не слышали.

---

[1] Вот истинная аристократка (*фр.*).

93

— Вам известна личность покойного, мсье?

— Насколько я понимаю, это американец с весьма неприятным лицом. Он обычно сидел за тем столиком. — Граф кивнул в сторону столика, за которым сидели Рэтчетт и Маккуин.

— Да-да, мсье, вы абсолютно правы. Я имел в виду, знаете ли вы имя этого человека?

— Нет. — Граф озадаченно посмотрел на Пуаро. — Если вам нужно его имя, то он есть в паспорте.

— В паспорте значится фамилия Рэтчетт, — сказал Пуаро. — Но это не настоящая фамилия. В действительности это Кассетти — человек, руководивший похищениями детей, которые потрясали всю Америку.

Говоря, он внимательно наблюдал за собеседником, но услышанное, казалось, не произвело впечатления на графа. Он всего лишь чуть шире открыл глаза:

— Это во многом объясняет происшедшее. Все-таки Америка — своеобразная страна.

— Возможно, вы бывали там, граф?

— Я провел год в Вашингтоне.

— Вы, случайно, не были знакомы с семейством Армстронг?

— Армстронг... Армстронг... Трудно вспомнить, я со многими был там знаком. — Он улыбнулся и пожал плечами. — Вернемся к делу, джентльмены. Чем еще я могу вам помочь?

— Когда вы легли спать, мсье граф?

Взгляд Пуаро устремился на план. Граф и графиня Андреньи занимали двенадцатое и тринадцатое места в смежных купе.

— В купе жены постелили на ночь, когда мы были в ресторане. Вернувшись, мы посидели в моем купе...

— На месте номер...

— 13. Мы играли в пикет. Около одиннадцати жена ушла спать. Проводник постелил в моем купе, я тоже лег и проспал до утра.

— Вы обратили внимание, что поезд остановился?

— Только утром.

— А ваша жена?

Граф улыбнулся.

— В поезде моя жена всегда принимает снотворное. Вчера она приняла обычную дозу трионала. — После паузы он добавил: — Сожалею, что не в силах помочь вам.

Пуаро протянул ему карандаш и бумагу.

— Благодарю вас, мсье граф. Это формальность, но не напишете ли вы ваши имя и адрес?

Граф писал медленно и тщательно.

— Название моего поместья в Венгрии, — объяснил он, — трудно записать по слуху людям, не знающим языка. — Он передал бумагу Пуаро и поднялся. — Моей жене незачем сюда приходить. Она не сможет ничего добавить к тому, что сказал я.

Глаза Пуаро блеснули.

— Несомненно, — кивнул он. — И тем не менее я бы хотел немного побеседовать с мадам графиней.

— Уверяю вас, в этом нет никакой надобности. — В его голосе зазвучали властные нотки.

Пуаро смущенно заморгал.

— Это чистая формальность, — сказал он, — но необходимая для моего отчета властям.

— Как вам будет угодно, — нехотя уступил граф. Отвесив краткий, чисто протокольный поклон, он вышел из вагона.

Пуаро взял паспорт графа, где значились его имя и титулы. На следующей странице было написано: «В сопровождении жены. Имя — Елена Мария; девичья фамилия — Гольденберг; возраст — двадцать лет». Какой-то неряшливый чиновник посадил на странице жирное пятно.

— Дипломатический паспорт, — заметил мсье Бук. — С этими людьми лучше быть осмотрительными, друг мой. Они не могут иметь отношение к убийству.

— Успокойтесь, mon vieux, я буду предельно тактичен. Как я говорил, это всего лишь формальность.

Он умолк, когда в вагон вошла графиня Андреньи. Она выглядела робкой и очаровательной.

— Вы хотели видеть меня, господа?

— По чисто формальному поводу, мадам графиня. — Пуаро галантно поднялся и кивком указал на стул напротив. — Только чтобы спросить, не видели или не слышали ли вы прошлой ночью чего-нибудь способного пролить свет на это дело.

— Абсолютно ничего, мсье. Я спала.

— Например, не слышали ли вы шум в соседнем купе? У леди, которая его занимает, начался приступ истерии, и она стала звонить проводнику.

— Я ничего не слышала, мсье. Понимаете, я приняла снотворное.

— А-а, понимаю! Ну, не буду больше вас задерживать. — Пуаро быстро добавил, когда она встала: — Одну минутку. Все эти сведения в паспорте — ваша девичья фамилия, возраст и так далее — верны?

— Абсолютно верны, мсье.

— Тогда подпишитесь здесь, чтобы это удостоверить.

Она быстро расписалась изящным наклонным почерком: «Елена Андреньи».

— Вы сопровождали вашего мужа в Америку, мадам?

— Нет, мсье. — Она улыбнулась, слегка покраснев. — Тогда мы еще не были женаты, мы поженились всего год назад.

— Благодарю вас, мадам. Между прочим, ваш муж курит?

Графиня, уже собравшаяся уходить, внимательно посмотрела на него:

— Да.

— Трубку?

— Нет. Сигареты и сигары.

— Еще раз благодарю.

Молодая женщина с любопытством смотрела на Пуаро темными миндалевидными глазами с длинными черными ресницами, подчеркивающими матовую бледность щек. Ее губы, подкрашенные ярко-алой помадой, слегка приоткрылись. Она была прекрасна необычной, экзотической красотой.

— Почему вы об этом спросили?

Пуаро взмахнул рукой:

— Детективам приходится задавать всевозможные вопросы, мадам. Например, не сообщите ли вы мне цвет вашего халата?

Графиня недоуменно посмотрела на него, затем рассмеялась:

— У меня халат из желтого шифона. Это в самом деле важно?

— Очень важно, мадам.

— Значит, вы действительно детектив? — спросила она.

— К вашим услугам, мадам.

— А я думала, что в поезде не будет детективов, пока он проезжает через Югославию и не доберется до Италии.

— Я не югославский детектив, мадам, — театральным тоном заявил Пуаро. — В основном я работаю в Лондоне. Вы говорите по-английски?

— Немного, — ответила она по-английски с очаровательным акцентом.

Пуаро снова поклонился:

— Не станем больше вас задерживать, мадам. Как видите, это было не так уж страшно.

Графиня улыбнулась, кивнула и вышла.

— Elle est jolie femme[1], — оценил мсье Бук и со вздохом добавил: — Но нельзя сказать, чтобы она и ее муж нам помогли.

— Да, — согласился Пуаро. — Пара, которая ничего не видела и не слышала.

— Ну а теперь мы повидаем итальянца?

Некоторое время Пуаро не отвечал, внимательно разглядывая жирное пятно на венгерском дипломатическом паспорте.

Глава 8

ПОКАЗАНИЯ ПОЛКОВНИКА АРБАТНОТА

Слегка вздрогнув, Пуаро пробудился от размышлений. Его глаза весело блеснули, встретившись с глазами мсье Бука.

---

[1] Она хорошенькая (*фр.*).

— Ах, мой дорогой старый друг! — вздохнул он. — Понимаете, я становлюсь, что называется, снобом и чувствую, что следует повидать всех пассажиров первого класса, прежде чем перейти к второму. Думаю, сейчас нам лучше побеседовать с бравым полковником Арбатнотом.

Найдя ресурсы полковника в области французского языка весьма ограниченными, Пуаро продолжил разговор на английском.

Выяснив полное имя, возраст, домашний адрес и армейский чин Арбатнота, Пуаро осведомился:

— Вы едете домой из Индии в отпуск, или, как мы это называем, en permission?

Полковник Арбатнот, не интересуясь тем, что и как называет компания иностранцев, ответил с истинно британской краткостью:

— Да.

— Но вы не поехали морем?

— Нет.

— Почему?

— Я решил ехать поездом по личным причинам.

Весь его вид, казалось, говорил: «Вот тебе, назойливый выскочка!»

— Вы едете прямо из Индии?

— Я задержался на одну ночь посмотреть Ур[1] и на три дня в Багдаде у старого друга.

— Значит, вы провели три дня в Багдаде. Насколько я понял, молодая английская леди, мисс Дебенхем, также едет из Багдада. Возможно, вы встречали ее там?

— Нет. Я впервые повстречал мисс Дебенхем, когда мы ехали в одном вагоне из Киркука в Ниссибин.

Пуаро склонился вперед. Его манеры стали подчеркнуто вкрадчивыми.

— Мсье, я намерен обратиться к вам с просьбой. Вы и мисс Дебенхем — единственные англичане в поезде. Мне необходимо знать ваше мнение друг о друге.

---

[1] У р — древний город в Месопотамии, раскопки которого производились на территории современного Ирака.

— В высшей степени необычная просьба, — холодно заметил полковник Арбатнот.

— Не совсем. Понимаете, это преступление, по всей вероятности, совершено женщиной. Убитому нанесли не менее двенадцати ножевых ударов. Даже начальник поезда сразу сказал: «Это женщина». Следовательно, моя первая задача — получить представление о всех женщинах, едущих в вагоне «Стамбул—Кале». Но с англичанками это нелегко, они слишком сдержанны. Поэтому, мсье, я обращаюсь к вам в интересах правосудия. Что собой представляет эта мисс Дебенхем? Что вы о ней знаете?

— Мисс Дебенхем, — не без некоторой горячности отозвался полковник, — настоящая леди.

— Ага! — с удовлетворением воскликнул Пуаро. — Значит, вы не считаете, что она может быть замешана в преступлении?

— Абсолютно нелепая идея, — заявил Арбатнот. — Мисс Дебенхем впервые увидела этого человека только в поезде.

— Она сама вам это сказала?

— Да. Мисс Дебенхем сразу заметила, что у него очень неприятная внешность. Если преступление совершила женщина, как вы, кажется, думаете (по-моему, без всяких оснований), то уверяю вас, что это никак не мисс Дебенхем.

— Вы принимаете это близко к сердцу, — улыбнулся Пуаро.

Полковник Арбатнот холодно посмотрел на него:

— Не знаю, что вы имеете в виду.

Казалось, его взгляд обескуражил Пуаро. Он опустил глаза и начал перебирать лежащие перед ним бумаги.

— Все это между прочим, — сказал он. — Давайте будем практичными и перейдем к фактам. У нас есть причины полагать, что преступление произошло в четверть второго ночи. Правила требуют спросить всех пассажиров, что они делали в это время.

— Понятно. Насколько помню, в четверть второго я беседовал с молодым американцем, секретарем убитого.

— У вас в купе или у него?

— У него.

— Вы имеете в виду молодого человека по фамилии Маккуин?

— Да.

— Он ваш друг или знакомый?

— Нет, до этой поездки я его ни разу не видел. Мы случайно разговорились вчера и увлеклись беседой. Обычно американцы мне не по душе — абсолютно бесполезная публика...

Пуаро улыбнулся, вспомнив суждения Маккуина о британцах.

— Но этот парень понравился. У него были нелепые идеи насчет положения в Индии. Самое плохое в американцах то, что они сентиментальные идеалисты. Мой рассказ его заинтересовал, я ведь провел в этой стране почти тридцать лет. А меня интересовало то, что он знал о финансовой ситуации в Америке. Потом мы перешли к международной политике в целом. Я даже удивился, когда посмотрел на часы и увидел, что уже без четверти два.

— Именно в это время вы прервали беседу?

— Да.

— А что вы делали потом?

— Пошел в свое купе.

— Вам уже постелили?

— Да.

— Ваше место... дайте посмотреть... номер 15, второе купе от конца вагона, противоположного ресторану?

— Да.

— Где был проводник, когда вы возвращались к себе в купе?

— Сидел в конце вагона за маленьким столиком. Маккуин как раз позвал его.

— Зачем?

— Очевидно, чтобы тот приготовил ему постель. Она еще не была разобрана.

— А теперь, полковник Арбатнот, я хочу, чтобы вы подумали как следует. Во время вашей беседы с мистером Маккуином кто-нибудь проходил по коридору мимо купе?

— По-моему, много людей. Я не обращал внимания.

— Да, но я имею в виду... скажем, последние полтора часа вашего разговора. Вы выходили в Винковци, не так ли?

— Да, но только на минуту. Мел снег, и было ужасно холодно. Сразу потянуло назад в духоту, хотя, по-моему, в этих поездах натоплено до безобразия.

— На всех не угодишь, — вздохнул мсье Бук. — Англичане открывают окна, другие, наоборот, закрывают.

Ни Пуаро, ни полковник Арбатнот не обратили на него внимания.

— Постарайтесь вспомнить, мсье, — подбодрил полковника Пуаро. — На перроне холодно. Вы возвращаетесь в вагон, снова садитесь и закуриваете — сигарету или, может быть, трубку...

Он сделал паузу.

— Я курил трубку, а Маккуин — сигареты.

— Поезд трогается. Вы курите вашу трубку и обсуждаете ситуацию в Европе или в мире. Уже поздно, и большинство пассажиров спят. Подумайте, не проходил ли кто-нибудь мимо?

Арбатнот нахмурился, напрягая память:

— Трудно сказать. Понимаете, я не следил за этим.

— Но ведь вам, как военному, присуща инстинктивная наблюдательность. Вы все замечаете, так сказать сами того не замечая.

Полковник снова подумал и покачал головой:

— Не помню, чтобы проходил кто-нибудь, кроме проводника. Хотя погодите, по-моему, один раз прошла женщина.

— Вы видели ее? Она была старая или молодая?

— Я на нее не смотрел. Просто услышал шорох и почувствовал запах духов.

— Хороших духов?

— Ну, чересчур тяжелых, если вы понимаете, о чем я. Их запах улавливаешь за сотню ярдов. Но это могло произойти и раньше, — поспешно добавил полковник. — Как вы только что сказали, такие вещи замечаешь сам того не замечая. Я просто отметил про себя: «Женщина словно искупалась в духах». Но я не могу быть уверенным, когда именно это было, знаю только, что после Винковци.

— Почему?

— Потому что я помню, что почуял запах духов, когда говорил о полном провале сталинской пятилетки. Почему-то именно эта дама навела меня на мысль о положении женщин в России. А я знаю, что до России мы добрались только в конце беседы.

— Вы не можете определить время точнее?

— Н-нет. Должно быть, это произошло в течение последнего получаса нашего разговора.

— Поезд тогда уже остановился?

Полковник кивнул:

— Я почти уверен, что да.

— Ладно, пока мы это оставим. Вы бывали в Америке, полковник?

— Никогда. И не испытываю желания там побывать.

— Вы когда-нибудь знали полковника Армстронга?

— Армстронг... Армстронг... Я знал двух или трех Армстронгов. В 60-м полку был Томми Армстронг — вы не его имеете в виду? Еще Селби Армстронг — он погиб на Сомме.

— Я имею в виду полковника Армстронга, который был женат на американке. Их ребенка похитили и убили.

— Ах да, помню. Я читал об этом — скверная история. Не думаю, что когда-нибудь встречал этого человека, хотя, конечно, слышал о нем. Тоби Армстронг. Славный парень, все его любили. Он сделал отличную карьеру и получил крест Виктории.

— Человек, которого убили прошлой ночью, был повинен в гибели ребенка полковника Армстронга.

Лицо Арбатнота помрачнело.

— Тогда эта свинья получила по заслугам. Хотя я предпочел бы, чтобы его повесили, как полагается, или усадили на электрический стул, как принято в Америке.

— Короче говоря, полковник Арбатнот, вы предпочитаете закон и порядок личной мести?

— Ну, не устраивать же кровную вражду и резать друг друга, как корсиканцы или мафия, — ответил полковник. — Говорите что хотите, но, по-моему, суд присяжных — вполне надежная система.

Некоторое время Пуаро задумчиво смотрел на него.

— Да, — сказал он наконец. — Я не сомневался, что ваши взгляды именно таковы. Не думаю, чтобы у меня были к вам еще какие-нибудь вопросы. Вы сами не припоминаете ничего происшедшего прошлой ночью, что показалось вам — или могло бы показаться теперь — подозрительным?

Арбатнот немного подумал.

— Нет, — ответил он. — Ничего. Разве только...

— Продолжайте, прошу вас.

— Ничего особенного, — медленно произнес полковник. — Но если для вас важны любые мелочи...

— Да-да, говорите.

— Возвращаясь к себе, я заметил, что дверь соседнего купе, последнего в этом конце вагона...

— Да, место номер 16.

— Ну, дверь была приоткрыта, и мужчина выглядывал исподтишка. Потом он быстро закрыл дверь. Пустяк, конечно, но это показалось мне странным. Нет ничего необычного, когда хотят что-то увидеть. Но зачем делать это тайком?

— Да-а, — с сомнением протянул Пуаро.

— Я ведь предупредил, что это мелочь, — виновато добавил Арбатнот. — Но знаете, как это бывает. Ночью, в тишине, все выглядит зловещим, как в детективном романе. Конечно, это чепуха. — Он поднялся. — Если я вам больше не нужен...

— Благодарю вас, полковник Арбатнот, это все.

Полковник колебался. Природное отвращение к необходимости отвечать на вопросы иностранцев куда-то испарилось.

— Насчет мисс Дебенхем, — смущенно начал он. — Можете мне поверить, что с ней все в порядке. Она pukka sahib[1].

Покраснев, полковник удалился.

— Что означает «pukka sahib»? — с интересом спросил доктор Константине.

— Это означает, — ответил Пуаро, — что отец и братья мисс Дебенхем учились в таких же школах, что и полковник Арбатнот.

— Вот как? — Доктор был разочарован. — Значит, это никак не связано с преступлением?

— Вот именно.

Пуаро погрузился в размышления, барабаня пальцами по столу. Потом он поднял голову:

— Полковник Арбатнот курит трубку. А в купе мсье Рэтчетта я обнаружил ершик для трубки. Сам мсье Рэтчетт курил только сигары.

— Вы думаете...

— Полковник — единственный человек, признавший, что курит трубку. И он знал о полковнике Армстронге, возможно, даже был с ним знаком, хотя не сознается в этом.

— По-вашему, возможно?..

Пуаро энергично покачал головой:

— Напротив, кажется абсолютно невозможным, чтобы респектабельный и честный, хотя и довольно глуповатый англичанин ударил врага ножом двенадцать раз! Неужели вы не чувствуете, друзья мои, насколько это невероятно?

— Это все психология, — отмахнулся мсье Бук.

— А с психологией необходимо считаться. У этого преступления имеется определенный почерк, и это явно не почерк полковника Арбатнота. Но перейдем к следующему интервью.

На сей раз мсье Бук не упомянул итальянца. Но подумал о нем.

---

[1] Настоящая леди (*англ.-инд.*).

Глава 9

ПОКАЗАНИЯ МИСТЕРА ХАРДМАНА

Последним из пассажиров первого класса вызвали мистера Хардмана — широкоплечего, кричаще одетого американца, который делил в ресторане столик с итальянцем и слугой.

Сейчас на нем красовались клетчатый костюм, розовая рубашка и галстук с блестящей булавкой. Его мясистое грубоватое лицо имело добродушное выражение. Войдя, он не переставал жевать резинку.

— Доброе утро, джентльмены, — поздоровался американец. — Чем могу вам помочь?

— Вы слышали об убийстве, мистер... э-э... Хардман?

— Еще бы.

— Мы должны допросить всех пассажиров.

— Лично я не возражаю. Очевидно, без этого не обойтись.

Пуаро заглянул в лежащий перед ним паспорт.

— Вы Сайрес Бетмен Хардман, гражданин Соединенных Штатов, возраст — сорок один год, коммивояжер по продаже лент для пишущих машинок?

— О'кей, это я.

— Вы едете из Стамбула в Париж?

— Тоже верно.

— Причина поездки?

— Бизнес.

— Вы всегда путешествуете первым классом, мистер Хардман?

— Да, сэр. — Он подмигнул. — Дорожные расходы оплачивает фирма.

— А теперь, мистер Хардман, перейдем к событиям прошлой ночи.

Американец кивнул.

— Что вы можете сообщить нам о происшедшем?

— Ровным счетом ничего.

— Очень жаль. Возможно, мистер Хардман, вы расскажете нам, чем вы занимались после обеда?

Впервые американец помедлил с ответом.

— Извините, джентльмены, — сказал он наконец, — но кто вы такие? Просветите меня на этот счет.

— Это мсье Бук, директор компании спальных вагонов, а этот джентльмен — врач, который осматривал труп.

— А вы сами?

— Я Эркюль Пуаро. Компания поручила мне расследование этого дела.

— Я слышал о вас. — Мистер Хардман размышлял минуту-другую. — Пожалуй, мне лучше открыть карты.

— Безусловно, вам следует рассказать нам все, что вы знаете, — сухо сказал Пуаро.

— Вся беда в том, что я ничего не знаю, хотя мне по чину положено все знать. Вот что меня бесит.

— Пожалуйста, объяснитесь, мистер Хардман.

Американец вздохнул, вынул изо рта резинку и сунул руку в карман. Казалось, весь его облик претерпевал изменение. Он все менее походил на водевильного персонажа и все более на реальную личность. Даже гнусавый тембр голоса стал менее заметным.

— Паспорт липовый, — сказал он. — Вот кто я на самом деле.

Пуаро стал изучать протянутую ему визитную карточку. Мсье Бук заглядывал ему через плечо.

«М-р САЙРЕС Б. ХАРДМАН,
детективное агентство Мак-Нила,
Нью-Йорк».

Название было знакомо Пуаро. Так именовалось одно из самых известных и уважаемых частных детективных агентств в Нью-Йорке.

— А теперь, мистер Хардман, — сказал он, — объясните, что это значит.

— В общем, все происходило так. Я прибыл в Европу, выслеживая пару мошенников, к убийству это не имеет отношения. Преследование закончилось в Стамбуле. Я телеграфировал шефу, получил указание возвращаться и уже готовился направить стопы в добрый старый Нью-Йорк, когда получил вот это.

Он протянул письмо на фирменной бумаге отеля «Токатлиан».

«Дорогой сэр! Мне указали на вас как на оперативника детективного агентства Мак-Нила. Пожалуйста, зайдите в мои апартаменты сегодня в четыре часа дня».

Внизу стояла подпись: *«С.Э. Рэтчетт»*.

— Eh bien?

— Я пришел в указанное время, и мистер Рэтчетт ознакомил меня с ситуацией — показал мне пару писем, которые он получил.

— Он был встревожен?

— Притворялся, что нет, но я видел, что он здорово напуган. Мистер Рэтчетт сделал мне предложение. Я должен был поехать в Париж тем же поездом, что и он, и следить, чтобы до него никто не добрался. Как видите, джентльмены, я поехал тем же поездом, но, несмотря на это, до него добрались. Это чертовски уязвляет мое самолюбие.

— Он дал вам какие-нибудь указания насчет линии поведения, которой вам следует придерживаться.

— Естественно. Он уже все продумал. Я должен был ехать в соседнем с ним купе, но из этого сразу ничего не вышло. Свободным было только шестнадцатое место, да и его я получил не без труда. По-моему, проводник хотел придержать это купе. Но когда я осмотрелся, то мне казалось, что это недурная стратегическая позиция. Перед стамбульским спальным вагоном был только вагон-ресторан, а передняя дверь на платформу запиралась на засов на всю ночь. Убийца мог попасть в купе мистера Рэтчетта только через заднюю дверь на платформу или задние вагоны — в любом случае ему пришлось бы пройти мимо моего купе.

— Полагаю, о личности возможного убийцы вы не имели никакого представления?

— Ну, я знал, как он выглядит. Мистер Рэтчетт описал его мне.

— Что?!

Трое мужчин сразу встрепенулись.

— Старик сказал, — продолжал Хардман, — что это низенький брюнет с тонким голосом, похожим на женский, и что покушение едва ли произойдет в первую ночь — скорее на вторую или на третью.

— Выходит, он что-то знал, — заметил мсье Бук.

— Он, безусловно, знал больше, чем говорил секретарю, — задумчиво сказал Пуаро. — Мистер Рэтчетт рассказывал вам что-нибудь о своем враге? Например, он объяснил, почему его жизни угрожают?

— Нет, об этом он помалкивал. Он только сказал, что этот парень жаждет его крови и твердо намерен до него добраться.

— Низенький брюнет с женским голосом, — медленно произнес Пуаро и осведомился, внимательно глядя на Хардмана: — Вы, конечно, знали, кто он был в действительности?

— О ком вы, мистер?

— О Рэтчетте. Вы узнали его?

— Не понимаю, о чем вы.

— Рэтчетт — это Кассетти, убийца ребенка Армстронгов.

Мистер Хардман громко свистнул:

— Вот так сюрприз! Нет, я его не узнал. Я был на Западе, когда это произошло. Конечно, я видел его фото в газетах, но на них и мать родную не узнаешь. Не сомневаюсь, что многим хотелось бы расправиться с Кассетти.

— А вы не знаете никого связанного с делом Армстронгов, кто соответствовал бы этому описанию — невысокого брюнета с женским голосом?

Хардман задумался.

— Трудно сказать. Почти все, связанные с этим делом, уже на том свете.

— Помните, там была девушка, которая выбросилась из окна?

— Да, припоминаю. Какая-то иностранка. Может быть, у нее остались родственники-итальяшки. Но не забывайте, что Кассетти похитил не только ребенка Армстронгов, так что вам не следует сосредоточиваться лишь на этом деле.

— У нас есть причины полагать, что это преступление связано с делом Армстронгов.

Мистер Хардман вопросительно посмотрел на него, но Пуаро не прореагировал. Американец покачал головой.

— Не помню никого в деле Армстронгов, кто соответствовал бы этому описанию, — медленно сказал он. — Хотя, конечно, я в нем не участвовал и мало что знаю.

— Продолжайте ваше повествование, мсье Хардман.

— Рассказывать уже почти нечего. Днем я спал, а ночью караулил. В первую ночь не произошло ничего подозрительного. Прошлой ночью тоже, насколько я мог судить. Я держал дверь купе приоткрытой и наблюдал в щелку. Никто посторонний не проходил мимо.

— Вы уверены в этом, мсье Хардман?

— Уверен на все сто. Никто не проходил в вагон ни с перрона, ни из задних вагонов. Готов в этом поклясться.

— Могли вы видеть из вашего купе проводника?

— Да. Он сидит за маленьким столиком почти рядом с моей дверью.

— Он покидал свое место после того, как поезд остановился в Винковци?

— Это была последняя станция? Да, он ответил на пару звонков, сразу после того, как поезд застрял окончательно. Потом он прошел мимо меня в задний вагон и пробыл там около четверти часа. Кто-то начал трезвонить как сумасшедший, и проводник примчался назад. Я вышел в коридор посмотреть, что происходит, — как вы понимаете, я здорово нервничал, — но оказалось, что это американская дама подняла из-за чего-то шум. Потом проводник зашел в другое купе и принес туда бутылку минеральной воды. После этого он сидел за своим столиком, пока не пошел в дальний конец вагона кому-то стелить постель. По-моему, больше он не вставал до пяти утра.

— Он дремал какое-то время?

— Не знаю, может быть.

Пуаро кивнул. Машинально поправив бумаги на столе, он снова взял служебную карточку американца.

— Пожалуйста, поставьте здесь ваши инициалы.

Хардман повиновался.

— Полагаю, никто не может удостоверить вашу личность, мсье Хардман?

— В этом поезде? Конечно нет. Разве только молодой Маккуин. Я часто видел его в офисе его отца в Нью-Йорке, но это не значит, что он запомнил меня среди других оперативников. Нет, мистер Пуаро, вы лучше потерпите, пока мы выберемся из заносов, и телеграфируйте в Нью-Йорк. Но я ничего не выдумал, все о'кей. Ну, пока, джентльмены. Рад был с вами познакомиться, мистер Пуаро.

Эркюль Пуаро протянул ему свой портсигар.

— Или, возможно, вы предпочитаете трубку?

— Нет, трубка не для меня.

Он взял сигарету и быстро вышел.

Трое мужчин посмотрели друг на друга.

— Думаете, он говорит правду? — спросил доктор Константине.

— Похоже. Кроме того, такую историю нетрудно проверить.

— Он сообщил нам весьма интересные сведения, — сказал мсье Бук.

— Да, в самом деле.

— Маленький брюнет с высоким голосом, — задумчиво произнес мсье Бук.

— Описание, под которое не подходит никто в поезде, — добавил Пуаро.

Глава 10

ПОКАЗАНИЯ ИТАЛЬЯНЦА

— А теперь, — подмигнув, сказал Пуаро, — мы порадуем мсье Бука и повидаем итальянца.

Антонио Фоскарелли вошел в вагон-ресторан мягкой, кошачьей походкой. Его лицо сияло, типично итальянское лицо — смуглое и жизнерадостное.

Он говорил по-французски с легким акцентом, но грамотно и бегло.

— Ваше имя Антонио Фоскарелли?

— Да, мсье.

— Насколько я понимаю, вы натурализовавшийся американский подданный?

Американец усмехнулся:

— Да, мсье. Так лучше для моего бизнеса.

— Вы агент по продаже автомобилей Форда?

— Да, видите ли...

Последовала многословная речь, по окончании которой трое мужчин знали практически все о деловых методах Фоскарелли, его поездках, доходах, а также мнении о Соединенных Штатах и большинстве европейских стран. Из этого человека было незачем вытягивать информацию. Она лилась сама собой.

Его добродушное лицо светилось чисто детским удовольствием, когда он наконец сделал паузу и вытер лоб носовым платком.

— Как видите, я занимаюсь крупным бизнесом. Я иду в ногу со временем и знаю толк в торговле!

— Значит, последние десять лет вы жили в Соединенных Штатах?

— Да, мсье. Помню тот день, когда я впервые сел на корабль, плывущий в Америку — в такую даль! Мои мать и сестренка...

Пуаро поспешно оборвал поток воспоминаний:

— Во время вашего пребывания в Штатах вы когда-нибудь сталкивались с покойным?

— Никогда. Но я отлично знаю этот тип. — Итальянец выразительно щелкнул пальцами. — Респектабелен, отлично одет, а внутри сплошная гниль. Если хотите знать мое мнение, он был крупным мошенником.

— Ваше мнение абсолютно верно, — сухо сказал Пуаро. — Рэтчетт — это Кассетти, похититель детей.

— Что я вам говорил! Я научился читать по лицам. В моем бизнесе без этого не обойтись. Только в Америке можно научиться торговать по-настоящему.

— Вы помните дело Армстронгов?

— Не совсем. Кажется, похитили маленькую девочку?

— Да, трагическая история.

Итальянец оказался первым, кто не разделял эту точку зрения.

— Такие вещи случаются, — философски заметил он, — даже в Америке — стране великой цивилизации...

Пуаро снова прервал его:

— Вы когда-нибудь встречались с кем-нибудь из семьи Армстронгов?

— Не думаю. Трудно сказать. Я приведу вам кое-какие цифры. Только в прошлом году я продал...

— Умоляю, мсье, не отвлекайтесь от темы.

Итальянец виноватым жестом возвел руки:

— Тысяча извинений.

— Не опишете ли вы мне все ваши передвижения после обеда вчера вечером?

— С удовольствием. Я задержался в ресторане — тут было веселее. Болтал с американским джентльменом, с которым сидел за одним столиком. Он продает ленты для пишущих машинок. Потом вернулся в свое купе. Там никого не было, жалкий Джон Буль, который делит его со мной, ушел обслуживать своего хозяина. Потом он вернулся, как обычно, с кислой физиономией. Разговаривать не хотел, отвечал только «да» и «нет». Несимпатичная нация эти англичане. Этот тип все время сидел в углу и читал книгу. Потом пришел проводник и постелил нам.

— Места 4 и 5, — пробормотал Пуаро.

— Совершенно верно — крайнее купе. Мое место сверху, я туда и забрался. Курил и читал. У англичанина, по-моему, болел зуб. Он налил себе из пузырька какое-то вонючее лекарство, лежал и стонал. Вскоре я задремал, а когда просыпался, слышал его стоны.

— Не знаете, он ночью выходил из купе?

— Вряд ли. Я бы услышал. К тому же, когда из коридора проникает свет, я автоматически просыпаюсь — думаю, что это таможенный досмотр на границе.

— Он говорил о своем хозяине? Выражал к нему враждебные чувства.

— Он вообще не говорил, молчал как рыба.

— Вы сказали, что курили. А что вы курите — трубку, сигареты, сигары?

— Только сигареты.

Пуаро угостил его.

— Вы когда-нибудь были в Чикаго? — осведомился мсье Бук.

— О да! Прекрасный город, но я лучше знаю Нью-Йорк, Вашингтон, Детройт. А вы бывали в Штатах? Нет? Обязательно поезжайте туда. Америка...

Пуаро придвинул к нему лист бумаги:

— Пожалуйста, распишитесь здесь и укажите ваш постоянный адрес.

Итальянец пышно расписался и встал, обаятельно улыбнувшись:

— Это все? Я вам больше не нужен? Тогда всего хорошего, мсье. Поскорее бы мы выбрались из заносов. У меня важная встреча в Милане. Может пострадать мой бизнес.

Он печально покачал головой и удалился.

Пуаро посмотрел на своего друга.

— Этот человек долго жил в Америке, — сказал мсье Бук. — К тому же он итальянец, а итальянцы всегда пользуются ножами. И вообще, они лжецы. Терпеть их не могу.

— Ça se voit[1], — с улыбкой отозвался Пуаро. — Может быть, вы и правы, друг мой, но должен вам напомнить, что против него нет никаких улик.

— А как же психология? Разве итальянцы не орудуют ножами?

— Безусловно, — ответил Пуаро. — Особенно в разгар ссоры. Но это преступление совсем другого рода. У меня есть маленькая идея, что оно было тщательно спланировано и так же аккуратно осуществлено. Это... как бы лучше выразить?.. не латинское преступление. В нем ощущаются признаки холодного и расчетливо-

---

[1] Оно и видно (*фр.*).

го ума, скорее всего англосаксонского. — Он подобрал последние два паспорта. — А теперь давайте побеседуем с мисс Мэри Дебенхем.

Глава 11
ПОКАЗАНИЯ МИСС ДЕБЕНХЕМ

Когда Мэри Дебенхем вошла в вагон-ресторан, Пуаро убедился в правильности своего первоначального суждения о ней.

На девушке были черный костюм и серая блузка; темные волнистые волосы аккуратно причесаны; поведение под стать прическе — спокойное и невозмутимое.

Она села напротив Пуаро и мсье Бука и вопросительно посмотрела на них.

— Ваше имя Мэри Хермион Дебенхем и вам двадцать шесть лет? — начал Пуаро.

— Да.

— Вы англичанка?

— Да.

— Не будете ли вы любезны, мадемуазель, написать на этом листе ваш постоянный адрес?

Она повиновалась. Почерк у нее был четкий и разборчивый.

— А теперь, мадемуазель, что вы можете сообщить нам о происшедшем прошлой ночью?

— Боюсь, что ничего. Я легла и сразу заснула.

— Вас очень расстроило, мадемуазель, что в этом поезде было совершено преступление?

Вопрос явно оказался неожиданным. Серые глаза девушки слегка расширились.

— Я не вполне вас понимаю.

— А ведь я задал вам очень простой вопрос, мадемуазель. Я повторю его. Вас очень расстроило, что в этом поезде произошло преступление?

— Право, я просто не думала об этом. Нет, не могу сказать, что это меня очень расстроило.

— Для вас преступление — обычное дело?

— Разумеется, это событие не назовешь приятным, — спокойно отозвалась Мэри Дебенхем.

— Вы истинная англичанка, мадемуазель. Vous n'éprouvez pas d'émotion[1].

Она холодно улыбнулась:

— Боюсь, я не смогу закатить истерику, чтобы доказать мою чувствительность. В конце концов, люди умирают каждый день.

— Да, но убийство не столь частое явление.

— Безусловно.

— Вы не были знакомы с покойным?

— Я впервые увидела его вчера во время ленча.

— И какое он произвел на вас впечатление?

— Я едва обратила на него внимание.

— Он не показался вам злым человеком?

Она пожала плечами:

— Право, я об этом не думала.

Пуаро внимательно на нее посмотрел.

— По-моему, вы относитесь к моим методам расследования с некоторым презрением, — сказал он с озорным блеском в глазах. — Вы считаете, что английское следствие велось бы совсем не так. Все должно быть сухо, упорядочено и основано только на фактах. Но у меня, мадемуазель, свои маленькие причуды. Сначала я смотрю на свидетеля и стараюсь составить о нем мнение, а потом в соответствии с этим задаю вопросы. Только что я беседовал с джентльменом, который стремился сообщить мне свои идеи по каждому поводу. С ним я не отвлекался от темы, требуя, чтобы он отвечал мне только «да» или «нет». Потом приходите вы. Я сразу понимаю, что вы аккуратны, методичны и будете отвечать кратко и по делу. Но так как человеческой натуре свойствен дух противоречия, я задаю вам совсем другие вопросы. Я спрашиваю, что вы чувствуете, о чем думаете. Вас не удовлетворяет такой метод?

— Простите, но мне это кажется пустой тратой времени. Нравилось мне лицо мистера Рэтчетта или нет, это едва ли поможет найти его убийцу.

---

[1] Не испытываете никаких эмоций (*фр.*).

115

— Вы знаете, кем был Рэтчетт в действительности, мадемуазель?

Она кивнула:

— Миссис Хаббард уже всем это сообщила.

— И что же вы думаете о деле Армстронгов?

— Это была чудовищная трагедия, — быстро ответила девушка.

Пуаро задумчиво на нее посмотрел:

— Кажется, вы едете из Багдада, мисс Дебенхем?

— Да.

— В Лондон?

— Да.

— Чем вы занимались в Багдаде?

— Была гувернанткой двоих детей.

— Вы возвратитесь на это место после отпуска?

— Не уверена.

— Почему?

— Багдад чересчур далеко. Я бы предпочла найти подходящее место в Лондоне.

— Понятно. А я подумал, что вы, возможно, собираетесь замуж.

Вместо ответа, мисс Дебенхем посмотрела прямо в глаза Пуаро. Взгляд ее ясно говорил: «Вы слишком нахальны».

— Каково ваше мнение о леди, которая разделяет с вами купе, — мисс Ольссон?

— Она кажется простой и славной женщиной.

— Какого цвета ее халат?

Мэри Дебенхем уставилась на него:

— Коричневатого, он из натуральной шерсти.

— Надеюсь, вы не сочтете нескромностью, если я скажу, что по пути из Алеппо в Стамбул обратил внимание на цвет вашего халата? Он бледно-лиловый, не так ли?

— Да, верно.

— А у вас есть другой халат, мадемуазель? Например, алый?

— Нет, это не мой халат.

Пуаро склонился вперед. Он походил на кота, который сейчас прыгнет на мышь.

— А чей?

Девушка испуганно отпрянула:

— Не знаю. Что вы имеете в виду?

— Вы не ответили: «Нет, у меня нет такого халата», а сказали: «Нет, это не мой халат». Это означает, что такой халат есть у кого-то другого.

Она кивнула.

— У кого-то в этом поезде?

— Да.

— Чей же он?

— Не знаю. Я проснулась около пяти утра с ощущением, что поезд уже давно стоит, открыла дверь и выглянула в коридор, думая, что это какая-то станция. В коридоре на некотором расстоянии я увидела фигуру в алом кимоно.

— И вы не знаете, кто была эта женщина? Какие у нее были волосы — темные, светлые или седые?

— Не знаю. На ней был чепчик, и я видела только ее затылок.

— А как она была сложена?

— По-моему, высокая и стройная, но я не уверена. Кимоно было расшито драконами.

— Да-да, совершенно верно, драконами.

Помолчав несколько секунд, Пуаро пробормотал себе под нос:

— Не понимаю. Все это не имеет смысла. — Он снова посмотрел на девушку. — Не стану больше вас задерживать, мадемуазель.

Мэри Дебенхем выглядела озадаченной, но быстро встала.

Однако в дверях она остановилась и вернулась назад.

— Шведская дама, мисс Ольссон, очень беспокоится. Вроде бы вы сказали ей, что она последняя видела этого человека живым. По-моему, ей кажется, что вы из-за этого ее подозреваете. Можно я скажу ей, что она ошибается? Эта женщина и мухи не обидит. — Девушка улыбнулась.

— В котором часу мисс Ольссон пошла за аспирином к миссис Хаббард?

— После половины одиннадцатого.

— Сколько времени она отсутствовала?

— Около пяти минут.

— А ночью она выходила из купе?

— Нет.

Пуаро повернулся к доктору:

— Рэтчетт мог быть убит так рано?

Доктор покачал головой.

— Тогда я думаю, вы можете успокоить вашу приятельницу, мадемуазель.

— Благодарю вас. — Мэри Дебенхем снова улыбнулась. — Знаете, она похожа на овцу. Все время тревожно блеет.

Девушка повернулась и вышла из вагона.

Глава 12
ПОКАЗАНИЯ ГОРНИЧНОЙ-НЕМКИ

Мсье Бук с любопытством посмотрел на своего друга:

— Я не совсем вас понимаю, mon vieux. Что вы пытались сделать?

— Я искал трещину, друг мой.

— Трещину?

— Да, в броне самообладания этой молодой леди. Я хотел поколебать ее sang-froid[1]. Добился ли я успеха? Не знаю. Но я знаю одно: она не ожидала, что я возьмусь за дело таким образом.

— Вы ее подозреваете, — медленно произнес мсье Бук. — Но почему? Она кажется очаровательной молодой леди, последней, кто может быть замешан в подобном преступлении.

— Согласен, — сказал Константине. — Эта девушка хладнокровна и отнюдь не эмоциональна. Такая не стала бы ударять человека ножом, а просто подала бы на него в суд.

Пуаро вздохнул:

---

[1] Хладнокровие (*фр.*).

— Вы оба должны избавиться от навязчивой идеи, будто это преступление было внезапным и непредумышленным. Что касается причин, по которым я подозреваю мисс Дебенхем, то их две. Во-первых, я случайно кое-что услышал, о чем вы еще не знаете.

Он поведал им о странном обрывке разговора, который подслушал во время путешествия из Алеппо.

— Любопытно, — заметил мсье Бук, когда Пуаро умолк. — Это, безусловно, должно иметь объяснение. Если это означает то, что вы подозреваете, значит, в преступлении замешаны оба — девушка и этот чопорный англичанин.

Пуаро кивнул.

— И как раз это не подтверждается фактами, — сказал он. — Понимаете, если бы они оба были в этом замешаны, то каждый из них старался бы обеспечить другому алиби, не так ли? Однако этого не произошло. Алиби мисс Дебенхем обеспечила шведка, которую она раньше никогда не видела, а алиби полковнику Арбатноту — Маккуин, секретарь убитого. Нет, такая разгадка слишком проста.

— Вы говорили, что у вас есть еще одна причина подозревать ее, — напомнил мсье Бук.

Пуаро улыбнулся:

— Эта причина всего лишь психологическая. Я убежден, что это преступление спланировано человеком, обладающим холодным и изобретательным умом. Мисс Дебенхем отвечает этому описанию.

Мсье Бук покачал головой:

— По-моему, вы не правы, друг мой. Я не могу представить эту молодую англичанку преступницей.

Пуаро взял оставшийся паспорт.

— Перейдем к последнему имени в нашем списке. Хильдегарде Шмидт, горничная-немка.

Вызванная официантом Хильдегарде Шмидт вошла в вагон-ресторан и остановилась в почтительном ожидании.

Пуаро жестом предложил ей сесть.

Горничная опустилась на стул и положила руки на колени, спокойно ожидая вопросов. Она вообще выглядела спокойной и респектабельной — хотя, возможно, не слишком умной.

Методы Пуаро с Хильдегарде Шмидт были полной противоположностью тому, как он обращался с Мэри Дебенхем.

Он держался приветливо и дружелюбно, стараясь, чтобы женщина чувствовала себя непринужденно. Попросив ее написать полное имя и адрес, он перешел к вопросам.

Разговор велся на немецком языке.

— Мы хотим узнать как можно больше о происходившем прошлой ночью, — сказал Пуаро. — Нам известно, что вы почти ничего не можете сообщить о самом преступлении, но, возможно, вы видели или слышали что-нибудь, показавшееся вам незначительным, но могущее представлять ценность для нас. Понимаете?

Горничная, по-видимому, ничего не понимала. Ее плоское добродушное лицо выглядело по-прежнему безмятежным и глуповатым.

— Я ничего не знаю, мсье.

— Ну, например, вы ведь знаете, что ваша хозяйка посылала за вами прошлой ночью?

— Да.

— Не помните, в котором часу?

— Нет, мсье. Я спала, когда пришел проводник и позвал меня.

— Да-да. Для вас было необычно, что за вами послали ночью?

— Нет, мсье. Хозяйке часто требуются услуги по ночам. Она плохо спит.

— Eh bien, значит, вас вызвали и вы встали. Вы надели халат?

— Нет, мсье, я оделась полностью. Я бы не осмелилась явиться к ее высочеству в халате.

— Тем не менее у вас очень красивый халат алого цвета, верно?

Она уставилась на него:

— У меня синий фланелевый халат, мсье.

— Да, конечно, я просто пошутил. Продолжайте. Итак, вы пошли к мадам княгине. Что вы делали, придя туда?

— Я сделала ей массаж, мсье, почитала вслух. Читаю я неважно, но ее высочество говорит, что это помогает ей заснуть. Когда она стала засыпать, то отпустила меня. Я закрыла книгу и вернулась к себе в купе.

— Вы знаете, сколько тогда было времени?

— Нет, мсье.

— А сколько вы пробыли у мадам княгини?

— Около получаса, мсье.

— Хорошо, продолжайте.

— Я принесла ее высочеству лишний плед из моего купе — несмотря на отопление, было очень холодно, — укрыла ее, и она пожелала мне доброй ночи. Я налила ей минеральной воды, погасила свет и ушла.

— А потом?

— Потом ничего не было, мсье. Я вернулась к себе в купе и легла спать.

— Вы никого не встретили в коридоре?

— Нет, мсье.

— Например, даму в алом кимоно с драконами.

Горничная выпучила глаза:

— Нет, мсье. В коридоре никого не было, кроме проводника. Все спали.

— Но вы видели проводника?

— Да, мсье.

— Что он делал?

— Вышел из купе, мсье.

— Что?! — встрепенулся мсье Бук. — Из какого?

Хильдегарде Шмидт выглядела испуганной, и Пуаро бросил на друга укоризненный взгляд.

— Естественно, — сказал он. — Проводник ночью часто отвечает на звонки. Не помните, какое это было купе?

— В середине вагона, мсье. За две или за три двери от купе мадам княгини.

— Пожалуйста, припомните поточнее, где это произошло и как.

— Он едва не налетел на меня, мсье. Это было, когда я возвращалась к княгине из моего купе с пледом.

— Значит, проводник вышел и едва не столкнулся с вами. В каком направлении он шел?

121

— Мне навстречу, мсье. Он извинился и пошел по коридору в сторону вагона-ресторана. Зазвонил звонок, но, по-моему, он на него не отозвался. — Сделав паузу, она добавила: — Не понимаю, при чем тут...

— Это всего лишь для уточнения времени, — заверил ее Пуаро. — Чистая формальность. По-видимому, у бедняги проводника была трудная ночь — сначала он разбудил вас, потом отвечал на звонки.

— Но это был не тот проводник, который разбудил меня, мсье.

— Вот как? А вы видели этого проводника раньше?

— Нет, мсье.

— Вы бы узнали его, если бы увидели снова?

— Думаю, что да, мсье.

Пуаро что-то шепнул на ухо мсье Буку. Тот встал и подошел к двери дать распоряжения.

Пуаро продолжал расспрашивать в той же дружелюбной манере:

— Вы когда-нибудь бывали в Америке, фрау Шмидт?

— Никогда, мсье. Должно быть, прекрасная страна.

— Возможно, вы слышали, кем в действительности был убитый, что он повинен в смерти маленького ребенка?

— Слышала, мсье. Это ужасно. Господь не должен допускать такого. У нас в Германии не бывает таких жестокостей.

В глазах женщины блеснули слезы. Ее душа матери была потрясена.

— Да, это было чудовищное преступление, — согласился Пуаро. Вынув из кармана батистовый платочек, он протянул его ей. — Это ваш платок, фрау Шмидт?

Несколько секунд женщина молча рассматривала платок. Потом подняла голову. Ее лицо слегка порозовело.

— Нет, мсье, это не мой.

— Я подумал, что он ваш, так как на нем инициал «Н» — первая буква вашего имени.

— Что вы, мсье, ведь это платок какой-то дамы. Он очень дорогой — расшит вручную. Должно быть, из Парижа.

— Значит, этот платок не ваш и вы не знаете, чей он?

— Я? О нет, мсье.

Из троих слушателей только Пуаро уловил нотку неуверенности в ее голосе.

Мсье Бук что-то шепнул ему. Пуаро кивнул и снова обратился к женщине:

— Сейчас сюда придут три проводника спальных вагонов. Пожалуйста, скажите, кого из них вы встретили прошлой ночью, когда шли с пледом к княгине.

Вошли трое мужчин — Пьер Мишель, высокий, светловолосый проводник вагона «Афины—Париж» и толстый, коренастый проводник бухарестского вагона.

Хильдегарде Шмидт посмотрела на них и сразу же покачала головой:

— Нет, мсье, прошлой ночью я никого из них не видела.

— Но это единственные проводники в поезде. Должно быть, вы ошибаетесь.

— Я совершенно уверена, мсье. Эти проводники — высокие, крупные мужчины, а тот, кого я видела, был низеньким, темноволосым, с небольшими усиками. Когда он чуть не налетел на меня, то сказал «pardon» — тонким, как у женщины, голосом. Я хорошо его помню, мсье.

Глава 13
ИТОГИ ПОКАЗАНИЙ ПАССАЖИРОВ

— Низенький брюнет с женским голосом, — сказал мсье Бук.

Троих проводников и Хильдегарде Шмидт уже отпустили.

Директор компании в отчаянии взмахнул руками:

— Ничего не понимаю! Значит, враг, о котором говорил Рэтчетт, все-таки был в поезде? Но где он сейчас? Не мог же он растаять в воздухе! У меня голова идет кругом. Умоляю вас, друг мой, скажите хоть что-нибудь. Объясните, каким образом невозможное может быть возможным!

— Хорошая фраза, — одобрил Пуаро. — Невозможное не может произойти, следовательно, несмотря на внешние признаки, оно должно оказаться возможным.

— Тогда поскорее объясните, что в действительности произошло в поезде прошлой ночью.

— Я не волшебник, mon cher. Я так же озадачен, как и вы. Дело приобретает странные дополнения.

— Да, но оно не продвигается, а стоит на месте. Пуаро покачал головой:

— Нет, это не так. Мы достаточно продвинулись: выслушали показания пассажиров и выяснили кое-какие факты.

— И что из этого? Ровным счетом ничего.

— Я бы этого не сказал, друг мой.

— Возможно, я преувеличиваю. Американец Хардман и немка-горничная кое-что нам сообщили. Но это только сильнее запутало все дело.

— Вовсе нет, — возразил Пуаро.

— Тогда говорите. Продемонстрируйте нам всю мудрость Эркюля Пуаро.

— Разве я не сказал, что озадачен не менее вас? Но мы, по крайней мере, можем расположить в определенном порядке имеющиеся у нас факты.

— Пожалуйста, продолжайте, мсье, — сказал доктор Константине.

Пуаро откашлялся и поправил лист промокательной бумаги.

— Давайте еще раз рассмотрим дело, каким оно представляется на данной стадии. Прежде всего, у нас есть конкретные неоспоримые факты. Рэтчетт, или Кассетти, получил двенадцать ножевых ударов и умер прошлой ночью. Это факт номер один.

— Не стану возражать, mon vieux, — с иронией отозвался мсье Бук.

Эркюль Пуаро отнюдь не был обескуражен.

— Пока что я оставлю в стороне некоторые странные обстоятельства, которые мы уже обсуждали с доктором Константине, — спокойно продолжал он. — Вскоре я к ним вернусь. Следующий важный факт, на мой взгляд, время преступления.

— Это опять-таки одна из немногих вещей, которые нам известны, — сказал мсье Бук. — Преступление было совершено в четверть второго ночи. Все указывает на это.

— Не все. Вы преувеличиваете. Хотя кое-какие показания подтверждают эту точку зрения.

— Рад, что вы хотя бы это признаете.

Пуаро игнорировал его слова.

— Перед нами три версии. Первая: преступление произошло, как вы утверждаете, в четверть второго. Это подтверждается показаниями Хильдегарде Шмидт и соответствует заключению доктора Константине. Вторая версия: преступление совершено позже, а улика в виде остановившихся часов подтасована. Третья версия: преступление совершено раньше, а улика подтасована таким же образом. Если мы примем первую возможность, как наиболее вероятную и поддержанную наибольшим количеством доказательств, то мы должны также признать определенные положения, вытекающие из нее. Прежде всего, если преступление произошло в четверть второго, то убийца не мог покинуть поезд. Возникает вопрос: где он и кто он?

Впервые мы услышали о существовании низенького брюнета с женским голосом от Хардмана. Он утверждает, что Рэтчетт говорил ему об этом человеке, когда поручил вести охрану. Эти показания ничем не подкреплены, мы можем полагаться только на слова Хардмана. Возникает следующий вопрос: является ли Хардман тем, за кого он себя выдает, — оперативником нью-йоркского детективного агентства?

В этом деле мне кажется особенно интересным то, что мы лишены средств, доступных полиции. Мы не можем проверить благонадежность любого из этих людей. Нам приходится полагаться только на собственные выводы. Это не рутинная работа, а вызов интеллекту.

Я задаю себе вопрос: можем ли мы верить тому, что Хардман говорит о себе? Я принимаю решение и отвечаю: можем. Мне кажется, он говорит правду.

— Вы полагаетесь на интуицию, или, как говорят американцы, на чутье? — спросил доктор Константине.

— Вовсе нет. Я изучаю возможности. Хардман путешествует с фальшивым паспортом, это сразу делает его объектом подозрений. По прибытии сюда полиция прежде всего задержит Хардмана и пошлет телеграмму, чтобы удостовериться в его личности. Убедиться в благонадежности других пассажиров гораздо труднее: многих, возможно, вообще не станут проверять, особенно если они не будут вызывать подозрений. Но в случае с Хардманом все просто. Либо он тот, за кого себя выдает, либо нет. Поэтому я считаю, что с ним все в порядке.

— Вы освобождаете его от подозрений?

— Конечно нет. Вы неверно меня поняли. У любого американского детектива могут оказаться личные причины убить Рэтчетта. Просто, по-моему, мы можем верить тому, что Хардман говорит о себе. Рассказ о том, как Рэтчетт отыскал и нанял его, выглядит правдоподобно, хотя вовсе не обязательно является правдой. Подтверждение мы находим в самом неожиданном месте — в показаниях Хильдегарде Шмидт. Ее описания человека, которого она видела в униформе проводника спального вагона, в точности совпадают с описанием, которое, по словам Хардмана, дал ему Рэтчетт. Есть ли дополнительные подтверждения этих показаний? Есть. Пуговица, которую нашла в своем купе миссис Хаббард. И еще одно заявление, на которое вы, возможно, не обратили внимания.

— Какое?

— Упоминание полковником Арбатнотом и Гектором Маккуином, что проводник проходил мимо их купе. Они не придавали значения этому факту, но ведь Пьер Мишель заявил, что не покидал своего места, за исключением нескольких особых случаев, и ни один из них не должен был привести его в тот конец вагона, в котором находится купе, где сидели Арбатнот и Маккуин.

Таким образом, история о темноволосом человеке с женским голосом, одетым в форму проводника, основывается на показаниях, прямых или косвенных, четырех свидетелей.

— Но если Хильдегарде Шмидт говорит правду, — заметил доктор Константине, — то почему настоящий проводник не упомянул, что видел ее, когда шел по вызову миссис Хаббард?

— Думаю, это можно объяснить. Когда проводник шел к миссис Хаббард, горничная была со своей хозяйкой. Когда же она возвращалась в свое купе, проводник был у миссис Хаббард.

Мсье Бук с трудом дождался, пока они умолкнут.

— Да-да, друг мой, — нетерпеливо сказал он Пуаро. — Но хотя я восхищаюсь вашей осмотрительностью и вашим методом расследования шаг за шагом, мне кажется, вы все еще не коснулись самой главной проблемы. Мы все согласны, что этот человек существует. Проблема в том, куда он делся.

Пуаро укоризненно покачал головой:

— Вы ставите телегу впереди лошади. Прежде чем задать вопрос, куда исчез этот человек, я спрашиваю, существовал ли он в действительности. Если это всего лишь вымысел, заставить его исчезнуть гораздо легче. Поэтому я сначала пытаюсь установить, существует ли такой человек, так сказать из плоти и крови.

— Теперь мы выяснили, что существует. Eh bien, где же он?

— На это есть только два ответа, mon cher. Либо этот человек все еще прячется в поезде в таком необычном месте, что оно и в голову никому не приходит, либо он, если можно так выразиться, един в двух лицах — человека, которого опасался мсье Рэтчетт, и пассажира поезда, настолько изменившего внешность, что мсье Рэтчетт его не узнал.

— Это идея! — оживился мсье Бук. Затем его лицо вновь омрачилось. — Но есть одно препятствие...

Пуаро не дал ему договорить:

— Рост этого человека. Вы это хотели сказать? За исключением слуги мсье Рэтчетта, все пассажиры-мужчины высокого роста: итальянец, полковник Арбатнот, Гектор Маккуин, граф Андреньи. Слуга же не слишком подходит на эту роль. Но есть и другая возможность. Вспомните «женский голос». Это дает нам две альтернативы — убийца может быть переодет женщиной или же являться ею в действительности. Даже высокая женщина в мужском костюме может показаться маленькой.

— Но Рэтчетт должен был знать...

— Возможно, он знал. Не исключено, что эта женщина уже покушалась на его жизнь в мужской одежде с целью добиться своего. Рэтчетт мог догадаться, что она применит этот трюк снова, и предупредил Хардмана, чтобы он следил за мужчиной, упомянув при этом о женском голосе.

— Такое могло быть, — признал мсье Бук. — Но...

— Пожалуй, друг мой, теперь мне следует рассказать вам о кое-каких несоответствиях, отмеченных доктором Константине.

Пуаро подробно описал выводы, к которым пришли он и доктор относительно ран убитого. Мсье Бук застонал и схватился за голову.

— Понимаю, что вы ощущаете, — с сочувствием сказал Пуаро. — Голова идет кругом, не так ли?

— Это просто фантастично! — воскликнул мсье Бук.

— Вот именно. Абсурдно, неправдоподобно и вообще невозможно. Все это я говорил самому себе. Но тем не менее от фактов не уйдешь.

— Какое-то безумие!

— До такой степени, что иногда меня преследует чувство, что в действительности все должно быть очень просто. Но это всего лишь одна из моих маленьких идей.

— Два убийцы в Восточном экспрессе! — простонал мсье Бук. Казалось, он вот-вот заплачет.

— А теперь давайте окончательно дадим волю фантазии, — весело предложил Пуаро. — Допустим, прошлой ночью в поезде оказались два таинственных незнакомца: человек в форме проводника спального вагона, который соответствует описанию, данному нам мсье Хардманом, и которого видели Хильдегарде Шмидт, полковник Арбатнот и мсье Маккуин, и высокая, стройная женщина в красном кимоно, которую видели Пьер Мишель, мисс Дебенхем, мсье Маккуин, я сам и которую, так сказать, почуял полковник Арбатнот. Кто она? Ни одна из пассажирок не признается в наличии у нее алого кимоно. Женщина также исчезла. Являются ли она и мнимый проводник одним и тем же лицом или это два разных человека? Где находятся эти двое? И между прочим, где форма проводника и алое кимоно?

— Это уже что-то! — Мсье Бук вскочил на ноги. — Мы должны обыскать багаж пассажиров.

Пуаро также поднялся.

— Могу кое-что предсказать, — заявил он.

— Вы знаете, где эти вещи?

— У меня есть на этот счет маленькая идея.

— Ну?

— Вы найдете алое кимоно в багаже одного из мужчин, а форму проводника — в багаже Хильдегарде Шмидт.

— Горничной? Вы думаете...

— Совсем не то, что вы. Могу сказать следующее. Если Хильдегарде Шмидт виновна, форму проводника, возможно, найдут в ее багаже, но если она не виновна, форма наверняка окажется там.

— Но как... — начал мсье Бук и внезапно умолк. — Что это там за шум? Словно на нас мчится паровоз!

Шум приближался. Он состоял из пронзительных женских криков и протестующих возгласов. Дверь открылась, и в вагон ворвалась миссис Хаббард.

— Это ужасно! — вскричала она. — В моей туалетной сумке! Огромный нож — весь в крови!

Внезапно покачнувшись, она упала без чувств на плечо мсье Бука.

Глава 14
ОРУЖИЕ

Не слишком рыцарским движением мсье Бук переместил на стол голову лишившейся сознания леди. Доктор Константине окликнул одного из официантов, который примчался бегом.

— Придерживайте ей голову, — велел доктор. — Если она придет в себя, дайте ей немного коньяку. Понятно?

После этого он быстро присоединился к Пуаро и мсье Буку. Преступление интересовало его куда больше падающих в обморок пожилых леди.

Тем не менее методы доктора оказались успешными. Через несколько минут миссис Хаббард уже сидела, потягивая коньяк из стакана, предложенного официантом, и быстро говорила:

— Не могу описать, какой это был кошмар. Едва ли кто-нибудь в этом поезде в состоянии понять мои чувства. Я с детства была очень чувствительна и при виде крови... Бр-р! Мне становится не по себе при одной мысли об этом.

Официант снова протянул ей стакан:

— Encore un peu[1], мадам.

— Думаете, мне станет лучше? Я ведь трезвенница, никогда в жизни не притрагивалась к алкоголю. В моей семье все трезвенники. Но если с медицинскими целями...

Она сделала еще один глоток.

Тем временем Пуаро, мсье Бук и доктор Константине быстро вышли из вагона-ресторана и поспешили по коридору стамбульского вагона к купе миссис Хаббард.

Казалось, у двери столпились все пассажиры. Проводник с измученным видом пытался их оттеснить.

— Mais il n'y a rien à voir[2], — увещевал он, повторяя эту фразу на разных языках.

— Пожалуйста, дайте мне пройти, — сказал мсье Бук.

Протиснувшись сквозь преграждавших путь пассажиров, он вошел в купе. Пуаро и доктор последовали за ним.

— Хорошо, что вы пришли, мсье, — облегченно вздохнул проводник. — Все пытались прорваться в купе.

---

[1] Еще немного (*фр.*).
[2] Тут не на что смотреть (*фр.*).

Американская леди подняла такой крик. Ma foi[1], я подумал, что ее тоже убивают! Я примчался, а она заявила, что должна привести вас, и убежала, крича на весь вагон, что произошло. — Он указал на дверь в соседнее купе. — Эта штука там, мсье. Я ее не трогал.

На ручке двери висела большая клетчатая резиновая сумка для туалетных принадлежностей. Под ней на полу валялся кинжал — дешевое псевдовосточное изделие с чеканной рукояткой и прямым, сужающимся к концу клинком, на котором виднелись пятна цвета ржавчины.

Пуаро поднял кинжал.

— Да, — пробормотал он. — Ошибки быть не может. Вот наше исчезнувшее оружие. Что скажете, доктор?

Константине осторожно взял у него кинжал.

— Можете не бояться, — сказал Пуаро. — На нем не окажется никаких отпечатков, кроме отпечатков миссис Хаббард.

Осмотр не занял много времени.

— Да, — кивнул Константине. — Кинжал подойдет к любой из ран.

— Умоляю вас, друг мой, не говорите так.

Доктор выглядел ошеломленным.

— У нас и без того слишком много совпадений. Два человека решили зарезать мсье Рэтчетта прошлой ночью. Будет немного чересчур, если окажется, что оба выбрали одинаковое оружие.

— Что до этого, то совпадение, возможно, не такое большое, как кажется, — отозвался доктор. — На базарах Константинополя такие якобы восточные кинжалы продают тысячами.

— Вы меня утешили, но только немного, — сказал Пуаро.

Он задумчиво посмотрел на дверь, затем, сняв резиновую сумку, повернул ручку. Дверь не открылась: она была закрыта на задвижку примерно футом выше ручки. Пуаро отодвинул засов, но дверь оставалась неподвижной.

---

[1] Честное слово (*фр.*).

— Мы ведь заперли ее с другой стороны, — напомнил доктор.

— Да, верно, — рассеянно произнес Пуаро. Казалось, он думал о другом. Его лоб недоуменно наморщился.

— Все сходится, не так ли? — заговорил мсье Бук. — Убийца проходит через это купе. Закрывая за собой дверь, он нащупывает резиновую сумку. Ему в голову сразу приходит идея, и он быстро прячет туда окровавленный нож, а потом, не зная, что разбудил миссис Хаббард, выскальзывает через другую дверь в коридор.

— Да, — кивнул Пуаро. — Все должно было происходить так, как вы говорите.

Но его лицо по-прежнему было озадаченным.

— Что вас не удовлетворяет? — осведомился мсье Бук.

Пуаро бросил на него быстрый взгляд:

— Неужели вы не понимаете? Очевидно, нет. Хотя это мелочь...

В купе заглянул проводник.

— Американская леди возвращается, — сообщил он.

Доктор Константине выглядел виноватым. Он чувствовал, что обошелся с миссис Хаббард весьма бесцеремонно. Но она не стала его упрекать. Ее энергия сосредоточилась совсем на другом.

— Я не собираюсь оставаться в этом купе! — заявила она, появившись в дверном проеме. — Не лягу здесь спать даже за миллион долларов!

— Но, мадам...

— Я знаю, что вы хотите сказать, но мне все равно! Лучше я просижу ночь в коридоре! — Миссис Хаббард начала всхлипывать. — Если бы моя дочь только знала! Если бы она могла сейчас меня видеть...

— Вы неверно поняли, мадам, — решительно прервал ее Пуаро. — Ваше требование вполне разумно. Ваш багаж немедленно перенесут в другое купе.

Миссис Хаббард отняла от глаз платок.

— В самом деле? О, мне сразу стало лучше. Но ведь вагон переполнен. Разве только кто-нибудь из джентльменов...

— Ваш багаж, мадам, перенесут в соседний вагон, который прицепили в Белграде, — объяснил мсье Бук.

— Превосходно! Я не такая уж нервная, но спать в купе, когда за стеной мертвец... — Она поежилась. — Это сводит меня с ума.

— Мишель, — окликнул проводника мсье Бук. — Перенесите этот багаж в свободное купе вагона «Афины—Париж».

— Да, мсье. В такое же, как это, на место номер 3?

— Нет, — сказал Пуаро, прежде чем его друг успел ответить. — Думаю, мадам будет удобнее в другом купе. Скажем, на месте номер 12.

— Bien, мсье.

Проводник взял вещи. Миссис Хаббард с признательностью повернулась к Пуаро:

— Как это любезно с вашей стороны! Уверяю вас, я это очень ценю.

— Не стоит благодарности, мадам. Мы пройдем с вами и проследим, чтобы вы удобно устроились.

Трое мужчин проводили миссис Хаббард в новое купе. Она огляделась вокруг.

— Все отлично!

— Купе подходит вам, мадам? Оно ведь точно такое же, как и ваше прежнее.

— Да, только полка с другой стороны. Но это не важно, так как поезда идут то в одном, то в другом направлении. Я сказала дочери, что хочу место по ходу поезда, а она говорит: «Какая разница, мама? Когда ты ляжешь спать, поезд будет идти в одну сторону, а когда проснешься — в другую». И это истинная правда. Вчера вечером мы въезжали в Белград в одном направлении, а выезжали — в противоположном.

— Как бы то ни было, мадам, теперь вы счастливы и довольны?

— Ну, я бы так не сказала. Мы застряли в заносах, никто ничего не предпринимает, а мой пароход отплывает послезавтра.

— Мадам, мы все в одинаковом положении, — сказал мсье Бук.

— Это правда, — признала миссис Хаббард. — Но больше ни через чье купе среди ночи не проходил убийца.

— Меня все еще озадачивает, мадам, — снова заговорил Пуаро, — каким образом убийца мог проникнуть в ваше купе, если дверь в смежное купе, как вы утверждаете, была закрыта на задвижку. Вы уверены, что так оно и было?

— Шведская леди проверила задвижку у меня на глазах.

— Давайте прорепетируем эту маленькую сцену. Вы лежите на вашей полке, и задвижка вам не видна, верно?

— Да, из-за туалетной сумки. Придется купить новую. Меня тошнит при одном взгляде на нее.

Пуаро поднял сумку и повесил ее на ручку двери в соседнее купе.

— Précisément — понимаю, — сказал он. — Задвижка как раз под ручкой, и сумка ее закрывает. Лежа на полке, вы не могли видеть, закрыта она или нет.

— Об этом я и говорю!

— Шведская дама, мисс Ольссон, стояла между вами и дверью. Она проверила задвижку и сказала вам, что она закрыта.

— Совершенно верно.

— Тем не менее, мадам, она могла ошибиться. Понимаете, что я имею в виду? — Пуаро пустился в объяснения. — Задвижка всего лишь металлический выступ. Если его сдвинуть вправо, дверь заперта, а влево — она открыта. Возможно, мисс Ольссон просто подергала дверь и, так как та была заперта с другой стороны, решила, что она заперта и с вашей.

— Ну, с ее стороны это было бы довольно глупо.

— Мадам, самые добрые и приятные люди не всегда самые умные.

— Что верно, то верно.

— Между прочим, мадам, вы ехали в Смирну таким же путем?

— Нет. Я добралась морем до Стамбула, а друг моей дочери, мистер Джонсон (прекрасный человек, я бы хотела, чтобы вы с ним познакомились), встретил меня и показал мне город. Стамбул меня разочаровал: всюду беспорядок, а в мечетях заставляют надевать поверх туфель эти жуткие бахилы... Так о чем это я?

— Вы говорили, что вас встретил мистер Джонсон.

— Да, он посадил меня на почтовое судно до Смирны, а мой зять встретил меня прямо на причале. Что он скажет, когда услышит обо всем этом! Моя дочь уверяла, что это самый безопасный путь. «Будешь просто сидеть в купе до самого Парижа, — говорила она, — а там тебя встретит представитель компании «Америкэн экспресс». Господи, как же мне отказаться от места на пароходе? Нужно дать знать компании, но сейчас-то я не могу это сделать! Какое несчастье!

Миссис Хаббард явно снова собиралась заплакать.

Пуаро, нервно ерзавший во время ее монолога, воспользовался паузой:

— Вы перенесли шок, мадам. Официант принесет вам чай и бисквиты.

— Я не слишком люблю пить чай, — отозвалась миссис Хаббард. — Это английская привычка.

— Тогда кофе, мадам. Вы нуждаетесь в стимуляторе.

— У меня от коньяка немного кружится голова. Пожалуй, я бы выпила кофе.

— Отлично. Вам нужно воскресить свои силы.

— Воскресить силы? Какое забавное выражение!

— Но сначала, мадам, одна небольшая формальность. Вы позволите мне обыскать ваш багаж?

— Зачем?

— Мы должны произвести обыск багажа всех пассажиров. Не хочу напоминать вам о неприятном опыте, но вспомните вашу туалетную сумку...

— Господи! Обыскивайте поскорее! Я могу не выдержать еще одного такого сюрприза.

Обыск занял немного времени. Миссис Хаббард путешествовала с минимальным количеством багажа — шляпной коробкой, дешевым саквояжем и битком набитой дорожной сумкой. Содержимое всех трех предметов было крайне незамысловатым, и процедура завершилась бы через пару минут, если бы миссис Хаббард не требовала внимания к фотографиям молодой женщины и двоих довольно уродливых детей.

— Моя дочь и ее дети. Правда, они очаровательны?

Глава 15

БАГАЖ ПАССАЖИРОВ

Произнеся несколько вежливых банальностей и пообещав миссис Хаббард, что он распорядится принести ей кофе, Пуаро смог удалиться в сопровождении двоих друзей.

— Ну, вначале мы вытянули пустой номер, — заметил мсье Бук. — Кого мы обыщем следующим?

— Думаю, будет проще всего двигаться вперед по вагону, заходя в каждое купе по порядку. Это означает, что мы начнем с места номер 16 — нашего дружелюбного мсье Хардмана.

Куривший сигару американец радушно их приветствовал:

— Входите, джентльмены, если сможете. В купе тесновато для приема.

Мсье Бук объяснил цель их визита, и детектив понимающе кивнул:

— О'кей. По правде говоря, меня удивляло, что вы до сих пор этого не сделали. Вот мои ключи, джентльмены, а если хотите заодно обыскать мои карманы, милости прошу. Снять для вас мои вещички?

— Этим займется проводник. Мишель!

Обследовать «вещички» мистера Хардмана не составило большого труда. Они состояли в основном из неумеренного количества спиртных напитков. Мистер Хардман весело подмигнул:

— Если подмазать проводника, на границах редко копаются в багаже. До сих пор я отделывался пачкой турецких банкнотов и не имел никаких неприятностей.

— А в Париже?

Мистер Хардман снова подмигнул:

— К тому времени, когда я доберусь до Парижа, остатки выпивки можно будет поместить в бутылке из-под шампуня.

— Очевидно, вы не сторонник сухого закона, мсье Хардман, — с улыбкой заметил мсье Бук.

— Не могу сказать, чтобы сухой закон мне когда-нибудь особенно мешал, — отозвался Хардман.

— Ага! Вы пользуетесь «спикизи»[1]. — Последнее слово мсье Бук произнес с особым смаком. — Американская терминология так выразительна.

— Я бы очень хотел побывать в Америке, — промолвил Пуаро.

— Вы бы ознакомились там со многими передовыми методами, — сказал Хардман. — Европа все еще дремлет. Ей пора проснуться.

— Безусловно, Америка — страна прогресса, — согласился Пуаро. — В американцах меня многое восхищает. Только, хотя я, возможно, старомоден, американские женщины нравятся мне куда меньше моих соотечественниц. По-моему, никто не может сравниться с французскими или бельгийскими девушками, такими кокетливыми и прелестными.

Хардман отвернулся к окну и несколько секунд смотрел на снег.

— Возможно, вы правы, мсье Пуаро, — сказал он наконец. — Но очевидно, каждая нация предпочитает своих девушек.

Американец быстро заморгал, как будто у него от снега заболели глаза.

— Снег просто слепит, — заметил он. — Знаете, джентльмены, эта история начинает действовать мне на нервы. Убийство, заносы и ничегонеделание. Только сидишь и время убиваешь. Я бы хотел чем-нибудь заняться.

— Истинно западная жажда деятельности, — улыбнулся Пуаро.

---

[1] С п и к и з и — буквально «говори легко» (*англ.*) — в Америке в период «сухого закона» бары, где тайно торговали спиртными напитками.

Проводник поставил багаж на место, и они перешли в следующее купе. Полковник Арбатнот сидел в углу, курил трубку и читал журнал.

Пуаро объяснил их задачу. Полковник не возражал. У него было два тяжелых кожаных чемодана.

— Остальное я отправил морем, — объяснил он.

Как и у большинства военных, у него все было уложено аккуратно и умело. Осмотр его багажа занял всего несколько минут. Пуаро обратил внимание на пакетик ершиков для трубки.

— Вы всегда пользуетесь такими ершиками? — спросил он.

— Как правило, если могу их раздобыть.

Пуаро кивнул.

Ершики были идентичны тому, который он нашел на полу в купе убитого.

Доктор Константине упомянул это, когда они вышли в коридор.

— Tout de même, — пробормотал Пуаро, — я не могу поверить, что он убийца. Такое преступление не dans son caractère[1], а значит, этого не может быть.

Дверь следующего купе, которое занимала княгиня Драгомирова, была закрыта. Постучав, они услышали глубокий голос княгини:

— Entrez[2].

Мсье Бук вежливо и почтительно объяснил их намерение.

Княгиня слушала молча, ее жабье личико оставалось бесстрастным.

— Если это необходимо, господа, — сказала она, когда он умолк, — то я не возражаю. Ключи у моей горничной. Она покажет вам вещи.

— Ваши ключи всегда хранятся у горничной, мадам? — спросил Пуаро.

— Да, мсье.

— А если ночью на границе таможенники потребуют открыть один из ваших чемоданов?

---

[1] В его характере (фр.).
[2] Войдите (фр.).

Старая дама пожала плечами:

— Это маловероятно. Но в таком случае ее привел бы проводник.

— Значит, вы полностью доверяете ей, мадам?

— Я уже говорила вам это, — спокойно отозвалась княгиня. — Я не держу у себя прислугу, которой не доверяю.

— Да, — задумчиво промолвил Пуаро. — Доверие в наши дни стоит многого. Возможно, лучше держать некрасивую горничную, которой вы можете доверять, чем, к примеру, хорошенькую парижанку.

Старуха устремила на него смышленый взгляд:

— На что вы намекаете, мсье Пуаро?

— Намекаю, мадам? Ни на что.

— По-вашему, мне следовало бы поручить заботу о моих туалетах какой-нибудь смазливой француженке?

— Возможно, это выглядело бы более естественно, мадам.

Княгиня покачала головой:

— Шмидт мне предана. А преданность — c'est impayable[1].

Вскоре пришла горничная с ключами. Княгиня приказала ей по-немецки открыть чемоданы и помочь господам в их поисках. Сама она осталась в коридоре, глядя на снег. Пуаро стоял рядом с ней, предоставив мсье Буку обыскивать багаж.

Княгиня мрачно усмехнулась:

— Итак, мсье, вы не желаете смотреть на содержимое моих чемоданов?

Пуаро покачал головой:

— Это всего лишь формальность, мадам.

— Вы уверены?

— В вашем случае — да.

— Однако я знала и любила Соню Армстронг. По-вашему, я не стала бы марать руки о такую каналью, как этот Кассетти? Ну, может быть, вы и правы. — Помолчав, она добавила: — Знаете, что бы я с ним сделала? Приказала бы слугам: «Засеките его до смер-

---

[1] Это не имеет цены (*фр.*).

ти и выбросьте на свалку». Так поступали в дни моей молодости, мсье.

Пуаро внимательно слушал, не произнося ни слова. Княгиня бросила на него резкий взгляд:

— Вы все время молчите, мсье Пуаро. Интересно, о чем вы думаете?

Пуаро в свою очередь посмотрел на нее:

— Я думаю, мадам, что у вас сильная воля — но не руки.

Княгиня устремила взгляд на свои худые, обтянутые черной материей руки, на желтые, унизанные кольцами пальцы, похожие на изогнутые когти.

— Это правда, — согласилась она. — У меня слабые руки. Не знаю, огорчаться мне из-за этого или радоваться. — Княгиня повернулась к купе, где горничная быстро упаковывала чемоданы, и прервала извинения мсье Бука. — Вам незачем извиняться, мсье. Совершено убийство, и вы должны предпринимать соответствующие меры.

— Vous êtes bien aimable[1], мадам.

Она слегка склонила голову.

Двери двух следующих купе были закрыты. Мсье Бук почесал в затылке.

— Diable[2], — сказал он. — Это весьма неловко. У них дипломатические паспорта. Их багаж неприкосновенен.

— Для таможенного досмотра — да. Но убийство — другое дело.

— Знаю. Но нам не нужны осложнения.

— Не беспокойтесь, друг мой. Граф и графиня будут вести себя благоразумно. Вспомните, как любезна была княгиня Драгомирова.

— Она истинная grande dame. Эти двое — той же породы, но граф показался мне настроенным весьма агрессивно. Он был недоволен, когда вы настаивали на том, чтобы допросить его жену. А обыск разозлит его еще больше. Может быть, мы сделаем для них ис-

---

[1] Вы очень любезны (*фр.*).
[2] Черт! (*фр.*)

ключение? В конце концов, они не могут иметь к этому никакого отношения. Зачем мне лишние неприятности?

— Я с вами не согласен, — сказал Пуаро. — Уверен, что граф Андреньи не станет возражать. Во всяком случае, давайте попытаемся.

И прежде чем мсье Бук успел ответить, он постучал в дверь купе номер 13.

— Entrez, — тут же отозвался голос.

Граф сидел в углу у двери, читая газету. Графиня свернулась калачиком у окна, подложив под голову подушку. Казалось, она спит.

— Умоляю простить нам это вторжение, мсье граф, — начал Пуаро. — Мы производим обыск багажа всех пассажиров. В большинстве случаев это всего лишь формальность, но необходимая. Мсье Бук считает, что дипломатический паспорт дает вам право отказаться от обыска.

Граф немного подумал.

— Благодарю вас, — отозвался он, — но я не хочу, чтобы для меня делали исключение. Предпочитаю, чтобы наш багаж обыскали наряду с багажом других пассажиров. — Он обернулся к жене: — Надеюсь, ты не возражаешь, Елена?

— Конечно нет, — без колебаний ответила графиня.

Последовал быстрый и довольно поверхностный обыск. Казалось, Пуаро пытается скрыть смущение, отпуская не относящиеся к делу замечания.

— На вашем чемодане влажная наклейка, мадам, — сказал он, поднимая чемодан из голубого сафьяна с инициалами и короной.

Графиня никак не прореагировала. Со скучающим видом она сидела в углу все в той же позе, рассеянно глядя в окно, пока мужчины обыскивали ее багаж в соседнем купе.

Пуаро закончил осмотр, открыл маленький шкафчик над умывальником и бросил быстрый взгляд на его содержимое — губку, крем для лица, пудру и пузырек с этикеткой «Трионал».

После обмена вежливыми фразами «поисковая группа» удалилась.

Следующими были купе миссис Хаббард, Рэтчетта и самого Пуаро.

Они перешли к купе второго класса. Первым были места номер 10 и 11, занимаемые Мэри Дебенхем, читавшей книгу, и Гретой Ольссон, которая спала, но проснулась при их появлении.

Пуаро повторил ту же формулировку. Шведская дама выглядела встревоженной, а Мэри Дебенхем — равнодушной.

Пуаро обратился к шведке:

— Если позволите, мадемуазель, мы сначала осмотрим ваш багаж, а потом попросим вас о любезности посмотреть, как себя чувствует американская леди. Мы перенесли ее багаж в соседний вагон, но она еще не пришла в себя после непредвиденного открытия. Я распорядился отнести ей кофе, но думаю, для нее главное — поговорить с кем-нибудь.

Добрая шведка сразу же согласилась. Конечно, она сразу же пойдет к миссис Хаббард — ее чемодан не заперт — и захватит с собой нашатырь. Должно быть, для бедной леди это явилось страшным шоком, она ведь и так огорчена расставанием с дочерью.

Грета Ольссон быстро вышла. Содержимое ее багажа оказалось крайне скудным — очевидно, она еще не заметила исчезновения проволочной сетки из шляпной коробки.

Мисс Дебенхем, отложив книгу, наблюдала за Пуаро. Когда он попросил ключи, она протянула их ему, а когда он открыл чемодан, спросила:

— Почему вы отослали ее, мсье Пуаро?

— Я, мадемуазель? Чтобы позаботиться об американской леди.

— Отличный предлог, но тем не менее всего лишь предлог.

— Не понимаю вас, мадемуазель.

— А по-моему, очень хорошо понимаете. — Она улыбнулась. — Вы хотели остаться со мной наедине, не так ли?

— Вы буквально вкладываете слова мне в рот, мадемуазель.

— И мысли в голову? Но их там уже более чем достаточно. Я права, не так ли?

— Мадемуазель, у нас есть пословица...

— Qui s'excuse s'accuse[1]. Вы это хотели сказать? Вам следует отдать должное моей наблюдательности и здравому смыслу. По какой-то причине вы вбили себе в голову, будто мне что-то известно об убийстве человека, которого я раньше ни разу не видела.

— У вас разыгралось воображение, мадемуазель.

— Нисколько. Просто я считаю, что ходить вокруг да около — бессмысленная трата времени. Лучше сразу говорить напрямик.

— Вы не любите тратить время? Предпочитаете сразу переходить к делу? Eh bien, буду действовать с излюбленной вами прямотой и спрошу у вас, что означают слова, которые я случайно услышал. На станции Конья я вышел из поезда, чтобы, как говорят англичане, размять ноги. В ночной темноте я услышал ваш голос, мадемуазель, и голос полковника. Вы сказали ему: «Не сейчас. Когда все будет кончено. Если все останется позади...» Что вы имели в виду, мадемуазель?

— По-вашему, я имела в виду убийство? — спокойно спросила она.

— Вопросы задаю я, мадемуазель.

С минуту девушка задумчиво молчала.

— Эти слова имели смысл, мсье, — вздохнув, сказала она, — но тот, о котором я не могу вам сообщить. Могу только торжественно поклясться, что я никогда в жизни не видела Рэтчетта, пока не села в этот поезд.

— Значит, вы отказываетесь объяснить эти слова?

— Можно сказать и так. Они были связаны с... с задачей, которую мне предстояло выполнить.

— И которая теперь выполнена, не так ли?

— Почему вы так думаете?

---

[1] Кто оправдывается, тот признает свою вину (*фр.*).

— Напомню вам еще один инцидент, мадемуазель. В тот день, когда мы должны были прибыть в Стамбул, поезд ненадолго задержался. Вы очень из-за этого волновались, несмотря на присущее вам самообладание.

— Я не хотела опоздать на этот поезд.

— Так вы говорили. Но, мадемуазель, Восточный экспресс отправляется из Стамбула ежедневно. Даже если бы вы опоздали на него тогда, это означало бы задержку всего на сутки.

Впервые мисс Дебенхем обнаружила признаки раздражения:

— Вы, кажется, не понимаете, что вас в Лондоне могут ожидать друзья и что задержка на день может вызвать беспокойство.

— Ах вот оно что? Друзья ожидают вашего прибытия и вы не хотели причинять им беспокойство?

— Естественно.

— Тем не менее это любопытно.

— Почему?

— Этот поезд тоже опаздывает. Причем на сей раз задержка куда более серьезная, так как вы не можете ни послать вашим друзьям телеграмму, ни поговорить с ними по длинно... длинно...

— По длиннодистанционному телефону — вы хотите сказать, по междугородному? — Мэри Дебенхем невольно улыбнулась. — Да, это действительно в высшей степени неприятно.

— Однако теперь, мадемуазель, вы реагируете совсем по-другому. Вы не обнаруживаете нетерпения, а сохраняете философское спокойствие.

Мэри Дебенхем покраснела и закусила губу. Она больше не улыбалась.

— Вы не ответите мне, мадемуазель?

— Простите, но я не знаю, на что тут отвечать.

— Всего лишь объясните перемену вашего поведения.

— Вам не кажется, мсье Пуаро, что вы устраиваете много шуму из ничего?

Пуаро виновато развел руками:

— Очевидно, это беда всех детективов. Мы не признаем необъяснимых смен настроения.

Мэри Дебенхем промолчала.

— Вы хорошо знаете полковника Арбатнота, мадемуазель?

Пуаро показалось, что она обрадовалась перемене темы.

— Я познакомилась с ним во время моего теперешнего путешествия.

— У вас нет оснований подозревать, что он знал Рэтчетта?

Девушка решительно покачала головой:

— Уверена, что это не так.

— Почему?

— Судя по его словам.

— И все же, мадемуазель, мы нашли на полу в купе убитого ершик для трубки. А полковник Арбатнот — единственный в поезде, кто курит трубку.

Он внимательно наблюдал за ней, но она не обнаружила ни удивления, ни беспокойства.

— Чепуха. Полковник Арбатнот — последний человек в мире, который может быть замешан в преступлении, особенно в столь театрально обставленном.

Пуаро ощутил большое желание согласиться с ней. Но вместо этого он заметил:

— Должен вам напомнить, что вы не слишком хорошо его знаете, мадемуазель.

Она пожала плечами:

— Я достаточно хорошо знаю такой тип людей.

— Итак, — мягко осведомился Пуаро, — вы отказываетесь объяснить мне смысл слов: «Когда все будет позади»?

— Мне больше нечего сказать, — холодно отозвалась девушка.

— Не важно, — сказал Эркюль Пуаро. — Я все равно это узнаю.

Поклонившись, он вышел из купе и закрыл за собой дверь.

— Было ли это разумно, друг мой? — спросил мсье Бук. — Вы насторожили ее, а следовательно и полковника.

— Mon ami, если вы хотите поймать кролика, то запускаете в нору хорька, и, если кролик там, он выбежит наружу. Именно так я и поступил.

Они вошли в купе Хильдегарде Шмидт.

Женщина ожидала их, выражение ее лица было почтительным и спокойным.

Пуаро окинул быстрым взглядом содержимое лежащего на полке чемоданчика, потом попросил проводника снять сверху большой чемодан.

— Ключи? — осведомился он.

— Чемодан не заперт, мсье.

Пуаро открыл застежки и поднял крышку.

Наверху лежала свернутая в спешке коричневая форма проводника спального вагона.

Всю невозмутимость немки как рукой сняло.

— Это не мое! — вскрикнула она. — Я не клала это в чемодан! Я вообще в него не заглядывала с тех пор, как мы выехали из Стамбула!

Горничная переводила умоляющий взгляд с Пуаро на Бука.

Пуаро взял ее за руку, стараясь успокоить.

— Да-да, мы вам верим. Не волнуйтесь. Я так же уверен, что вы не прятали в чемодан форму, как и в том, что вы хорошая кухарка. Ведь это так, верно?

Сбитая с толку женщина невольно улыбнулась:

— Да, все мои хозяйки так говорили. Я...

Она умолкла и застыла с открытым ртом. На ее лице вновь появился испуг.

— Все в порядке, — увещевал ее Пуаро. — Я расскажу вам, как это произошло. Человек, которого вы видели в форме проводника, выходит из купе убитого и сталкивается с вами. Ему не повезло, он надеялся, что никто его не заметит. Что же делать? Нужно избавиться от формы, теперь она не оберегает его, а является источником опасности. — Он посмотрел на мсье Бука и доктора Константине, которые внимательно слушали. — Снег спутал все его планы. Где же спрятать форму? Все купе заняты. Но, проходя мимо открытой двери, он видит, что в одном купе никого нет. Должно быть, его занимает та женщина, с которой он только что столкнулся. Он входит туда, снимает форму и быстро засовывает ее в чемодан на багажной полке. Возможно, ее обнаружат не сразу.

— А затем? — спросил мсье Бук.

— Это мы должны обсудить, — ответил Пуаро, бросив на него предупреждающий взгляд.

Он осмотрел форменную куртку. Третья пуговица снизу отсутствовала. Сунув руку в карман, Пуаро извлек ключ, которым проводники открывают купе.

— Это объясняет, как наш незнакомец мог проходить через запертые двери, — сказал мсье Бук. — В вашем вопросе к миссис Хаббард не было никакой надобности. Он мог пройти через дверь между купе, была она заперта или нет. В конце концов, если он обзавелся формой проводника, то почему бы не раздобыть и ключ?

— В самом деле, — согласился Пуаро.

— Мы могли бы об этом догадаться. Помните, Мишель говорил, что дверь из купе миссис Хаббард в коридор была заперта, когда он явился на ее звонок.

— Верно, мсье, — подтвердил проводник. — Вот почему я подумал, что леди, очевидно, спит.

— Но теперь все ясно, — продолжал мсье Бук. — Несомненно, он собирался снова запереть дверь между купе, но, по-видимому, миссис Хаббард зашевелилась на полке и напугала его.

— Остается только найти алое кимоно, — сказал Пуаро.

— Да, но два последних купе занимают мужчины.

— Тем не менее мы их обыщем.

— Разумеется. Кроме того, я помню ваше пророчество.

Гектор Маккуин охотно согласился на обыск.

— На вашем месте я бы давно это сделал, — невесело усмехнулся он. — Чувствую, что я самая подозрительная личность в поезде. Вам нужно только найти завещание, по которому старик оставляет мне все свои деньги.

Мсье Бук с подозрением уставился на него.

— Шутка, — поспешно объяснил Маккуин. — Он наверняка не оставил мне ни цента. Я был всего лишь полезен для него, потому что знаю языки. Вас легко могут обвести вокруг пальца, если вы говорите только на «хорошем американском». Сам я отнюдь не лингвист, но могу объясняться в отелях и магазинах по-французски, по-немецки и по-итальянски.

Его голос звучал чуть громче обычного. Казалось, ему слегка не по себе, несмотря на то что он не возражал против обыска.

Пуаро вышел из купе.

— Ничего, — сказал он. — Нет даже компрометирующего завещания.

Маккуин вздохнул.

— У меня прямо гора с плеч, — с усмешкой промолвил он.

Они перешли в последнее купе. Осмотр багажа итальянца и слуги не дал никаких результатов.

Трое мужчин стояли в конце коридора, глядя друг на друга.

— Что дальше? — осведомился мсье Бук.

— Вернемся в вагон-ресторан, — ответил Пуаро. — Теперь мы знаем все, что можем знать. У нас есть показания пассажиров, результат осмотра их багажа, наконец, собственные наблюдения. Больше нам неоткуда ждать помощи. Теперь пришло время использовать наши мозги.

Пуаро вынул из кармана портсигар, но он оказался пуст.

— Присоединюсь к вам через минуту, — сказал он. — Мне понадобятся сигареты. Дело очень любопытное и запутанное. Кто носил красное кимоно? Где оно теперь? Хотел бы я это знать. В этом деле есть что-то, что от меня ускользает! Оно выглядит запутанным, потому что его запутали специально. Но мы еще это обсудим. Прошу прощения.

Пуаро быстро зашагал по коридору к своему купе. У него был запас сигарет в одном из чемоданов.

Он снял его с багажной сетки, щелкнул замком и отшатнулся, изумленно уставясь на чемодан.

Сверху лежало аккуратно сложенное алое кимоно из тонкого шелка, расшитое драконами.

— Так, — пробормотал Пуаро. — Мне бросают вызов. Очень хорошо. Я принимаю его.

Часть третья

ЭРКЮЛЬ ПУАРО
САДИТСЯ ПОУДОБНЕЕ И ДУМАЕТ

Глава 1
КОТОРЫЙ ИЗ НИХ?

Когда Пуаро вернулся в вагон-ресторан, мсье Бук разговаривал с доктором Константине. Мсье Бук выглядел удрученным.

— Le voilà, — сказал он при виде Пуаро и добавил, когда его друг сел за столик: — Если вам удастся разгадать эту тайну, mon cher, я поверю в чудеса!

— Вас так беспокоит это дело?

— Естественно, беспокоит. Не могу понять, где у него голова, а где хвост.

— И я тоже, — сказал доктор. Он с любопытством посмотрел на Пуаро. — Не представляю, что вы намерены делать дальше.

— Вот как? — задумчиво промолвил Пуаро. Вынув портсигар, он зажег одну из своих маленьких сигарет. Его взгляд был мечтательным. — Для меня основной интерес состоит в том, — продолжал он, — что мы лишены обычных средств ведения следствия. Говорят правду или лгут люди, чьи показания мы выслушали? У нас нет способов узнать это, кроме тех, которые мы изобретем сами. Это отличное упражнение для мозга.

— Все это прекрасно, — сказал мсье Бук. — Но на что вы можете опереться?

— Я только что говорил вам это. У нас есть показания пассажиров и наши собственные наблюдения.

— Тоже мне показания! Пассажиры не сообщили нам ровным счетом ничего.

Пуаро покачал головой:

— Я с вами не согласен, друг мой. Показания пассажиров содержали немало интересных моментов.

— В самом деле? — скептически осведомился мсье Бук. — Что-то я этого не заметил.

— Потому что вы толком не слушали.

— Тогда скажите, что я упустил.

— Приведу только один пример — показания молодого Маккуина, которые мы выслушали первыми. По-моему, он произнес одну весьма любопытную фразу.

— О письмах?

— Нет, не о письмах. Насколько я помню, он сказал следующее: «Мы много путешествовали. Мистер Рэтчетт хотел повидать мир, но ему мешало незнание языков. Я исполнял при нем скорее обязанности курьера, чем секретаря». — Пуаро переводил взгляд с одного лица на другое. — Что? Вы все еще не понимаете? Это непростительно, ведь только что вам представился второй шанс, когда мсье Маккуин сказал: «Вас легко могут обвести вокруг пальца, если вы говорите только на «хорошем американском».

— Вы имеете в виду... — Мсье Бук по-прежнему выглядел озадаченным.

— Вы хотите, чтобы вам все разжевали и в рот положили? Пожалуйста! Мсье Рэтчетт не говорил по-французски. Однако, когда проводник прошлой ночью явился на его звонок, голос из купе ответил по-французски, что это ошибка и что в его услугах нет надобности. Более того, было использовано идиоматическое выражение, которое едва ли употребил бы человек, знающий по-французски только несколько слов: «Ce n'est rien. Je me suis trompé».

— Верно! — возбужденно воскликнул доктор Константине. — Нам следовало это заметить! Помню, что вы подчеркнули эти слова, когда рассказывали нам об этом. Теперь я понимаю ваше нежелание полагаться на остановившиеся часы. Рэтчетт был мертв уже без двадцати трех минут одиннадцать...

— А вместо него ответил убийца! — подхватил мсье Бук.

Пуаро предостерегающе поднял руку:

— Давайте не будем торопиться и делать поспешные выводы. Думаю, мы можем с уверенностью заявить, что без двадцати трех одиннадцать в купе Рэтчетта находился кто-то еще и что этот человек либо был французом, либо бегло говорил по-французски.

— Вы чересчур осторожны, mon vieux.

— Лучше продвигаться шаг за шагом. У нас нет реальных доказательств, что в это время Рэтчетт был мертв.

— Но ведь вас разбудил крик.

— Да, это верно.

— С одной стороны, — задумчиво продолжал мсье Бук, — это открытие не слишком изменяет ситуацию. Вы слышали, как кто-то двигается в соседнем купе. Этот «кто-то» был не Рэтчетт, а его убийца. Несомненно, он смывал с рук кровь, убирал следы преступления, сжигал компрометирующее письмо. Потом он ждал, пока все стихнет, а когда решил, что путь свободен, закрыл на замок и на цепочку дверь в коридор, отпер дверь, ведущую в купе миссис Хаббард, и проскользнул туда. Фактически именно так мы и думали, за исключением того, что Рэтчетт был убит примерно на полчаса раньше, а часы поставили на четверть второго, чтобы обеспечить алиби.

— Не такое уж это железное алиби, — заметил Пуаро. — Стрелки часов показывали час пятнадцать — как раз то время, когда убийца действительно покинул место преступления.

— Правда, — обескураженно произнес мсье Бук. — Тогда как вы объясняете часы?

— Если стрелки были переставлены — я говорю «если», — значит, время, которое они показывали, должно иметь какое-то значение. Естественной реакцией было бы подозревать каждого, у кого имелось надежное алиби на четверть второго.

— Логично, — согласился доктор.

— Мы должны также уделить внимание времени, когда незваный гость вошел в купе. Когда он имел возможность это сделать? Если не допускать мысль о соучастии настоящего проводника, тогда только на стоянке поезда в Винковци. После этого Пьер Мишель сидел лицом к коридору, и, хотя пассажиры вряд ли обратили бы внимание на самозванца в форме, настоящий проводник наверняка бы его заметил. Но во время стоянки в Винковци Мишель выходил на платформу — путь был свободен.

— Таким образом, как мы и предполагали раньше, это должен быть кто-то из пассажиров, — сказал мсье Бук. — Мы возвращаемся к тому, с чего начали. Который из них?

Пуаро улыбнулся:

— Я составил список. Хотите на него взглянуть? Возможно, это освежит вашу память.

Доктор и мсье Бук склонились над списком. Он был методично составлен в том порядке, в каком допрашивали пассажиров:

«Гектор Маккуин, американский подданный. Место № 6. Второй класс.

Мотивы. Возможно, возникли в процессе отношений с убитым.

Алиби. С двенадцати до двух часов ночи. (От двенадцати до часа тридцати подтверждается полковником Арбатнотом; от часа пятнадцати до двух — проводником.)

Улики. Никаких.

Подозрительные обстоятельства. Никаких.

Проводник Пьер Мишель, французский подданный.

Мотивы. Никаких.

Алиби. С двенадцати до двух часов ночи. (Э.П. видел его в коридоре в 0.37, когда из купе Рэтчетта прозвучал голос. От часу до часу шестнадцати подтверждается двумя другими проводниками.)

Улики. Никаких.

Подозрительные обстоятельства. Найденная форма проводника спального вагона скорее очко в его пользу, так как, по-видимому, использовалась с целью навести на него подозрение.

152

Эдуард Мастермен, британский подданный. Место № 4. Второй класс.

Мотивы. Возможно, возникли в процессе отношений с убитым, чьим слугой он был.

Алиби. С двенадцати до двух часов ночи. (Подтверждается Антонио Фоскарелли.)

Улики и подозрительные обстоятельства. Никаких, кроме того, что он единственный, чьи рост и комплекция подходят к форме проводника. С другой стороны, он едва ли хорошо говорит по-французски.

Миссис Хаббард, американская подданная. Место № 3. Первый класс.

Мотивы. Никаких.

Алиби. С двенадцати до двух часов ночи — никакого.

Улики и подозрительные обстоятельства. Рассказ о мужчине в ее купе, подтверждаемый показаниями Хардмана и Хильдегарде Шмидт.

Грета Ольссон, шведская подданная. Место № 10. Второй класс.

Мотивы. Никаких.

Алиби. С двенадцати до двух часов ночи. (Подтверждается Мэри Дебенхем.)

Примечание: последняя видела Рэтчетта живым.

Княгиня Драгомирова, натурализовавшаяся французская подданная. Место № 14. Первый класс.

Мотивы. Была близкой знакомой семьи Армстронгов и крестной Сони Армстронг.

Алиби. С двенадцати до двух часов ночи. (Подтверждается проводником и горничной.)

Улики и подозрительные обстоятельства. Никаких.

Граф Андреньи, венгерский подданный. Дипломатический паспорт. Место № 13. Первый класс.

Мотивы. Никаких.

Алиби. С двенадцати до двух часов ночи. (Подтверждается проводником, за исключением периода от часу до часу пятнадцати.)

Графиня Андреньи, то же, что и выше. Место № 12. Первый класс.

Мотивы. Никаких.

Алиби. От двенадцати до двух часов ночи. Приняла трионал и спала. (Подтверждается мужем. Пузырек трионала в ее шкафчике.)

Полковник Арбатнот, британский подданный. Место № 16. Второй класс.

Мотивы. Никаких известных.

Алиби. От двенадцати до двух часов ночи не покидал купе. (Подтверждается Маккуином и проводником.)

Улики и подозрительные обстоятельства. Ершик для трубки.

Сайрес Хардман, американский подданный. Место № 16. Второй класс.

Мотивы. Никаких известных.

Алиби. С двенадцати до двух часов ночи не покидал купе. (Подтверждается Маккуином и проводником.)

Улики и подозрительные обстоятельства. Никаких.

Антонио Фоскарелли, американский подданный (итальянского происхождения). Место № 5. Второй класс.

Мотивы. Никаких известных.

Алиби. С двенадцати до двух часов ночи. (Подтверждается Эдуардом Мастерменом.)

Улики и подозрительные обстоятельства. Никаких, кроме того, что использованное оружие соответствует его темпераменту. (По словам мсье Бука.)

Мэри Дебенхем, британская подданная. Место № 11. Второй класс.

Мотивы. Никаких.

Алиби. С двенадцати до двух часов ночи. (Подтверждается Гретой Ольссон.)

Улики и подозрительные обстоятельства. Разговор, подслушанный Э.П., и ее отказ его объяснить.

Хильдегарде Шмидт, германская подданная. Место № 8. Второй класс.

Мотивы. Никаких.

Алиби. От двенадцати до двух часов ночи. (Подтверждается кондуктором и ее хозяйкой.)

Легла спать. Была разбужена проводником приблизительно в 0.38 и пошла к хозяйке.

Примечание: показания пассажиров подтверждаются заявлением проводника, что никто не входил в купе Рэтчетта и не выходил из него от двенадцати до часу ночи (когда он сам пошел в соседний вагон) и от часу пятнадцати до двух».

— Как вы понимаете, — сказал Пуаро, — этот документ — всего лишь конспект выслушанных нами показаний, которые для удобства изложены таким образом.

Мсье Бук вернул ему список с недовольной гримасой.

— Он ничего не проясняет.

— Возможно, это больше придется вам по вкусу, — улыбнулся Пуаро, протянув ему другой лист бумаги.

Глава 2
ДЕСЯТЬ ВОПРОСОВ

На листе было написано следующее:

«Факты, требующие объяснения

1. Носовой платок с инициалом «Н». Чей он?
2. Ершик для трубки. Его уронил полковник Арбатнот или кто-то еще?
3. На ком было алое кимоно?
4. Кто был переодет в форму проводника? Мужчина это или женщина?
5. Почему часы показывали 1.15?
6. Совершено ли убийство в это время?
7. Совершено ли оно раньше?
8. Совершено ли оно позже?

9. Можем ли мы быть уверены, что убийство Рэтчетта совершено не одним человеком?

10. Какое иное объяснение может иметь характер ран?»

— Ну, поглядим, на что мы сможем ответить, — промолвил мсье Бук, которого слегка подбодрил вызов его интеллекту. — Начнем с носового платка. Давайте руководствоваться порядком и методом.

— Разумеется, — с удовлетворением кивнул Пуаро.

— Инициал «Н» подходит троим, — поучительным тоном продолжал мсье Бук. — Миссис Хаббард, мисс Дебенхем, чье второе имя Хермион, и горничной Хильдегарде Шмидт.

— Кого же из них вы выбираете?

— Трудно сказать. Пожалуй, я бы проголосовал за мисс Дебенхем. Возможно, ее зовут вторым именем, а не первым. К тому же разговор, который вы подслушали, mon cher, и ее отказ объяснить его, безусловно, выглядят подозрительно.

— Ну а я голосую за американку, — заявил доктор Константине. — Это очень дорогой платок, а всем известно, что у американцев денег куры не клюют.

— Итак, вы оба исключаете горничную? — осведомился Пуаро.

— Да. Как сказала она сама, платок принадлежит даме из высшего общества.

— Перейдем к второму вопросу — ершику для трубки. Его обронил полковник Арбатнот или кто-то другой?

— Это посложнее. Конечно, англичане ножами не орудуют. Тут вы правы. Я склонен полагать, что ершик специально обронил кто-то другой, чтобы заподозрили долговязого англичанина.

— Как вы говорили, мсье Пуаро, — вставил доктор Константине, — оставить две улики — слишком большая беспечность со стороны преступника. Платок уронили случайно, так как никто не признал его своим, а вот ершик — подтасованная улика. Эту теорию подтверждает то, что полковник Арбатнот не проявил никакого замешательства и охотно признал, что курит трубку и пользуется такими ершиками.

— Вы рассуждаете логично, — одобрил Пуаро.

— Вопрос третий — кто носил алое кимоно? — продолжал мсье Бук. — Говорю откровенно, что не имею об этом ни малейшего понятия. У вас есть какие-нибудь предположения, доктор Константине?

— Никаких.

— Тогда здесь мы вынуждены признать свое поражение. Следующий вопрос допускает, по крайней мере, ряд возможностей. Кто был переодет в форму проводника? Мужчина это или женщина? Ну, мы можем с уверенностью назвать несколько человек, которые никак не подходят на эту роль. Хардман, полковник Арбатнот, Фоскарелли, граф Андреньи и Гектор Маккуин слишком высокие. Миссис Хаббард, Хильдегарде Шмидт и Грета Ольссон слишком полные. Остаются слуга, мисс Дебенхем, княгиня Драгомирова и графиня Андреньи, причем никто из них не кажется вероятным кандидатом. Грета Ольссон в одном случае и Антонио Фоскарелли в другом ручаются, что мисс Дебенхем и слуга не покидали свои купе. Хильдегарде Шмидт утверждает то же самое насчет княгини, а граф Андреньи уверяет, что его жена приняла снотворное. Выходит, переодеться проводником не мог никто, что выглядит абсурдно!

— Как говорил наш старый друг Евклид, — пробормотал Пуаро.

— Очевидно, это все-таки один из последних четырех, — сказал доктор Константине. — Если только это не какой-нибудь посторонний, который где-то спрятался, что, как мы признали, невозможно.

Мсье Бук перешел к следующему пункту:

— Пятый вопрос: почему часы показывали четверть второго? Я могу предложить два объяснения. Либо стрелки перевел убийца, чтобы обеспечить себе алиби, однако не смог покинуть купе в намеченное время, так как услышал шум в коридоре, либо... Погодите, у меня забрезжила мысль...

Пуаро и доктор почтительно ожидали, пока мсье Бук в муках рожал свою идею.

— Есть! — воскликнул он наконец. — Часы переставил не убийца в форме проводника, а левша, кого мы называли «вторым убийцей», — иными словами, женщина в алом кимоно. Она пришла позже и перевела стрелки, чтобы создать себе алиби.

— Браво! — воскликнул доктор Константине. — Хорошо придумано.

— Выходит, — сказал Пуаро, — она наносила удары в темноте, не сознавая, что Рэтчетт уже мертв, но каким-то образом догадалась, что у него часы в кармане пижамы, вытащила их, перевела вслепую стрелки назад и даже умудрилась сделать на часах вмятину.

Мсье Бук холодно посмотрел на него.

— Вы можете предложить что-нибудь лучшее? — осведомился он.

— В данный момент нет, — признался Пуаро. — Тем не менее никто из вас, по-моему, не оценил самого интересного в этих часах.

— С этим связан шестой вопрос? — спросил доктор. — Было ли убийство совершено в час пятнадцать. Я отвечаю — нет.

— Согласен, — кивнул мсье Бук. — Следующий вопрос: было ли оно совершено раньше? Я отвечаю — да. А вы, доктор?

— Я тоже, но на вопрос, было ли оно совершено позже, также можно ответить утвердительно. Я согласен с вашей теорией, думаю, мсье Пуаро тоже, хотя он и не желает в этом признаваться. Первый убийца пришел раньше часа пятнадцати, а второй — позже. Что касается ударов, нанесенных левой рукой, то не следует ли нам проверить, кто из пассажиров левша?

— Я не пренебрег этим, — отозвался Пуаро. — Возможно, вы обратили внимание, что я просил каждого пассажира написать свое имя или адрес. Этот способ не совсем точный, так как некоторые люди производят одни действия правой рукой, а другие — левой. Например, они пишут правой рукой, а левой играют в гольф. Все же кое-что это нам дало. Все допрашиваемые держали ручку в правой руке, кроме княгини Драгомировой, которая отказалась что-либо писать.

— Княгиня Драгомирова? Это невозможно! — заявил мсье Бук.

— Едва ли ей хватило бы сил для удара, который нанесли левой рукой, — с сомнением произнес доктор Константин. — Эта рана нанесена отнюдь не слабым человеком.

— Значит, ее не могла нанести женщина?

— Ну, я бы так не сказал. Но думаю, тут требуется больше сил, чем у пожилой женщины, тем более такого хрупкого сложения, как княгиня Драгомирова.

— Возможно, причина кроется в торжестве духа над телом, — заметил Пуаро. — У княгини более чем достаточно силы воли. Но пока оставим это.

— Девятый и десятый вопросы, — продолжал мсье Бук. — Можем ли мы быть уверены, что убийство совершено не одним человеком, и какое иное объяснение может иметь характер ран? По-моему, с медицинской точки зрения иного объяснения быть не может. Предположение, будто один и тот же человек сначала ударял ножом изо всех сил, а потом еле-еле сначала правой рукой, а потом левой и спустя полчаса нанес свежую рану покойнику, не имеет смысла.

— Не имеет, — согласился Пуаро. — А теория насчет двух убийц, по-вашему, имеет смысл?

— Вы же сами сказали: «Как иначе можно это объяснить?»

Пуаро устремил взгляд в пространство.

— Я все время задаю себе этот вопрос. — Откинувшись на спинку стула, он постучал себя по лбу. — С этого момента все будет происходить здесь. Мы тщательно обсудили все факты, выстроили более или менее стройную теорию. Пассажиры один за другим давали нам показания. Теперь мы знаем все, что могли узнать, так сказать, извне. — Пуаро улыбнулся мсье Буку. — Помните нашу шутку — чтобы узнать правду, достаточно сесть поудобнее и подумать? Ну, я собираюсь воплотить мою теорию на практике, здесь, у вас на глазах. Вы двое сделаете то же самое. Давайте закроем глаза и как следует подумаем. Один, а может, и не один из пассажиров убил Рэтчетта. Который из них?

Глава 3

НЕКОТОРЫЕ СУЩЕСТВЕННЫЕ МОМЕНТЫ

Прошло четверть часа, прежде чем молчание было нарушено.

Мсье Бук и доктор Константине старались повиноваться указаниям Пуаро. Они пытались увидеть сквозь лабиринт противоречивых деталей четкую и объясняющую все разгадку.

Мысли мсье Бука развивались следующим образом:

«Конечно, нужно хорошенько подумать. Но, откровенно говоря, я только этим и занимался... По-видимому, Пуаро считает, что английская девушка в этом замешана. Мне это кажется маловероятным... Англичанки слишком хладнокровные. Возможно, потому, что они такие худощавые... Но это не важно. Похоже, итальянец тут ни при чем, а жаль. Полагаю, слуга-англичанин не лгал, утверждая, что итальянец не выходил из купе. Впрочем, зачем ему лгать? Англичан нелегко подкупить — к ним не подкопаешься. Интересно, когда мы отсюда выберемся? Должны же производиться какие-то спасательные работы. В этих странах все так медлительны, можно поседеть, пока они что-нибудь придумают. А уж со здешними полицейскими не дай Бог иметь дело: строят из себя важных персон и следят, как бы не унизили их достоинство. Они раздуют из этой истории невесть что. Еще бы, им не часто представляется такой шанс. Наверняка это попадет во все газеты...»

После этого мысли директора компании направились в русло, по которому текли уже сотни раз.

«Странный маленький человечек! — думал тем временем доктор Константине. — Кто он — гений или просто оригинал? Сможет ли он раскрыть эту тайну? Вряд ли. Я, во всяком случае, в полном мраке. Все слишком запутано... Возможно, здесь все лгут... Но даже если так, это нам не поможет. Все остается таким же непонятным, как если бы они говорили правду. Странная история с этими ранами. Не могу понять... Было бы легче разобраться, если бы его застрелили. Гангстеры всегда стреляют. Все-таки любопытная страна Америка. Хотел бы я там побывать. Весь прогресс идет оттуда. Когда вернусь домой, надо будет повидать Деметриоса Загоне, он был в Америке и теперь напичкан современными идеями... Интересно, что сейчас делает Зия. Если моя жена когда-нибудь узнает...»

И мысли доктора переключились на сугубо личные дела.

Эркюль Пуаро сидел неподвижно. Можно было подумать, что он спит.

Но через четверть часа его брови начали медленно ползти вверх. Он вздохнул и пробормотал себе под нос:

— В конце концов, почему бы и нет? А если так, то это объясняет все.

Пуаро открыл глаза. Они были зелеными, как у кота.

— Eh bien, — сказал он. — Я подумал. А вы?

Оба мужчины, погруженные в размышления, вздрогнули от неожиданности.

— Я тоже ломал себе голову, — с виноватым видом отозвался мсье Бук. — Но так и не пришел ни к какому выводу. Раскрывать преступления ваше métier[1], а не мое.

— Я все время об этом думал, — соврал доктор, с трудом отрываясь от видений явно порнографического свойства. — Перебрал множество теорий, но ни одна из них меня не удовлетворяет.

Пуаро дружелюбно кивнул. Этот кивок словно говорил: «Совершенно верно. Вы произнесли как раз те реплики, которых я ожидал».

Он сел прямо, пригладил усы и заговорил тоном опытного оратора, обращающегося к обширной аудитории:

— Друзья мои, я заново перебрал в уме все факты и показания пассажиров. В результате я вижу, хотя еще нечетко, определенное объяснение всех известных нам фактов. Объяснение очень странное, и я отнюдь не уверен, что оно правильное. Чтобы выяснить это, я должен провести кое-какие эксперименты.

---

[1] Ремесло (фр.).

Прежде всего я хотел бы упомянуть некоторые моменты, которые кажутся мне существенными. Начнем с замечания мсье Бука, произнесенного в этом самом вагоне во время нашего первого совместного ленча. Он отметил, что мы окружены людьми различных классов, возрастов и национальностей и что в это время года такое бывает редко. Например, вагоны «Афины—Париж» и «Бухарест—Париж» почти пусты. Вспомните также, что один из пассажиров так и не явился. Есть и другие значительные детали, в частности положение туалетной сумки миссис Хаббард, имя матери миссис Армстронг, детективные методы мсье Хардмана, предположение мсье Маккуина, что Рэтчетт сам сжег записку, которую мы обнаружили, имя княгини Драгомировой и жирное пятно на венгерском паспорте.

Двое мужчин уставились на него.

— Эти детали вам что-нибудь говорят? — спросил Пуаро.

— Ровным счетом ничего, — честно признался мсье Бук.

— А вам, мсье доктор?

— Не понимаю, что вы имеете в виду?

Тем временем мсье Бук, ухватившись за единственную осязаемую вещь, которую упомянул его друг, отыскал среди документов паспорт графа и графини Андреньи и открыл его.

— Вы говорили об этом пятне?

— Да. Пятно достаточно свежее. Вы обратили внимание, где оно находится?

— В начале сведений о жене графа — точнее, на ее имени. Но я все еще не вижу в этом никакого смысла.

— Подойдем к этому с другой стороны. Давайте вернемся к носовому платку, найденному на месте преступления. Как мы недавно установили, буква «Н» подходит к трем пассажирам — миссис Хаббард, мисс Дебенхем и Хильдегарде Шмидт. Платок, друзья мои, весьма дорогой — object de luxe[1] ручной работы, изготовленный в Париже. Кому из пассажиров, если не

---

[1] Предмет роскоши (*фр.*).

162

учитывать инициал, может принадлежать такой платок? Не миссис Хаббард — достойной женщине, но никак не претендующей на роскошь в предметах туалета. Не мисс Дебенхем — англичанки этого класса пользуются более скромными льняными платками, а не кусочками батиста стоимостью около двухсот франков. И безусловно, не горничной. Но в поезде есть две женщины, которые могли бы иметь такой платок. Посмотрим, удастся ли нам каким-нибудь образом связать их с буквой «Н». Я имею в виду княгиню Драгомирову...

— Которую зовут Natalia, — иронически вставил мсье Бук.

— Совершенно верно. И ее имя, как я только что сказал, наводит на размышления. Другая женщина — графиня Андреньи. И тут нам сразу же приходит в голову...

— Не нам, а вам!

— Хорошо, мне. В паспорте на ее имени стоит жирное пятно. На первый взгляд обычная случайность. Но вспомните ее имя — Елена. Предположим, что на самом деле ее зовут не Елена, а Хелена. Заглавное «Н» легко превратить в заглавное «Е», прикрыв росчерком маленькое «е», а потом посадить жирное пятно, чтобы замаскировать изменения.

— Хелена! — воскликнул мсье Бук. — Это идея.

— Безусловно. Я искал какое-нибудь подтверждение этой идеи и нашел. Одна из наклеек на чемодане графини была влажной — как раз она прикрывает первый инициал на чемодане. Очевидно, наклейку отмочили и приклеили на новое место.

— Вы начинаете меня убеждать, — сказал мсье Бук. — Но я уверен, что графиня Андреньи...

— А теперь, mon vieux, вам следует взглянуть на это дело совсем с другой точки зрения. Как должно было выглядеть это преступление для всех окружающих? Не забывайте, что снегопад расстроил первоначальные планы убийцы. Давайте представим на мгновение, что заносов нет и поезд следует обычным курсом. Что бы произошло тогда?

Преступление также было бы обнаружено сегодня рано утром, но на итальянской границе. Большинство тех же показаний было бы дано итальянской полиции. Мсье Маккуин предъявил бы упреждающие письма, мсье Хардман поведал бы свою историю, миссис Хаббард не терпелось бы рассказать, как мужчина прошел через ее купе, пуговицу нашли бы в купе убитого. Но мне кажется, что два изменения все-таки произошло бы. Мужчина прошел бы через купе миссис Хаббард незадолго до часу ночи, а форму проводника нашли бы в одном из туалетов.

— Вы имеете в виду...

— Я имею в виду, что убийство планировали представить делом рук постороннего. Предполагалось бы, что убийца сошел с поезда в Броде, куда экспресс должен был прибыть в ноль пятьдесят восемь. Кто-нибудь, возможно, заметил бы незнакомого проводника в коридоре. Форму оставили бы на видном месте, дабы ясно продемонстрировать, как проделали этот трюк. Пассажиров никто бы не заподозрил. Вот, мой друг, каким выглядело бы это преступление для окружающего мира.

Но снегопад все изменил. Именно по этой причине преступник так долго оставался в купе жертвы. Он ждал, пока поезд тронется, но наконец понял, что этого не произойдет. Пришлось срочно менять план. Теперь все должны были знать, что убийца все еще в поезде.

— Да-да, понимаю, — нетерпеливо сказал мсье Бук. — Но при чем тут носовой платок?

— Я возвращаюсь к нему довольно кружным путем. Прежде всего, вам следует осознать, что угрожающие письма были ложной приманкой, позаимствованной из посредственного американского детективного романа. Они не настоящие. Фактически их специально предназначали для полиции. Мы должны задать себе вопрос: обманули ли эти письма Рэтчетта? На первый взгляд напрашивается отрицательный ответ. Указания, данные Рэтчеттом Хардману, вроде бы доказывают существование вполне конкретного «личного» врага, о котором Рэтчетт был хорошо осведомлен (разумеется, если считать показания Хардмана правдивыми). Но Рэтчетт наверняка получил еще одно письмо совсем иного характера — письмо, содержавшее упоминание о ребенке Армстронгов, клочок которого мы нашли в его купе. Если Рэтчетт не понял этого раньше, письмо должно было объяснить причину, по которой угрожают его жизни. Как я утверждал все время, это письмо не должны были обнаружить. Убийца постарался его уничтожить, однако мы смогли реконструировать найденный обрывок. Это было второй неудачей преступника после снегопада.

Стремление уничтожить записку может означать лишь одно. В поезде находится некто настолько близко связанный с семьей Армстронгов, что находка записки неминуемо навлекла бы на него подозрение.

Теперь перейдем к двум другим обнаруженным нами уликам. Оставляю в стороне ершик для трубки, о нем мы уже говорили достаточно. Вернемся к носовому платку. Простейшее объяснение состоит в том, что он непосредственно указывает на некую особу с инициалом «Н», которая обронила его случайно.

— Совершенно верно, — согласился доктор Константине. — Она обнаружила потерю платка и тотчас же приняла меры, чтобы скрыть свое подлинное имя.

— Как же вы торопитесь! Вы приходите к выводам куда быстрее меня.

— А разве есть другая возможность?

— Конечно есть. Предположим, вы совершили убийство и хотите навлечь подозрение на кого-то другого. В поезде находится женщина, близко связанная с семьей Армстронгов. Вы оставляете на месте преступления платок, принадлежащий этой женщине. На допросе выяснится ее связь с Армстронгами — et voilà. Вот вам и мотив и вещественное доказательство.

— Но если эта особа не виновна, — возразил доктор, — стала бы она принимать меры, чтобы скрыть свою личность?

— Полиция пришла бы именно к такому выводу. Но я знаю человеческую натуру, друг мой, и могу вас заверить, что даже абсолютно невиновный человек, внезапно столкнувшись с риском быть обвиненным в убийстве, теряет голову и совершает самые нелепые поступки. Нет-нет, жирное пятно и наклейка не свидетельствуют о виновности, они лишь доказывают, что графиня Андреньи по какой-то причине стремится скрыть свою личность.

— Каким же образом графиня может быть связана с семейством Армстронгов? Ведь она утверждает, что никогда не бывала в Америке.

— Верно, и к тому же говорит на ломаном английском и обладает деланно иностранной внешностью. Но догадаться, кто она, не составляет труда. Я упоминал среди важных моментов имя матери миссис Армстронг. Ее звали Линда Арден, и она была знаменитой актрисой — в том числе исполнительницей ролей в шекспировских пьесах. Вспомните «Как вам это понравится» — Арденский лес и Розалинду. Вот откуда ее псевдоним. Вполне вероятно, ее настоящая фамилия Гольденберг, а в жилах текла центральноевропейская, возможно еврейская, кровь. Ведь в Америку эмигрировали представители самых различных национальностей. Мое предположение, джентльмены, состоит в том, что младшую сестру миссис Армстронг и младшую дочь Линды Арден, которая во время семейной трагедии была почти ребенком, звали Хелена Гольденберг и что она вышла замуж за графа Андреньи, когда тот служил атташе в Вашингтоне.

— Но княгиня Драгомирова говорит, что младшая дочь Линды Арден вышла замуж за англичанина.

— Чье имя она не может вспомнить! Неужели, друзья мои, вы этому верите? Княгиня Драгомирова любила Линду Арден, как великие аристократки любят великих артистов. Она была крестной одной из ее дочерей. Могла ли она так быстро позабыть фамилию мужа другой дочери? Едва ли. Нет, думаю, мы можем не сомневаться, что княгиня лгала. Она увидела Хелену в поезде, узнала ее, а услышав о том, кем был Рэтчетт в действительности, поняла, что на Хелену сразу же падет подозрение. Поэтому на наш вопрос о младшей дочери Линды Арден она «смутно припоминает», что та вышла замуж за англичанина, — версия, максимально далекая от истины.

166

К ним подошел один из официантов и обратился к мсье Буку:

— Могу я подавать обед, мсье? Он уже готов.

Мсье Бук посмотрел на Пуаро, тот кивнул:

— Разумеется, пускай подают.

Официант вышел из вагона, и вскоре послышался колокольчик и его громкий голос:

— Premier service. Le dîner est servi[1].

Глава 4

ЖИРНОЕ ПЯТНО НА ВЕНГЕРСКОМ ПАСПОРТЕ

Пуаро делил столик с мсье Буком и доктором. Собравшиеся в вагоне-ресторане вели себя тихо и почти не разговаривали. Даже словоохотливая миссис Хаббард была на удивление молчаливой.

— По-моему, я вообще не в состоянии ничего есть, — пробормотала она, садясь, после чего отведала все предложенные блюда, подбодряемая шведской дамой, которая, очевидно, взяла ее под свою опеку.

Перед тем как подали еду, Пуаро поймал метрдотеля за рукав и что-то ему шепнул. Константине догадался, какие он дал указания, заметив, что графу и графине Андреньи все подавали в последнюю очередь и выписали счет с солидной задержкой. В результате они последними остались в вагоне-ресторане.

Когда граф и графиня наконец встали и направились к выходу, Пуаро поднялся и подошел к ним.

— Простите, мадам, вы уронили платок.

Он протянул ей отмеченный монограммой квадратик батиста.

Графиня взяла платок, посмотрела на него и вернула Пуаро.

— Вы ошиблись, мсье. Это не мой платок.

— Не ваш? Вы уверены?

— Абсолютно уверена, мсье.

— Тем не менее, мадам, на нем ваш инициал — «Н».

---

[1] Первая очередь. Обед подан (*фр.*).

Граф сделал нетерпеливый жест, но Пуаро не обратил на него внимания. Его взгляд был прикован к лицу графини.

— Не понимаю, мсье, — отозвалась она. — Мои инициалы — «Е.А.».

— Не думаю. Вас зовут не Елена, а Хелена. Хелена Гольденберг — младшая дочь Линды Арден и сестра миссис Армстронг.

Минуту-две царило молчание. Граф и графиня смертельно побледнели.

— Отрицать бесполезно, — мягко произнес Пуаро. — Это правда, не так ли.

— По какому праву, мсье... — свирепо начал граф.

Графиня прервала мужа, прикрыв ему рот маленькой ладошкой:

— Нет, Рудольф, позволь мне сказать. Нет смысла отрицать то, что говорит этот джентльмен. Нам лучше сесть и все обсудить.

Ее голос изменился. Он сохранил южный бархатный тембр, но приобрел типично американские, четкие и резкие интонации.

Граф повиновался, и оба сели напротив Пуаро.

— Вы совершенно правы, мсье, — сказала графиня. — Я Хелена Гольденберг, младшая сестра миссис Армстронг.

— До сих пор вы не познакомили меня с этим фактом, мадам графиня. Фактически все, что вы и ваш муж говорили мне, было сплошной ложью.

— Мсье! — вспылил граф.

— Не сердись, Рудольф. Мсье Пуаро выразился довольно резко, но оспаривать его слова бессмысленно.

— Рад, что вы это признаете, мадам. А теперь вы сообщите мне причины вашего поведения, включая изменение имени в паспорте?

— Это сделал я, — снова вмешался граф.

— Я уверена, мсье Пуаро, что вы догадываетесь о моих... о наших причинах, — спокойно сказала Хелена. — Убитый был повинен в смерти моей маленькой племянницы, моей сестры и моего зятя — трех человек, которых я любила больше всего на свете, которые составляли мою семью, мой мир!

В ее голосе зазвучали страстные нотки. Она была истинной дочерью своей матери, чья эмоциональная игра повергала публику в экстаз.

— Из всех людей в поезде, — продолжала графиня, — возможно, у меня одной был веский мотив убить его.

— Но вы его не убивали, мадам?

— Клянусь вам, мсье Пуаро, — мой муж тоже может в этом поклясться, — что я никогда не поднимала руку на этого человека, каким бы сильным ни было искушение сделать это.

— Даю вам честное слово, джентльмены, — сказал граф, — что прошлой ночью Хелена не покидала своего купе. Она приняла снотворное. Моя жена ни в чем не виновна.

Пуаро переводил взгляд с жены на мужа.

— Ручаюсь своим честным словом, — повторил граф.

Пуаро покачал головой:

— Тем не менее вы изменили имя в ее паспорте.

— Постарайтесь меня понять, мсье Пуаро, — горячо заговорил граф. — По-вашему, я мог смириться с тем, что мою жену втянут в грязную полицейскую историю? Я знал, что Хелена не виновна, но она сказала правду: из-за связи с семьей Армстронгов ее сразу бы заподозрили, стали допрашивать, возможно, даже арестовали. Что мне оставалось делать, раз уж несчастная случайность привела нас в один поезд с этим Рэтчеттом? Я признаю, мсье, что лгал вам во всем, кроме одного, — прошлой ночью моя жена не выходила из своего купе.

Он говорил с такой убедительностью, что в его словах трудно было усомниться.

— Я не утверждаю, что не верю вам, мсье, — медленно произнес Пуаро. — Я знаю, что вы принадлежите к древнему и гордому роду. Для вас в самом деле было бы мучительно, если бы вашу жену вовлекли в неприятное полицейское дело. В этом я могу вам посочувствовать. Но как вы тогда объясните присутствие платка вашей жены в купе убитого?

— Повторяю, мсье, это не мой платок, — сказала графиня.

— Несмотря на инициал «Н»?

— Да, несмотря на это. У меня похожие платки, но нет ни одного точно такого. Конечно, я не надеюсь, что смогу заставить вас мне поверить, но я говорю правду. Платок не мой.

— Возможно, его кто-то подложил, чтобы скомпрометировать вас?

Она улыбнулась:

— Вы заманиваете меня в ловушку, чтобы я призналась, что платок все-таки мой? Но я уверяю вас, мсье Пуаро, это не так.

— Если платок не ваш, то почему вы изменили ваше имя в паспорте?

На это ответил граф:

— Потому что мы услышали о том, что найден платок с инициалом «Н». Мы обсудили это, прежде чем нас расспрашивали. Я указал Хелене, что, как только выяснится, что ее имя начинается с буквы «Н», ее подвергнут куда более жесткому допросу. А изменить Хелену на Елену не составляло труда.

— У вас задатки ловкого преступника, мсье граф, — сухо заметил Пуаро. — Природная изобретательность и твердая решимость ввести правосудие в заблуждение.

— Нет-нет! — Хелена склонилась вперед. — Мсье Пуаро, он ведь объяснил вам, как все произошло. — Она перешла с французского на английский. — Та давняя трагедия была такой ужасной, что я бы не вынесла, если все это опять начали ворошить. Меня могли заподозрить и, может быть, отправить в тюрьму. Я была смертельно напугана, мсье Пуаро. Неужели вы этого не понимаете? — Это был голос дочери Линды Арден — страстный, глубокий, умоляющий.

Пуаро внимательно посмотрел на нее:

— Для того чтобы я поверил вам, мадам, — а я не говорю, что не хочу вам верить, — вы должны мне помочь.

— Помочь?

— Да. Причина убийства заключается в прошлом — в трагедии, которая погубила вашу семью и омрачила ваши детство и юность. Отведите меня в прошлое, мадемуазель, дабы я смог найти связующее звено, которое все объяснит.

— Что я могу вам сообщить? Они все мертвы. Все мертвы, — печально повторила она. — Роберт, Соня, милая маленькая Дейзи. Она была такой забавной, с такими хорошенькими кудряшками. Мы все обожали ее.

— Была ведь еще одна жертва, мадам. Можно сказать, косвенная.

— Бедная Сюзанна? Да, я забыла о ней. Полиция ее допрашивала. Они не сомневались, что она в этом замешана. Возможно, так оно и было, но чисто случайно. Очевидно, Сюзанна, болтая с кем-то, сообщила, когда Дейзи выводят на прогулку. Бедняжка так мучилась, она считала себя виноватой. — Хелена вздрогнула. — Она выбросилась из окна. Это было ужасно!

Графиня закрыла лицо руками.

— Какой она была национальности, мадам?

— Француженка.

— Как ее фамилия?

— Странно, но я не помню, мы все называли ее Сюзанна. Веселая, хорошенькая девушка, очень любила Дейзи.

— Она была горничной в детской, не так ли?

— Да.

— А кто была няня?

— Дипломированная медсестра. Кажется, ее фамилия Стенгельберг. Она тоже была предана Дейзи и моей сестре.

— А теперь, мадам, я хочу, чтобы вы перед ответом как следует подумали. Когда вы очутились в этом поезде, вам никто не показался здесь знакомым?

Она смотрела прямо в глаза Пуаро.

— Знакомым? Нет, никто.

— А как насчет княгини Драгомировой?

— Ну, ее я сразу узнала. Я думала, вы имеете в виду кого-то... кого-то из того времени.

— И были правы, мадам. Подумайте еще. Не забывайте, что прошло много лет. Внешность людей меняется с возрастом.

Хелена задумалась.

— Нет, — сказала она наконец. — Я уверена, что никто не кажется мне знакомым.

— Во время той трагедии вы ведь были еще девочкой. Кто-нибудь присматривал за вами, руководил вашими занятиями?

— Да, у меня была гувернантка, она же была секретаршей Сони. Высокая, рыжеволосая женщина, англичанка или шотландка.

— Как ее звали?

— Мисс Фрибоди.

— Она была молодая или старая?

— Мне она казалась ужасно старой, хотя, думаю, ей было не больше сорока. А за моей одеждой следила Сюзанна.

— Других обитателей в доме не было?

— Только слуги.

— Вы совершенно уверены, мадам, что никого не узнали в поезде?

— Уверена, мсье, — серьезно ответила она. — Я никого не узнала.

Глава 5
ИМЯ КНЯГИНИ ДРАГОМИРОВОЙ

Когда граф и графиня удалились, Пуаро посмотрел на мсье Бука и доктора.

— Мы прогрессируем, — заметил он.

— Отличная работа, — поздравил его мсье Бук. — У меня и в мыслях не было подозревать графа и графиню Андреньи. Признаюсь, я считал, что они hors de combat[1]. Полагаю, не может быть сомнений, что убийство совершила графиня? Весьма печально. Хотя ее, конечно, не гильотинируют. Есть смягчающие обстоятельства. Дело ограничится несколькими годами заключения.

— Значит, вы уверены в ее виновности?

— Мой дорогой друг, разве в этом можно сомневаться? Я думал, вы успокаивали ее, чтобы не создавать

---

[1] Вне игры (фр.).

лишних волнений, пока нас не откопают и не прибудет полиция.

— Вы не верите честному слову графа, что его жена не виновна?

— Mon cher, а что еще он мог сказать? Граф обожает жену и, естественно, хочет ее спасти. Лжет он убедительно, как подобает истинному аристократу, но тем не менее ложь есть ложь.

— Знаете, у меня возникла нелепая идея, что это может оказаться правдой.

— Нет-нет. Носовой платок решает дело не в его пользу.

— О, насчет платка я не так уверен. Помните, я говорил вам, что платок может принадлежать двоим.

— По крайней мере...

Мсье Бук не окончил фразу. Дверь открылась, и в вагон-ресторан вошла княгиня Драгомирова. Она направилась прямо к ним, и трое мужчин поднялись.

Княгиня обратилась к Пуаро, не обращая внимания на остальных:

— Кажется, мсье, у вас мой носовой платок.

Пуаро бросил торжествующий взгляд на своих компаньонов.

— Вот этот, мадам? — Он продемонстрировал квадратик тонкого батиста.

— Да. В углу мой инициал.

— Простите, мадам княгиня, ведь это буква «Н», — запротестовал мсье Бук. — А ваше имя — Наталья.

Она холодно посмотрела на него:

— Совершенно верно, мсье. Все мои платки помечены русскими буквами. По-русски эта буква читается как «N».

Мсье Бук был обескуражен. Высокомерная старая дама умела поставить его на место.

— Однако утром, во время допроса, вы не говорили, что платок ваш.

— Вы меня об этом не спрашивали, — сухо сказала княгиня.

— Пожалуйста, садитесь, мадам, — предложил Пуаро.

— Не возражаю. — Она со вздохом опустилась на стул. — Вам незачем ходить вокруг да около, господа. Вашим следующим вопросом будет, каким образом мой платок оказался в купе убитого. Мой ответ: понятия не имею.

— Простите, мадам, но насколько мы можем полагаться на вашу правдивость? — мягко осведомился Пуаро.

— Полагаю, — презрительно отозвалась княгиня, — вы имеете в виду то, что я не сказала вам, что Хелена Андреньи — сестра миссис Армстронг?

— Фактически вы намеренно нам солгали.

— Разумеется. Я бы сделала это снова. Ее мать была моей подругой. Я верю в преданность своим друзьям, своей семье и своему классу, господа.

— Но вы не верите в необходимость всячески способствовать свершению правосудия?

— Я считаю, что в данном случае правосудие уже свершилось.

Пуаро склонился вперед:

— Вы должны понять мои затруднения, мадам. Могу ли я верить вам в этой истории с платком? Что, если вы покрываете дочь вашей подруги?

— О, я понимаю, что вы имеете в виду. — Она мрачно улыбнулась. — Мое заявление легко проверить, господа. Я дам вам парижский адрес, где изготовляют для меня платки. Вам будет достаточно показать им этот платок, и вам скажут, что он был сделан по моему заказу более года назад. Платок мой, господа. — Она встала. — У вас есть еще вопросы ко мне?

— Ваша горничная, мадам, узнала платок, когда мы показали его ей сегодня утром?

— Очевидно, узнала. Она видела его и ничего не сказала? Это свидетельствует о том, что она тоже умеет быть преданной.

С легким кивком княгиня вышла из вагона.

— Выходит, так оно и было, — пробормотал Пуаро. — Я заметил легкое колебание, когда спросил горничную, знает ли она, чей это платок. Она не была уверена, признавать ей или нет, что платок принадлежит ее хозяйке. Но согласуется ли это с моей основной идеей? Очень может быть.

Мсье Бук поежился:

— Эта старая дама нагоняет на меня страх!

— Могла ли она убить Рэтчетта? — спросил Пуаро у доктора.

Тот покачал головой:

— Женщина такого хрупкого сложения никак не могла нанести те удары, которые проникли сквозь мышечную ткань.

— А более слабые?

— Более слабые — возможно.

— Я вспоминаю об утреннем инциденте, — продолжал Пуаро, — когда я сказал ей, что у нее сильная воля, а не руки. Это замечание было в своем роде ловушкой. Я хотел увидеть, на какую руку она посмотрит — на правую или на левую. Княгиня посмотрела на обе, но ответила очень странно. «Это правда — у меня слабые руки, — сказала она. — Не знаю, огорчаться этому или радоваться». Странное замечание. Оно подтверждает мое мнение относительно этого преступления.

— Но не объясняет, левша ли она.

— Действительно. Между прочим, вы обратили внимание, что граф Андреньи держит носовой платок в правом нагрудном кармане?

Мсье Бук покачал головой. Его мысли вернулись к удивительным открытиям последнего получаса.

— Снова ложь, — пробормотал он. — Поразительно, сколько лжи мы выслушали этим утром.

— И это еще не все, — бодро сказал Пуаро.

— Вы так думаете?

— Я буду очень разочарован, если окажусь не прав.

— Подобное двуличие кажется мне возмутительным, — промолвил мсье Бук и укоризненно добавил: — Но вас оно, кажется, удовлетворяет.

— В нем есть свои преимущества, — отозвался Пуаро. — Если лгуна внезапно разоблачить, он обычно признается, часто всего лишь от неожиданности. Но чтобы добиться подобного эффекта, нужно правильно догадаться, в чем именно заключается ложь. Это единственный способ вести данное дело. Я обдумываю показания каждого пассажира и спрашиваю себя: «Если такой-то и такая-то лгут, то где именно и по какой причине?» И отвечаю, что если они лгут, — заметьте, я говорю «если», — то это может быть только в таком-то месте и по такой-то причине. Мы успешно применили этот метод с графиней Андреньи. Теперь попробуем его на других.

— А если, друг мой, ваша догадка случайно окажется неправильной?

— Тогда по крайней мере один человек будет освобожден от подозрений.

— Ага! Метод исключения.

— Вот именно.

— И кем мы займемся теперь?

— Теперь мы займемся пукка-сахибом — полковником Арбатнотом.

Глава 6

ВТОРОЙ РАЗГОВОР
С ПОЛКОВНИКОМ АРБАТНОТОМ

Полковник Арбатнот был явно недоволен тем, что его вызвали в вагон-ресторан для повторной беседы. На его лице было написано угрожающее выражение, когда он сел и осведомился:

— Ну?

— Тысяча извинений за то, что мы беспокоим вас во второй раз, — сказал Пуаро. — Но думаю, вы можете сообщить нам кое-какую дополнительную информацию.

— Вот как? Едва ли.

— Прежде всего посмотрите на этот ершик.

— Смотрю.

— Это один из ваших?

— Не знаю. Я не ставлю на них личную метку.

— Вам известно, полковник Арбатнот, что вы единственный среди пассажиров вагона «Стамбул—Кале», кто курит трубку?

— В таком случае ершик, возможно, принадлежит мне.

— Вы знаете, где его нашли?

— Понятия не имею.

— В купе убитого.

Полковник поднял брови.

— Можете объяснить нам, полковник Арбатнот, каким образом он туда попал?

— Если вы думаете, что уронил его там я, то ошибаетесь.

— Вы когда-нибудь заходили в купе мистера Рэтчетта?

— Я никогда даже не разговаривал с этим человеком.

— Вы не разговаривали с ним и не убивали его?

Брови полковника вновь иронически приподнялись.

— Если бы я его убил, то вряд ли стал бы знакомить вас с этим фактом. Но вообще-то я его не убивал.

— Ну что ж, — пробормотал Пуаро. — Это не имеет значения.

— Простите?

— Я сказал, что это не имеет значения.

— О! — Арбатнот выглядел сбитым с толку. Он с беспокойством посмотрел на Пуаро.

— Потому что ершик для трубки не представляет особой важности, — продолжал маленький человечек. — Я сам могу придумать одиннадцать превосходных объяснений его наличия.

Полковник уставился на него.

— В действительности я хотел вас видеть совсем по другому поводу, — сказал Пуаро. — Возможно, мисс Дебенхем сообщила вам, что я подслушал кое-какие ее слова, обращенные к вам на станции Конья?

Арбатнот не ответил.

— Она сказала: «Не сейчас. Когда все будет кончено. Если все останется позади...» Вы знаете, что означали эти слова?

— Сожалею, мсье Пуаро, но я вынужден отказаться отвечать на этот вопрос.

— Pourquoi?

— Полагаю, вам следует задать его самой мисс Дебенхем, — чопорно произнес полковник.

— Я так и сделал.

— И она отказалась вам ответить?

— Да.

— Тогда думаю, даже вам должно быть понятно, что я должен сделать то же самое.

— Не желаете выдавать секрет дамы?

— Если хотите, можете так считать.

— Мисс Дебенхем сказала, что эти слова касаются ее лично.

— Тогда почему бы вам этим не удовлетвориться?

— Потому что, полковник Арбатнот, мисс Дебенхем — весьма подозрительная личность.

— Чепуха! — горячо заявил полковник.

— Нет, не чепуха.

— У вас нет против нее никаких улик.

— А как насчет того, что мисс Дебенхем была гувернанткой в семье Армстронгов во время похищения маленькой Дейзи?

С минуту царила мертвая тишина. Затем Пуаро кивнул:

— Как видите, мы знаем больше, чем вы думаете. Если мисс Дебенхем не виновна, почему она скрыла этот факт? Почему сказала мне, что никогда не была в Америке?

Полковник прочистил горло.

— Вы уверены, что не ошиблись?

— Я никогда не ошибаюсь. Почему мисс Дебенхем солгала мне?

Арбатнот пожал плечами:

— Лучше спросите ее. Я все еще думаю, что вы не правы.

Пуаро окликнул официанта, и тот подошел из дальнего конца вагона.

— Попросите английскую леди, которая занимает одиннадцатое место, прийти сюда.

— Bien, мсье.

Официант вышел. Четверо мужчин сидели молча. Лицо полковника Арбатнота казалось вырезанным из дерева — оно было неподвижным и бесстрастным.

Вернулся официант:

— Леди сейчас придет, мсье.

— Благодарю вас.

Через минуту-две Мэри Дебенхем вошла в вагон-ресторан.

Глава 7

ЛИЧНОСТЬ МЭРИ ДЕБЕНХЕМ

Профиль девушки, отброшенные со лба пряди волос, вырез ноздрей напоминали резную женскую голову на носу корабля, отважно устремившегося в бурное море. Сейчас она была по-настоящему прекрасна.

Лишь на момент задержав взгляд на полковнике Арбатноте, Мэри Дебенхем обратилась к Пуаро:

— Вы хотели меня видеть?

— Я хотел спросить вас, мадемуазель, почему вы солгали нам сегодня утром.

— Солгала? Не знаю, что вы имеете в виду.

— Вы утаили, что во время трагедии в семье Армстронгов фактически проживали у них в доме. Вы утверждали, что никогда не были в Америке.

Девушка вздрогнула, но быстро взяла себя в руки.

— Да, — сказала она. — Это правда.

— Нет, мадемуазель, это ложь.

— Вы меня не поняли. Правда, что я вам солгала.

— Значит, вы это признаете?

Ее губы скривились в усмешке.

— Разумеется, раз вы меня разоблачили.

— Сейчас вы, по крайней мере, откровенны, мадемуазель.

— У меня нет другого выхода.

— Это верно.

— А теперь, мадемуазель, могу я спросить о причине вашей лжи?

— По-моему, причина бросается в глаза, мсье Пуаро.

— Только не в мои, мадемуазель.

— Мне приходится самой зарабатывать на жизнь. — В голосе девушки послышались нотки горечи. — Вы знаете, как трудно найти и сохранить приличное место? По-вашему, обычная англичанка из среднего класса захочет нанять для своих дочерей гувернантку, которую задерживали в связи с делом об убийстве, чье имя, а может быть, и фотографии печатали все английские газеты?

— Не понимаю, почему бы и нет, если вы не виновны.

— Дело не в вине, а в огласке! До сих пор, мсье Пуаро, я добивалась успеха в жизни, имела приятную, хорошо оплачиваемую работу. Я не собиралась рисковать своим положением безо всякой на то необходимости.

— Простите, мадемуазель, но об этом я могу судить лучше вас.

Она молча пожала плечами.

— Например, вы могли бы помочь мне в опознании.

— О чем вы?

— Возможно ли, мадемуазель, чтобы вы не узнали в графине Андреньи младшую сестру миссис Армстронг, чьими занятиями вы руководили в Нью-Йорке?

— В графине Андреньи? Нет. — Девушка покачала головой. — Вам это может показаться странным, но я ее не узнала. Ведь я ее видела более трех лет назад, когда она еще была подростком. Конечно, графиня смутно напомнила мне кого-то, но она выглядела настолько импозантно, что я никак не могла связать ее с американской школьницей. Правда, я видела графиню только мельком, в вагоне-ресторане, и больше обращала внимание на ее одежду, чем на лицо. — Она слегка улыбнулась. — Женщины обычно так поступают. К тому же... ну, я была занята своими мыслями.

— Вы не откроете мне ваш секрет, мадемуазель? — Голос Пуаро звучал мягко и убеждающе.

— Я не могу... — тихо отозвалась Мэри Дебенхем.

Внезапно она уронила голову на руки и зарыдала, словно ее сердце разрывалось.

Полковник вскочил и подошел к ней.

— Послушайте, Мэри... — Он повернулся к Пуаро и свирепо рявкнул: — Да я вам все кости переломаю, вы, грязное, маленькое ничтожество!

— Мсье! — запротестовал мсье Бук.

Арбатнот снова повернулся к девушке:

— Мэри, ради Бога...

— Ничего. — Она поднялась. — Со мной все в порядке. Я вам больше не нужна, мсье Пуаро? Если я вам снова понадоблюсь, можете прийти ко мне в купе. Господи, я вела себя как последняя идиотка!

Мэри Дебенхем быстро вышла из вагона.

Прежде чем последовать за ней, Арбатнот вновь обратился к Пуаро:

— Мисс Дебенхем не имеет никакого отношения к этому делу, понятно? А если вы будете ее беспокоить, то вам придется иметь дело со мной! — И он решительным шагом направился к выходу.

— Приятно смотреть на сердитых англичан, — заметил Пуаро. — Они так забавны. Чем сильнее их эмоции, тем менее они воздержанны на язык.

Но мсье Бука не интересовали эмоциональные реакции англичан. Он был преисполнен восхищения своим другом.

— Mon cher, vous êtes épatant![1] — воскликнул он. — Еще одна удивительная догадка! C'est formidable![2]

— И как только вам такое приходит в голову! — с восторгом добавил доктор Константине.

— О, на сей раз я не претендую на похвалы. Это не догадка. Графиня Андреньи практически все мне рассказала.

— Comment?[3] Быть не может!

— Помните, я спросил ее о гувернантке или компаньонке? Я уже решил про себя, что если Мэри Дебенхем замешана в этом деле, то она фигурировала в доме Армстронгов в одном из этих качеств.

— Да, но графиня Андреньи описала совсем другую женщину.

— Вот именно. Высокую рыжеволосую особу средних лет, полную противоположность мисс Дебенхем, что само по себе наводило на размышления. Но она

---

[1] Мой дорогой, вы великолепны! (*фр.*)
[2] Это потрясающе! (*фр.*)
[3] Как? (*фр.*)

181

быстро изобрела фамилию, и ее выдала подсознательная ассоциация идей. Помните, графиня сказала, что гувернантку звали мисс Фрибоди?

— Ну?

— Eh bien, возможно, вы не знаете, но в Лондоне есть магазин, который до недавних пор назывался «Дебенхем и Фрибоди». Думая о фамилии Дебенхем, графиня спешно изобретала другую фамилию, и Фрибоди пришла ей в голову в первую очередь. Естественно, я сразу все понял.

— Еще одна ложь! Почему же она так поступила?

— Возможно, еще одно проявление преданности. Это создает некоторые затруднения.

— Ma foi! — с чувством произнес мсье Бук. — Неужели в этом поезде все лгут?

— Это мы и должны выяснить, — ответил Пуаро.

Глава 8
НОВЫЕ УДИВИТЕЛЬНЫЕ ОТКРЫТИЯ

— Теперь меня ничего не удивит, — заявил мсье Бук. — Даже если все до единого в поезде окажутся домочадцами Армстронгов.

— Весьма глубокое замечание, — отозвался Пуаро. — Не хотите послушать, что скажет о себе ваш главный подозреваемый — итальянец?

— Вы собираетесь продемонстрировать еще одну из ваших знаменитых догадок?

— Совершенно верно.

— Дело поистине сверхъестественное, — сказал Константине.

— Напротив, вполне естественное.

Мсье Бук всплеснул руками в комическом отчаянии:

— Если это вы называете естественным, mon ami... Он не находил слов.

Тем временем Пуаро попросил официанта прислать Антонио Фоскарелли.

Высокий итальянец вошел в вагон с настороженным видом.

— Что вам нужно? — заговорил он. — Больше мне нечего вам сказать! Per Dio![1] — Он ударил кулаком по столу.

— Есть, — твердо возразил Пуаро. — Вы должны сказать нам правду.

— Правду? — Итальянец с тревогой посмотрел на Пуаро. Его уверенность и добродушие как рукой сняло.

— Mas oui. Возможно, я уже ее знаю. Но если вы признаетесь добровольно, это будет говорить в вашу пользу.

— Вы совсем как американские полицейские. От них только и слышишь: «Колись быстро!»

— Значит, вам уже доставалось от нью-йоркской полиции?

— Нет-нет! Они ничего не смогли мне пришить, как ни старались.

— Это было в связи с делом Армстронгов, не так ли? — спокойно осведомился Пуаро. — Вы служили у них шофером?

Его взгляд встретился со взглядом итальянца. Куда девалось его шумливое хвастовство. Он походил на проколотый иглой воздушный шар.

— Раз вы все знаете, так зачем спрашиваете?

— Почему вы солгали сегодня утром?

— Чтобы не повредить своему бизнесу. А кроме того, я не доверяю югославским полицейским. Они ненавидят итальянцев, так что мне от них не дождаться справедливости.

— А может быть, они, наоборот, воздали бы вам по заслугам?

— Нет-нет, я не имею отношения к убийству! Прошлой ночью я не выходил из своего купе. Длиннолицый англичанин может это подтвердить. Не я убил эту свинью Рэтчетта! У вас нет против меня ничего!

Пуаро что-то писал на листе бумаги. Подняв взгляд, он спокойно сказал:

— Очень хорошо. Можете идти.

---

[1] Клянусь Богом! (*ит.*)

Фоскарелли переминался с ноги на ногу.

— Вы ведь понимаете, что это не я? Что не мог иметь к этому отношения?

— Я сказал, что вы можете идти.

— Это заговор! Вы собираетесь свалить убийство на меня! И все из-за этой свиньи, которой место на электрическом стуле! Позор, что его туда не отправили! Если бы арестовали меня...

— Но вас не арестовали. Вы ведь не участвовали в похищении ребенка.

— Конечно нет! Эту малютку все в доме обожали. Она называла меня Тонио. Сидела в машине и притворялась, будто держит руль. Слуги в ней души не чаяли. Даже полиция это поняла. Бедная малышка...

Его голос смягчился, а в глазах блеснули слезы. Круто повернувшись, он вышел из вагона.

— Пьетро! — окликнул Пуаро.

Официант подбежал к нему.

— Приведите шведскую даму с десятого места.

— Bien, мсье.

— Еще одна? — воскликнул мсье Бук. — Это невозможно!

— Mon cher, даже если в итоге окажется, что у всех в поезде был мотив для убийства Рэтчетта, мы должны это знать. Только тогда мы сможем найти виновного.

— У меня голова идет кругом, — простонал мсье Бук.

Официант привел горько плачущую Грету Ольссон. Она села напротив Пуаро, продолжая рыдать в носовой платок.

— Не расстраивайтесь, мадемуазель. — Пуаро похлопал ее по плечу. — Нам нужны всего лишь несколько слов правды. Вы были няней маленькой Дейзи Армстронг?

— Это правда, — всхлипывая, отозвалась шведка. — Дейзи была настоящим маленьким ангелочком, ласковым, доверчивым. Она знала только любовь и доброту, а этот злой человек похитил ее и мучил... Бедная мать не вынесла такого горя, и другой младенец родился мертвым. Вы не понимаете, не можете понимать... Если бы вы были там и видели весь этот ужас, как видела я... Мне следовало утром рассказать вам всю правду о себе,

184

но я боялась... Я так радовалась, что этот злодей мертв, что он больше не сможет убивать и мучить маленьких детей. У меня просто нет слов...

Она зарыдала еще сильнее.

Пуаро продолжал ласково похлопывать ее по плечу.

— Ну-ну, я все понимаю. Я больше не буду ни о чем вас спрашивать. Вы признались в том, о чем я уже догадывался, этого достаточно.

Потеряв от слез дар речи, Грета Ольссон ощупью, словно слепая, поплелась к двери. Добравшись до нее, она столкнулась с вошедшим мужчиной.

Это был слуга Рэтчетта Мастермен.

Он подошел к Пуаро и заговорил обычным, бесстрастным голосом:

— Надеюсь, я не помешал вам, сэр. Я подумал, что лучше прийти сразу и рассказать всю правду. Во время войны я был денщиком полковника Армстронга, а позже — его слугой в Нью-Йорке. Боюсь, я скрыл это сегодня утром. С моей стороны это было очень дурно, сэр, и я решил облегчить душу. Но надеюсь, сэр, вы не подозреваете Тонио. Старина Тонио и мухи не обидит. А я могу поклясться, что прошлой ночью он ни разу не выходил из купе. Тонио хотя и иностранец, но добрая душа, совсем не похож на тех итальянских головорезов, про которых всюду читаешь.

Он умолк.

Пуаро внимательно смотрел на него.

— Это все, что вы хотели сказать?

— Да, сэр.

Слуга ожидал продолжения, но, так как Пуаро молчал, поклонился и после недолгого колебания покинул вагон-ресторан так же тихо и незаметно, как и появился в нем.

— Это выглядит невероятнее, чем любой roman policier[1], какой я когда-либо читал! — воскликнул доктор Константине.

— Согласен, — кивнул мсье Бук. — Из двенадцати пассажиров этого вагона девять оказались связанными с

---

[1] Детективный роман (*фр.*).

делом Армстронгов. Что теперь? Или мне следовало спросить, кто теперь?

— Могу ответить на ваш вопрос, — улыбнулся Пуаро. — Вот идет наш американский сыщик, мсье Хардман.

— Он тоже пришел сознаваться?

Прежде чем Пуаро успел ответить, американец подошел к их столику, сел и промолвил:

— Что творится в этом поезде? Какой-то сумасшедший дом!

Пуаро подмигнул ему:

— Вы уверены, мистер Хардман, что сами не были садовником в доме Армстронгов?

— У них не было сада, — ответил Хардман, поняв вопрос буквально.

— Или дворецким?

— Для такой должности у меня неподходящие манеры. Нет, я никак не был связан с семьей Армстронгов, но начинаю думать, что я единственный в поезде могу этим похвастаться! Вы в состоянии все это объяснить?

— Это, безусловно, удивительно, — согласился Пуаро.

— C'est rigolo[1], — вставил мсье Бук.

— А у вас есть какие-нибудь идеи насчет этого преступления, мсье Хардман? — осведомился Пуаро.

— Никаких, сэр. Я в полном тупике. Они не могут все быть в этом замешаны, но понять, кто из них виновен, выше моих сил. Но я хотел бы знать, как вы до всего этого докопались?

— Просто догадался.

— Тогда вы лучший в мире специалист по догадкам. — Мистер Хардман откинулся на спинку стула, с восхищением глядя на Пуаро. — Не сердитесь, но по вашему виду этого не скажешь. Снимаю перед вами шляпу.

— Вы слишком любезны, мсье Хардман.

— Вовсе нет. Должен признать ваше превосходство.

— Тем не менее, — заметил Пуаро, — проблема еще не решена. Можем ли мы с уверенностью сказать, что знаем, кто убил мсье Рэтчетта?

---

[1] Это просто смешно (*фр.*).

— Я пас, — заявил мистер Хардман. — Я вообще ничего не говорю, только восхищаюсь. Как быть с двумя, насчет которых вы еще не догадались, со старой американской дамой и горничной? Полагаю, можно считать, что они единственные невиновные из всех пассажиров?

— Если только, — улыбаясь, ответил Пуаро, — мы не сможем пристроить их в нашу маленькую шеренгу в качестве... ну, скажем, экономки и кухарки в доме Армстронгов.

— Теперь меня уже ничем не удивишь, — махнул рукой Хардман. — Все это настоящий сумасшедший дом!

— Пожалуй, mon cher, это было бы чересчур большим совпадением, — сказал мсье Бук. — Не могут же они все быть к этому причастны.

Пуаро посмотрел на него:

— Вы ничего не понимаете. Скажите, вы знаете, кто убил Рэтчетта?

— А вы? — отпарировал мсье Бук.

Пуаро кивнул:

— Да, знаю уже некоторое время. Это настолько ясно, что меня удивляет, как я не понял этого раньше. — Он перевел взгляд на Хардмана и спросил: — А вы?

Детектив покачал головой, с любопытством глядя на Пуаро:

— Не знаю. Так кто же из них это сделал?

Несколько секунд Пуаро молчал.

— Не будете ли вы так любезны, мсье Хардман, — заговорил он наконец, — собрать всех здесь? Существуют два решения этого дела. Я хочу изложить оба в присутствии всех вас.

Глава 9
ПУАРО ПРЕДЛАГАЕТ ДВЕ ВЕРСИИ РЕШЕНИЯ

Пассажиры один за другим входили в вагон-ресторан и рассаживались за столиками. На всех лицах застыло выражение напряженного ожидания, смешанного со страхом. Шведская дама все еще плакала, и миссис Хаббард утешала ее:

— Вы должны взять себя в руки, дорогая. Все будет в порядке. Даже если один из нас убийца, все отлично понимают, что это не вы. Такое никому и в голову не может прийти. Сидите и ничего не бойтесь, я буду рядом.

Она умолкла, когда Пуаро поднялся.

Проводник спального вагона стоял в дверях, переминаясь с ноги на ногу.

— Вы позволите мне остаться, мсье?

— Разумеется, Мишель.

Пуаро прочистил горло.

— Мсье и медам, я буду говорить по-английски, так как думаю, что все вы в той или иной степени знаете этот язык. Мы собрались здесь, чтобы расследовать обстоятельства смерти Сэмюэла Эдуарда Рэтчетта, он же Кассетти. Существуют две возможные разгадки этого преступления. Я изложу вам обе и попрошу мсье Бука и доктора Константине рассудить, какая из них правильная.

Вы все знакомы с фактами. Этим утром мистер Рэтчетт был найден убитым. Известно, что он еще был жив без двадцати час прошлой ночью, когда говорил с проводником через дверь. В его пижамном кармане обнаружены часы с сильными вмятинами, остановившиеся на четверти второго. Доктор Константине, обследовавший труп, определяет время наступления смерти между двенадцатью и двумя часами ночи. Как вы знаете, в половине первого поезд попал в снежные заносы. После этого никто не мог его покинуть.

Согласно показаниям мистера Хардмана, являющегося сотрудником нью-йоркского детективного агентства... — при этом несколько голов повернулись к американцу, — никто не мог пройти мимо его купе (он занимает шестнадцатое, крайнее место) так, чтобы он этого не заметил. Следовательно, мы вынуждены прийти к выводу, что убийца находится среди пассажиров вагона «Стамбул—Кале». Такой, повторяю, *была* наша теория.

— Comment? — встрепенулся мсье Бук.

— Но я изложу вам альтернативную теорию. Она очень проста. У мистера Рэтчетта был враг, которого он опасался. Он описал этого врага мистеру Хардману и предупредил его, что покушение, если только оно состоится, скорее всего, произойдет на вторую ночь после отъезда из Стамбула.

Однако, леди и джентльмены, мистер Рэтчетт знал куда больше, чем говорил. Враг, как он и ожидал, проник на поезд в Белграде или, возможно, в Винковци через дверь, которую оставили открытой полковник Арбатнот и мистер Маккуин, спустившись на платформу. Этот человек запасся формой проводника спального вагона, которую нацепил поверх обычной одежды, и ключом, обеспечившим ему доступ в купе Рэтчетта, несмотря на то что дверь была заперта. Мистер Рэтчетт находился под действием снотворного. Убийца в ярости нанес ему ряд ударов и выскользнул через другую дверь в купе миссис Хаббард...

— Правильно, — кивнула американка.

— По пути он засунул кинжал, который был орудием преступления, в туалетную сумку миссис Хаббард, но не заметил, как обронил пуговицу от форменной куртки. После этого он вышел в коридор, увидел пустовавшее купе, спешно спрятал форму в находившийся там чемодан и покинул поезд, пока тот еще не тронулся, воспользовавшись той же дверью возле вагона-ресторана.

Все затаили дыхание.

— А как же часы? — осведомился мистер Хардман.

— Часы объясняют все. Мистер Рэтчетт забыл перевести стрелки на час назад, как ему следовало сделать в Царьброде. Его часы все еще показывали восточноевропейское время вместо центральноевропейского. Когда мистера Рэтчетта убили, было не четверть второго, а четверть первого.

— Но это объяснение абсурдно, — возразил мсье Бук. — Чей же голос отозвался из купе без двадцати трех минут час? Это мог быть только голос Рэтчетта или его убийцы.

— Не обязательно. Это мог быть также голос... ну, скажем, третьего лица. Человека, который пришел поговорить с Рэтчеттом и обнаружил его мертвым. Он позвонил проводнику, но затем испугался, что его обвинят в убийстве, и заговорил, притворяясь Рэтчеттом.

— C'est possible[1], — нехотя признал мсье Бук.

Пуаро посмотрел на миссис Хаббард:

— Вы что-то хотели сказать, мадам?

— Я и сама не знаю, что собиралась сказать. Вы думаете, я тоже забыла перевести назад мои часы?

— Нет, мадам. Я думаю, что вы слышали, как человек проходил через ваше купе, но подсознательно, сквозь сон. Позже вам приснился кошмар, что в вашем купе мужчина, вы проснулись и позвонили проводнику.

— Ну, могло быть и так, — согласилась миссис Хаббард.

Княгиня Драгомирова в упор посмотрела на Пуаро:

— А как вы объясняете показания моей горничной, мсье?

— Очень просто, мадам. Ваша горничная узнала ваш платок, когда я показал ей его, и неловко попыталась вас защитить. Она встретила человека в форме проводника, но раньше, когда поезд стоял в Винковци, и притворилась, будто видела его часом позже, дабы создать вам железное алиби.

Княгиня склонила голову:

— Вы подумали обо всем, мсье. Я... я восхищаюсь вами.

Последовало молчание.

Все вздрогнули, когда доктор Константине внезапно стукнул кулаком по столу.

— Нет! — вскричал он. — Нет, нет и еще раз нет! Это объяснение не выдерживает критики! В нем недостает массы мелких деталей. Преступление было совершено не так, и мсье Пуаро отлично это знает!

Пуаро с любопытством посмотрел на него.

— Вижу, — сказал он, — мне придется изложить вам и вторую версию. Но не отвергайте первую окончательно. Позже вы еще можете с ней согласиться.

Он повернулся лицом к остальным:

---

[1] Это возможно (фр.).

— Существует еще одна возможная разгадка преступления. Вот как я к ней пришел.

Выслушав все показания, я уселся поудобнее, закрыл глаза и начал думать. Кое-какие детали казались мне достойными внимания. Я перечислил их моим двоим коллегам. Некоторые из них, например жирное пятно на паспорте, мне уже удалось объяснить. Назову оставшиеся. Первая и самая важная из них — замечание, сделанное мне мсье Буком за ленчем в вагоне-ресторане на следующий день после отъезда из Стамбула, — о том, что собравшаяся здесь компания интересна своим многообразием: в ней представлены люди различных классов и национальностей.

Я согласился с ним, но, обдумывая эту деталь, задал себе вопрос: могла ли подобная компания собраться в каких-нибудь иных обстоятельствах? И ответил: могла, но только в Америке. Только в американском доме могли служить люди стольких национальностей — шофер-итальянец, английская гувернантка, шведская няня, горничная-француженка и так далее. Это привело меня к моей системе догадок — поручать каждому определенную роль в драме Армстронгов, как режиссер распределяет роли в пьесе. Результат оказался в высшей степени интересным и удовлетворительным.

Я также заново обдумал показания каждого из вас и снова с любопытным результатом. Обратимся вначале к показаниям мистера Маккуина. Мой первый разговор с ним не вызывал у меня сомнений. Но во время нашей второй беседы он сделал довольно странное замечание. Я сообщил ему о находке записки с упоминанием о деле Армстронгов. В ответ он произнес: «Но ведь...» А потом сделал паузу и добавил: «Я хотел сказать, это было неосторожностью со стороны старика».

Но я чувствовал, что сперва мистер Маккуин имел в виду совсем другое. Предположим, он собирался сказать: «Но ведь ее сожгли!» В таком случае Маккуин знал о записке и о ее уничтожении — иными словами, являлся либо убийцей, либо его сообщником.

Перейдем к слуге. Он заявил, что у его хозяина была привычка принимать в поезде на ночь снотворное. Возможно, это правда, но стал бы Рэтчетт принимать его накануне? Пистолет под его подушкой давал на это отрицательный ответ. Рэтчетт намеревался бодрствовать прошлую ночь. Так что снотворное дали ему без его ведома. Но кто?

Очевидно, Маккуин или слуга.

Теперь перейдем к показаниям мистера Хардмана. Я верил тому, что он сообщил о себе, но, когда дело дошло до использованных им методов охраны Рэтчетта, его рассказ стал выглядеть просто нелепо. Единственным эффективным способом защитить Рэтчетта было провести ночь в его купе или в каком-нибудь месте, где можно было бы наблюдать за дверью. Из показаний Хардмана твердо следовало только одно — никто из других вагонов не мог убить Рэтчетта. Это сужало диапазон поисков до вагона «Стамбул—Кале». Факт выглядел любопытным и необъяснимым, я запомнил его, чтобы обдумать впоследствии.

Возможно, вам всем уже известно о случайно подслушанном мною обрывке разговора между мисс Дебенхем и полковником Арбатнотом. Меня заинтересовало, что полковник называл ее Мэри и, судя по всему, был близко знаком с ней. Однако он утверждал, что познакомился с мисс Дебенхем всего несколько дней назад. Я знаю англичан типа полковника, даже если бы он влюбился в молодую леди с первого взгляда, то не стал бы торопить события и соблюдал бы все приличия. Поэтому я пришел к выводу, что в действительности полковник Арбатнот и мисс Дебенхем хорошо знали друг друга, но по какой-то причине притворялись, будто повстречались совсем недавно. Другой любопытный момент — знакомство мисс Дебенхем с термином «длиннодистанционный телефон», как называют в Америке междугородную телефонную связь. А ведь она говорила мне, что никогда не бывала в Штатах.

Перейдем к следующему свидетелю. Миссис Хаббард сказала нам, что, лежа на полке, не могла видеть, закрыта на задвижку соединительная дверь или нет, и попросила мисс Ольссон это проверить. Ее заявление было бы абсолютно правдивым, если бы она занимала место номер 2, 4, 12 или любое место в купе первого класса с четным номером, где задвижка расположена прямо под дверной ручкой. В купе же с нечетными местами задвижка находится значительно выше ручки и, следовательно, никак не могла быть прикрыта туалетной сумкой. Мне пришлось сделать вывод, что этот инцидент был вымышлен миссис Хаббард.

Теперь позвольте сказать несколько слов насчет времени. По-моему, наиболее интересным моментом в истории с остановившимися часами было место, где их нашли, — пижамный карман Рэтчетта. Для часов это самое маловероятное и неподходящее место, особенно при наличии специального крючка в изголовье. Я не сомневался, что часы специально положили в карман, установив стрелки на четверть второго. Следовательно, преступление произошло не в это время.

Было ли оно совершено раньше — точнее, без двадцати трех минут час? Мой друг мсье Бук выдвинул в качестве аргумента в пользу этого громкий крик, который разбудил меня. Но если Рэтчетт находился под действием сильного снотворного, он не мог кричать. Будучи в состоянии кричать так громко, он мог бы и защищаться, а нигде не было заметно признаков борьбы.

Я вспомнил, что Маккуин дважды привлек внимание (причем во второй раз весьма назойливо) к тому, что Рэтчетт не говорил по-французски. В итоге я пришел к выводу, что весь инцидент был комедией, разыгранной специально для меня! Любой мог бы разгадать уловку с часами — это обычный прием в детективной литературе. Предполагалось, что я ее наверняка разгадаю и решу, что раз Рэтчетт не говорил по-французски, то голос, который я слышал без двадцати трех час, не мог принадлежать ему и что он тогда был уже мертв. Но я убежден, что в это время Рэтчетт все еще крепко спал под действием наркотика.

Однако трюк сработал! Я открыл дверь, выглянул в коридор и услышал французскую фразу. Если бы я оказался настолько туп, что не осознал бы значения этого факта, к нему бы привлекли мое внимание. В случае необходимости Маккуин заявил бы напрямик: «Извините, мсье Пуаро, но это не мог быть голос мистера Рэтчетта. Он не говорил по-французски».

Когда же в действительности произошло преступление? И кто его совершил?

Рискну предположить, хотя я не могу быть в этом уверен, что Рэтчетта убили около двух часов — самое позднее время, когда, по словам доктора, могла наступить смерть.

Что касается того, кто его убил...

Пуаро сделал паузу и окинул взглядом аудиторию. Он не мог пожаловаться на недостаток внимания. Глаза всех были устремлены на него. Стояла такая тишина, что было бы слышно, если бы кто-нибудь уронил булавку.

Пуаро медленно заговорил вновь:

— Особенно меня удивляло то, как трудно найти улики против какого-либо конкретного лица, находящегося в поезде, а также что по странному совпадению алиби в каждом случае исходило из самого неожиданного источника. Например, Маккуин и полковник Арбатнот подтвердили алиби друг друга, хотя казалось невероятным, чтобы они были знакомы ранее. То же самое произошло со слугой-англичанином и итальянцем, со шведской дамой и английской девушкой. «Как странно! — подумал я. — Не могут же они все в этом участвовать!»

И тут, господа, я увидел свет. Они все в этом участвовали! Ибо то, чтобы столько людей, связанных с делом Армстронгов, случайно оказались в одном вагоне, было не только невероятным, но и невозможным. Такое могло произойти только умышленно. Я вспомнил замечание полковника Арбатнота насчет суда присяжных. Жюри состоит из двенадцати человек — в вагоне было двенадцать пассажиров, и Рэтчетту нанесли двенадцать ударов. Это объясняло и тот факт, который удивлял меня все время, — необычайно большое для этого времени года количество пассажиров в вагоне «Стамбул—Кале».

Рэтчетт избежал приговора в Америке, хотя в его виновности не было никаких сомнений. Я вообразил себе самозваный суд присяжных, приговоривших его к смерти и вынужденных в силу обстоятельств стать его палачами. После этого предположения все дело сразу же приобрело безупречно четкие очертания.

Я представлял себе его как идеально стройную мозаику, где каждый персонаж играл отведенную ему или ей роль. Все было организовано таким образом, что, если подозрение падет на одного, показания другого или других оправдают его и запутают следствие. Показания Хардмана были необходимы на случай, если в преступлении заподозрят кого-то постороннего, который не сможет доказать свое алиби. Пассажирам вагона «Стамбул—Кале» ничего не угрожало. Каждая мельчайшая деталь их показаний была продумана заранее. Все вместе походило на хитроумную картинку-загадку, где каждый новый факт, становясь известным, только затруднял решение. Как заметил мой друг мсье Бук, дело выглядело фантастичным. Именно такое впечатление оно и должно было производить.

Объясняло ли это решение все? Да, объясняло. Характер ранений — все они были нанесены разными людьми. Некоторую искусственность угрожающих писем — они были написаны только для того, чтобы предъявить их в качестве улик. (Несомненно, существовали и настоящие письма, предупреждающие Рэтчетта о его судьбе, которые Маккуин уничтожил, заменив их подложными.) Рассказ Хардмана о том, как его нанял Рэтчетт, разумеется, был лживым от начала до конца. Описание мифического «низенького брюнета с женским голосом» — весьма удобное, так как оно не подходило ни к одному из настоящих проводников спальных вагонов и могло относиться как к мужчине, так и к женщине.

Идея воспользоваться кинжалом с первого взгляда выглядела странной, но если подумать, то она лучше всего подходила к обстоятельствам. Кинжал — оружие, которым может пользоваться любой: и сильный, и слабый, к тому же действующее беззвучно. Возможно, я ошибаюсь, но мне кажется, что все по очереди входили в темное купе Рэтчетта через купе миссис Хаббард и наносили удар. Они сами никогда не должны были узнать, чей удар его прикончил.

Последнее письмо, которое Рэтчетт, по-видимому, обнаружил под подушкой, было предусмотрительно сожжено. При отсутствии улик, указывающих на дело Армстронгов, не должно было возникнуть никаких причин подозревать кого-либо из пассажиров. Убийство приписали бы кому-то постороннему, а один или несколько пассажиров заявили бы, что видели «низенького брюнета с женским голосом».

Не знаю, что именно произошло, когда заговорщики поняли, что их план невозможен из-за заносов. Думаю, состоялось спешное совещание, на котором приняли решение действовать дальше. Правда, теперь все пассажиры неизбежно попадали под подозрение, но такую возможность предвидели и уже приняли соответствующие меры. Требовалось только еще сильнее запутать все дело. В купе убитого оставили две так называемые «улики»: одну, указывающую на полковника Арбатнота (у которого было самое крепкое алиби и чью связь с семьей Армстронгов, по-видимому, было труднее всего доказать), и другую — платок, указывающий на княгиню Драгомирову, которая, благодаря положению в обществе, хрупкому телосложению и алиби, предоставленному горничной и проводником, была практически неуязвима. Чтобы еще более осложнить ситуацию, создали еще один ложный след — мифическую женщину в красном кимоно. И снова я должен был стать свидетелем ее существования. Услышав тяжелый удар в мою дверь, я поднялся, выглянул и увидел фигуру в алом кимоно, удаляющуюся по коридору. Верно подобранным людям — проводнику, мисс Дебенхем и Маккуину — также предстояло ее «увидеть». Кто-то, обладающий чувством юмора, спрятал кимоно в мой чемодан, пока я вел допрос в вагоне-ресторане. Не знаю, кому оно принадлежало в действительности. Подозреваю, что графине Андреньи, так как в ее вещах обнаружили только шифоновое неглиже, более походившее на пеньюар, чем на халат.

Когда Маккуин впервые услышал, что фрагмент сожженного письма, содержащий фамилию Армстронг, удалось восстановить, он, очевидно, сразу же сообщил эту новость остальным. С этой минуты положение графини Андреньи становилось угрожающим, и ее муж сразу же принял меры, изменив имя в паспорте. Это было их второй неудачей.

Они сразу же договорились отрицать любую связь с семьей Армстронгов. Им было известно, что я не имею возможности проверить их показания, и они считали, что я не стану особенно вдаваться в подробности, если только кто-нибудь из них не возбудит у меня подозрения.

Следовало обдумать еще одну деталь. Если моя теория была правильной, а я не сомневался, что это так, то проводник спального вагона должен был участвовать в заговоре. Но в таком случае присяжных получалось тринадцать, а не двенадцать. Вместо обычной проблемы: «Кто из этих людей виновен?» — я столкнулся с совсем другой: «Кто из этих тринадцати человек не виновен?»

И я пришел к довольно странному выводу, что в преступлении не принимало участия то лицо, которое, казалось, должно было участвовать в нем в первую очередь. Я имею в виду графиню Андреньи. На меня произвела впечатление искренность, с которой ее муж торжественно поклялся, что его жена не покидала свое купе прошлой ночью. Я решил, что граф, так сказать, занял место своей супруги.

Если так, то Пьер Мишель был одним из двенадцати. Но как объяснить его участие? Он был достойным человеком, много лет прослужившим в компании, — отнюдь не из тех, кого можно было подкупом побудить участвовать в убийстве. Значит, Пьер Мишель фигурировал в деле Армстронгов. Но это казалось невероятным. Тогда я вспомнил, что погибшая горничная была француженкой. Предположим, несчастная девушка была дочерью Пьера Мишеля. Это объясняло бы все — даже выбор места преступления. Были ли другие, чье участие в драме выглядело не вполне понятным? Полковника Арбатнота я определил как друга Армстронгов. Возможно, он и полковник Армстронг воевали вместе. Для горничной Хильдегарде Шмидт я тоже подыскал место в доме Армстронгов. Возможно, я слишком прожорлив, но я инстинктивно чувствую хорошую кухарку. Я расставил ей ловушку, и она в нее попалась. Я сказал, что она, несомненно, хорошая кухарка, и Шмидт ответила: «Да, все мои хозяйки так говорили». Но горничной редко предоставляется шанс доказать, что она хорошая кухарка.

Хардман казался явно не принадлежащим к штату прислуги Армстронгов. Я мог только предполагать, что он был влюблен во французскую девушку. Заговорив с ним об очаровании иностранных женщин, я снова получил ожидаемую реакцию. В его глазах появились слезы, и он притворился, будто его ослепил снег.

Оставалась миссис Хаббард. А миссис Хаббард играла в драме очень важную роль. Занимая купе, смежное с купе Рэтчетта, она раньше всех должна была попасть под подозрение. Да и в соответствии с планом она не могла иметь надежного алиби. Для той роли, которую она играла, — болтливой, довольно смешной американской мамаши, — требовалась настоящая актриса. Но в семье Армстронгов была актриса — мать миссис Армстронг, Линда Арден...

Пуаро умолк.

И тогда миссис Хаббард заговорила мягким, мечтательным тоном, совсем не похожим на ее прежний голос:

— Я всегда воображала себя в комедийных ролях. Конечно, оплошность с туалетной сумкой была глупой. Это доказывает необходимость тщательных репетиций. Мы все отрепетировали по пути в Стамбул, но тогда я, по-видимому, занимала четное купе. Мне и в голову не приходило, что задвижки могут находиться в разных местах. — Она посмотрела на Пуаро. — Вы знаете все, мсье Пуаро. Вы удивительный человек. Но даже вы не можете представить себе тот ужасный день в Нью-Йорке. Я почти обезумела от горя, и вся прислуга тоже. Полковник Арбатнот тоже был там. Он был лучшим другом Джона Армстронга.

— Он спас мне жизнь на войне, — сказал Арбатнот.

— И тогда мы решили — не знаю, может быть, мы в самом деле сошли с ума, — что смертный приговор, которого избежал Кассетти, должен быть приведен в исполнение. Нас было двенадцать — вернее, одиннадцать: отец Сюзанны, конечно, находился во Франции. Сначала мы думали бросить жребий, кому предстоит это сделать, но потом придумали этот план. Его предложил наш шофер Антонио. Позднее Мэри проработала все детали с Гектором Маккуином. Он всегда обожал Соню, мою дочь, и объяснил нам, как деньги Кассетти помогли ему выйти сухим из воды.

Чтобы осуществить наш план, понадобилось много времени. Прежде всего мы должны были выследить Рэтчетта. В конце концов это удалось Хардману. Потом нужно было попытаться пристроить Мастермена и Гектора к нему на службу, хотя бы одного из них. Это нам тоже удалось. Затем мы связались с отцом Сюзанны. Полковник Арбатнот настаивал, чтобы нас было двенадцать, он считал, что это будет выглядеть более законно. Ему не нравилась идея воспользоваться кинжалом, но он признал, что это избавит нас от многих затруднений. Отец Сюзанны согласился нам помочь. Сюзанна была его единственным ребенком. Мы узнали от Гектора, что Рэтчетт собирается возвращаться с Востока и поедет Восточным экспрессом. Учитывая, что Пьер Мишель служил на этом поезде, такой шанс нельзя было упустить. Кроме того, это был хороший способ не навлекать подозрение на посторонних.

Разумеется, муж моей младшей дочери знал обо всем и настоял, что поедет в поезде вместе с ней. Гектор устроил так, что Рэтчетт выбрал для отъезда день, когда дежурил Мишель. Мы намеревались скупить все места в вагоне «Стамбул—Кале», но одно купе нам не удалось занять — оно было зарезервировано для директора компании. Мистер Харрис, конечно, был мифом, изобретенным с целью не допустить постороннего в купе Гектора. Но в последнюю минуту появились вы...

Она сделала паузу.

— Теперь вы знаете все, мсье Пуаро. Что же вы намерены делать? Если все должно стать известным, не могли бы вы возложить вину только на меня? Я бы охотно ударила этого человека кинжалом все двенадцать раз! Он повинен не только в гибели моей дочери, внучки и другого ребенка Сони, который теперь мог бы радоваться жизни. Его жертвами были и другие дети, до Дейзи, а сколько их могло быть в будущем? Кассетти приговорило общество, мы только привели приговор в исполнение. Но ведь не обязательно, чтобы за это отвечали все. Они преданные друзья: и бедный Мишель, и Мэри с полковником Арбатнотом, ведь они любят друг друга... — Ее голос отзывался звучным эхом в переполненном салоне — глубокий, насыщенный эмоциями голос, столько лет потрясавший нью-йоркскую публику.

Пуаро посмотрел на своего друга:

— Вы директор компании, мсье Бук. Что вы на это скажете?

Мсье Бук откашлялся.

— По моему мнению, мсье Пуаро, — ответил он, — ваша первая теория была абсолютно верной. Предлагаю сообщить именно ее югославской полиции. Вы согласны, доктор?

— Разумеется, — отозвался доктор Константине. — А что касается медицинского заключения, то думаю, я... э-э... допустил в нем одно-два фантастических предположения.

— Тогда, — сказал Пуаро, — изложив вам разгадку этого дела, я считаю свое участие в нем законченным.

Прилив

Роман

Taken at the Flood

В делах людей прилив есть и отлив.
С приливом достигаем мы успеха.
Когда ж отлив наступит, лодка жизни
По отмелям несчастий волочится.
Сейчас еще с приливом мы плывем.
Воспользоваться мы должны теченьем,
Иль потеряем груз.

У. Шекспир. «Юлий Цезарь»[1]

Пролог

1

В каждом клубе обязательно есть свой зануда. Клуб «Коронейшн» в этом отношении не был исключением. И то, что в данный момент происходил воздушный налет, не внесло никаких изменений в его рутинный порядок.

Майор Портер, ранее служивший в Индийской армии, зашелестел газетой и откашлялся. Все старательно избегали его взгляда, но толку от этого не было никакого — он все равно заговорил:

— В «Таймс» объявлено о смерти Гордона Клоуда. Правда, весьма скромно: «5 октября, в результате вражеских военных действий». Даже адрес не указан. Вообще-то он жил совсем рядом со мной — в одном из этих больших домов на Кэмден-Хилл. Должен признаться, меня это потрясло. Вы ведь знаете — я там ответственный за противовоздушную оборону. Клоуд только что вернулся из Штатов — ездил туда по поводу государственных закупок и женился там на молодой вдове, которая ему в дочери годится. Миссис Андерхей. Я был знаком с ее первым мужем в Нигерии.

Майор Портер сделал паузу. Никто не проявлял никакого интереса и не просил его продолжать. Все ста-

---

[1] Перевод М. Зенкевича.

рательно прикрывались газетами, но этого было недостаточно, чтобы обескуражить майора. У него всегда имелись наготове длинные истории, в основном о людях, которых никто не знал.

— Интересно, — проговорил он, рассеянно глядя на пару остроносых лакированных туфель — тип обуви, который ему решительно не нравился. — Как отвечающий за ПВО, я должен сказать: никогда не знаешь, чего можно ожидать от этих бомб. Вот на этот раз был разрушен цокольный этаж и снесена крыша, а второй этаж практически не пострадал. В доме находились шестеро: трое слуг — супружеская пара и горничная, сам Гордон Клоуд, его жена и ее брат. Все собрались на нижнем этаже, кроме брата жены — бывшего десантника. Он предпочел комфортабельную спальню на втором этаже и в результате отделался несколькими ушибами. Трое слуг погибли сразу. Гордона Клоуда завалило — его откопали, но он умер по пути в больницу. Его жена тоже пострадала — на ней не осталось ни клочка одежды, но вроде бы она выкарабкается. Будет богатой вдовой — состояние Гордона, должно быть, превышает миллион.

Сделав очередную паузу, майор Портер поднял взгляд от лакированных туфель к полосатым брюкам, черному пиджаку, яйцевидной голове и огромным усам. Конечно — иностранец! Отсюда и туфли. «Право, — подумал он, — куда катится клуб? Даже здесь не избавишься от иностранцев!» Эта мысль не покидала его во время продолжения повествования. А тот факт, что данный иностранец, казалось, внимательно его слушает, ни в коей мере не уменьшил предубеждения майора.

— Ей вряд ли больше двадцати пяти, а она уже вторично овдовела, — сообщил он и умолк, надеясь на заинтересованные отклики слушателей. И хотя их не последовало, не угомонился. — У меня на этот счет есть кое-какие идеи. Вообще-то странная история. Как вам уже известно, я знал ее первого мужа, Андерхея. Славный парень — одно время служил комиссаром округа в Нигерии, и работал добросовестно. Он женился на этой девушке в Кейптауне, куда она приехала с туристической группой. Хорошенькая, беспомощная и так далее. Послушала, как бедняга Андерхей распространялся о широких просторах в его округе, и залепетала, как это чудесно и как ей хотелось бы убежать в такое место от всех забот и хлопот. Ну и выскочила за него замуж — избавилась от забот. Бедняга был по уши влюблен, только у них с самого начала все не заладилось. Девица ненавидела буш[1], боялась туземцев и смертельно скучала. Ее представление о жизни заключалось в беготне по кафе и театрам, а также в болтовне и сплетнях. Solitude à deux[2] в джунглях оказалось не для нее. Сам я с ней никогда не встречался — знаю об этом со слов бедняги Андерхея. Он тяжело это воспринял, однако повел себя достойно — отослал жену домой и согласился дать ей развод. Как раз после этого я с ним и познакомился. Андерхей пребывал в таком состоянии, когда необходимо выговориться. В некоторых отношениях он был старомодным парнем, к тому же католиком — не одобрял разводов. Помню, сказал мне: «Есть другие способы дать женщине свободу». — «Только не делайте глупостей, старина, — предупредил я его. — Ни одна женщина в мире не стоит того, чтобы пускать себе пулю в лоб».

Андерхей заверил меня, что у него и в мыслях такого нет. «Но я одинокий человек, — пожаловался он. — У меня нет родственников, которые стали бы меня оплакивать. Если появится сообщение о моей смерти, Розалин станет вдовой, а ей только того и надо». — «А как же вы?» — спросил я. «Ну, — ответил он, — возможно, где-нибудь за тысячу миль появится мистер Енох Арден[3] и начнет новую жизнь. «В один прекрасный день у вашей жены могут возник-

---

[1] Б у ш — большие пространства некультивированной земли в Африке. *(Здесь и далее примеч. перев.)*
[2] Уединение вдвоем *(фр.)*.
[3] Е н о х А р д е н — герой одноименной поэмы Альфреда Теннисона — моряк, который вернулся домой спустя много лет и застал жену замужем за другим.

нуть неприятности», — предостерег я его. «Нет, — возразил он. — Я буду играть честно. Роберт Андерхей никогда не воскреснет».

Ну, я больше об этом не думал, но через полгода услышал, что Андерхей умер от лихорадки где-то в буше. Сопровождавшие его туземцы вернулись с обстоятельным рассказом о последних часах своего хозяина и даже с запиской от Андерхея, которой он удостоверял, что они — особенно старший проводник — сделали для него все, что могли. Эти люди были ему преданы и поклялись бы в чем угодно, если бы он их об этом попросил. Может, Андерхей действительно похоронен где-то в Экваториальной Африке, а может, и нет. Если так, то миссис Гордон Клоуд в один прекрасный день испытает серьезное потрясение. Ну и поделом! Я никогда ее не видел, но знаю эту алчную породу! Она испортила жизнь бедняге Андерхею. Да, любопытная история...

Майор Портер огляделся вокруг в надежде на подтверждение. Но увидел только скучающие лица. Молодой мистер Меллон вовсе отвел взгляд. Лишь мсье Эркюль Пуаро проявлял вежливое внимание.

Потом зашуршала газета, и седовласый мужчина с бесстрастным лицом, молча поднявшись с кресла у камина, вышел из комнаты.

Челюсть майора отвисла, а молодой мистер Меллон негромко свистнул.

— Ну вы и влипли! — заметил он. — Знаете, кто это был?

— Боже мой, конечно знаю! — отозвался майор Портер. — Мы с ним знакомы, хотя и не близко. Это Джереми Клоуд — брат Гордона Клоуда. Черт возьми, как неловко! Я и понятия не имел...

— Он адвокат, — сообщил Меллон. — Держу пари, притянет вас к суду за клевету или что-нибудь в таком роде.

Самым большим удовольствием для этого молодого человека было сеять тревогу и уныние в таких местах, где такое не возбранялось законом о защите королевства.

— Как неловко! — возбужденно повторил майор Портер.

— К вечеру об этом станет известно в Уормсли-Хит, — продолжил Меллон. — Там живут все Клоуды. Они будут допоздна обсуждать, какие следует принять меры.

В этот момент прозвучал сигнал отбоя, тревоги. Меллон прекратил издеваться над майором и проводил на улицу своего друга Эркюля Пуаро.

— Ужасная атмосфера в этих клубах, — заметил он. — Жуткое сборище старых зануд, а Портер — худший из них. Его описание индийского фокуса с веревкой занимает добрых три четверти часа, к тому же он знает каждого, чья мать когда-либо проездом бывала в Пуне![1]

Это происходило осенью 1944 года. А поздней весной 1946 года Эркюлю Пуаро нанесли визит.

2

Приятным майским утром Эркюль Пуаро сидел за своим аккуратным письменным столом, когда его слуга Джордж подошел к нему и почтительно доложил:

— Вас хочет видеть леди, сэр.

— Как она выглядит? — осведомился Пуаро, поскольку всегда наслаждался скрупулезной аккуратностью описаний Джорджа.

— На вид ей можно дать от сорока до пятидесяти лет, сэр. Выглядит по-артистически неопрятно. На ней крепкие дорожные ботинки, твидовые жакет и юбка и при этом кружевная блузка. Плюс ко всему сомнительные египетские бусы и голубой шифоновый шарф.

Пуаро слегка поежился.

— Не думаю, что мне хочется ее видеть, — промолвил он.

— Сказать ей, сэр, что вам нездоровится?

Пуаро задумчиво посмотрел на него:

---

[1] П у н а — город в Западной Индии.

— Полагаю, вы уже сказали, что я занят важным делом и меня нельзя беспокоить?

Джордж кашлянул.

— Она говорит, сэр, что специально приехала из деревни и готова ждать сколько угодно.

Пуаро вздохнул:

— Никогда не следует бороться с неизбежным. Если леди средних лет, носящая поддельные египетские бусы, специально приехала из деревни, чтобы повидать знаменитого Эркюля Пуаро, ее ничто не остановит. Она будет сидеть в холле, пока не добьется своего. Проводите ее ко мне, Джордж.

Слуга вышел и вскоре вернулся, доложив официальным тоном:

— Миссис Клоуд.

Позвякивая бусами, фигура в поношенном твидовом костюме и развевающемся шарфе двинулась к Пуаро с протянутой рукой.

— Мсье Пуаро, — заговорила женщина, — я пришла к вам по велению духов...

Пуаро быстро заморгал:

— В самом деле, мадам? Может, вы присядете и расскажете мне, как...

Больше он ничего не успел сказать.

— Обоими способами, мсье Пуаро. С помощью автоматического письма[1] и доски «Уиджа»[2]. Это случилось позавчера вечером. Мы с мадам Элвари (она чудесная женщина) пользовались доской и постоянно получали одни и те же инициалы — «Э.П.». Конечно, я не сразу поняла их значение — на это потребовалось время. Ведь в земной жизни нам не дано все ясно различать с первого взгляда. Я долго ломала голову, вспоминая человека с такими инициалами и понимая, что это как-то связано с нашим предыдущим сеансом, который был очень необычным. А потом купила «Пикчер пост» (очевидно, снова по указанию духов, так как

---

[1] Автоматическое письмо — послание духа, которое участники спиритического сеанса записывают бессознательно.

[2] Доска «Уиджа» — специальная доска для спиритических сеансов с алфавитом и другими знаками.

обычно я покупаю «Нью стейтсмен»), и там оказалась статья о вашей деятельности и ваша фотография! Просто чудо, не так ли, мсье Пуаро? Все имеет свою высшую цель. Очевидно, вы избраны духами, чтобы прояснить это дело.

Пуаро задумчиво разглядывал женщину. Как ни странно, его внимание более всего привлекали проницательные светло-голубые глаза, словно придававшие смысл ее бессвязной болтовне.

— Какое дело, миссис Клоуд? — Он нахмурился. — Кажется, я когда-то уже слышал эту фамилию.

Она энергично кивнула:

— Мой бедный деверь Гордон был очень богат, его имя часто упоминалось в прессе. Он погиб во время воздушного налета года полтора тому назад — для всех нас это было страшным ударом. Мой муж — его младший брат. Он врач, доктор Лайонел Клоуд... — Женщина понизила голос. — Конечно, он понятия не имеет, что я пришла посоветоваться с вами. Лайонел бы этого не одобрил. Врачи — ужасные материалисты. Все духовное спрятано от них за семью печатями. Они верят только в науку — а что может сделать наука?

По мнению Эркюля Пуаро, ответом на этот вопрос могло служить только подробное описание деятельности Пастера, Листера[1], упоминание о безопасной лампе Хамфри Дейви[2], удобствах электричества и еще нескольких сотен научных достижений. Но миссис Лайонел Клоуд, естественно, не нуждалась в подобном ответе. Фактически, ее вопрос был чисто риторическим. Поэтому Эркюль Пуаро ограничился тем, что осведомился сугубо практичным тоном:

— Чем я могу помочь вам, миссис Клоуд?

— Вы верите в реальность духовного мира, мсье Пуаро?

— Я добрый католик, — осторожно откликнулся он.

---

[1] Л и с т е р Джозеф (1827—1919) — английский хирург.
[2] Д е й в и Хамфри (1778—1829) — английский химик, изобретатель безопасной лампы для шахтеров.

Миссис Клоуд со снисходительной улыбкой отмахнулась от католической религии.

— Церковь слепа, глупа и предубеждена — она не приемлет реальности и красоты потустороннего мира.

— В двенадцать часов у меня важная встреча, — сказал Пуаро.

Замечание оказалось своевременным. Миссис Клоуд наклонилась вперед:

— Мне следовало сразу же перейти к делу. Могли бы вы, мсье Пуаро, найти исчезнувшего человека?

Брови Пуаро поползли вверх.

— В принципе это возможно, — уклончиво ответил он. — Но полиция, моя дорогая миссис Клоуд, может сделать это куда быстрее меня. К их услугам все необходимые средства.

Миссис Клоуд отмахнулась от полиции точно так же, как ранее от католической церкви.

— Нет, мсье Пуаро, духи указали мне на вас. А теперь послушайте. Мой деверь Гордон за несколько недель до смерти женился на молодой вдове — миссис Андерхей. Ее первый муж (бедное дитя, какое горе!) якобы погиб в Африке. Таинственная страна — Африка.

— Таинственный континент, — поправил Пуаро. — Возможно, вы правы. В какой именно части...

— В Центральной Африке, — прервала его она. — Обитель вуду, зомби...

— Ну, зомби скорее относятся к Вест-Индии.

— ...черной магии, странных и загадочных культов, — продолжала миссис Клоуд. — Страна, где человек может исчезнуть раз и навсегда.

— Возможно, — снова согласился Пуаро. — Но то же самое относится и к Пикадилли-Серкус[1].

Миссис Клоуд отмахнулась от Пикадилли-Серкус:

— За последнее время, мсье Пуаро, мы дважды получали сообщение от духа, назвавшегося Робертом. Сообщение было одинаковым: «Я не умер». Мы были озадачены, так как не знали никакого Роберта. Попро-

---

[1] П и к а д и л л и-С е р к у с — площадь в центре Лондона.

сив дополнительных указаний, получили следующий ответ: «Р.А., Р.А., Р.А. Передайте Р. Передайте Р.». «Передать Роберту?» — спросили мы. «Нет, от Роберта — Р.А.» На вопрос, что означает «А», последовал самый многозначительный ответ: «Мальчик Блу. Мальчик Блу. Ха-ха-ха!» Понимаете?

— Нет, — покачал головой Пуаро. — Не понимаю.

Она с жалостью посмотрела на него:

— Неужели вы не помните детский стишок: «Мальчик Блу под сеном спит»? «Под сеном»[1] — теперь понятно?

Пуаро кивнул. Он воздержался от вопроса, почему дух, назвав по буквам имя Роберта, не мог сделать то же самое с фамилией Андерхей, вместо того чтобы прибегать к жаргону дешевых шпионских романов.

— А мою невестку зовут Розалин, — торжествующе закончила миссис Клоуд. — Сначала мы путались в этих бесконечных «Р», но потом смысл стал абсолютно ясен: «Передайте Розалин, что Роберт Андерхей не умер».

— И вы передали ей это?

Миссис Клоуд выглядела слегка смущенной.

— Э-э... нет. Понимаете, люди склонны к скептицизму. Уверена, это относится и к Розалин. Бедная девочка может расстроиться — начать спрашивать, где он и что делает.

— Кроме того, интересоваться, что подает голос через эфир? Странный метод сообщать, что вы живы-невредимы.

— Ах, мсье Пуаро, вы не принадлежите к посвященным. Откуда нам знать все обстоятельства? Бедный капитан Андерхей (или он майор?), возможно, сейчас в плену в мрачных дебрях Африки. Но если бы можно было найти его и вернуть дорогой Розалин! Подумайте о ее счастье! О, мсье Пуаро, я пришла к вам по велению мира духов — вы не можете мне отказать!

Пуаро задумчиво посмотрел на нее.

---

[1] Английское словосочетание «п о д с е н о м» созвучно фамилии Андерхей.

— Мои гонорары высоки, — заметил он. — Даже очень высоки. А задача, которую вы хотите мне поручить, не из легких.

— О Боже, какая жалость! Мы с мужем сейчас пребываем в крайне стесненных обстоятельствах. Причем мои долги куда больше, чем думает мой дорогой супруг. Я купила несколько акций — по указанию свыше, — но до сих пор они приносят только разочарование: за последнее время настолько обесценились, что, боюсь, продать их уже практически невозможно. — Она устремила на него испуганный взгляд голубых глаз. — Я не осмеливаюсь сообщить об этом мужу, а вам рассказываю только для того, чтобы объяснить мое положение. Но, дорогой мсье Пуаро, воссоединение мужа и жены — такая благородная миссия...

— Благородство, chère madame[1], не компенсирует расходы на путешествия по морю, воздуху и железной дороге, а также на телеграммы, международные телефонные разговоры и допросы свидетелей.

— Но если его найдут... если капитан Андерхей окажется живым и здоровым, тогда, я уверена, не возникнет никаких трудностей в смысле... э-э... вашего вознаграждения.

— Значит, он богат, этот капитан Андерхей?

— Нет, но... Одним словом, могу вас заверить, что с деньгами никаких затруднений не будет.

Пуаро медленно покачал головой:

— Сожалею, мадам, но вынужден ответить «нет».

Ему понадобилось время, чтобы заставить ее примириться с его отказом.

Когда женщина наконец ушла, Пуаро несколько минут стоял, задумчиво нахмурившись. Теперь он вспомнил разговор в клубе во время воздушного налета и понял, почему фамилия Андерхей показалась ему знакомой. Вспомнил гулкий, монотонный голос майора Портера, повествующий историю, которую никто не хотел слушать, шорох газеты, внезапно отвисшую челюсть майора и испуг на его лице...

---

[1] Дорогая мадам (*фр.*).

Но сейчас его мысли занимала леди средних лет, которая только что вышла. Рассеянный вид, болтовня о спиритизме, развевающийся шарфик, позвякивающие на шее цепочки и амулеты — и противоречащий всему этому проницательный взгляд пары светло-голубых глаз...

«Зачем она ко мне приходила? — подумал Пуаро. — И что происходит в... — он посмотрел на лежащую на столе карточку, — Уормсли-Вейл?»

Спустя пять дней он прочитал в вечерней газете краткое сообщение о смерти человека по имени Енох Арден в Уормсли-Вейл — маленькой деревушке, находящейся примерно в трех милях от популярной площадки для игры в гольф в Уормсли-Хит.

«Интересно, — снова подумал Эркюль Пуаро, — что же все-таки происходит в Уормсли-Вейл?..»

Книга первая

Глава 1

Уормсли-Хит состоит из поля для гольфа, нескольких дорогих современных вилл с окнами, выходящими на него, двух отелей, ряда магазинов, которые до войны можно было назвать роскошными, и железнодорожной станции.

Налево от станции тянется шоссе в Лондон, а направо — маленькая дорожка через поле с указателем: «Пешеходная дорога в Уормсли-Вейл».

Приютившаяся среди лесистых холмов Уормсли-Вейл — полная противоположность Уормсли-Хит. Ранее крошечный рыночный городок, она теперь превратилась в деревню. Ее главная улица состоит из зданий в георгианском стиле, нескольких пивных и крайне непрезентабельных магазинчиков, как будто деревня находится не в двадцати восьми, а в целых полутораста милях от Лондона.

Жители Уормсли-Вейл единодушно презирают растущий, словно гриб после дождя, Уормсли-Хит.

На окраинах находятся несколько более симпатичных на вид домов с приятными старомодными садами. В один из них, именуемый «Белым домом», ранней весной 1946 года вернулась Линн Марчмонт, демобилизовавшись из женской вспомогательной службы военно-морского флота.

На третье утро после возвращения Линн, глядя из окна своей спальни на заросший газон и вязы на лугу, радостно вдохнула воздух родных мест. Влажное пасмурное утро пахло сырой землей. Этого запаха ей так не хватало последние два с половиной года!

Чудесно снова оказаться дома, в своей маленькой спаленке, о которой она часто думала, находясь за морем. Чудесно сбросить форму, надеть твидовую юбку и джемпер, даже несмотря на то, что за годы войны над ними изрядно потрудилась моль.

Как хорошо уйти из армии и снова стать свободной женщиной! Нельзя сказать, что служба за морем не нравилась Линн. Работа была интересной, к тому же там часто устраивали забавные вечеринки, но утомительная рутина и ощущение вынужденного пребывания в стаде себе подобных иногда пробуждали желание бежать куда глаза глядят.

Душным и жарким восточным летом Линн с тоской вспоминала об Уормсли-Вейл, о ветхом, но приятном и прохладном доме и о маме.

Она любила свою мать, хотя та часто ее раздражала. Но вдали от дома оставалась только любовь, а раздражение, если о нем и вспоминалось, только усиливало тоску. Конечно, мамочка способна довести до белого каления, но что бы Линн ни отдала, лишь бы снова услышать ее жалобный голос, изрекающий очередную банальность! Скорее бы вернуться домой и больше никогда и никуда не уезжать!

И вот наконец Линн демобилизовалась и свободной вернулась в «Белый дом». Она пробыла здесь всего три дня, но уже испытывала странное ощущение беспокойства и неудовлетворенности. Все было таким же, как прежде, — даже чересчур таким же, — дом, мама, Роули, ферма, родственники... Однако она сама стала другой...

— Дорогая! — послышался снизу тонкий голос миссис Марчмонт. — Принести моей девочке завтрак в постель?

— Конечно нет, — резко отозвалась Линн. — Я сейчас спущусь.

«И почему только мама называет меня «моя девочка»? — подумала она. — Это так глупо!»

Линн сбежала по ступенькам и вошла в столовую. Завтрак оказался не слишком вкусным. Она уже знала, как много времени отнимают теперь поиски еды. Если не считать весьма ненадежной женщины, которая являлась помогать по хозяйству по утрам четыре раза в неделю, миссис Марчмонт приходилось одной и готовить, и убирать. Между тем ей было уже под сорок, когда родилась Линн, и теперь она не отличалась крепким здоровьем. Линн не без страха думала о том, как изменилось их финансовое положение. Небольшой доход, обеспечивающий им до войны вполне комфортабельное существование, теперь наполовину съедали налоги. Цены значительно возросли, и расходы вместе с ними.

«Ничего себе, прекрасный новый мир!» — мрачно подумала Линн. Ее взгляд скользил по колонкам газеты. «Бывшая служащая Женской ассоциации содействия армии и флоту ищет работу, где требуются инициатива и предприимчивость». «Бывшая сотрудница Женской вспомогательной службы ВМФ ищет место, где нужны организаторские способности».

Инициатива, предприимчивость, способность командовать — вот какие качества повсюду предлагались. Но вместо них требовались умение убирать и стряпать, печатать на машинке и стенографировать. Нужны были трудолюбивые люди, привычные к рутинной работе.

Ну, Линн это не привлекало. Ее будущее абсолютно ясно — брак с кузеном Роули Клоудом. Они обручились семь лет назад, незадолго до начала войны. Сколько Линн помнила себя, она собиралась замуж за Роули. Его увлечение фермерством вполне ее устраивало. Конечно, эта жизнь не так уж интересна и полна тяжелой работы, но они оба любили бывать на воздухе и возиться с животными.

Конечно, теперь их перспективы существенно изменились. Дядя Гордон всегда обещал...

Размышления Линн прервал жалобный голос миссис Марчмонт:

— Я писала тебе об этом, дорогая, — его смерть нанесла страшный удар нам всем. Гордон пробыл в Англии всего два дня. Мы даже не видели его. Если бы только он не остался в Лондоне, а приехал прямо сюда...

Да, если бы только...

Линн была потрясена, получив известие о гибели дяди, но истинный смысл происшедшего только теперь начал до нее доходить.

Насколько она помнила, в ее жизни, как и в жизни всей семьи, всегда доминировал Гордон Клоуд. Богатый и бездетный, он опекал всех своих родственников, даже Роули, который вместе со своим другом Джонни Вэвасуром приобрел ферму. Капитал друзей был весьма невелик, но они были полны надежд и энергии. А Гордон Клоуд одобрил их начинание.

«Без капитала на ферме ничего не добьешься, — говорил он Линн. — Но прежде нужно узнать, хватит ли этим ребятам воли и решимости. Если я сразу их обеспечу, то, возможно, не узнаю этого никогда. Пускай поработают, а когда станет ясно, что у них подходящая закваска, то можешь не беспокоиться, Линн, — я полностью их финансирую. Так что не бойся за свое будущее, девочка моя. Ты как раз та жена, которая нужна Роули. Только помалкивай о том, что я тебе сказал».

Она так и делала, но Роули и сам ощущал благожелательный интерес дяди. Оставалось лишь доказать старику, что в их с Джонни предприятие можно без боязни вкладывать деньги.

Да, они все зависели от Гордона Клоуда. Не то чтобы в семье имелись паразиты или бездельники. Джереми Клоуд был старшим партнером в адвокатской фирме, а Лайонел Клоуд — практикующим врачом.

Но в повседневной жизни всегда царило успокаивающее ощущение маячивших на заднем плане денег. Им никогда не приходилось экономить и отказывать себе в чем-нибудь. Будущее было обеспечено. О них позаботится бездетный вдовец Гордон Клоуд. Он неоднократно обещал им это.

Его вдовствующая сестра Адела Марчмонт продолжала жить в «Белом доме», хотя могла бы переехать в меньшее по размеру и не требующее таких трат жилье. Линн посещала первоклассную школу. Если бы не война, она смогла бы получить любое, самое дорогостоящее образование. Благодаря поступающим с утешительной регулярностью чекам от дяди Гордона можно было позволять себе даже некоторую роскошь.

Все было устроено и обеспечено. А потом Гордон Клоуд неожиданно женился.

— Конечно, дорогая, мы все были поражены, — продолжала мать. — Никому из нас и в голову не приходило, что Гордон когда-нибудь женится снова. Как будто ему не хватало родственных связей!

«Да, — подумала Линн. — Но может быть, этих связей было слишком много?»

— Он всегда был так добр, — не унималась миссис Марчмонт. — Хотя иногда бывал немного деспотичен. Терпеть не мог обедать на полированном столе — всегда требовал, чтобы я стелила старомодную скатерть. Когда Гордон был в Италии, он прислал мне прекрасные скатерти из венецианских кружев.

— Этого было достаточно, чтобы с его желаниями считались, — сухо отозвалась Линн. — А как он познакомился... со второй женой? Ты никогда мне об этом не писала.

— На каком-то корабле или в самолете, кажется возвращаясь в Нью-Йорк из Южной Америки. После стольких-то лет! И после всех секретарш, машинисток, экономок и прочих...

Линн улыбнулась. Сколько она помнила, секретарши, экономки и прочие служащие Гордона Клоуда, относящиеся к женскому полу, всегда становились объектами пристального внимания и подозрения.

— Полагаю, она красивая? — с любопытством спросила Линн.

— По-моему, у нее довольно глупое лицо, — ответила Адела.

— Ты ведь не мужчина, мама.

— Конечно, — продолжила миссис Марчмонт, — бедная девушка пострадала от бомбы, перенесла страшный шок и, по-моему, так до конца и не оправилась. Она сплошной комок нервов, а иногда выглядит просто полоумной. Не думаю, чтобы ей удалось стать достойной спутницей бедного Гордона.

Линн улыбнулась. Она сомневалась, что Гордон Клоуд женился на женщине гораздо моложе его для интеллектуального общения.

— К тому же, дорогая, — миссис Марчмонт понизила голос, — мне неприятно об этом говорить, но она, разумеется, не леди!

— Что за выражение, мама! Какое это имеет значение в наши дни?

— В деревне все еще имеет, дорогая, — невозмутимо отозвалась Адела. — Я просто хочу сказать, что она не нашего круга.

— Ах, бедняжка!

— Право, Линн, я не понимаю, что ты имеешь в виду. Мы все старались быть к ней добрыми и внимательными ради Гордона.

— Значит, она в «Фарроубэнке»? — удивилась Линн.

— Естественно. Куда же еще ей было отправиться из больницы? Врачи сказали, что ей нужно уехать из Лондона. Она в «Фарроубэнке» со своим братом.

— А что он собой представляет? — поинтересовалась Линн.

— Ужасный молодой человек! — Адела сделала паузу и с чувством добавила: — Такой грубый!

Линн внезапно ощутила вспышку симпатии к новому родственнику. «Наверняка я тоже была бы грубой на его месте!» — подумала она.

— Как его зовут?

— Хантер, Дэвид Хантер. Кажется, он ирландец. Конечно, о таких людях не часто слышишь. Она уже была вдова — миссис Андерхей. Не хочется быть немилосердной, но поневоле задашься вопросом: какая вдова в военное время отправилась бы в путешествие из Южной Америки? Само собой приходит в голову, что она просто подыскивала богатого мужа.

— И в таком случае своего добилась, — заметила Линн.

Миссис Марчмонт вздохнула:

— Это выглядит так необычно! Гордон всегда был проницательным человеком. А ведь его добивались многие женщины. Последняя секретарша, например, вела себя достаточно откровенно. Ему пришлось от нее избавиться, хотя она, кажется, хорошо справлялась с работой.

— Очевидно, у каждого есть свое Ватерлоо, — рассеянно промолвила Линн.

— Шестьдесят два года — опасный возраст, — заключила мать. — А война все ставит с ног на голову. Но я не могу тебе передать, какой шок мы испытали, получив его письмо из Нью-Йорка.

— Что в нем говорилось?

— Гордон написал Франсис — не понимаю почему. Возможно, ему казалось, что, благодаря своему воспитанию, она лучше его поймет. Он предполагал, что мы удивимся, узнав о его браке. Все произошло внезапно, но Гордон не сомневался, что мы все очень скоро полюбим Розалин (что за театральное имя — какое-то фальшивое!). У нее якобы была очень тяжелая жизнь; ей, несмотря на молодость, пришлось через многое пройти, и просто чудесно, что она не упала духом.

— Знакомая уловка, — усмехнулась Линн.

— Конечно — о таких слышишь повсюду. Кто бы мог подумать, что Гордон, с его опытом... Но ничего не поделаешь. У нее огромные глаза — синие, словно нарисованные.

— Она привлекательная?

— Ну, безусловно, хорошенькая. Но это не та красота, которая меня восхищает.

— Как всегда, — криво усмехнулась Линн.

— Право же, мужчин невозможно понять! Даже самые уравновешенные из них совершают невероятные глупости! В письме Гордона говорилось, что мы не должны думать, будто это означает ослабление родственных уз, он по-прежнему считал своим долгом о нас заботиться.

— И тем не менее после женитьбы не составил нового завещания? — спросила Линн.

Миссис Марчмонт покачала головой:

— Последнее завещание Гордон составил в 1940 году. Не знаю никаких подробностей, но он дал нам понять, что позаботился о нас на случай, если с ним что-нибудь произойдет. Разумеется, брак аннулировал это завещание. Полагаю, Гордон собирался составить новое, вернувшись домой, но не успел. Он погиб практически сразу же по прибытии в Англию.

— Значит, Розалин получает все?

— Да. Как я сказала, после брака прежнее завещание стало недействительным.

Линн молчала. Она была не более корыстной, чем большинство людей, но ее не могла не возмущать новая ситуация. Линн чувствовала, что все сложилось совсем не так, как планировал Гордон. Разумеется, основной капитал он оставил бы молодой жене, но, несомненно, позаботился бы и о родственниках, чью зависимость от него сам же и поощрял. Гордон всегда убеждал их ни на чем не экономить и не откладывать деньги на будущее. Она слышала, как он как-то сказал Джереми: «Когда я умру, ты будешь богатым человеком». А ее матери часто повторял: «Не беспокойся, Адела. Ты ведь знаешь, что я всегда буду заботиться о Линн и не хочу, чтобы ты переезжала из этого дома — твоего дома. Посылай мне все счета за ремонт». Гордон поощрял фермерские занятия Роули, настоял, чтобы Энтони, сын Джереми, поступил в гвардию, и выплачивал ему солидное содержание, а также содействовал научно-медицинским изысканиям Лайонела Клоуда, которые не сулили быстрой прибыли и отвлекали его от практики.

Размышления Линн вновь прервала миссис Марчмонт, которая с дрожащими губами, драматическим жестом предъявила ей пачку счетов.

— Посмотри на это! — захныкала она. — Что мне теперь делать, Линн? Сегодня утром управляющий банка написал мне, что я превысила кредит. Не понимаю, как это могло случиться? Я была так осмотрительна! Оказалось, что мои вклады уже не дают таких процентов, как раньше, из-за роста налогов. А эти желтые бумажки — страховку от военных разрушений — волей-неволей нужно оплачивать.

Линн взяла счета и просмотрела их. Никаких лишних трат — замена шифера на крыше и прохудившегося кипятильника на кухне, ремонт изгородей. Но все вместе они составили солидную сумму.

— Очевидно, мне придется выехать отсюда, — запричитала миссис Марчмонт. — Но куда? Нигде нет маленьких домов — их просто не существует. Мне не хочется огорчать тебя, Линн, сразу после твоего возвращения, но я просто не знаю, что делать.

Дочь задумчиво посмотрела на мать. Аделе уже пошел седьмой десяток. Она никогда не была сильной женщиной. Но во время войны ей пришлось принимать у себя беженцев из Лондона, готовить и убирать для них, работать в Женской добровольческой службе, варить джемы, помогать со школьными завтраками. В отличие от легкой довоенной жизни она трудилась по четырнадцать часов в день. Линн видела, что мать вот-вот сломается окончательно. Она устала и страшилась будущего.

Линн почувствовала, как в ней медленно закипает гнев.

— А эта Розалин не могла бы... помочь? — спросила она.

Миссис Марчмонт покраснела:

— Мы не имеем никаких прав ни на что.

— Думаю, у тебя есть моральное право, — возразила Линн. — Дядя Гордон всегда нам помогал.

Адела покачала головой:

— Не слишком приятно просить помощи у того, кто тебе не слишком нравится, дорогая. К тому же ее брат не позволит ей расстаться ни с одним пенни. — Однако героизм тут же уступил место чисто женскому коварству, и она добавила: — Если только он на самом деле ее брат!

Глава 2

Франсис Клоуд задумчиво посмотрела на мужа через обеденный стол. Ей было сорок восемь лет. Она принадлежала к тем поджарым, похожим на борзых, женщинам, которым очень идут твидовые костюмы. Ее лицо без косметики, если не считать небрежно подведенных губ, еще хранило следы высокомерной красоты.

Джереми Клоуд был худощавым седовласым мужчиной шестидесяти трех лет, с сухим и бесстрастным лицом, которое этим вечером казалось вообще лишенным какого-либо выражения. Быстрый взгляд жены сразу же подметил этот факт.

Девочка лет пятнадцати сновала вокруг стола, подавая блюда и не сводя с Франсис испуганных глаз. Если та хмурилась, она едва не роняла тарелку, а при одобрительном взгляде хозяйки ее лицо сияло.

В Уормсли-Вейл с завистью говорили, что если у кого-нибудь и может появиться прислуга, так это у Франсис Клоуд. Она не подкупала ее большим жалованьем и была достаточно требовательна, но всегда одобряла усердие и так заражала энергией и напористостью, что это вносило в работу по дому личный и творческий элемент. Франсис привыкла к тому, что ее обслуживают, и воспринимала этот факт как нечто само собой разумеющееся, оценивая хорошую кухарку или горничную так же, как оценила бы хорошего пианиста.

Франсис Клоуд была единственной дочерью лорда Эдуарда Трентона, который тренировал своих лошадей неподалеку от Уормсли-Хит. Люди осведомленные восприняли банкротство лорда Эдуарда как счастливое спасение от кое-чего похуже. Ходили слухи о лошадях, которые вдруг отказывались подчиняться, о дознании, проводимом распорядителями жокей-клуба. Но лорд Эдуард сохранил свою репутацию почти незапятнанной и достиг соглашения с кредиторами, обеспечившего ему комфортабельное существование на юге Франции. Этими неожиданными благами он был обязан проницательности и стараниям своего поверенного, Джереми Клоуда. Клоуд сделал для него куда больше, чем обычно адвокат делает для клиента, вплоть до того, что предложил свое поручительство. При этом он не скрывал, что восхищается Франсис Трентон, которая, когда проблемы ее отца удачно разрешились, должным образом стала миссис Джереми Клоуд.

Как она сама к этому относилась, никто не знал. Можно было сказать лишь то, что Франсис честно выполняет условия сделки. Она была верной женой Джереми, заботливой матерью их сына, всегда отстаивала интересы мужа и никогда ни словом ни делом не дала повода подумать, будто этот брак не являлся ее свободным выбором.

Со своей стороны семейство Клоудов испытывало огромное уважение к Франсис. Они гордились ею, считались с ее мнением, но никогда не ощущали с ней подлинно родственной близости.

Что думает о своем браке Джереми Клоуд, не было известно никому, так как никто вообще никогда не знал, что он думает или чувствует. Джереми называли сухарем, хотя его профессиональная и человеческая репутация была очень высокой. Адвокатская контора «Клоуд, Бранскилл и Клоуд» никогда не бралась за сомнительные дела. Их считали хотя и не блестящими, но вполне надежными юристами. Контора процветала, и Джереми Клоуд с женой жили в красивом георгианском доме возле рыночной площади, с большим старомодным садом позади, где грушевые деревья покрывались весной целым морем белых цветов.

Поднявшись из-за стола, супруги перешли в комнату в задней части дома, окна которой выходили в сад. Эдна, пятнадцатилетняя служанка, принесла кофе, возбужденно дыша открытым ртом (она страдала аденоидами).

Франсис налила себе немного кофе. Он оказался крепким и горячим.

— Отлично, Эдна, — похвалила она.

Эдна покраснела от удовольствия и вышла, удивляясь вкусам хозяйки. По ее мнению, кофе должен был иметь светло-кремовый оттенок, содержать как можно больше молока и сахара.

Однако Клоуды, сидя в комнате с окнами в сад, пили черный кофе без сахара. За обедом они обменивались отрывочными замечаниями о знакомых, о возвращении Линн, о перспективах фермерства на ближайшее будущее, но теперь, оставшись наедине, оба молчали.

Франсис откинулась на спинку стула, наблюдая за мужем. Джереми чувствовал на себе ее взгляд, поглаживая правой рукой верхнюю губу. И хотя он сам этого не знал, но такой жест был характерен для него и свидетельствовал о внутреннем беспокойстве. Франсис редко видела этот жест: когда их сын Энтони в детстве серьезно болел, перед тем, как присяжные выносили вердикт, в ожидании решающего сообщения по радио перед началом войны и, наконец, накануне возвращения Энтони в армию после отпуска.

Прежде чем заговорить, Франсис немного подумала. Их брак был счастливым, но они редко беседовали по душам, уважая сдержанность друг друга. Даже когда пришла телеграмма о гибели Энтони на фронте, никто из них не потерял самообладания.

Он вскрыл телеграмму, потом посмотрел на жену. «Это...» — начала Франсис. Он опустил голову, затем подошел и вложил телеграмму ей в руку. Некоторое время они стояли молча. Потом Джереми сказал: «Как бы я хотел помочь тебе, дорогая». — «Тебе сейчас не легче, чем мне», — ответила Франсис. Она не плакала, хотя чувствовала ужасную пустоту и боль. «Да... — кивнул Джереми, погладил ее по плечу и двинулся к двери спотыкающейся походкой. — Что тут говорить...»

Франсис была благодарна мужу за чуткость и понимание и разрывалась от жалости к нему, видя, как он внезапно превратился в старика. С потерей сына в ней что-то застыло — природная женская доброта куда-то испарилась. Она стала еще более энергичной и деловитой, и люди начали побаиваться ее беспощадного здравомыслия...

Палец Джереми Клоуда вновь нерешительно скользнул по верхней губе.

— Что-нибудь случилось, Джереми? — внезапно спросила Франсис.

Он вздрогнул, едва не уронив чашку с кофе. Потом поставил ее на поднос и посмотрел на жену:

— Что ты имеешь в виду, Франсис?

— Я спрашиваю, не случилось ли что-нибудь?

— А что могло случиться?

— Было бы глупо тратить время на догадки. Предпочитаю, чтобы ты сам мне рассказал. — Ее голос звучал сухо и деловито.

— Ничего особенного... — неуверенно произнес Джереми.

Франсис молчала, вопросительно глядя на него. Отрицание явно ее не убедило.

На какой-то момент маска непроницаемости соскользнула с лица Джереми, и Франсис едва удержалась от возгласа.

— Думаю, тебе лучше все рассказать, — спокойно заметила она.

Джереми тяжело вздохнул:

— Да, рано или поздно ты все равно узнаешь. — И, помолчав, произнес абсолютно неожиданную фразу: — Боюсь, Франсис, ты заключила неудачную сделку.

Она оставила без внимания непонятный намек — ее интересовали факты.

— Значит, дело в деньгах?

Франсис сама не знала, почему предположила это в первую очередь. Не было никаких признаков финансовых затруднений, помимо вполне естественных для нынешних времен. В конторе Джереми не хватало сотрудников, и они с трудом справлялись с делами, но такое происходило повсюду, а в прошлом месяце многие их служащие демобилизовались из армии. Конечно, Джереми мог скрывать какую-то болезнь — в последнее время он неважно выглядел и сильно уставал. Но инстинкт подсказывал Франсис, что причина в деньгах, и он ее не подвел.

Джереми молча кивнул.

— Ясно. — Франсис задумалась. Для нее деньги не имели особого значения, но она знала, что Джереми был не способен это понять. Для него они означали стабильность, возможность выполнять обязательства, определенное место в жизни и положение в обществе.

Франсис же относилась к деньгам как к игрушке. Она родилась и росла в атмосфере финансовой неустойчивости. Бывали чудесные времена, когда лошади оправдывали ожидания, но бывали и периоды потруднее, когда торговцы отказывали в кредите и лорду Эдуарду приходилось унизительно экономить, дабы избежать визита судебных приставов. Однажды они целую неделю жили на хлебе и воде, рассчитали всех слуг. Как-то, когда Франсис была маленькой, пристав проторчал у них целых три недели. Ей он понравился — с ним было интересно играть и слушать рассказы о его маленькой дочурке...

Если нет денег, их можно попросить или взять в долг либо уехать за границу и пожить за счет друзей и родственников...

Но, глядя на мужа, Франсис понимала, что в мире Клоудов это не пройдет. У них не принято клянчить, одалживать или жить за чужой счет. (Соответственно, не ожидается, что деньги будут просить и у вас.)

Франсис чувствовала жалость к Джереми и стыд за свою невозмутимость. Как всегда, она подошла к делу практически:

— Нам придется все продать? Конторе грозит крах?

Джереми болезненно поморщился, и Франсис поняла, что переборщила.

— Расскажи мне все, дорогой, — попросила она. — Больше я не могу отгадывать.

— Два года назад мы перенесли тяжелый кризис, — с трудом вымолвил Джереми. — Ты ведь помнишь, что молодой Уильямс сбежал, прихватив деньги. Потом возникли затруднения в связи с положением на Дальнем Востоке после Сингапура...

— Причины не имеют значения, — прервала его Франсис. — Короче говоря, ты попал в передрягу. И не смог выбраться?

— Я рассчитывал на Гордона, — признался Джереми. — Он сумел бы все уладить.

— Конечно, — вздохнула Франсис. — Я не хочу порицать беднягу — в конце концов, мужчинам свойственно терять голову из-за хорошенькой женщины.

Да и почему он не мог жениться снова, если захотел? Но беда в том, что он погиб от бомбы, не успев составить новое завещание и устроить свои дела. Никто никогда не верит, что убьют именно его, — каждый считает, что бомба угодит в кого-нибудь другого!

— Смерть Гордона была для меня тяжелой утратой — я очень любил его и гордился им, — говорил Джереми. — Но помимо этого, она обернулась для меня катастрофой. Это случилось как раз в тот момент... — Он не окончил фразу.

— Значит, мы банкроты? — тихо спросила Франсис.

Во взгляде Джереми Клоуда мелькнуло отчаяние. Хотя его жена этого не понимала, ему было бы куда легче вынести ее страх и слезы. Холодный, практичный интерес обескуражил его полностью.

— Все обстоит куда хуже, — хрипло произнес он.

Джереми наблюдал, как Франсис размышляет над его словами. «Мне придется все ей рассказать, — думал он, — и она узнает, что я... Возможно, она этому не поверит»

Франсис вздохнула и выпрямилась в кресле.

— Понятно, — сказала она. — Растрата. Или что-нибудь вроде этого. Как в случае с молодым Уильямсом.

— Да, но на сей раз виноват я, потому что пользовался трастовыми фондами, оставленными под мою опеку. До сих пор мне удавалось заметать следы...

— Но теперь все выйдет наружу?

— Если только я не смогу быстро раздобыть деньги.

Никогда в жизни он не испытывал такого стыда. Как это воспримет Франсис? В данный момент она отнеслась ко всему абсолютно спокойно. Но ведь Франсис никогда не ругается и не устраивает сцен.

Она нахмурилась, подперев щеку ладонью.

— Как глупо, что у меня совсем нет своих денег.

— Тебе полагаются деньги по брачному контракту, но...

— Полагаю, и эти деньги также ушли, — рассеянно промолвила Франсис.

Несколько секунд Джереми молчал.

— Мне очень жаль, Франсис, — сказал он наконец. — Не могу выразить, как мне жаль. Ты заключила неудачную сделку.

Она бросила на него резкий взгляд:

— Я это уже слышала. Что ты имеешь в виду?

— Согласившись стать моей женой, ты имела право ожидать... ну, порядочного отношения и жизни, свободной от мелочных забот, — пояснил Джереми.

Франсис посмотрела на него с искренним удивлением:

— Как по-твоему, Джереми, почему я вышла за тебя замуж?

Он криво улыбнулся:

— Ты всегда была верной и преданной женой, моя дорогая. Но я не могу льстить самому себе, полагая, что ты вышла бы за меня при... э-э... других обстоятельствах.

Она уставилась на него и неожиданно рассмеялась:

— Какой ты забавный! Оказывается, под внешностью сухого законника скрывается сентиментальная душа! Ты в самом деле думаешь, будто я стала твоей женой в качестве платы за спасение моего отца от стаи волков в лице распорядителей жокей-клуба?

— Ты ведь очень любила отца, Франсис.

— Конечно, я любила папу! Он был очень симпатичным человеком, и с ним было интересно. Но я всегда знала, что он жуликоват. И если ты думаешь, будто я продала себя семейному адвокату, чтобы спасти его от того, что постоянно над ним висело, то ты никогда меня не понимал!

«Как странно, — думала Франсис, — можно быть замужем за человеком больше двадцати лет и не знать, какие мысли роятся у него в голове. А впрочем, как можно такое знать, если у мужа совершенно другой склад ума? Насквозь романтический, хотя этот романтизм хорошо замаскирован. Мне следовало бы о нем догадаться по книгам Стэнли Уаймена[1] в его спальне. Бедный дурачок!»

---

[1] У а й м е н Стэнли (1855—1928) — английский писатель, автор историко-приключенческих романов.

— Я вышла за тебя замуж, потому что была влюблена в тебя, — сказала она.

— Влюблена? Но что ты во мне нашла?

— Не знаю, что тебе ответить, Джереми. Ты совсем не походил на папину компанию. Никогда не говорил о лошадях. Ты и понятия не имеешь, как мне надоело слушать про лошадей и про то, кто будет фаворитом в скачках на кубок Ньюмаркета! Помнишь, ты однажды вечером пришел обедать, я сидела рядом с тобой и спросила у тебя, что такое биметаллизм[1], а ты мне объяснил? Это заняло весь обед — шесть блюд, — тогда мы были при деньгах и держали повара-француза.

— Очевидно, это было невероятно скучно, — предположил Джереми.

— Напротив, очень увлекательно! До того еще никто не воспринимал меня всерьез. А ты был так вежлив, но при этом, казалось, не считал меня ни красивой, ни даже хорошенькой. Это задело меня за живое. Я поклялась, что заставлю тебя обратить на меня внимание.

— Ты своего добилась, — мрачно произнес Джереми Клоуд. — В тот вечер я вернулся домой и не мог сомкнуть глаз. На тебе было голубое платье с васильками... — Последовала длительная пауза, затем Джереми откашлялся и смущенно добавил: — Все это было так давно...

Франсис быстро пришла ему на помощь:

— А теперь мы немолодая супружеская пара, которая попала в затруднительное положение и ищет выход.

— После того, что ты мне сказала, Франсис, все выглядит в тысячу раз хуже. Этот позор...

Она перебила его:

— Давай поставим точки над «i». Ты чувствуешь себя виноватым, потому что нарушил закон. Тебя могут отдать под суд и отправить в тюрьму.

Джереми поморщился.

---

[1] Биметаллизм — денежная система с одновременным использованием золота и серебра в качестве универсального эквивалента.

— Я не хочу, чтобы это произошло, и пойду на все, чтобы этого избежать, но не делай из меня высокоморальную особу, оскорбленную в своих лучших чувствах. Не забывай, что мою семью не назовешь высокоморальной. Мой отец, несмотря на все свое обаяние, был мошенником. Мой кузен Чарльз ничуть не лучше. Правда, дело замяли, и, вместо суда, его спровадили в колонию. А мой кузен Джералд подделал чек в Оксфорде. Но он пошел на войну и был посмертно награжден крестом Виктории за отвагу. Я пытаюсь доказать тебе, что не бывает ни абсолютно плохих, ни абсолютно хороших людей. Я и себя не считаю стопроцентно честной — просто никогда не подвергалась искушению. Но чем я могу похвастаться, так это храбростью и преданностью!

— Дорогая!.. — Джереми встал и подошел к ней. Наклонившись, он коснулся губами ее волос.

— А теперь, — улыбаясь, сказала дочь лорда Эдуарда Трентона, — что же нам делать? Попытаться раздобыть где-нибудь деньги?

Лицо Джереми омрачилось.

— Не вижу, каким образом.

— Заложить дом... А, понимаю, — быстро проговорила Франсис, — он уже заложен. Конечно, ты сделал все возможное. Значит, нужно вытянуть из кого-то деньги. Вопрос в том, из кого именно? Полагаю, есть только одна возможность — черноволосая Розалин.

Джереми с сомнением покачал головой:

— Требуется очень большая сумма... А Розалин не может трогать основной капитал — он находится под опекой до конца ее дней.

— Я этого не знала. Мне казалось, она распоряжается им полностью. А что произойдет после ее смерти?

— Капитал перейдет к ближайшим родственникам Гордона — иными словами, будет поделен между мной, Лайонелом, Аделой и сыном Мориса, Роули.

— То есть перейдет к нам... — медленно произнесла Франсис и умолкла.

В комнате, казалось, внезапно повеяло холодом. Затем она продолжила:

— Ты мне этого не говорил. Я думала, деньги перешли к ней целиком и полностью и она может оставить их кому пожелает.

— Нет. Согласно статуту от 1925 года, касающегося наследства при отсутствии завещания...

Сомнительно, чтобы Франсис внимательно слушала его объяснение.

— Едва ли это затрагивает нас лично, — заметила она, когда он умолк. — Мы умрем значительно раньше, чем Розалин достигнет пожилого возраста. Сколько ей лет? Двадцать пять—двадцать шесть? Она запросто может дожить до семидесяти.

— Мы могли бы попросить у нее в долг, как у родственницы, — неуверенно предположил Джереми. — Возможно, она великодушная девушка — мы ведь мало о ней знаем...

— Тем более, что мы были с ней достаточно любезны, в отличие от Аделы, — добавила Франсис.

— Только не должно быть и намека на... э-э... подлинную причину, — предупредил ее муж.

— Разумеется, — с раздражением откликнулась Франсис. — Беда в том, что нам придется иметь дело не с ней самой. Она полностью под каблуком своего братца.

— Весьма несимпатичный молодой человек, — заметил Джереми Клоуд.

Франсис неожиданно улыбнулась:

— Вовсе нет. Он очень привлекательный. Хотя, по-моему, не всегда разборчив в средствах. Но то же самое относится и ко мне. — Ее улыбка стала жесткой. Она посмотрела на мужа. — Мы не должны сдаваться, Джереми. Нужно обязательно найти какой-то выход — даже если мне придется ограбить банк!

Глава 3

— Опять деньги! — воскликнула Линн.

Роули Клоуд кивнул. Это был высокий широкоплечий молодой человек с загорелым лицом, задумчивыми голубыми глазами и очень светлыми волосами. Его медлительность выглядела скорее намеренной, нежели природной. В тех случаях, когда многие не лезли бы за словом в карман, он всегда предпочитал сначала подумать.

— Да, — отозвался Роули. — В наши дни, кажется, все сводится к деньгам.

— Но я думала, фермеры преуспевали во время войны.

— Да, но ведь это не может продолжаться вечно. Через год все вернется на прежнее место. Оплата труда растет, работников не найдешь днем с огнем, все недовольны, и никто не знает, что делать, — если, конечно, не можешь фермерствовать на широкую ногу. Старый Гордон это предвидел и собирался вмешаться.

— А теперь? — спросила Линн.

Роули усмехнулся:

— А теперь миссис Гордон едет в Лондон и тратит пару тысяч на норковое манто.

— Это... это несправедливо!

— Да нет... — Помедлив, он добавил: — Я бы хотел купить тебе норковое манто, Линн.

— Как она выглядит, Роули? — Линн хотелось услышать мнение человека своего возраста.

— Вечером сама увидишь — на приеме у дяди Лайонела и тети Кэти.

— Да, знаю. Но я хочу, чтобы ты мне рассказал. Мама говорит, что она полоумная.

Роули задумался.

— Ну, я бы не сказал, что интеллект — ее сильная сторона. Но думаю, она только выглядит полоумной, потому что стесняется.

— Стесняется? Чего?

— Многого. В основном, очевидно, своего ирландского акцента. Боится, что возьмет вилку не в ту руку или не поймет какой-нибудь литературной ассоциации.

— Значит, она... ну, необразованная?

Роули снова усмехнулся:

— Ну, она не леди, если ты это имеешь в виду. У нее красивые глаза, приятный цвет лица и на редкость простодушный вид — полагаю, старый Гордон на это и клюнул. Не думаю, что это напускное, — хотя, конечно, кто знает? Она выглядит абсолютно безвольной и во всем подчиняется Дэвиду.

— Дэвиду?

— Это ее брат. По-моему, на нем пробу негде ставить. — Сделав паузу, Роули сказал: — Мы ему не слишком нравимся.

— А почему мы должны ему нравиться? — резко осведомилась Линн и добавила, когда он удивленно посмотрел на нее: — Я имею в виду, что тебе ведь он не нравится.

— Безусловно. И тебе тоже не понравится. Он не из нашего теста.

— Откуда ты знаешь, кто мне понравится, а кто нет? За эти три года я многое повидала. Думаю, мой кругозор расширился.

— Что верно, то верно — ты повидала больше меня.

Роули произнес это абсолютно спокойно, но Линн внимательно на него посмотрела, чувствуя, что за этим спокойствием что-то кроется.

Он не отвел взгляда, на его лице не отразилось никаких эмоций. Линн вспомнила, что никогда не могла прочитать мысли Роули.

В мире все шиворот-навыворот, подумала она. Обычно мужчины уходили на войну, а женщины оставались дома. Но у них получилось совсем наоборот.

Один из двоих молодых людей — Роули Клоуд или Джонни Вэвасур — должен был остаться на ферме. Они бросили жребий, и Джонни выпало отправляться на фронт. Он почти сразу же погиб в Норвегии. Роули же за все годы войны ни разу не был дальше двух миль от дома.

А Линн побывала в Египте, в Северной Африке, на Сицилии. Она не раз попадала под огонь. И в итоге вернулась с войны к Роули, который оставался дома...

Внезапно Линн подумала: а вдруг ему это неприятно? И нервно усмехнулась:

— Иногда кажется, будто все перевернулось вверх дном, верно?

— Не знаю. — Роули рассеянно посмотрел в сторону поля. — Зависит от точки зрения.

— Роули... — Она колебалась. — Ты не расстраиваешься... я имею в виду, из-за Джонни...

Его холодный взгляд заставил ее умолкнуть.

— Оставь Джонни в покое! Война кончилась — мне повезло!

— Ты хочешь сказать... — Линн запнулась, — повезло, потому что тебе не пришлось...

— Разве это не удача?

Она не знала, как реагировать на его слова. В спокойном голосе Роули слышались нотки раздражения.

— Конечно, — проговорил он с улыбкой, — девушке из армии будет нелегко сидеть дома.

— Не говори глупости, Роули, — сердито одернула его Линн.

(Почему она сердится? Не потому ли, что в его шутке есть некоторая доля правды?)

— Ну, — промолвил Роули, — полагаю, мы можем поговорить о свадьбе. Если, конечно, ты не передумала.

— Разумеется, нет. Почему я должна была передумать?

— Кто знает? — рассеянно протянул он.

— Ты имеешь в виду, что я... — Линн помедлила, — изменилась?

— Не слишком.

— А может быть, ты передумал?

— Ну нет. Я-то не изменился. На ферме вообще мало что меняется.

— Хорошо, — сказала Линн, чувствуя, что напряжение несколько разрядилось. — Тогда давай поженимся. Когда бы ты хотел?

— Июнь тебя устроит?

— Да.

Они замолчали. Все было решено. Тем не менее Линн ощущала странное уныние. Хотя Роули был таким же, как всегда, — сдержанным и не склонным к эмоциям, но любящим и преданным. Они всегда любили друг друга, хотя почти не говорили об этом. Так зачем же говорить о любви сейчас?

В июне они поженятся, станут жить в «Плакучих ивах» (ей всегда нравилось это название), и больше она никуда не уедет. Не уедет в том смысле, какой имели для нее эти слова теперь. Возбуждение, когда убирают трап и команда снует по палубе... Волнение, когда самолет взмывает к небу, а земля остается внизу... Незнакомый берег, постепенно приобретающий очертания... Запах горячей пыли, керосина и чеснока, бойкая болтовня на иностранных языках... Красные пуансеттии — причудливые цветы, гордо возвышающиеся в покрытых пылью садах... Быстрая упаковка вещей, не зная, где придется распаковывать их в следующий раз...

Теперь все это позади. Война кончилась, Линн Марчмонт вернулась домой. «Моряк из морей вернулся домой...»[1] «Но я уже не та Линн, которая уезжала отсюда», — подумала она.

Подняв взгляд, Линн увидела, что Роули наблюдает за ней.

Глава 4

Приемы у тети Кэти почти всегда проходили одинаково. В них ощущалось нечто торопливое и неумелое, что было характерно и для самой хозяйки дома. Доктор Клоуд выглядел так, будто с трудом сдерживал раздражение. Он был неизменно вежлив с гостями, но они чувствовали, что эта вежливость дается ему нелегко.

Внешне Лайонел Клоуд походил на своего брата Джереми. Он был таким же седым и худощавым, но не обладал невозмутимостью, свойственной адвокату. Нервозность и раздражительность доктора Клоуда отталкивала многих пациентов, делая их нечувствительными к его знаниям и опыту. По-настоящему Лайонела интересовали только научные исследования, а его

---

[1] Строка из стихотворения Р.Л. Стивенсона «Завещание». (Пер. А. Сергеева.)

хобби являлось использование лекарственных растений. Обладая педантичным умом, он с трудом терпел причуды жены.

Линн и Роули называли миссис Джереми Клоуд Франсис, но миссис Лайонел Клоуд именовали «тетя Кэти». Они любили ее, хотя считали смешной и нелепой.

«Прием», устроенный по случаю возвращения Линн, был всего лишь семейным сборищем.

Тетя Кэти с любовью приветствовала племянницу:

— Ты так загорела, дорогая. Наверно, в Египте. Ты прочитала книгу о пророчествах пирамид, которую я послала тебе? Так интересно! Это все объясняет, не правда ли?

Линн избавило от ответа появление миссис Гордон Клоуд и ее брата Дэвида.

— Розалин, это моя племянница, Линн Марчмонт.

Линн, скрывая любопытство, посмотрела на вдову Гордона Клоуда.

Да, девушка, которая вышла замуж за старого Гордона Клоуда из-за его денег, была хорошенькой и выглядела простодушной, как говорил Роули. Черные волнистые волосы, темно-голубые ирландские глаза, полураскрытые губы...

Все остальное было в высшей степени дорогим — платье, драгоценности, наманикюренные руки, меховая накидка. Обладая изящной фигуркой, она тем не менее не умела носить дорогую одежду так, как носила бы ее Линн Марчмонт, если бы ей представилась такая возможность. («Но она никогда тебе не представится!» — шепнул ей внутренний голос.)

— Здравствуйте, — произнесла Розалин Клоуд и добавила, неуверенно повернувшись к стоящему рядом мужчине: — Это... это мой брат.

Дэвид Хантер тоже поздоровался. Это был худощавый молодой брюнет с темными глазами, дерзким и вызывающим лицом.

Линн сразу поняла, почему он так не нравится всем Клоудам. За рубежом она не раз встречала мужчин такого типа — бесшабашных и довольно опасных. На них невозможно полагаться — они сами устанавливали для себя законы и плевать хотели на всю вселенную. Такие люди многого стоили в бою, но, не находясь на линии огня, доводили своих командиров до белого каления.

— Вам нравится жить в «Фарроубэнке»? — обратилась Линн к Розалин Клоуд.

— По-моему, дом просто чудесен, — ответила та.

— Бедняга Гордон неплохо устроился, — с усмешкой произнес Дэвид Хантер. — Он не жалел расходов.

Это соответствовало действительности. Когда Гордон решил обосноваться в Уормсли-Вейл — точнее, проводить здесь малую часть своей деловой жизни, — он построил себе новый дом, будучи слишком большим индивидуалистом, чтобы жить в здании, насыщенном духом предыдущих обитателей.

Гордон нанял молодого модного архитектора и дал ему карт-бланш. Половина жителей Уормсли-Вейл считала «Фарроубэнк» чудовищным сооружением: прямоугольные очертания, встроенная мебель, скользящие двери, стеклянные столы и стулья приводили их в ужас. Только ванные вызывали искреннее восхищение.

На лице Розалин был написан благоговейный восторг. Усмешка Дэвида заставила ее покраснеть.

— Вы демобилизовались из Женской вспомогательной службы, верно? — спросил Дэвид у Линн.

— Да.

Он скользнул по ней оценивающим взглядом, и она почувствовала, что краснеет.

Неизвестно откуда появилась тетя Кэти. У нее был дар материализоваться из пустоты — возможно, она научилась этому трюку на многочисленных спиритических сеансах.

— Ужин подан, — слегка запыхавшись, возвестила тетя Кэти и добавила как бы между прочим: — Думаю, лучше называть это ужином, чем обедом, чтобы не обманывать ничьих ожиданий. С продуктами стало так трудно. Мэри Луис говорит, что каждую неделю дает торговцу рыбой лишние десять шиллингов. По-моему, это аморально.

Лайонел тем временем разговаривал с Франсис Клоуд.

— Ну-ну, Франсис, — сказал он с нервным смешком. — Никогда не поверю, что ты в самом деле так думаешь... Пошли за стол.

Они направились в довольно убогую столовую — Джереми и Франсис, Лайонел и Кэтрин, Адела, Линн и Роули. Семейство Клоудов — и двое посторонних. Ибо Розалин, хотя и носила ту же фамилию, не стала, в отличие от Франсис и Кэтрин, настоящей Клоуд.

Она была здесь чужой и поэтому нервничала. А Дэвид... Дэвид выглядел изгоем — причем не только в силу необходимости, но и по собственному выбору. Линн размышляла об этом, садясь за стол.

Воздух был насыщен какими-то сильными эмоциями, подобными электрическому току. Неужели это ненависть? Во всяком случае, нечто разрушительное.

«Злоба и неприязнь ощущаются повсюду, — внезапно подумала Линн. — Я чувствую их с тех пор, как вернулась домой. Очевидно, это последствия войны. В поездах, в автобусах, в магазинах, среди клерков и даже фермеров. Полагаю, на заводах и шахтах еще хуже. Но здесь не просто злоба — она имеет конкретную причину. Неужели мы так ненавидим этих чужаков, забравших то, что мы считали своим? Нет — во всяком случае, пока что. Скорее всего, они ненавидят нас!»

Открытие так ее потрясло, что она принялась молча о нем размышлять, не замечая сидящего рядом Дэвида Хантера.

— Вы о чем-то задумались? — спросил он вскоре.

Его голос был добродушно-насмешливым, но Линн почувствовала угрызения совести. Чего доброго, он подумает, что у нее дурные манеры.

— Простите, — извинилась она. — Я думала о том, во что превратился мир.

— Как удручающе неоригинально! — холодно заметил Дэвид.

— Да, верно. Мы все стали слишком серьезными. И кажется, пользы от этого никакой.

— По-моему, куда практичнее стремиться к вреду, чем к пользе. За последние несколько лет мы придумали несколько удобных приспособлений для этой цели, включая pièce de rèsistance[1] — атомную бомбу.

— Об этом я и думала... О, я имею в виду не атомную бомбу, а злобу — холодную и практичную.

— Злобы в мире хоть отбавляй, — согласился Дэвид, — а вот что касается практичности... По-моему, ее было куда больше в средние века.

— О чем вы?

— О черной магии, восковых фигурках, колдовстве в полнолуние, чтобы навести порчу на соседское стадо или на самого соседа.

— Неужели вы верите в черную магию? — удивилась Линн.

— Возможно, нет, но в старину люди хотя бы старались причинить зло. А теперь... — Он пожал плечами. — Вам и вашей семье не хватит всей злобы мира, чтобы повредить Розалин и мне, верно?

Линн вздрогнула. Внезапно ей захотелось смеяться.

— Сейчас для этого немного поздновато, — вежливо заметила она.

Дэвид Хантер расхохотался. Казалось, разговор забавляет и его.

— Вы имеете в виду, что мы уже улизнули с добычей? Да, теперь к нам не подкопаешься.

— И это доставляет вам удовольствие?

— Куча денег? Разумеется.

— Я имею в виду не только деньги, но и нас.

— То, что мы одержали над вами верх? Ну, возможно. Ведь вы все не сомневались, что денежки старика практически у вас в кармане.

— Не забывайте, что нас годами приучали к этой мысли, — напомнила Линн. — Уговаривали не экономить, не думать о будущем, поощряли всевозможные планы и проекты.

«Вроде Роули с его фермой», — подумала она.

---

[1] Главное блюдо (фр.).

— Вас не приучили только к одному, — усмехнулся Дэвид.

— К чему?

— К тому, что на свете все непостоянно.

— Линн, — окликнула ее тетя Кэтрин, сидящая во главе стола. — Один из духов миссис Лестер — жрец периода четвертой династии. Он рассказал нам удивительные вещи! Мне нужно с тобой поговорить о Египте. Я уверена, он повлиял на твою психику.

— У Линн есть занятия поинтереснее, чем играть в эту суеверную чушь, — резко заметил доктор Клоуд.

— Ты просто предубежден, Лайонел, — вздохнула его жена.

Линн улыбнулась тете и некоторое время сидела молча. В ее ушах все еще звучали слова Дэвида: «На свете все непостоянно...»

Некоторые люди живут в таком мире — для них все чревато риском. К ним принадлежал и Дэвид Хантер. Это был не тот мир, в котором росла Линн, но тем не менее он чем-то привлекал ее.

Вскоре Дэвид с усмешкой осведомился:

— Мы с вами еще не в ссоре? Можем продолжать разговор?

— Конечно.

— Отлично. Вы по-прежнему злитесь на нас с Розалин за то, что мы завладели состоянием неправедным путем?

— Да, — решительно ответила Линн.

— Превосходно. И что же вы намерены делать?

— Купить немного воска и заняться черной магией.

Дэвид рассмеялся:

— Ну нет, это не для вас. Вы не из тех, кто полагается на устаревшие методы. Ваши методы будут вполне современными и, возможно, весьма эффективными. Но вам не удастся победить.

— Почему вы думаете, что будет война? Разве мы не смирились с неизбежным?

— Вы все ведете себя безупречно. Это очень забавно.

— За что вы нас так ненавидите? — тихо спросила Линн.

В темных бездонных глазах что-то блеснуло.

— Вряд ли я сумею вам объяснить.

— Думаю, что сумеете.

Несколько секунд Дэвид молчал, затем осведомился беспечным тоном:

— Почему вы собираетесь замуж за Роули Клоуда? Он ведь форменная дубина.

— Как вы можете так говорить? — резко отозвалась Линн. — Вы ведь ничего о нем не знаете.

— Что вы думаете о Розалин? — тем же тоном задал вопрос Дэвид.

— Она очень красива.

— И это все?

— Она не выглядит довольной жизнью.

— Верно, — согласился Дэвид. — Розалин не блещет умом. Она вечно всего боялась. Плывет по течению, а потом не знает, что ей делать. Рассказать вам о ней?

— Если хотите, — вежливо промолвила Линн.

— Хочу. Сначала течение занесло ее на сцену, где она, разумеется, не достигла особых успехов. Розалин присоединилась к третьеразрядной труппе, отправлявшейся тогда на гастроли в Южную Африку. В Кейптауне труппа осталась без средств к существованию. Потом Розалин выскочила замуж за правительственного чиновника из Нигерии. Нигерия ей не нравилась — и муж, по-моему, тоже. Если бы он был крепким парнем, выпивал и ее поколачивал, думаю, все было бы в порядке. Но он оказался интеллектуалом, державшим в африканской глуши большую библиотеку и любившим рассуждать на философские темы. Поэтому Розалин поплыла назад, в Кейптаун. Муж обошелся с ней достойно и выделил ей недурное содержание. Не знаю, дал ли бы он ей развод, так как был католиком, но, к счастью, умер от лихорадки. Розалин получила маленькую пенсию. Затем началась война, и течение занесло ее на корабль в Южную Америку. Там ей тоже не понравилось, но она попала на другой корабль, где

242

познакомилась с Гордоном Клоудом и которому поведала о своей печальной жизни. Они поженились в Нью-Йорке и жили счастливо две недели, после чего его убило бомбой, а Розалин достались большой дом, куча драгоценностей и солидный доход.

— Приятно, что у этой истории такой счастливый конец, — заметила Линн.

— Да, — кивнул Дэвид Хантер. — У Розалин нет ни капли ума, но ей всегда везло. Гордон Клоуд был крепким стариком. Ему было шестьдесят два, и он запросто мог протянуть лет двадцать или еще больше. Для Розалин это было бы не слишком весело, не так ли? Когда она вышла за него замуж, ей было двадцать четыре года, а сейчас только двадцать шесть.

— Она выглядит еще моложе, — сказала Линн.

Дэвид посмотрел на сидящую с другой стороны Розалин Клоуд. Она крошила хлеб, словно нервный ребенок.

— Пожалуй, — задумчиво произнес он. — Очевидно, причина в полном отсутствии ума.

— Бедняжка! — вырвалось у Линн.

Дэвид нахмурился.

— Нечего ее жалеть, — отрезал он. — Я позабочусь о Розалин.

— Надеюсь.

— А если кто-нибудь попробует ее обидеть, ему придется иметь дело со мной! Я знаю много способов вести войну — некоторые из них не вполне традиционные.

— Теперь мне предстоит выслушать вашу биографию? — холодно спросила Линн.

— В очень сокращенной редакции. — Он улыбнулся. — Когда началась война, я не считал себя обязанным сражаться за Англию — ведь я ирландец. Но мне, как всем ирландцам, нравится драка. Меня привлекала служба в десантных войсках — я неплохо позабавился, но был отчислен после тяжелого ранения в ногу. Потом поехал в Канаду, где какое-то время тренировал ребят. Я болтался без дела, когда получил из

Нью-Йорка телеграмму от Розалин, в которой она сообщала, что выходит замуж. В телеграмме не говорилось, что там есть чем поживиться, но я умею читать между строк. Я прилетел в Нью-Йорк, приклеился к счастливой паре и вернулся с ними в Лондон. И теперь... — Он дерзко улыбнулся. — «Моряк из морей вернулся домой». Это про вас. А «Охотник с гор вернулся домой» — это про меня...[1] В чем дело?

— Ни в чем, — ответила Линн.

Она поднялась вместе с остальными. Когда они перешли в столовую, Роули сказал ей:

— Ты, кажется, нашла общий язык с Дэвидом Хантером. О чем вы говорили?

— Ни о чем особенном, — отозвалась Линн.

Глава 5

— Дэвид, когда мы вернемся в Лондон? Когда мы уедем в Америку?

Завтракавший вместе с Розалин Дэвид Хантер с удивлением посмотрел на нее.

— Куда нам спешить? Чем тебе здесь плохо?

Он окинул быстрым взглядом комнату, где они сидели. «Фарроубэнк» построили на склоне холма, и из окон открывался вид на безмятежную панораму сонной английской деревни. На лужайке были посажены тысячи бледно-желтых нарциссов, которые уже почти отцвели, но золотистое покрывало еще оставалось.

Кроша в тарелку кусочек тоста, Розалин пробормотала:

— Ты обещал, что мы скоро поедем в Америку.

— Да, но это не так легко устроить. Существует очередность. У нас нет никаких особых деловых оснований. После войны все движется с трудом.

Дэвида раздражали собственные слова. Названные им причины были вполне реальными, но выглядели

---

[1] Игра слов: Х а н т е р — охотник (англ.).

предлогом. Его интересовало, казались ли они таковым сидящей напротив девушке. И почему ей внезапно так приспичило ехать в Америку?

— Ты сказал, что мы пробудем тут недолго, — настаивала Розалин. — Ты не говорил, что мы собираемся здесь поселиться.

— Чем тебе не по душе Уормсли-Вейл и «Фарроу-бэнк»?

— Ничем. Это все они...

— Клоуды?

— Да.

— В этом-то как раз самый смак, — сказал Дэвид. — Приятно смотреть на их самодовольные физиономии и видеть, как их гложет зависть и злоба. Не порть мне удовольствие, Розалин.

— Я не хочу, чтобы ты так говорил, — с тревогой произнесла она. — Мне это не нравится.

— Не вешай нос, дорогая! Нами достаточно помыкали. А Клоуды существовали беззаботно за счет братца Гордона — маленькие мухи присосались к большой. Всегда ненавидел эту породу.

— Нельзя ненавидеть людей, — возразила шокированная Розалин. — Это грешно.

— По-твоему, Клоуды тебя не ненавидят? Они были добры к тебе?

— Они не причинили мне никакого вреда, — с сомнением отозвалась Розалин.

— Но с радостью бы это сделали, малышка. — Он рассмеялся. — Если бы они не так дрожали за собственную шкуру, тебя однажды утром нашли бы с ножом в спине.

Она поежилась:

— Не говори такие ужасные вещи.

— Ну, может быть, это был бы не нож, а стрихнин в супе.

Розалин уставилась на него; ее губы дрожали.

— Ты шутишь...

Дэвид вновь стал серьезным:

— Не бойся, Розалин. Я о тебе позабочусь. Им придется иметь дело со мной.

— Если это правда, — запинаясь спросила она, — что они ненавидят нас... ненавидят меня... то почему бы нам не уехать в Лондон? Там мы были бы в безопасности — вдали от них.

— Деревня тебе на пользу, девочка. Ты ведь знаешь, что в Лондоне тебе становится хуже.

— Это было, когда его бомбили... — Розалин задрожала и закрыла глаза. — Я никогда этого не забуду...

— Еще как забудешь! — Дэвид осторожно взял ее за плечи и слегка встряхнул. — Выброси это из головы, Розалин. Ты была контужена, но теперь все кончено. Бомб больше нет. Не думай о них. Доктор сказал, что сельская жизнь и деревенский воздух пойдут тебе на пользу. Вот почему я держу тебя подальше от Лондона.

— В самом деле? А я подумала...

— Что ты подумала?

— Что ты хочешь быть здесь из-за нее, — медленно сказала Розалин.

— Из-за нее?

— Ты знаешь, о ком я. О той девушке, которая служила в армии.

Лицо Дэвида внезапно стало суровым.

— Линн Марчмонт?

— Она что-то значит для тебя, Дэвид?

— Линн — невеста этого тупоголового бычка, Роули.

— Я видела, как ты разговаривал с ней тем вечером.

— Ради Бога, Розалин...

— И ты ведь встречался с ней после этого, не так ли?

— Я столкнулся с ней возле фермы однажды утром, когда ездил верхом.

— И будешь сталкиваться снова.

— Конечно буду! Это крошечная деревушка. Тут шагу нельзя ступить, чтобы не наткнуться на кого-нибудь из Клоудов. Но если ты думаешь, что я влюбился в Линн Марчмонт, то ты ошибаешься. Она заносчивая и неприятная девица со злым языком. Пускай Роули с ней справляется. Нет, Розалин, она не в моем вкусе.

— Ты уверен, Дэвид? — с сомнением спросила девушка.

— Конечно уверен.

— Я знаю, ты не любишь, когда я гадаю на картах, — робко проговорила Розалин. — Но они говорят правду. Карты сказали, что девушка, приехавшая из-за моря, принесет нам несчастье. Потом в нашу жизнь войдет незнакомый брюнет — он тоже грозит бедой. Еще выпала карта, означающая смерть, и...

— Ох уж эти мне незнакомые брюнеты! — Дэвид рассмеялся. — Советую тебе держаться от них подальше. Сколько же в тебе суеверий! — Продолжая смеяться, он направился к двери, но, выйдя из дома, нахмурился и пробормотал: — Черт бы тебя побрал, Линн! Вернулась из-за моря и расстроила все планы. — Дэвид понимал, что намеренно идет туда, где надеялся встретить девушку, которую только что проклинал.

Розалин наблюдала, как он шагал по саду к калитке, выходящей на дорожку через поле. Потом она поднялась к себе в спальню и стала перебирать одежду в гардеробе. Ей нравилось трогать новое норковое манто — она и представить себе не могла, что у нее когда-нибудь будет такое. Розалин все еще была в спальне, когда горничная сообщила, что пришла миссис Марчмонт.

Адела сидела в гостиной, поджав губы. Ее сердце колотилось вдвое быстрее обычного. Она уже несколько дней пыталась заставить себя обратиться за помощью к Розалин, но со свойственной ей нерешительностью откладывала этот момент. А еще ее удерживало то, что отношение Линн внезапно изменилось. Теперь она категорически возражала против того, чтобы ее мать просила взаймы у вдовы Гордона.

Однако очередное письмо от управляющего банком, пришедшее этим утром, побудило миссис Марчмонт к решительным действиям. Больше мешкать было нельзя. Линн рано ушла из дому, и миссис Марчмонт видела идущего по полю Дэвида Хантера. Путь был свободен. Она хотела застать Розалин одну, справедливо рассудив, что в отсутствие брата с девушкой будет куда легче иметь дело.

Тем не менее миссис Марчмонт ужасно нервничала, ожидая в солнечной гостиной. Впрочем, ей стало немного легче, когда вошла Розалин, выглядевшая, как показалось миссис Марчмонт, еще более «полоумной», чем обычно. «Интересно, — подумала она, — это у нее после бомбежки или она всегда была такой?»

— Д-доброе утро, — запинаясь поздоровалась Розалин. — Пожалуйста, садитесь.

— Какой прекрасный день, — отозвалась Адела. — Взошли все мои ранние тюльпаны. А ваши?

Девушка рассеянно посмотрела на нее:

— Не знаю.

«Как вести себя с человеком, — думала миссис Марчмонт, — с которым нельзя говорить ни о садоводстве, ни о собаках — опорных пунктах всех сельских бесед?»

— Конечно, — заметила она, не сумев удержаться от язвительных ноток, — у вас так много садовников. Они за всем следят.

— Старый Маллард говорит, что ему нужны еще два помощника. Но рабочих рук по-прежнему не хватает.

Казалось, это ребенок повторяет слова, которые слышал от взрослых.

Она и впрямь походила на ребенка. Не в этом ли, думала Адела, заключается ее очарование? Не это ли привлекало проницательного бизнесмена Гордона Клоуда, сделав его слепым к ее глупости и отсутствию воспитания? Едва ли все дело было только во внешности. В конце концов, много красивых женщин безуспешно добивались его внимания.

Но детская наивность могла привлечь шестидесятидвухлетнего мужчину. Была ли эта наивность подлинной, или это всего лишь поза, оказавшаяся прибыльной и ставшая ее второй натурой?

— Боюсь, Дэвида сейчас нет... — сообщила Розалин.

Это привело в чувство миссис Марчмонт. Не следует упускать шанс — ведь Дэвид может вернуться. Слова застревали у нее в горле, но она заставила себя их произнести:

— Не могли бы вы мне помочь?

— Помочь? — Розалин выглядела удивленной и озадаченной.

— Понимаете... все очень осложнилось... Смерть Гордона многое изменила для всех нас...

«Что ты пялишься на меня, как идиотка? — с тоской подумала миссис Марчмонт. — Ты отлично знаешь, что я имею в виду! В конце концов, ты сама была бедной...»

В этот момент она искренне ненавидела Розалин. Ненавидела за то, что ей, Аделе Марчмонт, приходится сидеть здесь и выклянчивать деньги. Как же это нелегко!

Буквально за минуту ей вспомнились долгие часы беспокойных размышлений и неопределенных планов. Продать «Белый дом»? Но куда ей переехать? Ведь приобрести маленький, а тем более дешевый дом невозможно. Принимать у себя постояльцев? Но прислугу не сыщешь днем с огнем, а она в одиночку не справится с хозяйством и стряпней. Если бы ей помогала Линн — но Линн собирается замуж за Роули. Жить с Линн и Роули? Нет, она никогда на это не пойдет! Найти работу? Но какую? Кому нужна утомленная пожилая женщина, не имеющая специального образования?

Миссис Марчмонт услышала собственный голос. Он звучал воинственно, потому что она презирала себя.

— Я имею в виду деньги.

— Деньги? — переспросила Розалин.

В ее голосе слышалось искреннее удивление, как будто о деньгах она ожидала услышать в последнюю очередь.

Адела продолжила, с трудом выжимая из себя каждое слово:

— Я превысила кредит в банке и должна оплатить счета за ремонт в доме, а проценты мне еще не выплатили... Понимаете, мой доход уменьшился вдвое... Очевидно, это из-за налогов... Раньше нам помогал Гордон — оплачивал ремонт крыши, окраску стен и все прочее... К тому же он выделял нам содержание — раз в квартал клал деньги в банк... Пока он был жив, все было в порядке, а теперь... — Адела умолкла. Она ощущала стыд, смешанный с облегчением. В конце концов, худшее позади. Если девушка откажет, то ничего не поделаешь.

Розалин выглядела смущенной.

— О Боже, — растерянно пробормотала она. — Право, не знаю... Я никогда не думала... Конечно, я попрошу Дэвида...

Вцепившись в подлокотники стула, Адела решительно произнесла:

— А не могли бы вы сразу дать мне чек?

— Да... наверно, могла бы...

Розалин поднялась и с неуверенным видом подошла к письменному столу. Порывшись в ящиках, она наконец извлекла чековую книжку.

— Сколько мне выписать?

— Если можно, пятьсот фунтов...

«Пятьсот фунтов», — послушно написала Розалин. Адела почувствовала, что у нее гора свалилась с плеч. Победа оказалась совсем легкой! Она с испугом осознала, что ощущает не столько благодарность, сколько презрение. Розалин была невероятно простодушной.

Девушка встала из-за стола, подошла к ней и протянула чек. Казалось, теперь смущение испытывала только она.

— Надеюсь, здесь все правильно. Я так сожалею...

Адела взяла чек. На розовой бумаге было написано бесформенным детским почерком:

«Для миссис Марчмонт. Пятьсот фунтов. *Розалин Клоуд*».

— Это очень любезно с вашей стороны, Розалин. Благодарю вас.

— Что вы! Мне самой следовало догадаться...

— Большое спасибо, дорогая.

С чеком в сумочке Адела Марчмонт чувствовала себя другим человеком. Девушка в самом деле держалась очень мило, но продолжать разговор было как-то неловко. Адела попрощалась и удалилась. Повстречав на подъездной аллее Дэвида, она вежливо сказала: «Доброе утро» — и поспешила дальше.

Глава 6

— Что здесь делала эта Марчмонт? — поинтересовался Дэвид, войдя в дом.

— О, Дэвид, ей были очень нужны деньги. Я никогда не думала...

— И, полагаю, ты дала их ей? — Гнев в его взгляде смешивался с иронией. — Тебя нельзя оставлять одну, Розалин.

— Дэвид, я просто не могла ей отказать. В конце концов...

— Что — в конце концов? Сколько ты ей дала?

— Пятьсот фунтов, — прошептала Розалин.

К ее облегчению, Дэвид рассмеялся:

— Всего лишь блошиный укус!

— Что ты, Дэвид! Такая куча денег...

— Только не для нас, Розалин. Кажется, ты никогда не поймешь, что стала очень богатой женщиной. Тем не менее если она просила у тебя пятьсот фунтов, то ушла бы довольная, получив двести пятьдесят. Тебе следует научиться языку тех, кто просит взаймы.

— Прости, Дэвид, — пробормотала Розалин.

— За что, девочка моя? В конце концов, это твои деньги.

— Нет. Не совсем...

— Опять ты за свое! Гордон Клоуд умер, не успев составить завещание. Это называется удачей в игре. Мы с тобой выиграли, а остальные проиграли.

— Но это... несправедливо.

— Послушай, моя прекрасная сестричка Розалин, разве ты не наслаждаешься всем этим — большим домом, слугами, драгоценностями? Разве это не мечта, ставшая явью? Иногда мне кажется, что это сон и я вот-вот проснусь.

Девушка рассмеялась, и Дэвид успокоился. Он умел обращаться с Розалин. Досадно, что у нее такая чувствительная совесть, но тут уж ничего не поделаешь.

— Действительно, Дэвид, это похоже на сон или на кино. Конечно, я этим наслаждаюсь.

— Но мы должны хранить то, что имеем, — предупредил он ее. — Больше никаких подачек Клоудам, Розалин. У каждого из них куда больше денег, чем когда-либо было у нас с тобой.

— Наверно, ты прав.

— Где была Линн этим утром? — спросил Дэвид.

— Думаю, она ходила в «Плакучие ивы».

Значит — повидать этого олуха Роули. Его хорошее настроение моментально испарилось. Неужели Линн все-таки выскочит за него?

Выйдя из дома, Дэвид с мрачным видом зашагал среди цветущих азалий к калитке на вершине холма, откуда тянулась тропинка к ферме Роули.

Стоя у калитки, он увидел Линн Марчмонт, поднимающуюся по тропинке. После недолгих колебаний Дэвид воинственно выпятил подбородок и двинулся ей навстречу. Они поравнялись на середине склона.

— Доброе утро, — поздоровался Дэвид. — Когда свадьба?

— Вы уже спрашивали, — отозвалась Линн, — и отлично это знаете. В июне.

— И вы собираетесь через это пройти?

— Не знаю, что вы имеете в виду, Дэвид.

— Отлично знаете, — повторил он ее слова с презрительной усмешкой. — И что собой представляет этот ваш Роули?

— Он куда лучше вас. Попробуйте только его тронуть, если осмелитесь, — сердито произнесла Линн.

— Не сомневаюсь, что он лучше меня, но все-таки осмелюсь. Ради вас я осмелюсь на что угодно, Линн.

Несколько секунд девушка молчала.

— Вы не понимаете, что я люблю Роули? — наконец спросила она.

— Неужели любите?

— Да, люблю! — горячо заявила Линн.

Дэвид внимательно посмотрел на нее:

— Мы все видим себя такими, какими хотели бы быть. Вы видете себя влюбленной в Роули, живущей с ним здесь, всем довольной и не желающей трогаться с места. Но ведь это не настоящая Линн, верно?

— А какая тогда настоящая? Если уж на то пошло, то как выглядит настоящий Дэвид? Чего вы хотите от жизни?

— Мне бы следовало ответить, что я хочу безопасности и покоя после бурного моря. Но я в этом не уверен. Иногда я подозреваю, Линн, что и вы, и я жаждем бури. — Он угрюмо добавил: — Лучше бы вы никогда здесь не появлялись. Я был так счастлив до вашего появления.

— Разве теперь вы не счастливы?

Дэвид посмотрел ей прямо в глаза. Линн почувствовала непонятное возбуждение. Ее дыхание участилось. Еще никогда она так сильно не ощущала своеобразную мрачную привлекательность Дэвида. Внезапно он протянул руку, схватил ее за плечо и резко повернул...

Но его пальцы тотчас же разжались. Он смотрел поверх плеча Линн в сторону вершины холма. Повернув голову, она увидела, что привлекло его внимание, — через калитку над «Фарроубэнком» проходила женщина.

— Кто это? — резко спросил Дэвид.

— Кажется, Франсис, — ответила Линн.

— Франсис? — Он нахмурился. — Что ей нужно?

— Возможно, она просто зашла повидать Розалин.

— Моя дорогая Линн, мою сестру хотят повидать только те, кому что-нибудь нужно. Ваша мать уже приходила сегодня утром.

— Мама? — Девушка отпрянула. — Что ей тут понадобилось?

— А вы не знаете? Деньги!

— Деньги? — Линн вся напряглась.

— И она их получила, — добавил Дэвид. Теперь он улыбался холодной, жестокой улыбкой.

Только что они были так близки, а сейчас их разделяли целые мили непримиримых противоречий.

— Нет, нет, нет! — вскричала Линн.

— Да, да, да! — передразнил ее Дэвид.

— Я вам не верю! Сколько она взяла?

— Пятьсот фунтов.

Линн затаила дыхание.

— Интересно, сколько попросит Франсис? — задумчиво проговорил Дэвид. — Розалин даже на пять минут нельзя оставлять одну. Бедняжка не умеет сказать «нет».

— Кто еще к вам приходил?

Дэвид усмехнулся:

— Тетя Кэти влезла в долги — ничего особенного, всего-то двести пятьдесят фунтов, — но она боялась, что это дойдет до ушей доктора. Так как деньги ушли на уплату медиумам, это могло не вызвать у него сочувствия. Конечно, она не знала, что доктор тоже приходил просить взаймы.

— Что же вы должны о нас думать? — Неожиданно Линн повернулась и побежала вниз по направлению к ферме.

Дэвид нахмурился, глядя ей вслед. Она мчалась к Роули, словно почтовый голубь, летящий домой, и это разозлило его сильнее, чем он хотел себе признаться.

Дэвид снова посмотрел вверх и нахмурился.

— Нет, Франсис, — процедил он сквозь зубы. — Ты выбрала неудачный день.

Решительной походкой поднявшись на вершину холма, Дэвид прошел через калитку, мимо цветущих азалий, пересек лужайку и бесшумно шагнул в гостиную через французское окно как раз в тот момент, когда Франсис Клоуд говорила:

— Мне хочется, чтобы вы все поняли. Но видите ли, Розалин, это так трудно объяснить...

— Разве? — послышался голос за ее спиной.

Франсис Клоуд резко обернулась. В отличие от Аделы Марчмонт она не старалась застать Розалин одну. Необходимая ей сумма была слишком велика, чтобы рассчитывать, будто Розалин одолжит ее не посоветовавшись с братом. Франсис предпочла бы обсудить дело с Розалин и Дэвидом, чем давать последнему повод думать, будто она пыталась вытянуть из Розалин деньги во время его отсутствия.

Франсис не слышала, как вошел Дэвид Хантер, поглощенная стараниями убедительно изложить свою просьбу. При виде его она сразу поняла, что он по какой-то причине пребывает в весьма скверном расположении духа.

— Хорошо, что вы пришли, Дэвид, — быстро отреагировала Франсис. — Я как раз объясняла Розалин. Смерть Гордона поставила Джереми в крайне тяжелое положение, и я хотела попросить ее о помощи. Дело вот в чем...

Она продолжала бойко говорить. Речь идет о крупной сумме... Гордон на словах обещал поддержку... правительственные ограничения... закладные...

Дэвид невольно испытывал восхищение. Как же хорошо лжет эта женщина! История в высшей степени правдоподобная, но он был готов поклясться, что это неправда. Интересно, в чем же тогда состоит правда? Джереми влез в долги? Должно быть, ситуация в самом деле отчаянная, если он позволил Франсис так унижаться. Она слишком гордая женщина...

— Десять тысяч? — переспросил Дэвид.

— Это же целая куча денег! — испуганно прошептала Розалин.

— Да, конечно, — сразу же согласилась Франсис. — Иначе я бы не обратилась к вам. Но Джереми никогда бы не стал участвовать в этой сделке, если бы не рассчитывал на поддержку Гордона. К несчастью, Гордон умер так внезапно...

— Оставив вас в дураках? — неприятно усмехнулся Дэвид. — После беззаботной жизни у него под крылышком.

Глаза Франсис блеснули.

— Вы так образно выражаетесь...

— Вам известно, что Розалин не может прикасаться к основному капиталу — только к процентам. И она платит колоссальный подоходный налог.

— Знаю. Налоги сейчас ужасно высоки. Но ведь это можно как-нибудь устроить, не так ли? Мы все вернем...

Дэвид перебил ее:

— Это можно устроить, но мы не станем этого делать.

Франсис повернулась к девушке:

— Розалин, вы ведь такая великодушная...

Но Дэвид снова не дал ей договорить:

— Кем вы, Клоуды, считаете Розалин — дойной коровой? Все вы постоянно клянчите у нее деньги, а за ее спиной? Смеетесь над ней, презираете и ненавидите ее, желаете ей смерти...

— Неправда! — воскликнула Франсис.

— Вот как? Меня тошнит от вас всех, и ее тоже! Никаких денег вы не получите, так что перестаньте ходить сюда и хныкать! Понятно? — Его глаза потемнели от гнева.

Франсис поднялась. Черты ее лица стали деревянными и безжизненными. Она натягивала замшевую перчатку с напряженным вниманием, как будто это было необычайно важным делом.

— Вы изложили вашу позицию абсолютно ясно, Дэвид, — сказала она.

— Я очень сожалею... — пробормотала Розалин.

Франсис не обращала внимания на девушку, словно ее не было в комнате. Она шагнула к окну и остановилась, глядя на Дэвида.

— Вы сказали, что я презираю Розалин. Это неправда. Я презираю не ее, а вас.

— Что вы имеете в виду? — сердито осведомился он.

— Женщины должны как-то существовать. Розалин вышла замуж за очень богатого человека намного старше ее. Почему бы и нет? Но вы-то живете в роскоши за счет вашей сестры...

— Я стою между ней и стаей хищников.

Они смотрели друг другу в глаза. Дэвид видел, что в душе Франсис Клоуд бушует гнев, и понимал, что эта женщина — опасный враг, который умеет быть безжалостным и неразборчивым в средствах.

Когда Франсис открыла рот, чтобы заговорить, он даже ощутил страх. Но она всего лишь произнесла:

— Я запомню то, что вы сказали, Дэвид. — И, пройдя мимо него, вышла через окно.

Дэвида не покидало чувство, что ее слова таят в себе угрозу.

Розалин заплакала.

— О, Дэвид, ты не должен был так с ней говорить. Из всех Клоудов только она была добра ко мне.

— Замолчи, дуреха! — свирепо рявкнул Дэвид. — Хочешь, чтобы они выдоили тебя до последнего пенни?

— Но эти деньги... если они действительно не мои... — Она попятилась под его взглядом. — Я... я не это имела в виду...

— Надеюсь.

«Все-таки совесть — скверная штука», — подумал Дэвид. Он не учел совестливости Розалин, и это было чревато проблемами в будущем. В будущем? Дэвид нахмурился, глядя на девушку. Какое будущее у него и Розалин? Он-то всегда знал, чего хочет, а вот она...

При виде его помрачневшего лица Розалин неожиданно вздрогнула:

— Я чувствую, словно кто-то ходит по моей могиле!

Дэвид с любопытством посмотрел на нее:

— Значит, ты понимаешь, что дело может дойти до этого?

— О чем ты, Дэвид?

— О том, что пять... шесть... даже семь человек намерены сделать все, чтобы ты сошла в могилу преждевременно!

— Ты ведь не имеешь в виду... убийство! — В ее голосе звучал ужас. — По-твоему, такие приятные люди, как Клоуды, на это способны?

— Очень может быть, что убийства совершают именно такие приятные люди, как Клоуды. Но они не смогут убить тебя, пока я за тобой присматриваю. Сначала им придется убрать с дороги меня. А вот если у них это получится, тогда берегись!

— Дэвид, не говори таких ужасных вещей!

— Слушай! — Он стиснул ее руку. — Если когда-нибудь меня здесь не окажется, будь осторожна, Розалин. Помни, жизнь — опасная штука. И по-моему, она особенно опасна для тебя.

Глава 7

— Роули, ты не мог бы одолжить мне пятьсот фунтов?

Роули уставился на Линн. Она стояла перед ним, слегка запыхавшись от бега, с бледным лицом и плотно сжатыми губами.

— Полегче, старушка, — произнес он успокаивающим тоном, словно обращаясь к лошади. — Что произошло?

— Мне нужно пятьсот фунтов.

— Если на то пошло, мне бы они тоже не помешали.

— Это серьезно, Роули. Не мог бы ты одолжить мне их?

— Вообще-то я сейчас поистратился. Этот новый трактор...

— Да-да. — Линн отмахнулась от сельскохозяйственных подробностей. — Но ты ведь мог бы раздобыть деньги в случае необходимости?

— Для чего они тебе, Линн? Ты что, залезла в долги?

— Деньги нужны мне для него. — Она кивнула в сторону большого квадратного здания на холме.

— Для Хантера? Какого черта...

— Мама заняла у него пятьсот фунтов. Она... у нее сейчас туго с деньгами.

— Понятно, — с сочувствием промолвил Роули. — Ей приходится нелегко. Я бы хотел помочь, но сейчас сам в таком же положении.

— Я не могу вынести, что она занимает деньги у Дэвида!

— Не волнуйся, старушка. Деньги дал не он, а Розалин. В конце концов, почему бы и нет?

— Почему? Ты еще спрашиваешь, Роули?

— Не вижу, почему Розалин не могла вам помочь. Старый Гордон посадил всех нас в лужу, окочурившись без завещания. Если объяснить Розалин ситуацию, она сама поймет, что должна прийти на помощь.

— Ты хоть не брал у нее взаймы?

— Нет, я — другое дело. Я не могу просить денег у женщины.

— Неужели ты не понимаешь, что мне не нравится быть... быть обязанной Дэвиду Хантеру?

— Но ты ему ничем не обязана. Это не его деньги.

— Фактически его. Розалин полностью у него под каблуком.

— Да, но по закону они ему не принадлежат.

— Значит, ты не можешь одолжить мне пятьсот фунтов?

— Послушай, Линн, если бы у тебя были серьезные неприятности — шантаж или долги, — я постарался бы продать землю или скот, но это была бы отчаянная мера. Я сам с трудом удерживаюсь на плаву. А тут еще не знаешь, что еще придет в голову этому чертову правительству, — оно только и делает, что чинит препятствия и забрасывает анкетами, которые иногда приходится заполнять до полуночи. Для одного человека это чересчур.

— Знаю, — кивнула Линн. — Если бы только Джонни не погиб...

— Оставь Джонни в покое! — внезапно рявкнул Роули. — Не говори о нем!

Линн изумленно уставилась на него. Его лицо побагровело. Казалось, он вне себя от ярости.

Линн повернулась и медленно побрела назад, к «Белому дому».

— Ты не могла бы вернуть эти деньги, мама?

— Что ты, дорогая! Я пошла с чеком прямо в банк, а потом заплатила Артурам, Боджему и Небуорту. Небуорт в последнее время вел себя просто оскорбительно. Боже, какое облегчение! Я уже несколько ночей не могла сомкнуть глаз. Право же, Розалин оказалась очень чуткой и понимающей.

— Полагаю, теперь ты будешь обращаться к ней снова и снова? — с горечью осведомилась Линн.

— Надеюсь, этого не понадобится, дорогая. Я буду стараться экономить. Но в наши дни все так дорого. Жизнь становится все хуже и хуже.

— Да, и мы вместе с ней. Уже начали попрошайничать.

Адела покраснела:

— Не слишком приятное выражение, Линн. Я объяснила Розалин, что мы всегда полагались на Гордона.

— И были не правы. Мы не должны были так поступать. — Помолчав, Линн добавила: — Он имеет право нас презирать.

— Кто?

— Этот мерзкий Дэвид Хантер.

— Право, — с достоинством промолвила миссис Марчмонт, — я не понимаю, какое имеет значение, что думает Дэвид Хантер. К счастью, сегодня утром его не было в «Фарроубэнке» — иначе он повлиял бы на эту девушку. Она совсем у него под каблуком.

Линн переминалась с ноги на ногу.

— Что ты имела в виду, мама, когда сказала в то утро после моего возвращения: «Если только он в самом деле ее брат»?

— Ах это! — Миссис Марчмонт выглядела слегка смущенной. — Ну, ходили разные сплетни...

Линн молчала, ожидая продолжения. Миссис Марчмонт кашлянула.

— У молодых охотниц за состоянием обычно имеется в запасе... ну, свой молодой человек. Предположим, Розалин сказала Гордону, что у нее есть брат, и телеграфировала этому человеку в Канаду, или где он там был. Он и объявился. Как мог знать Гордон, брат он ей или нет? Бедняга совсем потерял голову и верил каждому ее слову. «Братец» поехал с ними в Англию, а бедный Гордон так ничего и не заподозрил.

— Я этому не верю! — свирепо заявила Линн.

Миссис Марчмонт подняла брови:

— Право же, дорогая...

— Дэвид не такой! И Розалин тоже не такая! Возможно, она дурочка, но очень добрая. Просто у людей грязные мысли. Говорю тебе, я этому не верю!

— Вовсе незачем так кричать, — с достоинством заметила миссис Марчмонт.

Глава 8

Спустя неделю с поезда, прибывшего на станцию Уормсли-Хит в семнадцать двадцать, сошел высокий загорелый мужчина с рюкзаком.

На противоположной платформе группа игроков в гольф ожидала поезда в обратном направлении. Высокий бородатый человек с рюкзаком отдал свой билет и покинул станцию. Пару минут он стоял в нерешительности, потом увидел указатель с надписью «Пешеходная дорога в Уормсли-Хит» и направил стопы в эту сторону.

В «Плакучих ивах» Роули Клоуд как раз допил чашку чаю, когда тень, упавшая на кухонный стол, заставила его поднять взгляд.

На момент ему показалось, будто в дверях стоит Линн. Роули быстро понял свою ошибку, и его разочарование сменилось удивлением, когда он увидел, что это Розалин Клоуд.

На ней было сельское платье с яркими оранжевыми и зелеными полосами, мнимая простота которого стоила куда больше денег, чем Роули мог себе представить.

До сих пор Роули видел Розалин только в дорогой городской одежде, выглядевшей на ней несколько искусственно. Ему казалось, что она носит ее как манекенщица, демонстрирующая платья, которые принадлежат не ей, а фирме, где она служит.

Но, глядя на девушку в ярком крестьянском платье, он словно видел новую Розалин Клоуд. Стало более заметным ее ирландское происхождение — темные вьющиеся волосы и прекрасные синие глаза. В голосе также слышалось мягкое ирландское произношение, сменившее обычные, несколько жеманные интонации.

— Сегодня такой чудесный день, — сказала Розалин. — Вот я и вышла прогуляться. — И добавила: — Дэвид уехал в Лондон.

Последнюю фразу Розалин произнесла почти виновато. Слегка покраснев, она вынула из сумочки портсигар и предложила сигарету Роули. Тот покачал головой и стал искать спички, чтобы зажечь сигарету Розалин. Но девушка уже щелкала дорогой золотой зажигалкой — впрочем, без малейшего успеха. Роули взял у нее зажигалку и привел ее в действие одним щелчком. Когда она наклонилась к нему, чтобы зажечь сигарету, он обратил внимание на ее длинные черные ресницы и подумал: «Старый Гордон знал, что делал...»

Розалин шагнула назад.

— Какая славная телочка пасется у вас на верхнем поле, — заметила она.

Роули начал говорить о ферме. Интерес Розалин удивил его, но он выглядел искренним, и Роули вскоре обнаружил, что девушка разбирается в сельском хозяйстве. О производстве масла и сыра она рассуждала со знанием дела.

— Из вас могла бы получиться хорошая жена фермера, Розалин, — улыбаясь, заметил он.

Лицо девушки омрачилось.

— У нас была ферма в Ирландии, прежде чем я приехала сюда... прежде...

— Прежде чем вы стали актрисой?

Розалин промолвила с тоской и, как показалось Роули, чуть виновато:

— Это было не так уж давно... Я все хорошо помню. — Она добавила с внезапным воодушевлением: — Я даже могла бы подоить ваших коров, Роули.

Действительно, это была совсем другая Розалин. Одобрил бы Дэвид Хантер случайные упоминания о фермерском прошлом? Роули в этом сомневался. Дэвид старался создать впечатление, будто они происходят из старинного ирландского дворянского рода. Но Роули казалось, что версия Розалин ближе к истине. Примитивная сельская жизнь, потом соблазн сцены, труппа, гастролирующая в Южной Африке, брак, центральноафриканская глушь, бегство из нее, далее большой пробел и, наконец, второй брак с миллионером в Нью-Йорке...

Да, Розалин Хантер проделала немалый путь с тех пор, как доила ирландских коров. Но, глядя на нее, Роули едва мог в это поверить. Ее лицо имело простодушное, глуповатое выражение, какие бывают у людей, у которых вообще нет прошлого. И выглядела она куда моложе своих двадцати шести лет.

В ней ощущалось нечто трогательное и вызывающее жалость, как в тех телятах, которых Роули сегодня утром отвел к мяснику. Он смотрел на нее так же, как смотрел на них, думая: «Бедняги, как жаль, что их убьют...»

В глазах Розалин мелькнула тревога.

— О чем вы задумались, Роули? — с беспокойством спросила она.

— Хотите взглянуть на ферму и сыроварню?

— Конечно!

Роули, которого забавлял интерес девушки, показал ей ферму. Но когда он предложил ей чашку чаю, ее взгляд снова стал тревожным.

— Нет, благодарю вас, Роули... Я лучше пойду домой. — Она посмотрела на часы. — Господи, как поздно! Дэвид должен вернуться поездом в пять двадцать. Он удивится, что меня нет дома. Я... Мне надо спешить. — Розалин робко добавила: — Мне у вас очень понравилось, Роули.

Он подумал, что это правда. Она наслаждалась возможностью вести себя естественно, снова стать самой собой. Розалин явно побаивалась брата. Дэвид был мозгом семьи. Сегодня у нее оказалась свободной вторая половина дня — как у горничной. Ничего себе, богатая миссис Гордон Клоуд!

Роули мрачно улыбнулся, стоя у ворот и наблюдая, как девушка быстро поднимается на холм к «Фарроубэнку». Когда она приближалась к перелазу, через него перебрался какой-то мужчина. Сначала Роули подумал, что это Дэвид, но он был гораздо выше и массивнее. Розалин шагнула в сторону, пропуская его, затем легко перескочила через перелаз и пустилась дальше почти бегом.

Да, у девушки было свободное время, и она больше часа потратила на него, Роули Клоуда! Хотя, возможно, потратила не зря. Ему казалось, что он понравился Розалин. Это может оказаться полезным. Она хорошенькая — впрочем, бедные телята сегодня утром тоже выглядели такими симпатичными.

Погруженный в размышления, Роули вздрогнул, услышав голос, и резко обернулся.

На дорожке, по другую сторону ворот, стоял высокий мужчина в широкополой шляпе и с рюкзаком за плечами.

— Эта дорога в Уормсли-Вейл? — повторил он свой вопрос.

Роули с усилием отвлекся от своих мыслей.

— Да, идите по ней через поле, а когда дойдете до большой дороги, сверните налево и минуты через три доберетесь до деревни.

Теми же словами он сотни раз отвечал на этот вопрос. Люди шли по дорожке от станции, поднимались на холм, но, спустившись по другому склону, думали, что заблудились, не видя никаких признаков деревни, так как Блэкуэллская роща скрывала из виду Уормсли-Вейл. Деревня находилась в лощине, откуда виднелся только шпиль церкви.

Следующий вопрос был не столь обычным, но Роули и на него ответил не раздумывая:

— «Олень» или «Бубенчики и колпак». Обе гостиницы одинаково хороши или плохи. Думаю, и там, и там найдется свободная комната.

Вопрос заставил его повнимательнее приглядеться к незнакомцу. В эти дни люди обычно заранее заказывали гостиничный номер в любом месте, куда они собирались...

Перед ним стоял высокий бородатый мужчина с загорелым лицом и ярко-голубыми глазами. Выглядел он лет на сорок и был довольно красив — правда, в несколько своеобразном «бесшабашном» стиле. Тем не менее лицо его едва ли можно было назвать приятным.

Прибыл откуда-то из-за моря, подумал Роули. Действительно ли в его речи слышался колониальный акцент? Странно, но это лицо не выглядело абсолютно незнакомым...

Где же он видел его или похожего на него?

Пока Роули ломал себе голову над этой проблемой, незнакомец задал очередной вопрос:

— Не скажете, есть здесь дом под названием «Фарроубэнк»?

— Да, — ответил Роули. — На том холме. Вы проходили мимо него, если шли по дорожке от станции.

— Да, верно. — Мужчина повернулся и посмотрел вверх. — Значит, это «Фарроубэнк» — вон то белое новое здание?

— Да, это он.

— Здоровый домина, — заметил незнакомец. — Должно быть, его содержание стоит кучу денег.

«Еще какую, — подумал Роули. — И притом наших денег...» Вспышка гнева заставила его на момент забыть о собеседнике.

Взяв себя в руки, Роули увидел, что незнакомец по-прежнему задумчиво разглядывает холм.

— Кто там живет? — поинтересовался он. — Не миссис Клоуд?

— Она самая, — подтвердил Роули. — Миссис Гордон Клоуд.

Незнакомец поднял брови. Казалось, ответ его позабавил.

— Вот оно что? Миссис Гордон Клоуд? Очень рад за нее! Ну, спасибо, приятель.

Кивнув, мужчина поднял рюкзак и зашагал в сторону Уормсли-Вейл.

Все еще озадаченный, Роули медленно двинулся во двор своей фермы. Где же, черт возьми, он видел этого парня?

Вечером, около половины десятого, Роули отодвинул в сторону кипу анкет, лежащую на кухонном столе, и поднялся. Бросив рассеянный взгляд на фотографию Линн, стоящую на каминной полке, он нахмурился и вышел из дому.

Через десять минут Роули открыл дверь бара гостиницы «Олень». Беатрис Липпинкотт приветливо улыбнулась ему из-за стойки. Мистер Роули Клоуд казался ей видным мужчиной. За кружкой пива Роули обменивался с присутствующими обычными критическими замечаниями в адрес правительства, погоды и перспектив урожая.

Вскоре, чуть отойдя, Роули негромко спросил у Беатрис:

— Здесь сегодня не остановился крупный мужчина в широкополой шляпе?

— Да, мистер Роули. Пришел около шести. Вы про него спрашиваете?

Роули кивнул:

— Он проходил мимо моей фермы и спросил дорогу в деревню.

— Да, он вроде бы здесь впервые.

— Интересно, — промолвил Роули, — кто это такой? — Он с улыбкой посмотрел на Беатрис.

Та улыбнулась в ответ:

— Это нетрудно узнать, мистер Роули.

Она нырнула под стойку, достала толстый том в кожаном переплете, где регистрировались постояльцы, и открыла страницу со свежими записями. Последняя из них гласила: «Енох Арден. Кейптаун. Англичанин».

Глава 9

Было прекрасное утро. Пели птицы, и Розалин, спустившаяся к завтраку в своем дорогом сельском платье, чувствовала себя счастливой.

Сомнения и страхи, еще недавно одолевавшие ее, казалось, улетучились. Дэвид пребывал в хорошем настроении, смеясь и поддразнивая ее. Его вчерашний визит в Лондон прошел удовлетворительно. Завтрак был отлично приготовлен и сервирован. Они как раз закончили его, когда принесли почту. Семь-восемь писем для Розалин, счета, просьбы о пожертвованиях, несколько приглашений к соседям — в общем, ничего особенно интересного.

Отложив в сторону пару мелких счетов, Дэвид вскрыл третий конверт. Текст письма, как и адрес на конверте, были написаны печатными буквами:

«Дорогой мистер Хантер!

Я подумал, что лучше обратиться к Вам, чем к Вашей сестре, «миссис Клоуд», так как содержание этого письма может вызвать у нее потрясение. Коротко говоря, у меня есть новости о капитане Роберте Андерхее, которые она, возможно, будет рада услышать. Я остановился в «Олене», и, если Вы заглянете туда этим вечером, буду рад обсудить с Вами это дело.

Искренне Ваш

Енох Арден».

Из горла Дэвида вырвался сдавленный звук. Розалин посмотрела на него с улыбкой, которую сразу же сменило выражение тревоги.

— Что там, Дэвид?

Он молча протянул ей письмо. Девушка взяла его и прочитала.

— Но, Дэвид, я не понимаю... Что это значит?

— Ты ведь умеешь читать, верно?

Розалин бросила на него робкий взгляд:

— Но если это означает... Что нам делать?

Нахмурив брови, Дэвид быстро строил планы в уме.

— Все в порядке, Розалин, беспокоиться не о чем. Я этим займусь.

— Но ведь тут написано...

— Не волнуйся, девочка. Предоставь все мне. Послушай, вот что ты должна сделать. Упакуй чемодан, поезжай в Лондон и оставайся в квартире, пока не получишь от меня известий. Поняла?

— Да, конечно, но...

— Просто делай то, что я тебе говорю, Розалин. — Он ободряюще улыбнулся ей. — Иди упаковывать вещи. Я отвезу тебя на станцию. Ты можешь поспеть на поезд в десять тридцать две. Швейцару скажешь, что не хочешь никого видеть. Если кто-нибудь придет и будет тебя спрашивать, пусть он ответит, что тебя нет в городе. Дай ему фунт. Он никого не должен пускать к тебе, кроме меня.

— О! — Девушка прижала ладони к щекам, глядя на на него красивыми испуганными глазами.

— Положение запутанное, Розалин, а ты в таких делах не сильна. Поэтому я хочу, чтобы ты не путалась у меня под ногами и предоставила мне свободу действий, — вот и все.

— А я не могу остаться здесь, Дэвид?

— Конечно нет, Розалин. Будь благоразумной. Я должен разобраться с этим парнем, кто бы он ни был...

— Ты не думаешь, что он...

— В данный момент я ничего не думаю, — перебил ее Дэвид. — Прежде всего нужно убрать тебя отсюда, чтобы я мог уяснить наше положение. Так что будь хорошей девочкой и не спорь.

Розалин повернулась и вышла из комнаты.

Дэвид нахмурился, глядя на письмо, которое держал в руке.

Вежливое, грамотное послание, составленное в уклончивых выражениях, могло означать все, что угодно, — от искреннего желания помочь в неловкой ситуации до завуалированной угрозы. Он снова и снова вчитывался в фразы. Больше всего ему не нравились кавычки, в которые были заключены слова «миссис Клоуд».

Дэвид посмотрел на подпись. «Енох Арден». В голове у него шевельнулось смутное воспоминание — какие-то стихотворные строчки...

Когда Дэвид вечером вошел в холл «Оленя», там, как обычно, никого не было. На двери слева виднелась надпись «Кофейная», а на двери справа — «Комната отдыха». Табличка на двери подальше предупреждала: «Только для постояльцев». Коридор направо вел к бару, откуда доносился приглушенный гул голосов. На маленькой застекленной будке имелась надпись «Офис» и кнопка звонка возле скользящего окошка.

Дэвид знал по опыту, что иногда приходится звонить три или четыре раза, прежде чем кто-нибудь соблаговолит уделить вам внимание. За исключением кратких периодов приема пищи, холл «Оленя» был необитаем, как остров Робинзона Крузо.

На сей раз мисс Беатрис Липпинкотт вышла из бара после третьего звонка Дэвида и двинулась по коридору, поправляя золотистые волосы, пышно причесанные в стиле «помпадур». Скользнув в стеклянную будку, она приветствовала его вежливой улыбкой:

— Добрый вечер, мистер Хантер. Холодновато для этого времени года, не так ли?

— Да, очевидно. У вас остановился мистер Арден?

— Посмотрим. — В таких обстоятельствах мисс Липпинкотт всегда делала вид, будто сразу не может вспомнить, с целью придать «Оленю» большую значительность. — Да, мистер Енох Арден. 5-й номер на втором этаже. Вы его легко найдете, мистер Хантер. Поднимитесь по лестнице и идите не по галерее, а налево и вниз на три ступеньки.

Последовав этим сложным инструкциям, Дэвид постучал в дверь номера 5 и услышал ответ:

— Войдите.

Он повиновался, закрыв за собою дверь.

Выйдя из будки, Беатрис Липпинкотт позвала:

— Лили!

На зов откликнулась девица со светлыми глазами навыкате и, судя по открытому рту, страдающая аденоидами.

— Можешь подежурить немного, Лили? Я должна посмотреть, как дела с бельем.

— Да, мисс Липпинкотт. — Лили хихикнула и со вздохом добавила: — Мистер Хантер такой красивый, правда?

— Я насмотрелась на таких во время войны, — отозвалась мисс Липпинкотт тоном человека, уставшего от жизни. — Молодые летчики с авиабазы. Вели себя так, что волей-неволей приходилось принимать у них чеки без всякой уверенности, что они не поддельные. Но я умею различить настоящего джентльмена, Лили, даже если он водит трактор. — И с этим загадочным заявлением Беатрис начала подниматься по лестнице.

Войдя в комнату, Дэвид Хантер остановился и посмотрел на человека, именующего себя Енохом Арденом.

Лет сорока, порядком опустившийся — на вид крепкий орешек. Помимо этого, в нем не так легко разобраться. Темная лошадка.

— Привет, — заговорил Арден. — Вы Хантер? Отлично. Присаживайтесь. Что будете пить? Виски?

Удобно устроился, подумал Дэвид. На столике несколько бутылок, в камине ярко горит огонь, отнюдь не лишний холодным весенним вечером. Одежда не английского покроя, но носит он ее так, как носят англичане. Возраст тоже подходящий...

— Спасибо, — поблагодарил Дэвид. — Я бы выпил виски.

— Скажете когда.

— Сейчас. И поменьше содовой.

Они напоминали двух псов, ходящих кругами и готовых в любой момент дружелюбно завилять хвостами или с рычанием ринуться в драку.

— Ваше здоровье, — произнес Арден.

— Взаимно.

Они поставили стаканы, слегка расслабившись. Первый раунд подошел к концу.

— Вас удивило мое письмо? — спросил Арден.

— Откровенно говоря, — отозвался Дэвид, — я ничего в нем не понял.

— Да неужели? Хотя вполне возможно.

— Кажется, — продолжал Дэвид, — вы знали первого мужа моей сестры — Роберта Андерхея?

— Да, я хорошо знал Роберта. — Арден улыбался, лениво пуская в потолок клубы дыма. — Пожалуй, даже очень хорошо. Вы никогда с ним не встречались, верно, Хантер?

— Никогда.

— Ну, может быть, это и к лучшему.

— Что вы имеете в виду? — резко осведомился Дэвид.

— Это все упрощает, дружище, — беспечно откликнулся Арден. — Простите, что пригласил вас сюда, но

270

я подумал, что лучше... — он сделал паузу, — лучше не посвящать в это Розалин. Незачем причинять ей ненужную боль.

— Вы не возражаете перейти к делу?

— Разумеется. Вы когда-нибудь подозревали, что в смерти Андерхея было нечто... ну, скажем, сомнительное?

— О чем вы?

— У Андерхея были довольно странные идеи. Возможно, из-за рыцарской натуры, а возможно, по совсем другой причине, но допустим, что в определенный момент несколько лет назад ему стало выгодно, чтобы его посчитали мертвым. Он всегда умел расположить к себе туземцев и без труда мог уговорить их поведать о его кончине со всеми подробностями. Ему оставалось бы только объявиться где-нибудь за тысячи миль под другим именем.

— Мне это предположение кажется абсолютно фантастическим, — сказал Дэвид.

— В самом деле? — Улыбнувшись, Арден наклонился вперед и похлопал Дэвида по колену. — А что, если это правда?

— В таком случае я бы потребовал четких доказательств.

— Вот как? Ну, неопровержимых доказательств, возможно, нет. Как бы вы отнеслись к тому, если бы сам Андерхей появился здесь — в Уормсли-Вейл? Для вас этого было бы достаточно?

— По крайней мере, это было бы убедительно, — сухо отозвался Дэвид.

— Да, убедительно, но несколько неловко — для миссис Гордон Клоуд. Потому что тогда она перестанет быть таковой. Вы должны признать, что возникнет неловкая ситуация.

— Моя сестра вышла замуж без всяких дурных намерений.

— Конечно, приятель. Я ни минуты в этом не сомневаюсь. Любой судья скажет, что ее не в чем упрекнуть.

— Судья? — резко переспросил Дэвид.

— Я имел в виду двоемужие, — виноватым тоном объяснил Арден.

— Куда вы клоните? — свирепо осведомился Дэвид.

— Не стоит так возбуждаться, старина. Нам с вами нужно только поразмыслить и найти лучший выход — лучший для вашей сестры. Никому не нравится ворошить грязное белье на людях. Как я говорил, у Андерхея всегда была рыцарская натура. — Он сделал паузу. — Была и есть.

— Есть?

— Вы не ослышались.

— Вы заявляете, что Роберт Андерхей жив. Где же он теперь?

Арден доверительно понизил голос:

— Вы в самом деле хотите это знать, Хантер? Может быть, лучше пребывать в неведении? Насколько известно вам и Розалин, Андерхей умер в Африке. Если он жив, то понятия не имеет, что его жена снова вышла замуж. В противном случае он сразу бы объявился... Видите ли, Розалин унаследовала от второго мужа солидную сумму, а если ее первый муж жив, она не имеет никакого права на эти деньги... У Андерхея было хорошо развито чувство чести — ему бы не понравилось, что она получила наследство на ложных основаниях. — Арден немного помолчал. — Но вполне возможно, что Андерхей ничего не знает о ее втором браке. Бедняга в очень скверном состоянии.

— В каком смысле?

Арден печально покачал головой:

— У него плохо со здоровьем. Он нуждается в медицинском уходе и специальном курсе лечения — к несчастью, очень дорогом.

Последнее слово было произнесено без всякого подчеркивания, но именно его Дэвид Хантер подсознательно ожидал.

— Дорогом? — переспросил он.

— Увы, все стоит денег. Бедный Андерхей практически без гроша. У ниго ничего нет, кроме того, что на нем надето...

Глаза Дэвида быстро скользнули по комнате. Он заметил висящий на стуле рюкзак, но не увидел никаких чемоданов.

— Интересно, — мрачно промолвил Дэвид, — действительно ли Роберт Андерхей такой рыцарь, каким вы его воображаете?

— Он был таким, — заверил его Арден. — Но жизнь часто превращает людей в циников. — И, помолчав, вкрадчиво добавил: — Гордон Клоуд был очень состоятельным человеком. Зрелище чрезмерного богатства пробуждает низменные инстинкты.

Дэвид поднялся:

— Вот вам мой ответ. Убирайтесь к дьяволу!

Арден благожелательно улыбнулся:

— Так и думал, что вы это скажете.

— Вы грязный шантажист! Можете ваше вранье хоть в газетах публиковать!

— Похвальное чувство. Но от публикации не будет толку ни вам, ни мне. Если вы не купите мой товар, я найду других покупателей.

— Каких?

— Клоудов. Предположим, я скажу им: «Не будет ли вам интересно узнать, что покойный Роберт Андерхей и не думал умирать?» Они сразу же на это клюнут.

— Вам ничего из них не вытянуть, — с презрением проговорил Дэвид. — Они все разорены.

— Да, но существует такая вещь, как предварительное соглашение. Они платят такую-то сумму наличными в тот день, когда будет доказано, что Андерхей жив, что миссис Гордон Клоуд все еще миссис Роберт Андерхей и что, следовательно, завещание Гордона Клоуда, составленное до брака, по-прежнему действительно.

Пару минут Дэвид молчал, потом спросил напрямик:

— Сколько?

Ответ был таким же откровенным:

— Двадцать тысяч.

— И речи быть не может! Моя сестра не имеет права прикасаться к капиталу — она распоряжается только процентами.

— Тогда десять тысяч. Такую сумму она легко сможет раздобыть. Ведь у нее имеются драгоценности, не так ли?

Дэвид снова погрузился в молчание.

— Хорошо, — неожиданно согласился он.

Какой-то момент Арден казался растерянным, словно его удивила легкая победа, затем предупредил:

— Никаких чеков. Только наличными.

— Вы должны дать нам время достать деньги.

— Я дам вам двое суток.

— Лучше до следующего вторника.

— Ладно. Деньги принесете сюда. — И прежде чем Дэвид успел ответить, сказал: — Я не стану встречаться с вами в уединенной роще или на пустынном речном берегу. Вы принесете деньги в «Олень» в следующий вторник в девять вечера.

— Боитесь за свою шкуру?

— Просто я осторожен. И знаю таких, как вы.

Дэвид вышел из комнаты и спустился по ступенькам. Его лицо почернело от гнева.

Вскоре после этого из комнаты под номером 4 вышла Беатрис Липпинкотт. Между двумя соседними номерами существовала дверь, которую трудно было заметить находящимся в 5-м номере, так как ее прикрывал гардероб.

Щеки мисс Липпинкотт порозовели, глаза возбужденно блестели. Она пригладила волосы дрожащей от приятного волнения рукой.

Глава 10

«Шепердс-Корт» в Мэйфере был большим зданием с роскошными квартирами. Не пострадавшие от вражеской авиации, они тем не менее не могли содержаться на довоенном уровне. Обслуживание значительно ухудшилось. Там, где раньше стояли два швейцара в ливреях, теперь остался лишь один. Ресторан все еще функционировал, но в апартаменты посылали только завтраки.

Квартира, арендуемая миссис Гордон Клоуд, находилась на четвертом этаже. Она состояла из гостиной с встроенным коктейль-баром, двух спален со стенными шкафами и великолепно оборудованной ванной, сверкающей кафелем и хромом.

Дэвид Хантер мерил шагами гостиную, а Розалин наблюдала за ним, сидя на большом диване. Она выглядела бледной и испуганной.

— Шантаж! — бормотал Дэвид. — Господи, неужели такой человек, как я, позволит себя шантажировать?

Розалин недоуменно покачала головой.

— Если бы я знал, — твердил Дэвид. — Если бы я только знал!

С дивана послышалось жалобное всхлипывание.

— Вот что значит работать в темноте — с завязанными глазами... — Дэвид круто повернулся: — Ты отнесла эти изумруды на Бонд-стрит к старому Грейторексу?

— Да.

— Сколько он за них дал?

— Целых четыре тысячи фунтов, — ответила потрясенная Розалин. — Он сказал, что, если бы я не продала камни, их пришлось бы снова застраховать.

— Да, цена на драгоценные камни удвоилась. Конечно, мы сможем достать деньги. Но если мы заплатим, из нас будут пить кровь до самой смерти!

— Давай уедем из Англии, — предложила Розалин. — Разве мы не можем отправиться в Ирландию, в Америку — куда угодно?

Дэвид посмотрел на нее:

— Ты не боец, Розалин. Твой девиз — «Беги, пока цела», верно?

— Мы были не правы, — всхлипывала Розалин. — Все это было несправедливо и грешно.

— Только не становись благочестивой — я этого не вынесу! Мы так хорошо устроились, Розалин. Впервые в жизни я жил как следует — и не собираюсь упускать все псу под хвост, понятно? Если бы только

275

не эта чертова борьба вслепую! Ты ведь понимаешь, что все это может оказаться блефом? Возможно, Андерхей давно похоронен в Африке, как мы всегда думали.

Она поежилась:

— Не надо, Дэвид. Ты меня пугаешь.

При виде панического ужаса на ее лице Дэвид сразу же изменил поведение. Он подошел к Розалин, сел рядом и взял ее ледяные руки в свои.

— Не бойся. Только предоставь все мне и делай то, что я говорю, ладно?

— Я всегда так делала, Дэвид.

— Верно. — Он засмеялся. — Мы справимся — можешь не сомневаться. Я найду способ вырвать жало у мистера Еноха Ардена.

— По-моему, Дэвид, есть какое-то стихотворение про человека, который вернулся домой...

— Да-да, — прервал он. — Это и не дает мне покоя... Но я разберусь, в чем тут дело.

— Ты отнесешь ему деньги во вторник? — спросила Розалин.

Дэвид кивнул:

— Пять тысяч. Скажу, что не смог достать все сразу. Но я должен помешать. ему обратиться к Клоудам. Скорее всего, это была просто угроза, но кто знает... — Он умолк, его взгляд стал отсутствующим, но мозг напряженно работал, обдумывая и отвергая разные возможности. Внезапно Дэвид снова рассмеялся. Это был веселый, бесшабашный смех, который могли бы узнать некоторые люди, не будь они мертвы... Это был смех человека, пускающегося в рискованное и опасное предприятие, — в нем слышались радость и вызов. И он сказал: — Слава Богу, Розалин, что я могу полностью на тебя положиться.

— Положиться? — Она устремила на него вопросительный взгляд своих больших темно-голубых глаз. — В чем?

— В том, что ты будешь делать все, как я тебе говорю. В этом, Розалин, секрет успешной операции. — Он опять засмеялся. — Операции «Енох Арден»!

Глава 11

Роули с удивлением вскрыл большой лиловый конверт. Кто мог писать ему, используя подобные канцелярские принадлежности, и где он умудрился их достать? Эти товары напрочь исчезли во время войны.

Роули начал читать письмо.

«Дорогой мистер Роули!

Надеюсь, Вы не сочтете это письмо дерзостью, но мне кажется, что здесь происходят вещи, о которых Вам следует знать. Речь идет о нашем разговоре в тот вечер, когда Вы пришли спросить о некоей особе. (Роули озадаченно посмотрел на подчеркнутые слова.) Если бы Вы заглянули в «Олень», я с радостью рассказала бы Вам о ней кое-что. Мы все здесь считаем просто постыдным то, что произошло с деньгами Вашего дяди после его смерти.

Надеюсь, Вы не будете на меня сердиться, но считаю, Вы должны знать, что тут творится.

Всегда Ваша

Беатрис Липпинкотт».

Роули задумчиво уставился на послание. Что, черт возьми, все это значит? Он знал Беатрис всю свою жизнь — покупал табак в лавке ее отца и болтал с нею за стойкой бара. Она была миловидной девушкой. Роули вспомнил, что еще в детстве слышал разговоры о ее годичном отсутствии в Уормсли-Вейл. Ходили слухи, будто Беатрис уехала рожать незаконного ребенка. Может, так оно и было, а может, и нет. Во всяком случае, сейчас она стала в высшей степени респектабельной, хотя любила поболтать и посмеяться.

Роули посмотрел на часы. Пожалуй, лучше сразу отправиться в «Олень». К дьяволу все эти анкеты! Он хочет узнать поскорее, что Беатрис так не терпится ему сообщить.

Было начало девятого, когда он открыл дверь бара. Послышались обычные приветствия. Роули подошел к стойке и заказал пиво. Беатрис улыбнулась ему:

— Добрый вечер, мистер Роули.

— Добрый вечер, Беатрис. Спасибо за вашу записку.

Она бросила на него быстрый взгляд:

— Я сейчас к вам подойду, мистер Роули.

Он кивнул и задумчиво потягивал пиво, пока Беатрис заканчивала обслуживать других клиентов. Вскоре она позвала Лили, и та сменила ее.

— Пожалуйста, пойдемте со мной, мистер Роули.

Беатрис повела его по коридору к двери с надписью: «Частная квартира». За ней находилась комнатушка, заполненная китайскими орнаментами и плюшевыми креслами, на спинке одного из которых валялась довольно потрепанная кукла Пьеро.

Беатрис Липпинкотт выключила громыхавшее радио и указала на кресло.

— Я так рада, что вы пришли, мистер Роули. Надеюсь, вы не сердитесь, что я вам написала, но я весь уик-энд об этом думала и решила, что вы должны все знать. — Она выглядела возбужденной и явно довольной собой.

— О чем? — с любопытством спросил Роули.

— Помните того джентльмена, мистер Роули, который здесь остановился и о котором вы спрашивали, — мистера Ардена?

— Ну?

— Это случилось следующим вечером. Мистер Хантер пришел и спросил о нем.

— Мистер Хантер? — Заинтересованный, Роули выпрямился в кресле.

— Да, мистер Роули. Я ответила, что мистер Арден в номере 5, а мистер Хантер кивнул и сразу поднялся. Должна сказать, меня это удивило, так как мистер Арден не упоминал, что у него есть знакомые в Уормсли-Вейл, поэтому я считала само собой разумеющимся, что он здесь посторонний и никого не знает. Мистер Хантер выглядел очень мрачным, как будто что-то его расстроило, но тогда я, конечно, ничего такого не подумала...

Она сделала паузу, чтобы перевести дух. Роули молча слушал. Он никогда никого не торопил. Если людям нравилось тянуть время, то это их дело.

— Вскоре я поднялась в 4-й номер проверить полотенца и постельное белье, — с достоинством продолжила Беатрис. — Он находится рядом с 5-м, и между ними есть дверь — правда, в 5-м номере она не видна, так как задвинута с той стороны гардеробом. Конечно, эта дверь всегда закрыта, но в тот раз она оказалась чуть приоткрытой, хотя я понятия не имею, кто это сделал!

Роули снова промолчал и только кивнул.

Несомненно, дверь открыла сама Беатрис. Она была очень любопытной и специально поднялась в 4-й номер послушать, что происходит в соседней комнате.

— Таким образом, мистер Роули, я волей-неволей услышала, о чем там говорят. Право, я была так ошеломлена, что свалилась бы в обморок, если бы на меня подули!

«Дуть пришлось бы долго», — подумал Роули.

С бесстрастным, почти тупым выражением лица он выслушал краткое повествование Беатрис о подслушанном разговоре. Закончив рассказ, она выжидающе посмотрела на него.

Прошло две минуты, прежде чем Роули вышел из транса и встал.

— Благодарю вас, Беатрис, — произнес он. — Большое спасибо.

С этими словами он вышел из комнаты.

Беатрис была разочарована. Ей казалось, что мистер Роули мог бы сказать еще что-нибудь.

Глава 12

Выйдя из «Оленя», Роули машинально направил стопы к дому, но, пройдя несколько сот ярдов, внезапно остановился и повернул назад.

Он был тугодумом, и до него только теперь начал доходить истинный смысл рассказа Беатрис. Если ее версия услышанного правильная, — а Роули не сомневался, что в основном это так, — значит, возникла ситуация, непосредственно касающаяся всех членов семьи Клоуд. Лучше всего в ней мог разобраться дядя Джереми. Как адвокат, Джереми Клоуд должен знать, как лучше воспользоваться этой удивительной информацией и какие шаги следует предпринять. И хотя Роули предпочел бы действовать самостоятельно, он вынужден был признать, что надежнее посоветоваться с проницательным и опытным юристом. Причем чем скорее Джереми узнает об этом, тем лучше. Поэтому Роули тут же направился к дому своего дяди на Хай-стрит.

Маленькая горничная, открывшая ему дверь, сообщила, что мистер и миссис Клоуд еще обедают. Она предложила проводить его в столовую, но Роули сказал, что подождет в кабинете Джереми, пока они закончат. Ему не хотелось вовлекать в это дело Франсис. Пока они не решат, как им действовать, чем меньше людей будет в курсе, тем лучше.

Роули бродил взад-вперед по кабинету дяди. На письменном столе лежала жестяная коробка с надписью: «Бумаги по делу покойного сэра Уильяма Джессами». На полках стояли книги по юриспруденции, а на столе — старые фотографии Франсис в вечернем платье и ее отца, лорда Эдуарда Трентона, в костюме для верховой езды. Еще одна фотография изображала молодого человека в военной форме — сына Джереми, Энтони, погибшего на войне.

Роули быстро заморгал и отвернулся. Сев в кресло, он уставился на фотографию лорда Эдуарда.

В столовой Франсис сказала мужу:

— Интересно, что понадобилось Роули?

— Возможно, он нарушил какие-то правительственные ограничения, — устало ответил Джереми. — Ни один фермер не в состоянии понять больше четверти формуляров, которые приходится заполнять. Роули совестливый парень — вот он и беспокоится.

— Он славный, но уж очень медлительный, — заметила Франсис. — Знаешь, я чувствую, что у них с Линн не все пойдет как надо.

— С Линн? — рассеянно пробормотал Джереми. — Ну да, конечно. Прости, я не могу сосредоточиться. Это постоянное напряжение...

— Не думай об этом, — быстро отреагировала Франсис. — Уверяю тебя, все будет в порядке.

— Иногда ты меня пугаешь, Франсис. Ты такая отчаянная. Не можешь понять...

— Я все понимаю и ни капельки не боюсь. Знаешь, Джереми, я даже получаю удовольствие.

— Именно это меня и беспокоит, дорогая, — вздохнул Джереми.

Франсис улыбнулась.

— Пошли, — сказала она. — Не заставляй нашего молодого фермера так долго ждать. Помоги ему заполнить форму тысяча сто девяносто девять, или какой там у нее номер.

Но когда они вышли из столовой, парадная дверь громко хлопнула. Эдна сообщила, что, по словам мистера Роули, он не мог больше ждать и что его дело было не особенно важным.

Глава 13

Во вторник во второй половине дня Линн Марчмонт отправилась на длительную прогулку. Ощущая растущее беспокойство и неудовлетворенность, она чувствовала необходимость как следует подумать.

Линн уже несколько дней не видела Роули. После довольно бурного расставания в то утро, когда она просила его одолжить ей пятьсот фунтов, они встретились как ни в чем не бывало. Линн понимала, что ее просьба была неразумной и что Роули имел все основания ответить отказом. Но благоразумие никогда не являлось привлекательным качеством для влюбленных. Внешне между ней и Роули все оставалось по-прежнему, но в глубине души Линн не была в этом уверена. Последние несколько дней казались ей удручающе монотонными, однако Линн даже самой себе не хотела признаваться, что это как-то связано с внезапным отъездом в Лондон

Дэвида Хантера и его сестры. Присутствие Дэвида создавало приятное возбуждение...

Что до родственников, то Линн находила их невыносимо докучливыми. За ленчем ее мать, пребывая в наилучшем расположении духа, расстроила Линн заявлением, что собирается поискать второго садовника.

— Старый Том уже еле справляется.

— Но, мама, мы не можем себе этого позволить! — воскликнула Линн.

— Чепуха. Не сомневаюсь, Линн, что Гордон очень огорчился бы, если бы мог видеть, как запущен сад. Он всегда требовал, чтобы газоны косили вовремя и дорожки поддерживали в хорошем состоянии. А посмотри, как все выглядит сейчас! Я чувствую, что Гордон сразу захотел бы привести сад в порядок.

— Даже если для этого нам пришлось бы занимать деньги у его вдовы?

— Но Розалин нисколько не возражала. Думаю, она хорошо меня поняла. После оплаты счетов у меня превосходный баланс в банке. А второй садовник мог бы обернуться для нас экономией. Подумай, сколько еще овощей мы могли бы вырастить.

— Мы можем покупать овощи куда дешевле, чем за лишних три фунта в неделю.

— Думаю, мы сумеем нанять кого-нибудь за меньшее жалованье. Сейчас много демобилизованных ищут работу. Так пишут в газетах.

— Сомневаюсь, что ты найдешь их в Уормсли-Вейл или в Уормсли-Хит, — сухо заметила Линн.

Хотя дальше разговоров дело не пошло, явная тенденция матери рассчитывать на Розалин как на постоянный источник поддержки тревожила Линн, напоминая о насмешливых словах Дэвида.

Поэтому она отправилась на прогулку, чтобы отогнать невеселые мысли.

Ее настроение не улучшила встреча с тетей Кэти возле почты. С другой стороны, тетя Кэти излучала бодрость.

— Думаю, дорогая Линн, скоро нас ожидают хорошие новости.

— О чем вы, тетя Кэти?

Миссис Клоуд многозначительно улыбнулась:

— Я получила удивительное сообщение. Нашим бедам скоро придет конец. Один раз меня постигла неудача, но я получила указание пробовать снова и снова... Не собираюсь выдавать никаких секретов, дорогая Линн, а тем более внушать ложные надежды, но я уверена, что очень скоро все будет в порядке. Давно пора. Я очень беспокоюсь о твоем дяде. Во время войны он слишком много работал. Ему нужно бросить практику и посвятить себя научным исследованиям, но он не может этого сделать, не имея подобающего дохода. Иногда у него случаются такие странные нервные срывы, что я очень тревожусь.

Линн задумчиво кивнула. Необычные перемены настроения Лайонела Клоуда не ускользнули от ее внимания. Она подозревала, что он иногда прибегает к наркотикам в качестве стимуляции, и опасалась, не стал ли ее дядя наркоманом. Это объяснило бы его непонятную раздражительность. Интересно, догадывается ли об этом тетя Кэти? Она ведь далеко не так глупа, как порой кажется, думала Линн.

Проходя по Хай-стрит, она заметила дядю Джереми, входящего к себе в дом. Ей показалось, что он как-то сильно постарел за последние три недели.

Линн ускорила шаг. Она хотела выбраться из Уормсли-Вейл на холмы и просторы. Быстрая ходьба обычно успокаивала ее. Хорошо бы пройти миль шесть-семь и все обдумать. Всю свою жизнь Линн была решительной и здравомыслящей. Она твердо знала, чего хочет и чего не хочет. До сих пор она еще никогда не удовлетворялась тем, чтобы просто плыть по течению...

Однако после демобилизации с ней происходило именно это. Существование без всякой цели и смысла. Ее внезапно охватила ностальгия по военному времени, когда обязанности были четко определены, а жизнь — строго распланирована, когда ей не приходилось самой принимать решения. Мысль об этом привела Линн в ужас. Неужели остальные чувствуют то же самое? Так вот что война делает с людьми! После физической опасности — мин в море, бомб с воздуха, свиста пули, когда едешь по пустынной дороге, — наступает опасность духовная: чувство, что жить было гораздо легче, когда не приходилось думать... Она, Линн Марчмонт, больше не была решительной девушкой с ясной головой. На военной службе ее мысли направлялись по четко определенному руслу. Теперь, снова став хозяйкой самой себе, она ужасалась полной неспособности разобраться в личных проблемах.

Линн криво усмехнулась. Странно, что газетный персонаж «домохозяйка», благодаря войне, неожиданно выдвинулся на передний план. Женщины, вынужденные использовать всю свою изобретательность, о которой они раньше и не подозревали, чтобы преодолевать бесчисленные препятствия и как-то выкручиваться, теперь могут отвечать за себя и за других. А она, Линн Марчмонт, умная, образованная, выполнявшая работу, которая требовала смекалки и усердия, сейчас не ощущает никакой опоры и — да, без этих ненавистных слов не обойтись — плывет по течению!

Иное дело люди, которые оставались дома, — например, Роули.

Мысли Линн сразу же переключились с общих проблем на личные. Она и Роули — вот настоящая, единственная проблема. Действительно ли она хочет выйти за него замуж?

Приближались сумерки — тени становились все длиннее. Линн сидела неподвижно у края рощицы на склоне холма, подперев руками подбородок и глядя на долину. Она потеряла счет времени, но испытывала странное нежелание возвращаться в «Белый дом». Внизу слева находились «Плакучие ивы», которые станут ее домом, если она выйдет за Роули. Если!.. Все снова и снова возвращается к этому!

Из леса с испуганным криком, похожим на детский плач, вылетела птица. В небо тянулся дым от проходящего поезда, принимая форму гигантского вопросительного знака.

«Выходить ли мне за Роули? Хочу ли я этого и хотела ли когда-нибудь? Могу ли я этого не делать?»

Поезд, пыхтя, исчезал в долине; дым постепенно рассеивался. Но вопросительный знак все еще маячил в голове Линн.

Она любила Роули, перед тем как пошла в армию. «Но теперь я изменилась, — думала Линн. — Я уже не та, что была раньше».

Ей на ум пришла строчка из стихотворения: «И жизнь, и мир, и я теперь другие...» А Роули? Роули все тот же.

Да, Роули не изменился. Он был таким же, каким она оставила его четыре года назад.

Так хочет ли она выйти за него замуж? Если нет, то чего вообще она хочет?

Позади затрещали ветки — кто-то пробирался сквозь рощу. Мужской голос выругался.

— Дэвид! — вскрикнула она.

— Линн! — Выбравшийся из подлеска Дэвид казался удивленным. — Что вы здесь делаете?

Он слегка запыхался от бега.

— Не знаю — просто сижу и думаю. — Она усмехнулась. — Наверно, уже поздно.

— Вы что, не знаете, сколько времени?

Линн рассеянно взглянула на часы:

— Они снова остановились. Очевидно, во мне есть какая-то сила, которая дезорганизует часовой механизм.

— И не только его! В вас слишком много электричества, энергии, самой жизни!

Дэвид шагнул к ней, и она быстро поднялась:

— Уже темно. Я должна возвращаться домой. Который теперь час, Дэвид?

— Четверть десятого. Мне нужно бежать со всех ног, чтобы поспеть на поезд в девять двадцать в Лондон.

— Я не знала, что вы вернулись сюда.

— Понадобилось взять кое-какие вещи из «Фарроу-бэнка». Но я должен спешить. Розалин одна в квартире, а она нервничает, если ей приходится ночью оставаться одной в Лондоне.

— В квартире с гостиничным обслуживанием? — В голосе Линн прозвучало презрение.

— Страх не знает логики, — резко отозвался Дэвид. — Когда попадаешь под бомбежку...

Линн почувствовала раскаяние.

— Простите. Я забыла.

— Да, это скоро забывается, — с внезапной горечью признал Дэвид. — Люди возвращаются туда, где были раньше, прежде чем начался этот кровавый спектакль! Забиваются в свои норки и снова чувствуют себя в безопасности! И вы, Линн, такая же, как остальные!

— Нет, Дэвид! — воскликнула она. — Я не такая! Я как раз думала о...

— Обо мне?

Его внезапный порыв испугал Линн. Он обнял ее, привлек к себе и поцеловал жадными, горячими губами.

— Роули Клоуд? Этот олух? Нет, Линн, клянусь Богом, ты принадлежишь мне! — Также неожиданно Дэвид отпустил ее, почти оттолкнув. — Я опоздаю на поезд. — И он побежал вниз по склону холма.

— Дэвид...

Повернувшись, Хантер крикнул:

— Я позвоню тебе, когда доберусь до Лондона!

Линн наблюдала, как исчезает в сгущающемся сумраке его легкая атлетическая фигура. Затем с колотящимся сердцем и хаосом в голове она медленно побрела домой.

Линн поколебалась, прежде чем войти, опасаясь вопросов матери — ее матери, одолжившей пятьсот фунтов у людей, которых презирала.

«Мы не имеем права презирать Дэвида и Розалин, — думала Линн, поднимаясь по лестнице и стараясь ступать бесшумно. — Мы такие же, как они, — готовы на все ради денег».

Она стояла в спальне, с любопытством разглядывая в зеркале свое лицо, казавшееся ей незнакомым.

Внезапно ее охватил гнев.

«Если бы Роули по-настоящему любил меня, — подумала Линн, — он бы как-нибудь достал для меня эти пятьсот фунтов, не позволил бы, чтобы я чувствовала унижение, будучи вынужденной принять их от Дэвида...»

Дэвид обещал позвонить ей из Лондона...

Линн спустилась вниз, шагая как во сне. «Сны, — думала она, — могут быть очень опасными...»

Глава 14

— Вот и ты, Линн. — Адела облегченно вздохнула. — Я не слышала, как ты вошла, дорогая. Ты давно вернулась?

— Да. Я была наверху.

— Ты лучше говори мне, когда возвращаешься. Я всегда нервничаю, если тебя нет после наступления темноты.

— Неужели ты думаешь, мама, что я не в состоянии о себе позаботиться?

— Знаешь, в газетах пишут такие ужасы! Демобилизованные солдаты нападают на девушек...

— Очевидно, девушки сами на это напрашиваются.

Линн криво усмехнулась. Да, девушки напрашиваются на риск... Неужели кому-то нравится чувствовать себя в безопасности?..

— Линн, дорогая, ты меня слушаешь?

Вздрогнув, Линн оторвалась от своих мыслей:

— О чем ты говорила, мама?

— О подружках на твоей свадьбе. Надеюсь, у них найдутся талоны. Тебе повезло, что у тебя остались твои демобилизационные. Мне так жаль девушек, которым приходится выходить замуж с обычными талонами. На них не купишь ничего нового. Я имею в виду не верхнюю одежду, а белье. Сейчас его достать просто невозможно. Да, Линн, тебе повезло.

— Ужасно повезло.

Линн ходила по комнате, машинально подбирая разные предметы и ставя их на место.

— Почему ты все теребишь, дорогая? Мне это на нервы действует.

— Прости, мама.

— Надеюсь, ничего не случилось?

— А что должно было случиться? — огрызнулась Линн.

— Не надо сердиться, дорогая. Так вот, насчет подружек невесты. Думаю, ты должна пригласить Джоан Макрей. Ее мать была моей лучшей подругой, и она может обидеться, если...

— Я всегда терпеть не могла Джоан Макрей.

— Знаю, дорогая, но какое это имеет значение? Я уверена, что Марджори обидится...

— Ведь это моя свадьба, мама, не так ли?

— Конечно, Линн, но...

— Если только она вообще состоится!

Линн не собиралась этого говорить. Слова вырвались сами собой. Она бы охотно взяла их обратно, но было уже поздно. Миссис Марчмонт испуганно уставилась на дочь:

— Линн, дорогая, что ты имеешь в виду?

— О, ничего, мама.

— Ты не поссорилась с Роули?

— Конечно нет. Не волнуйся, мама, все в порядке.

Но Адела с беспокойством смотрела на нахмуренное лицо дочери.

— Я всегда считала, что ты будешь в полной безопасности замужем за Роули, — жалобно промолвила она.

— А кому нужна безопасность? — с презрением огрызнулась Линн и резко повернулась. — Телефон?

— Нет. Ты ждешь звонка?

Линн покачала головой. Как унизительно ожидать, что тебе позвонят! Но Дэвид обещал... «Ты с ума сошла!» — сказала она себе.

Почему этот человек так ее привлекает? Его мрачное лицо стояло у нее перед глазами. Она пыталась отогнать видение, представляя себе круглую добродушную физиономию Роули, его спокойную улыбку, преданный взгляд. Но действительно ли Роули любит ее? Если да, то он должен был понять ее, когда она попросила у него пятьсот фунтов, а не быть таким ужасающе благоразумным и практичным. Выйти замуж за Роули, жить на ферме, никуда не уезжать, не видеть чужого неба, не ощущать экзотических запахов — никогда больше не быть свободной...

Зазвонил телефон. Затаив дыхание, Линн пересекла холл и подняла трубку.

На другом конце провода послышался тонкий голос тети Кэти:

— Это ты, Линн? О, я так рада. Боюсь, я напутала с собранием в институте...

Голос продолжал взволнованно щебетать. Линн слушала, вставляла замечания, успокаивала, принимала благодарности.

— Ты всегда так добра и так практична, дорогая Линн. Понять не могу, почему я вечно все путаю?

Линн тоже этого не понимала. Способность тети Кэти путать простейшие вещи граничила с гениальностью.

— Но я всегда говорила, — не унималась тетя Кэти, — что беда не приходит одна. Наш телефон испортился, и я вышла к автомату, а у меня не оказалось двухпенсовых монет — только по полпенни, — поэтому мне пришлось просить...

Голос наконец смолк. Линн положила трубку и вернулась в гостиную.

— Кто звонил? — бдительно осведомилась Адела Марчмонт.

— Тетя Кэти, — быстро ответила Линн.

— Что ей было нужно?

— Опять что-то перепутала.

Линн села с книгой, посматривая на часы. Еще слишком рано для звонка Дэвида. В пять минут двенадцатого телефон зазвонил вновь. Она медленно подошла к нему. Лучше не надеяться — возможно, это опять тетя Кэти...

— Уормсли-Вейл, 34? Мисс Линн Марчмонт звонят из Лондона.

Сердце Линн бешено забилось.

— У телефона мисс Марчмонт.

— Пожалуйста, не кладите трубку.

Послышались невнятные звуки, потом все стихло. Телефонная связь работает все хуже и хуже... Линн сердито постучала по микрофону и снова услышала женский голос — холодный и равнодушный:

— Положите трубку, пожалуйста. Вам позвонят позже.

Линн направилась в гостиную, но, когда открыла дверь, опять раздался звонок. Она поспешила назад, к телефону.

— Алло?

На сей раз послышался мужской голос:

— Уормсли-Вейл, 34? Мисс Линн Марчмонт звонят из Лондона.

— Я у телефона.

— Одну минуту. — Потом еле слышно: — Говорите, вас слушают.

Внезапно раздался голос Дэвида:

— Это ты, Линн?

— Дэвид!

— Я должен с тобой поговорить.

— Да?..

— Слушай, Линн, я думаю, мне лучше исчезнуть...

— Что ты имеешь в виду?

— Уехать из Англии. Это достаточно легко. Я говорил Розалин, что это трудно, только потому, что не хотел покидать Уормсли-Вейл. Но какой в этом толк? У нас с тобой ничего не получится. Ты прекрасная девушка, Линн, а что касается меня, то во мне всегда было что-то от мошенника. И не льсти себе, что я исправлюсь ради тебя. Я мог бы постараться, но из этого ничего бы не вышло. Нет, лучше выходи за этого работягу Роули. С ним ты будешь жить спокойно до конца дней, а я бы превратил твою жизнь в ад.

Она молчала, прижимая к уху трубку.

— Ты слушаешь, Линн?

— Да.

— Но ты ничего не говоришь.

— А что тут говорить?

Несмотря на разделяющие их мили, Линн физически ощущала его напряженность и возбуждение...

— Пускай все идет к черту! — И Дэвид положил трубку.

— А кто теперь звонил? — выйдя из гостиной, полюбопытствовала миссис Марчмонт.

— Ошиблись номером, — ответила Линн и стала быстро подниматься по ступенькам.

Глава 15

В традициях «Оленя» было будить постояльцев громким стуком в дверь и столь же громким сообщением, что сейчас восемь, половина девятого или другое назначенное ими время. Утренний чай приносили только по особому требованию и, звеня посудой, оставляли на циновке у двери.

В среду утром юная Глэдис постучала в дверь номера 5, крикнула: «Четверть девятого, сэр!» — и со стуком опустила поднос, в результате чего молоко пролилось из кувшина. После этого она пошла будить других и исполнять прочие обязанности.

Только в десять Глэдис обнаружила, что поднос все еще стоит на циновке у двери 5-го номера.

Она несколько раз постучала и, не получив ответа, вошла.

Постоялец из номера 5 не походил на джентльмена, способного проспать, и Глэдис вспомнила, что за окном находилась плоская крыша. «Возможно, — подумала она, — он сбежал, не оплатив счет».

Но человек, зарегистрировавшийся под именем Енох Арден, не сбежал. Он лежал на полу лицом вниз, и Глэдис, хотя и не разбиралась в медицине, сразу поняла, что он мертв.

Она с воплями выбежала из комнаты и понеслась вниз по лестнице, продолжая кричать:

— Мисс Липпинкотт! О, мисс Липпинкотт!..

Беатрис Липпинкотт сидела в своей комнате с доктором Лайонелом Клоудом, который перевязывал ей порезанную руку. Доктор уронил бинт и с раздражением обернулся, когда девушка ворвалась с криком:

— О, мисс!

— В чем дело? — сердито осведомился доктор.

— Что случилось, Глэдис? — спросила Беатрис.

— Джентльмен из номера 5, мисс... Он лежит на полу мертвый.

Доктор уставился на девушку, потом на мисс Липпинкотт. Последняя, в свою очередь, растерянно посмотрела на Глэдис, затем — на доктора.

— Чепуха, — неуверенно произнес доктор Клоуд.

— Мертвее не бывает! — заверила Глэдис и со смаком добавила: — У него вся голова разбита!

Доктор снова глянул на мисс Липпинкотт:

— Может быть, я лучше...

— Да, пожалуйста, доктор Клоуд. Но, по-моему, это просто невозможно...

Они поднялись наверх. Глэдис возглавляла процессию. Доктор Клоуд опустился на колени и склонился над неподвижной фигурой. Потом он поднял взгляд на Беатрис. Его поведение изменилось, став властным и решительным.

— Вам следует позвонить в полицейский участок, — сказал доктор.

Беатрис Липпинкотт вышла. Глэдис последовала за ней.

— О, мисс, вы думаете, что это убийство? — испуганно прошептала она.

Беатрис взволнованно пригладила золотистую шевелюру.

— Лучше придержи язык, Глэдис, — резко приказала она. — Если будешь называть это убийством, не зная, так ли оно на самом деле, тебя могут притянуть к суду за клевету. Да и «Оленю» сплетни не пойдут на пользу. — Смягчившись, Беатрис добавила: — Можешь приготовить себе чашку чаю — она тебе не помешает.

— Спасибо, мисс. У меня внутри все переворачивается! Вам я тоже принесу чай.

Беатрис не стала возражать.

Глава 16

Суперинтендант Спенс задумчиво смотрел на Беатрис Липпинкотт, сидевшую напротив него с плотно сжатыми губами.

— Благодарю вас, мисс Липпинкотт, — сказал он. — Это все, что вы можете вспомнить? Я распоряжусь отпечатать ваши показания, чтобы вы их прочитали и, если у вас не будет возражений, подписали.

— О Боже! Надеюсь, мне не придется давать показания в полицейском суде?

Суперинтендант Спенс успокаивающе улыбнулся.

— Мы тоже надеемся, что до этого дело не дойдет, — солгал он.

— Возможно, это самоубийство, — предположила Беатрис.

Суперинтендант воздержался от замечания, что самоубийцы обычно не бьют себя по затылку стальными каминными щипцами.

— Никогда не следует делать поспешных выводов, — ответил он тем же ободряющим тоном. — Еще раз спасибо, мисс Липпинкотт. С вашей стороны было очень любезно, что вы так быстро пришли дать показания.

После ухода хозяйки гостиницы суперинтендант мысленно вернулся к ее показаниям. Он все знал о Беатрис Липпинкотт и прекрасно понимал, в какой степени можно полагаться на точность рассказанного ею. То, что она подслушала и правильно запомнила разговор, не вызывало сомнений. Конечно, не обошлось без приукрашивания, так как убийство произошло именно в 5-м номере, но, даже если убрать все лишнее, картина получается достаточно неприглядная и наводящая на столь же малоприятные мысли.

Суперинтендант Спенс посмотрел на стол, где лежали ручные часы с разбитым стеклом, золотая зажигалка с инициалами, губная помада в позолоченном корпусе и тяжелые каминные щипцы, на которых виднелись ржавые пятна.

Вошел сержант Грейвс и доложил, что за дверью ожидает мистер Роули Клоуд. Спенс кивнул, и сержант впустил Роули в кабинет.

О Роули Клоуде суперинтендант знал не меньше, чем о Беатрис Липпинкотт. Если Роули пришел в полицейский участок, значит, он может кое-что сообщить и это «кое-что» будет вполне надежным, точным и неприукрашенным. Его, безусловно, стоит выслушать. В то же время Роули тугодум — следовательно, его рассказ займет немало времени. Но людей типа

Роули Клоуда не следует торопить, иначе они начинают путаться, повторять одно и то же, и в результате повествование окажется вдвое длиннее...

— Доброе утро, мистер Клоуд. Рад вас видеть. Вы в состоянии пролить какой-нибудь свет на нашу проблему? Я имею в виду человека, которого убили в «Олене».

К удивлению Спенса, Роули начал с вопроса:

— Вы уже выяснили, кто этот парень?

— Нет, — медленно отозвался Спенс. — Я бы так не сказал. Он зарегистрировался как Енох Арден, но в его вещах нет ничего подтверждающего, что он действительно был им.

Роули нахмурился:

— Вам это не кажется... немного странным?

Суперинтенданту это казалось даже очень странным, но он не намеревался обсуждать это с Роули Клоудом.

— Вопросы задаю я, мистер Клоуд, — вежливо напомнил Спенс. — Итак, вчера вечером вы приходили повидать покойного. Почему?

— Вы знаете Беатрис Липпинкотт, суперинтендант? Из «Оленя»?

— Разумеется. И я уже слышал ее рассказ, — добавил Спенс, надеясь таким образом сэкономить время. — Она сама пришла сюда.

На лице Роули отразилось облегчение.

— Это хорошо. А я боялся, что она, возможно, не захочет впутываться в полицейскую историю. Знаете, у всех свои причуды.

Суперинтендант молча кивнул.

— Так вот, — продолжил Роули, — Беатрис сообщила мне то, что ей удалось подслушать, и мне это показалось весьма подозрительным. Мы ведь... ну, заинтересованные лица.

Спенс кивнул снова. Он был в курсе обстоятельств смерти Гордона Клоуда и, как все местные жители, считал, что его семья пострадала несправедливо. Он разделял всеобщее мнение, что миссис Гордон Клоуд «не леди» и что ее брат — один из тех отчаянных молодых десантников, к которым, хотя они и принесли немало пользы во время войны, в мирное время следует относиться с подозрением.

— Едва ли мне нужно объяснять вам, суперинтендант, что если первый муж миссис Гордон еще жив, то для нашей семьи это все меняет. Рассказ Беатрис был первым намеком, что такое возможно. Мне это никогда и в голову не приходило — я не сомневался, что миссис Гордон вдова. Должен признаться, я был потрясен. Мне понадобилось время, чтобы все это осознать.

Спенс кивнул в третий раз. Он хорошо себе представлял, как Роули медленно обдумывает услышанное, снова и снова проворачивая его у себя в голове.

— Сначала я решил посоветоваться с дядей-адвокатом...

— Мистером Джереми Клоудом?

— Да. Я пошел к нему. Наверно, было начало девятого. Они все еще обедали, а я поджидал Джереми в его кабинете, еще раз все обдумывая.

— Ну?

— В конце концов я пришел к выводу, что лучше попробовать самому что-нибудь предпринять, прежде чем втягивать в это дядю. Адвокаты все одинаковы — они осторожны, медлительны и должны твердо во всем убедиться, прежде чем начинать действовать. Сведения поступили ко мне абсолютно неофициально, и я опасался, что старый Джереми начнет сомневаться. Поэтому решил пойти в «Олень» и повидать этого парня.

— Вы так и сделали?

— Да. Я отправился прямиком в «Олень»...

— Сколько тогда было времени?

Роули задумался.

— Должно быть, я пришел к Джереми минут в двадцать девятого, а в гостиницу после половины девятого — возможно, без двадцати девять.

— И что было потом, мистер Клоуд?

— Я знал, где остановился этот тип, — Би сообщила мне его номер, — поэтому поднялся и постучал. Он сказал: «Войдите», и я вошел. — Роули сделал паузу. — Не думаю, что я был на высоте. Парень оказался слишком ловок. Мне не удалось вытянуть из него ничего определенного. Я рассчитывал, что он испугается, если я намекну, что его могут притянуть за шантаж, но это как будто его только позабавило. Этот нахал спросил меня, не хочу ли я купить у него кое-что. «Со мной ваши грязные штучки не пройдут, — ответил я. — Мне нечего скрывать». Тогда он заявил, что дело совсем не в том, — просто ему есть что продать, и его интересует, не стану ли я покупателем. «О чем вы?» — спросил я. «Сколько вы — или ваша семья — заплатили бы мне за неопровержимое доказательство того, что Роберт Андерхей, который якобы умер в Африке, на самом деле жив-здоров?» — осведомился он. Я спросил, почему мы вообще должны за это платить. А он засмеялся и ответил: «Потому что я жду этим вечером клиента, который готов заплатить солидную сумму за доказательство, что Роберт Андерхей мертв». Тогда... ну, боюсь, я вышел из себя и сказал ему, что моя семья не привыкла участвовать в таких грязных делишках. Если Андерхей действительно жив, то это нетрудно установить. После этого я встал и направился к двери, а он усмехнулся и заметил довольно странным тоном: «Не думаю, что вам удастся доказать это без моей помощи».

— А потом?

— Ну, откровенно говоря, я вернулся домой недовольным собой. Я чувствовал, что все еще сильнее запутал, и жалел, что не обратился к старому Джереми. Адвокаты привыкли иметь дело с такими скользкими типами.

— В котором часу вы ушли из «Оленя»?

— Понятия не имею. Хотя погодите. Должно быть, без нескольких минут девять, так как, пока шел по деревне, слышал в одном из окон начало передачи новостей.

— Арден говорил, что за «клиента» он ожидал?

— Нет. Я решил, что это Дэвид Хантер. Кто еще это мог быть?

— Он не казался встревоженным предстоящим визитом?

— Напротив, парень выглядел чертовски довольным.
Спенс указал на тяжелые стальные щипцы:

— Вы заметили их на каминной решетке, мистер Клоуд?

— Щипцы? Нет, едва ли. Огонь в камине не горел. — Роули нахмурился, пытаясь представить себе сцену. — Я уверен, что щипцы там были, но не знаю, эти или нет. — И, помолчав, спросил: — Именно этой штукой?..

Спенс кивнул:

— Да. Ему проломили череп.

Роули нахмурился:

— Странно. Хантер отнюдь не тяжеловес, а Арден был настоящий громила.

— Согласно медицинскому заключению, — объяснил суперинтендант, — удар был нанесен сзади и сверху — массивной головкой щипцов.

— Конечно, он был крепким и уверенным в себе парнем, — задумчиво проговорил Роули, — но на его месте я бы не стал поворачиваться спиной к человеку, у которого собирался вытянуть кругленькую сумму и который прошел на войне через огонь, воду и медные трубы. Очевидно, Арден не отличался осторожностью.

— В противном случае он был бы жив, — сухо заметил Спенс.

— Мне бы чертовски этого хотелось! — с жаром воскликнул Роули. — Я чувствую, что все испортил окончательно. Если бы я не закусил удила и не ушел, то, возможно, вытянул из него что-нибудь полезное. Мне следовало притвориться, что мы согласны заплатить, но, с другой стороны, кто мы такие, чтобы тягаться с Розалин и Дэвидом? У них куча денег, а мы все вместе не наскребли бы и пятисот фунтов.

Суперинтендант поднял золотую зажигалку.

— Вы когда-нибудь видели ее раньше?

Роули сдвинул брови:

— Видел, и не так давно, но не могу вспомнить где.

Однако Спенс не вложил зажигалку в протянутую руку Роули. Вместо этого он взял губную помаду и отвинтил крышку.

297

— А это?

Роули усмехнулся:

— Уж это совсем не по моей части, суперинтендант.

Спенс задумчиво мазнул помадой по кисти руки и склонил голову набок, глядя на пятно.

— По-моему, цвет подходит для брюнетки, — заметил он.

— И чего только вы, полисмены, не знаете! — Роули поднялся. — Хотя вы наверняка не знаете, кем был убитый.

— А у вас есть какие-нибудь идеи на этот счет, мистер Клоуд?

— Я вот что подумал, — медленно произнес Роули. — Этот парень был нашим единственным ключом к Андерхею. После его смерти искать Андерхея — все равно что иголку в стоге сена.

— Не забывайте, мистер Клоуд, что сообщения об убийстве появятся в прессе, — сказал Спенс. — Если Андерхей жив и прочитает об этом, он может объявиться.

— Может, — с сомнением повторил Роули.

— Но вы так не думаете?

— Я думаю, — отозвался Роули, — что в первом раунде выиграл Дэвид Хантер.

— Любопытно. — Когда Роули вышел, Спенс снова поднял золотую зажигалку и посмотрел на инициалы «Д.Х.». — Дорогая штучка, — сказал он сержанту Грейвсу. — Явно не массового производства. Отследить ее не составит труда. Грейторекс или один из шикарных магазинов на Бонд-стрит. Займитесь этим.

— Да, сэр.

Суперинтендант осмотрел ручные часы. Стекло было разбито, а стрелки показывали десять минут десятого.

Он бросил взгляд на сержанта:

— Уже есть данные экспертизы, Грейвс?

— Да, сэр. Ходовая пружина сломана.

— А механизм стрелок?

— В полном порядке, сэр.

— Как вы думаете, Грейвс, о чем нам говорят эти часы?

— Как будто они указывают время убийства, — осторожно ответил Грейвс.

— Если бы вы прослужили в полиции столько, сколько я, то относились бы с подозрением к такой «удобной» улике, как разбитые часы, — сказал Спенс. — Она может быть как подлинной, так и сфабрикованной — это старый трюк. Вы ставите стрелки на нужное время, разбиваете часы и обеспечиваете себе алиби. Но стреляного воробья на этом не проведешь. Я считаю вопрос о времени преступления по-прежнему открытым. Согласно медицинскому заключению, оно произошло между восемью и одиннадцатью вечера.

Сержант Грейвс откашлялся.

— Эдуардс, второй садовник в «Фарроубэнке», говорит, что видел, как Дэвид Хантер вышел из дома через боковую дверь около половины восьмого. Горничные вообще не знали, что он там был, — они думали, что он в Лондоне с миссис Гордон.

— Интересно, что сам Хантер расскажет о своих действиях, — протянул Спенс.

— Дело вроде бы ясное, сэр, — Грейвс вновь принялся разглядывать инициалы на зажигалке.

— Хм! — произнес суперинтендант и указал на губную помаду. — Это все еще требует объяснений.

— Помада закатилась под комод, сэр. Возможно, она была там уже некоторое время.

— Я это проверил, — отозвался Спенс. — Последний раз женщина занимала эту комнату три недели назад. Я знаю, что в наши дни на прислугу нельзя особенно полагаться, но думаю, раз в три недели пол под мебелью все-таки протирают тряпкой. В целом «Олень» содержится в чистоте и порядке.

— Нет никаких сведений, что к Ардену приходила женщина.

— Знаю, — кивнул суперинтендант. — Вот почему я считаю, что помада нуждается в объяснении.

Сержант Грейвс удержался от фразы: «Cherchez la femme»[1]. У него было хорошее французское произношение, и он не хотел раздражать суперинтенданта Спенса, привлекая к этому внимание. Сержант был весьма тактичным молодым человеком.

Глава 17

Суперинтендант Спенс окинул взглядом «Шепердс-Корт» в Мэйфере, прежде чем шагнуть к парадному входу. Скромно расположенное неподалеку от «Шепердс-Маркета» здание выглядело неброским, но весьма дорогим.

В вестибюле ноги Спенса сразу утонули в мягком ворсистом ковре. Рядом с дверью находились обитый бархатом диван и жардиньерка, полная цветов, напротив помещался автоматический лифт, а сбоку от него — лестница. С правой стороны холла виднелась дверь с табличкой «Офис». Спенс открыл ее и вошел в маленькую комнату с перегородкой, за которой находились стол с пишущей машинкой и два стула. Один стоял у стола, а другой — у окна. В комнате никого не было.

Заметив кнопку звонка на перегородке красного дерева, Спенс нажал ее. Так как ничего не произошло, он повторил эту процедуру. Спустя минуту дверь в дальней стене открылась, впустив мужчину в сверкающей великолепием униформе. Его можно было принять за иностранного генерала или даже фельдмаршала, но речь сразу же выдала лондонца, и притом необразованного.

— Да, сэр?

— Здесь проживает миссис Гордон Клоуд?

— На четвертом этаже, сэр. Позвонить ей?

— Миссис Клоуд сейчас дома? — осведомился Спенс. — Я думал, что она, возможно, в деревне.

— Нет, сэр, она здесь с прошлой субботы.

---

[1] Ищите женщину (фр.).

— А мистер Дэвид Хантер?

— Мистер Хантер тоже здесь.

— Он не уезжал?

— Нет, сэр.

— А был он здесь вчера вечером и прошлой ночью?

— Послушайте, что все это значит? — Фельдмаршал внезапно стал агрессивным. — Хотите знать биографию каждого жильца?

Спенс молча предъявил удостоверение. Фельдмаршал тотчас же съежился и сделался угодливым.

— Простите, сэр, я не знал...

— Так был здесь мистер Хантер вечером и ночью?

— Да, сэр. По крайней мере, я так думаю. Он не говорил, что уезжает.

— Вы бы знали, если бы он уехал?

— Ну, вообще-то да. Обычно леди и джентльмены перед отъездом оставляют распоряжения насчет писем и того, что говорить, если им позвонят.

— А звонят в ваш офис?

— Нет, в большинстве квартир есть телефоны. Правда, один-два жильца отказались от телефона — им мы звоним по внутренней связи, они спускаются и разговаривают из будки в холле.

— Но в квартире миссис Клоуд есть телефон?

— Да, сэр.

— И, насколько вам известно, вчера вечером и ночью оба были здесь?

— Да.

— А как питаются жильцы?

— У нас есть ресторан, но миссис Клоуд и мистер Хантер редко им пользуются. Обычно они ходят куда-нибудь обедать.

— А завтракать?

— Завтрак подают в квартиры.

— Вы можете выяснить, подавали ли им завтрак сегодня утром?

— Да, сэр. Сейчас узнаю в комнате прислуги.

Спенс кивнул:

— Я поднимусь наверх. Сообщите мне об этом, когда я спущусь.

— Хорошо, сэр.

Спенс вошел в лифт и нажал кнопку четвертого этажа. На каждой площадке было всего по две квартиры. Спенс позвонил в квартиру номер 9.

Дверь открыл Дэвид Хантер. Он не знал суперинтенданта в лицо и резко спросил:

— Что вам нужно?

— Мистер Хантер?

— Да.

— Суперинтендант Спенс из полиции графства Оустшир. Могу я поговорить с вами?

Дэвид усмехнулся:

— Прошу прощения, суперинтендант. Я подумал, что вы коммивояжер. Входите.

Он проводил посетителя в по-современному обставленную комнату. Стоящая у окна Розалин повернулась, когда они вошли.

— Это суперинтендант Спенс, Розалин, — сказал Хантер. — Присаживайтесь, суперинтендант. Хотите выпить?

— Нет, благодарю вас, мистер Хантер.

Розалин кивнула гостю и села спиной к окну, положив руки на колени.

— Закурите? — Дэвид протянул портсигар.

— Спасибо. — Спенс взял сигарету и подождал, наблюдая, как Дэвид сунул руку в карман, вытащил ее, нахмурился, огляделся и взял спичечный коробок. Чиркнув спичкой, он дал суперинтенданту прикурить сигарету.

— Благодарю вас, сэр.

— Ну, — беспечным тоном осведомился Дэвид, тоже закуривая, — что не так в Уормсли-Вейл? Наша кухарка торгует на черном рынке? Она готовит превосходную пищу, и я всегда подозревал, что за этим кроется какая-то зловещая история.

— К сожалению, дело более серьезное, — ответил суперинтендант. — Вчера вечером в гостинице «Олень» умер человек. Возможно, вы видели сообщение в газетах?

Дэвид покачал головой:

— Нет, я не обратил внимания. Что с ним произошло?

— Он не просто умер — его убили. Точнее, ему размозжили голову.

У Розалин вырвался сдавленный возглас.

— Пожалуйста, суперинтендант, не вдавайтесь в подробности, — быстро попросил Дэвид. — Моя сестра очень чувствительна. Если вы начнете рассказывать про кровь и всякие ужасы, она упадет в обморок.

— Прошу прощения, — извинился Спенс. — Крови было не так уж много, но это, несомненно, убийство.

Дэвид приподнял брови:

— Вы меня заинтриговали. При чем тут мы?

— Мы надеемся, что вы сможете рассказать нам что-нибудь об этом человеке, мистер Хантер.

— Я?

— Вы приходили к нему вечером в прошлую субботу. Его имя — вернее, имя, под которым он зарегистрировался, — Енох Арден.

— Да-да. Теперь припоминаю. — Дэвид говорил спокойно, без всякого смущения.

— Ну, мистер Хантер?

— Ну, суперинтендант, боюсь, что не смогу вам ничем помочь. Я почти ничего не знаю об этом человеке.

— Его действительно звали Енох Арден?

— Очень в этом сомневаюсь.

— Что он вам рассказал?

— Обычную историю неудачника. Упоминал разные места, военные происшествия, знакомых... — Дэвид пожал плечами. — Боюсь, все это сплошная выдумка.

— Вы дали ему какие-нибудь деньги, сэр?

— Только пять фунтов — из жалости, — после едва заметной паузы ответил Дэвид. — Все-таки он побывал на войне.

— Он упоминал знакомые вам имена?

— Да.

— Среди них не было капитана Роберта Андерхея?

Суперинтендант наконец добился ожидаемого эффекта. Дэвид весь напрягся. Розалин испуганно вскрикнула.

— Почему вы так думаете, суперинтендант? — спросил наконец Дэвид. Его взгляд был настороженным.

— Мы получили определенную информацию, — уклончиво ответил Спенс.

Некоторое время царило молчание. Суперинтендант ощущал на себе пытливый, оценивающий взгляд Дэвида.

— Вы знаете, кто такой был Роберт Андерхей? — спросил Дэвид.

— Надеюсь, вы мне расскажете, сэр.

— Роберт Андерхей был первым мужем моей сестры. Он умер в Африке несколько лет тому назад.

— Вы уверены в этом, мистер Хантер? — быстро спросил Спенс.

— Абсолютно уверен. Не так ли, Розалин? — Он повернулся к девушке.

— Да, — сразу отозвалась она. — Роберт умер от лихорадки.

— Ходят слухи, что это не совсем так, миссис Клоуд.

Розалин не ответила. Она смотрела не на него, а на брата.

— Роберт умер, — повторила она через несколько секунд.

— Согласно имеющейся у меня информации, — продолжал суперинтендант, — этот человек, Енох Арден, назвался другом покойного Роберта Андерхея и сообщил вам, мистер Хантер, что Роберт Андерхей жив.

Дэвид покачал головой:

— Чепуха.

— Значит, вы утверждаете, что имя Роберта Андерхея не упоминалось.

— Напротив. — Дэвид обаятельно улыбнулся. — Оно упоминалось. Этот бедняга знал Андерхея.

— Не возникало вопроса о... шантаже, мистер Хантер?

— О шантаже? Не понимаю вас, суперинтендант.

— В самом деле, мистер Хантер? Между прочим, исключительно для проформы, где вы были вчера вечером — скажем, между семью и одиннадцатью?

304

— Исключительно для проформы, суперинтендант, — что, если я откажусь отвечать?

— Вам не кажется, что вы ведете себя по-детски, мистер Хантер?

— Вовсе нет. Терпеть не могу, когда меня запугивают.

Спенс подумал, что это недалеко от истины. Он и раньше сталкивался со свидетелями типа Дэвида Хантера. Свидетелями, отказывавшимися сотрудничать из чистого упрямства, а не потому, что им было что скрывать. Сама просьба отчитаться в своих местопребываниях выводила их из себя. Они начинали стараться любыми способами препятствовать следствию.

И хотя суперинтендант Спенс гордился своей беспристрастностью, он пришел в «Шепердс-Корт» с достаточно твердой уверенностью, что Дэвид Хантер — убийца. Но теперь впервые заколебался. Ребяческое упрямство Дэвида пробудило в нем сомнения.

Спенс посмотрел на Розалин Клоуд.

— Дэвид, почему бы тебе все не рассказать? — заговорила она.

— Вот именно, миссис Клоуд. Мы только хотим все выяснить...

— Перестаньте запугивать мою сестру! — рявкнул Дэвид. — Какое вам дело, где я был — здесь, в Уормсли-Вейл или в Тимбукту?

— Вас вызовут на дознание, мистер Хантер, — предупредил Спенс, — и там вам придется отвечать.

— Тогда я подожду дознания. А сейчас, суперинтендант, не убраться ли вам отсюда?

— Хорошо, сэр. — Спенс невозмутимо поднялся. — Но сначала я должен кое о чем попросить миссис Клоуд.

— Я не хочу, чтобы беспокоили мою сестру!

— А я хочу, чтобы она посмотрела на труп и попробовала его опознать. На это у меня есть право. Все равно этого не избежать, рано или поздно. Почему бы ей не пойти со мной прямо сейчас и не покончить с этим? Свидетель слышал, как покойный мистер Арден говорил, что был знаком с Робертом Андерхеем, — следовательно, он мог быть знаком и с миссис Андерхей. Если его звали не Енох Арден, она могла бы сообщить нам его настоящее имя.

Неожиданно Розалин встала.

— Конечно, я пойду, — заявила она.

Спенс ожидал от Дэвида новой вспышки, но, к его удивлению, тот улыбнулся:

— Отлично, Розалин. Признаюсь, мне самому любопытно. А вдруг ты сможешь опознать этого парня?

— Вы не видели его в Уормсли-Вейл? — спросил девушку Спенс.

Она покачала головой:

— Я была в Лондоне с прошлой субботы.

— А Арден прибыл в пятницу вечером.

— Вы действительно хотите, чтобы я пошла с вами сейчас? — Розалин задала этот вопрос с покорностью маленькой девочки.

Суперинтендант невольно был тронут. Он не ожидал такого послушания.

— Это было бы очень любезно с вашей стороны, миссис Клоуд, — ответил он. — Чем раньше мы установим определенные факты, тем лучше. К сожалению, у меня нет полицейской машины.

Дэвид подошел к телефону.

— Позвоню в такси «Даймлер». Это превысит установленные расходы, но думаю, суперинтендант, вы сумеете это уладить.

— Я тоже так думаю, мистер Хантер. — Он снова встал. — Буду ждать вас внизу.

Спенс спустился в лифте и вновь открыл дверь офиса.

Фельдмаршал поджидал его.

— Ну?

— В обеих кроватях спали прошлой ночью, сэр. Ванные и полотенца также использовали. Завтрак подали им в квартиру в половине десятого.

— А вы не знаете, когда мистер Хантер пришел вчера вечером?

— Боюсь, что больше ничего не могу вам сообщить, сэр.

«Ничего не поделаешь», — подумал Спенс. Его интересовало, скрывалось ли что-нибудь за отказом Дэвида отвечать, кроме чисто мальчишеского упрямства. Ведь он должен понимать, что над ним висит обвинение в убийстве и что чем раньше он все расскажет, тем лучше для него. Полиции не стоит противодействовать.

По дороге в морг они почти не разговаривали. Розалин была бледной, руки ее дрожали. Дэвид казался обеспокоенным. Он говорил с ней как с маленькой девочкой.

— Это всего лишь пара минут, малышка. Не волнуйся. Ты войдешь с суперинтендантом, а я тебя подожду. Ничего страшного — он будет выглядеть так, как будто спит.

Розалин кивнула, и Дэвид стиснул ее руку.

— Будь храброй девочкой.

— Должно быть, вы думаете, что я жуткая трусиха, суперинтендант? — тихо спросила Розалин, следуя за Спенсом. — Но после той ужасной ночи в Лондоне, когда все в доме погибли, кроме меня и Дэвида...

— Я все понимаю, миссис Клоуд, — мягко произнес Спенс. — Я знаю, что вы пережили во время бомбежки, когда погиб ваш муж. Но это в самом деле только две минуты.

По знаку суперинтенданта убрали простыню. Розалин Клоуд посмотрела на человека, называвшего себя Енохом Арденом. Спенс стоял в стороне, исподтишка наблюдая за ней.

Девушка смотрела на мертвеца с любопытством и интересом, не проявляя никаких признаков того, что узнала его. Потом перекрестилась.

— Упокой Господь его душу. Я никогда не видела этого человека и не знаю, кто он.

«Либо ты самая превосходная актриса, какую я когда-либо видел, — подумал Спенс, — либо говоришь правду».

Позднее суперинтендант позвонил Роули Клоуду.

— Я был в морге с вдовой, — сообщил он. — Миссис Клоуд уверена, что этот человек не Роберт Андерхей и что она никогда его раньше не видела. Это решает все.

Последовала пауза.

— В самом деле? — медленно отозвался Роули.

— Думаю, присяжные ей поверят — разумеется, при отсутствии доказательств обратного.

— Да-а, — протянул Роули и положил трубку.

Нахмурившись, он взял телефонный справочник — не местный, а лондонский — и методично пробежал указательным пальцем по фамилиям на букву «П». Вскоре Роули нашел то, что искал.

Книга вторая

Глава 1

Эркюль Пуаро аккуратно сложил последнюю из газет, за которыми он посылал Джорджа. Информация, содержавшаяся в них, оказалась весьма скудной. Согласно медицинскому заключению, убитому проломили череп несколькими сильными ударами. Дознание перенесли на две недели. Каждого, кто мог что-то сообщить о человеке по имени Енох Арден, по-видимому недавно прибывшем из Кейптауна, просили связаться с главным констеблем Оустшира.

Пуаро собрал газеты в аккуратную стопку и задумался. Он был заинтригован. Возможно, Пуаро не обратил бы особого внимания на маленькую заметку, если бы не недавний визит миссис Лайонел Клоуд, который, в свою очередь, напомнил ему о пребывании в клубе во время воздушного налета. Он четко помнил голос майора Портера, говорившего: «Возможно, где-нибудь за тысячу миль появится мистер Енох Арден и начнет жизнь заново». Теперь ему очень хотелось побольше узнать о человеке по имени Енох Арден, который погиб насильственной смертью в Уормсли-Вейл.

Пуаро вспомнил, что был немного знаком с суперинтендантом Спенсом из оустширской полиции, а также что молодой Меллон жил неподалеку от Уормсли-Хит и знал Джереми Клоуда.

Покуда он размышлял, стоит ли звонить молодому Меллону, вошел Джордж и доложил, что его хотел бы видеть мистер Роули Клоуд.

— Ага! — с удовлетворением произнес Эркюль Пуаро. — Проводите его сюда.

В комнату вошел красивый, но явно встревоженный молодой человек, который, казалось, не знал, с чего начать.

— Ну, мистер Клоуд, — ободряюще заговорил Пуаро, — чем могу служить?

Роули с сомнением разглядывал Пуаро. Пышные усы, элегантный костюм, белые гетры и остроносые лакированные туфли внушали замкнутому и сдержанному молодому человеку инстинктивное недоверие.

Пуаро отлично это понимал, и его это забавляло.

— Боюсь, мне придется объяснить, кто я и вообще что к чему, — неуклюже начал Роули. — Мое имя вам незнакомо...

— Напротив, — прервал Пуаро. — Оно мне хорошо знакомо. Понимаете, на прошлой неделе ко мне приходила ваша тетя.

— Моя тетя? — У Роули отвисла челюсть. Он изумленно уставился на детектива. Это настолько явно было для него новостью, что Пуаро отказался от первоначального предположения, будто оба визита связаны между собой. На момент ему показалось удивительным совпадением, что два члена семьи Клоуд решили посоветоваться с ним в течение столь краткого промежутка времени, но он сразу же понял, что это не совпадение, а следствие одной определенной причины.

— Насколько я понимаю, миссис Лайонел Клоуд — ваша тетушка? — уточнил Пуаро.

Казалось, этот вопрос еще сильнее удивил Роули.

— Тетя Кэти? — недоверчиво переспросил он. — Может быть, вы имеете в виду миссис Джереми Клоуд?

Пуаро молча покачал головой.

— Но зачем тете Кэти...

— Она объяснила, что пришла ко мне по велению духов, — сдержанно произнес детектив.

310

— О Господи! — Ответ как будто успокоил и даже позабавил Роули. — Она абсолютно безвредна, — добавил он, словно успокаивая собеседника.

— Интересно... — пробормотал Пуаро.

— Что вы имеете в виду?

— Может ли кто-нибудь быть абсолютно безвредным?

Роули уставился на него. Пуаро вздохнул.

— Вы пришли спросить меня о чем-то, не так ли? — подсказал он.

Лицо Роули вновь стало озабоченным.

— Боюсь, это длинная история...

Пуаро также этого опасался, догадываясь, что Роули Клоуд не из тех, кто быстро переходит к делу. Он откинулся на спинку стула и полузакрыл глаза.

— Понимаете, Гордон Клоуд был моим дядей... — неуверенно проговорил Роули.

— Я все знаю о Гордоне Клоуде, — помог ему Пуаро.

— Отлично. Тогда мне незачем объяснять. За несколько недель до смерти дядя Гордон женился на молодой вдове по фамилии Андерхей. После его гибели она вместе с братом поселилась в Уормсли-Вейл. Мы все считали, что ее первый муж умер от лихорадки в Африке. Но теперь выходит, что это, возможно, не так.

— Ага! — Детектив выпрямился. — И что же привело вас к такому предположению?

Роули рассказал о прибытии в Уормсли-Вейл Еноха Ардена.

— Может быть, вы читали в газетах...

— Да, читал, — вновь пришел ему на помощь Пуаро.

Роули описал свое первое впечатление от Ардена, свой визит в «Олень», записку, полученную от Беатрис Липпинкотт, и, наконец, подслушанный ею разговор.

— Конечно, — добавил он, — нельзя быть уверенным, что она слышала именно это. Беатрис могла все преувеличить или даже неверно понять.

— Она рассказала об этом полиции?

Роули кивнул:

— Я посоветовал ей это сделать.

— Простите, но я не вполне понимаю, почему вы пришли ко мне, мистер Клоуд. Вы хотите, чтобы я расследовал это убийство?

— Господи, конечно нет, — ответил Роули. — Я ничего такого не хочу. Это полицейская работа. Я прошу вас выяснить, кто был этот парень.

Пуаро прищурил глаза:

— А кто он был, по-вашему, мистер Клоуд?

— Ну, ведь Енох Арден не настоящее имя, а цитата из Теннисона. Я нашел это стихотворение. Там говорится о парне, который вернулся и узнал, что его жена замужем за другим.

— Значит, вы думаете, — спокойно произнес Пуаро, — что Енох Арден в действительности был самим Робертом Андерхеем?

— Ну, он мог им быть, — медленно протянул Роули. — Я имею в виду, судя по возрасту, внешности и так далее. Конечно, я несколько раз спрашивал Беатрис о подслушанном разговоре. Она, естественно, не помнит его слово в слово. Тот парень сказал, что Роберт Андерхей порядком опустился, что у него плохо со здоровьем и что он нуждается в деньгах. Возможно, он говорил о себе, не так ли? Потом Арден сказал, что Дэвиду Хантеру вряд ли придется по вкусу, если Андерхей появится в Уормсли-Вейл. Звучит так, словно он уже был там под вымышленным именем.

— Какие данные насчет идентификации представили на дознании?

Роули покачал головой:

— Ничего определенного. Только служащие из «Оленя» заявили, что этот человек зарегистрировался там под именем Еноха Ардена.

— При нем были какие-нибудь документы или бумаги?

— Никаких.

— Что? — Пуаро с удивлением выпрямился. — Никаких бумаг?

— Абсолютно. Несколько пар носков, рубашка, зубная щетка и тому подобное — но бумаг никаких.

— Ни паспорта, ни писем, ни даже продуктовой карточки?

— Ничего.

— Очень любопытно, — заметил Пуаро.

— Дэвид Хантер — брат Розалин Клоуд — приходил к нему на следующий день после его приезда, — продолжал Роули Клоуд. — Он сообщил полиции, что получил письмо от Еноха Ардена, в котором тот утверждал, что был другом Роберта Андерхея и сейчас оказался в тяжелом положении. По просьбе сестры Хантер пошел в «Олень», повидался с этим парнем и дал ему пять фунтов. Можете не сомневаться, что он и дальше будет придерживаться этой истории. Конечно, полиция помалкивает о том, что слышала Беатрис.

— Дэвид Хантер говорит, что раньше не был знаком с этим человеком?

— Да. Думаю, Хантер никогда не встречал Андерхея.

— А как насчет Розалин Клоуд?

— Полиция попросила ее попробовать опознать труп. Но она сказала, что не знает, кто это.

— Eh bien, — отреагировал Пуаро. — Вот и ответ на ваш вопрос.

— Не думаю, — возразил Роули. — Если убитый — Андерхей, значит, Розалин не являлась законной женой моего дяди и не имеет права ни на один пенни из его денег. По-вашему, она опознала бы его при таких обстоятельствах?

— Вы ей не доверяете?

— Я не доверяю им обоим.

— Уверен, что найдется немало людей, которые смогут точно установить, Андерхей это или нет.

— Их не так-то легко найти. Поэтому я прошу вас отыскать кого-нибудь, кто знал Андерхея. Очевидно, в Англии у него не осталось родственников, да и вообще он был не слишком общительным парнем. Полагаю, должны существовать какие-нибудь друзья или старые слуги, но война разрушила все связи и разбросала людей в разные стороны. Не знаю, как взяться за это дело, да и времени у меня нет. Я фермер, и мне не хватает рабочих рук.

— Почему вы обратились именно ко мне? — спросил Эркюль Пуаро.

Роули выглядел смущенным.

В глазах детектива блеснули искорки.

— По указанию духов?

— Господи, конечно нет! — в ужасе воскликнул Роули. — Дело в том... — Он заколебался. — Ну, один мой знакомый говорил, что вы настоящий чародей. Не знаю, каковы ваши гонорары, — наверняка высокие, а мы все практически разорены, — но думаю, мы сумеем наскрести нужную сумму, если вы согласитесь за это взяться.

— Пожалуй, — медленно произнес Пуаро, — я сумею вам помочь.

Никогда не подводившая детектива память вновь вернула его назад. Клубный зануда, шелест газет, монотонный голос...

Он ведь слышал имя этого человека и должен его вспомнить. Если нет, придется спросить у Меллона... Ага! Портер, майор Портер!

Пуаро поднялся:

— Вы не смогли бы зайти еще раз во второй половине дня, мистер Клоуд?

— Ну, не знаю... Пожалуй, смогу. Но неужели вы сможете так быстро чего-нибудь добиться?

Роули смотрел на детектива с недоверием и благоговейным страхом. Пуаро не был бы самим собой, если бы удержался от искушения порисоваться. Памятуя о своем великом предшественнике[1], он торжественно произнес:

— У меня свои методы, мистер Клоуд.

Пуаро явно нашел нужные слова. На лице Роули отразилось почтение.

— Да, конечно... Не знаю, как вам удается...

---

[1] Имеется в виду Шерлок Холмс.

Пуаро не стал его просвещать. Когда Роули ушел, он сел, написал краткую записку и поручил Джорджу доставить ее в клуб «Коронейшн», подождать ответа.

Ответ был в высшей степени удовлетворительным. Майор Портер передавал свои комплименты мсье Эркюлю Пуаро и охотно соглашался принять его и его друга в Кэмден-Хилл, на Эджуэй-стрит, 79 сегодня в пять часов вечера.

В половине пятого вернулся Роули Клоуд:

— Есть успехи, мсье Пуаро?

— Да, мистер Клоуд. Сейчас мы отправимся к старому другу капитана Роберта Андерхея.

— Что?! — Роули разинул рот и уставился на детектива с изумлением маленького ребенка, увидевшего, как фокусник вытаскивает из шляпы кролика. — Но ведь это невероятно! Не понимаю, как вам удалось, — ведь прошло всего несколько часов!

Пуаро снисходительно отмахнулся и постарался выглядеть скромным. Он не собирался демонстрировать простоту, с которой был проделан фокус. Изумление простака Роули льстило его тщеславию.

Двое мужчин вместе вышли и поехали на такси в Кэмден-Хилл.

Майор Портер занимал второй этаж довольно ветхого дома. Пуаро и Роули впустила и проводила наверх жизнерадостная краснощекая женщина. Стены квадратной комнаты были уставлены книжными полками и увешаны скверными гравюрами на охотничью тематику. На полу лежали два неплохих, но изрядно потертых ковра. Пуаро заметил, что центр пола был покрыт свежим лаком, в то время как по краям краска поблекла. Он понял, что до недавнего времени здесь были другие ковры, получше, которые, очевидно, продали. У камина стоял мужчина в хорошо сшитом, но поношенном костюме. Детектив догадался, что майор Портер оказался на мели. Налоги и повышение стоимости жилья тяжело ударили по отставным армейским офицерам. Но за некоторые вещи, подумал он, майор будет цепляться до последнего — например, за свой клубный абонемент.

— Боюсь, я не припомнинаю, чтобы мы встречались, мсье Пуаро, — отрывисто сказал майор Портер. — Говорите, пару лет назад в клубе? Конечно, ваше имя мне знакомо.

— Это мистер Роули Клоуд, — представил Пуаро.

Майор Портер кратко кивнул:

— Здравствуйте. К сожалению, не могу предложить вам по стаканчику шерри. Мой виноторговец лишился своего запаса при бомбардировке. Есть немного джина. Мерзкое пойло! Может быть, предпочитаете пиво?

Гости согласились на пиво. Майор Портер извлек портсигар.

— Закуривайте.

Пуаро взял сигарету, майор чиркнул спичкой и зажег ее.

— Вы ведь не курите, верно? — спросил Портер Роули. — Не возражаете, если я закурю трубку? — Он так и сделал, пуская клубы дыма. — А теперь объясните, в чем дело. — Майор переводил взгляд с одного на другого.

— Возможно, вы читали в газетах о смерти одного человека в Уормсли-Вейл? — начал Пуаро.

Портер покачал головой:

— Вряд ли.

— Его звали Арден — Енох Арден.

Майор снова покачал головой.

— Его нашли в гостинице «Олень» с проломленным черепом, — продолжал Пуаро.

Портер нахмурился:

— Дайте вспомнить... Кажется, что-то попадалось на глаза несколько дней назад.

— Да. У меня при себе фотография — она из газеты и, боюсь, не очень четкая. Мы бы хотели знать, майор Портер, видели ли вы когда-нибудь этого человека раньше?

Пуаро протянул самый лучший снимок покойного, какой ему удалось найти.

Майор Портер взял фотографию и посмотрел на нее.

— Погодите-ка. — Он достал очки, надел их и стал внимательно разглядывать снимок, потом внезапно вздрогнул. — Ну, будь я проклят!

— Вы его знаете, майор?

— Конечно знаю. Это Андерхей — Роберт Андерхей.

— Вы в этом уверены? — В голосе Роули послышалось торжество.

— Еще бы! Это Роберт Андерхей! Готов поклясться в этом где угодно!

Глава 2

Зазвонил телефон, и Линн подняла трубку.

— Линн?

— Роули? — Ее голос звучал уныло.

— Куда ты подевалась? — спросил жених. — За эти дни я тебя ни разу не видел.

— У меня полно дел по дому. Бегаю с корзиной в надежде раздобыть рыбы, стою в очереди за жутким печеньем и тому подобное.

— Мне нужно с тобой встретиться. Я должен кое-что тебе сообщить.

— Что именно?

Роули усмехнулся:

— Хорошие новости. Встретимся у рощи Ролланда. Мы там пашем.

Линн положила трубку. «Какие новости могут быть хорошими для Роули? Деньги? Может, он продал молодого бычка дороже, чем ожидал? Нет, — подумала она, — тут кое-что посерьезнее».

Когда она шла по полю к роще Ролланда, Роули спрыгнул с трактора и двинулся ей навстречу:

— Привет, дорогая!

— В чем дело, Роули? Ты выглядишь как-то... по-другому.

Он засмеялся:

— Еще бы! Нам повезло, Линн!

— Что ты имеешь в виду?

— Помнишь, старый Джереми упоминал парня по имени Эркюль Пуаро?

— Эркюль Пуаро? — Линн нахмурилась. — Да, что-то припоминаю...

— Это было еще во время войны. Они сидели в этом мавзолее — его клубе, когда был воздушный налет.

— Ну? — с нетерпением подтолкнула собеседника Линн.

— Он француз или бельгиец, одевается причудливо и вообще странный тип, но котелок у него здорово варит.

Линн сдвинула брови:

— Кажется, он детектив?

— Верно. Я тебе не говорил, но возникло предположение, что парень, которого прикончили в «Олене», мог быть первым мужем Розалин Клоуд.

Линн рассмеялась:

— Только потому, что он назвался Енохом Арденом? Что за нелепая идея!

— Не такая уж нелепая, девочка моя. Старина Спенс возил Розалин взглянуть на него. Она твердо заявила, что это не ее муж.

— И на этом все закончилось?

— Могло закончиться, — возразил Роули. — Если бы не я!

— Ну и что же ты сделал?

— Отправился к этому Эркюлю Пуаро, сказал, что мы хотим все проверить, и попросил отыскать кого-нибудь, кто знал Роберта Андерхея. Честное слово, этот человек — форменный волшебник! Через несколько часов он предъявил мне лучшего друга Андерхея, словно кролика из шляпы, — пожилого военного по фамилии Портер! — Роули усмехнулся. Его возбуждение удивляло и пугало Линн. — Только держи язык за зубами, Линн. Супер взял с меня клятву молчать, но я хочу, чтобы ты знала. Убитый — Роберт Андерхей!

— Что?! — Линн недоуменно посмотрела на Роули.

318

— Собственной персоной — Портер сразу его узнал. Мы победили, Линн! Обыграли этих проклятых мошенников!

— Каких мошенников?

— Хантера и его сестрицу. Они остались с носом. Розалин не получит денег Гордона! Их получим мы — они наши! Довоенное завещание Гордона действительно, и деньги будут поделены между нами. Я получаю четверть, понимаешь? Если ее первый муж был жив, когда она выходила за Гордона, значит, она вовсе не была за ним замужем!

— Ты... ты уверен, что это правда?

Роули уставился на нее — впервые он казался озадаченным.

— Конечно уверен! Это же элементарно. Теперь все в порядке. Все будет так, как раньше планировал Гордон, — словно эта драгоценная парочка вообще никогда не появлялась!

«Все будет как раньше... Но происшедшее невозможно стереть напрочь, — думала Линн. — Нельзя притворяться, будто ничего не случилось».

— Что с ними будет? — медленно спросила она.

— А? — Было ясно, что до сего момента Роули об этом не задумывался. — Понятия не имею. Полагаю, вернутся туда, откуда прибыли... — Он немного помедлил. — Знаешь, я думаю, мы должны что-нибудь сделать для Розалин. Она ведь ничего не знала, когда выходила за Гордона. Я уверен, Розалин считала, что ее первый муж умер. Да, мы должны выделить ей приличное содержание. Надо это обсудить.

— Тебе она нравится, не так ли? — поинтересовалась Линн.

— Вообще-то да. — Роули задумался. — Славная малышка и знает, с какой стороны подойти к корове.

— В отличие от меня.

— Ничего, научишься! — великодушно пообещал Роули.

— А как же... Дэвид?

Роули сразу помрачнел:

— К черту Дэвида! Эти деньги никогда ему не принадлежали. Он просто приехал и жил за счет сестры.

— Нет, Роули, это не так. Дэвид не нахлебник. Возможно, он авантюрист...

— И вдобавок убийца!

— Что ты имеешь в виду?

— Кто, по-твоему, прикончил Андерхея?

— Этому я не верю! — крикнула Линн.

— Конечно, это Дэвид — больше некому! В тот день он был здесь. Приехал поездом в пять тридцать. Я встречал груз на станции и видел его издали.

— Он вернулся в Лондон тем же вечером, — резко сказала Линн.

— После того, как убил Андерхея, — с триумфом добавил Роули.

— Ты не должен бросаться такими обвинениями, Роули. В котором часу убили Андерхея?

— Ну, точно не знаю... — Роули сделал паузу. — Вряд ли мы это узнаем до завтрашнего дознания. Думаю, между девятью и десятью.

— Дэвид вернулся в Лондон поездом в девять двадцать.

— Откуда ты знаешь?

— Я... я встретила его, когда он спешил на поезд.

— Откуда тебе известно, что он на него успел?

— Потому что позже он звонил мне из Лондона.

Роули сердито нахмурился:

— Какого черта он тебе звонил? Будь я проклят, Линн, если...

— Господи, Роули, какое это имеет значение? Во всяком случае, это доказывает, что он успел к поезду.

— У него было достаточно времени, чтобы убить Андерхея и побежать на станцию.

— Нет, если Андерхея убили после девяти.

— Ну, его могли убить и немного раньше.

Но в его голосе звучало сомнение.

Линн полузакрыла глаза. Неужели это правда? Неужели ее обнимал и целовал убийца? Она вспомнила странное возбуждение Дэвида, когда он, запыхавшись, выбежал из рощи. Быть может, на него так подейство-

320

вало убийство? Линн пришлось признать, что это весьма вероятно. Способен ли Дэвид на такое преступление? Мог ли он убить человека, не причинившего ему никакого вреда, — призрака из прошлого? Человека, чьей единственной виной было то, что он стоял между Розалин и огромным наследством — между Дэвидом и возможностью пользоваться деньгами Розалин?

— Зачем ему убивать Андерхея? — неуверенно пробормотала Линн.

— Господи, Линн, ты еще спрашиваешь! Я ведь только что тебе объяснил — живой Андерхей означал, что мы получим деньги Гордона! К тому же Андерхей Дэвида шантажировал.

Это больше походило на правду. Дэвид, безусловно, мог убить шантажиста — по всей вероятности, именно так он бы с ним и поступил. Да, теперь все сходится — спешка Дэвида, его возбуждение, яростные, почти сердитые поцелуи. А потом — отказ от нее: «Мне лучше исчезнуть...»

Словно издалека она услышала голос Роули:

— В чем дело, Линн? Ты хорошо себя чувствуешь?

— Да, конечно.

— Тогда, Бога ради, не смотри так мрачно. — Он обернулся, глядя вниз, на «Плакучие ивы». — Теперь мы сможем привести здесь все в порядок, купить кое-какие приспособления, облегчающие работу. Я хочу, чтобы тебе было уютно, Линн.

Это будет ее дом — ее и Роули...

А однажды, в восемь утра, Дэвида вздернут на виселицу...

Глава 3

Дэвид положил руки на плечи Розалин. Лицо его было бледным, взгляд — настороженным.

— Говорю тебе, все будет в порядке. Но ты должна сохранять спокойствие и делать то, что я тебе скажу.

— А если тебя арестуют? Ты сам говорил, что это возможно.

— Да, возможно. Но это долго не продлится, если только ты не потеряешь голову.

— Я буду делать все, что ты скажешь, Дэвид.

— Умница! Тебе нужно только придерживаться своих слов — повторять, что убитый — не твой муж, Роберт Андерхей.

— Они поймают меня в ловушку — заставят говорить то, что я не хотела.

— Не заставят. Все будет хорошо.

— Нет. Все это было неправильно. Мы взяли деньги, которые нам не принадлежат. Я ночами не сплю, думая об этом, Дэвид. Бог наказывает нас за наши грехи.

Дэвид, нахмурившись, смотрел на нее. Она вот-вот сломается. В ней всегда была эта религиозная жилка. Совесть никогда не оставит ее в покое. Если не произойдет чуда, она их подведет. Ну, остается только одно...

— Слушай, Розалин, — мягко заговорил он. — Ты ведь не хочешь, чтобы меня повесили?

Ее глаза расширились от ужаса.

— О, Дэвид, они не смогут...

— Только один человек может отправить меня на виселицу — ты. Если ты хоть раз признаешь, словом или взглядом, что убитый может быть Андерхеем, ты затянешь петлю на моей шее! Поняла?

Да, это сработало. Она испуганно смотрела на него.

— Я такая глупая, Дэвид...

— Вовсе нет. Да и от тебя не требуется быть умной. Ты должна только торжественно поклясться, что покойный — не твой муж. Можешь это сделать?

Розалин кивнула.

— Если хочешь, можешь иногда выглядеть дурочкой — притворяться, будто не понимаешь, о чем тебя спрашивают. Вреда от этого не будет. Но на те вопросы, о которых мы с тобой говорили, отвечай твердо и стой на своем. Гейторн присмотрит за тобой. Он толковый адвокат — потому я его и нанял. Он будет на дознании и не даст тебя запугивать. Но даже ему отвечай то же самое. Ради Бога, не пытайся умничать и не думай, что сумеешь помочь мне, ведя свою игру.

— Я сделаю все, как ты велел, Дэвид.

— Хорошая девочка. Когда все будет кончено, мы уедем на юг Франции или в Америку. А пока береги свое здоровье. Не лежи по ночам без сна, растравляя себя без толку. Принимай снотворное, которое прописал тебе доктор Клоуд, — бромид или что там еще. Принимай по одной порции на ночь и помни, что все будет хорошо. — Он посмотрел на часы. — Пора на дознание — оно начнется в одиннадцать.

Дэвид окинул взглядом гостиную. Красота, богатство, комфорт... Он наслаждался всем этим. «Фарроубэнк» — прекрасный дом. Возможно, это прощание с ним...

Он угодил в передрягу — сомневаться не приходится. Но Дэвид не жалел об этом. Что касается будущего — ну, он привык рисковать. «Воспользоваться мы должны течением, иль потеряем груз».

Дэвид снова посмотрел на Розалин. Глядя в ее большие умоляющие глаза, он инстинктивно почувствовал, чего она ожидает.

— Я не убивал его, Розалин, — мягко произнес он. — Клянусь всеми святыми в твоем календаре!

Глава 4

Дознание проходило в помещении зернового рынка.

Коронер, мистер Пебмарш, был маленьким суетливым человечком в очках и с чрезмерно развитым ощущением собственной важности.

Рядом с ним восседала массивная фигура суперинтенданта Спенса. Похожий на иностранца человечек с большими черными усами скромно примостился поодаль. Семейство Клоуд присутствовало в полном составе — Джереми и Лайонел с женами, Роули, миссис Марчмонт и Линн. Майор Портер сидел в отдалении, беспокойно ерзая на стуле. Дэвид и Розалин прибыли последними и тоже сели отдельно от остальных.

Коронер прочистил горло и, окинув взглядом жюри, состоящее из девяти наиболее уважаемых местных жителей, начал вызывать свидетелей.

Констебль Пикок...

Сержант Вейн...

Доктор Лайонел Клоуд...

— Вы были у пациента в «Олене», когда к вам пришла Глэдис Эйткин. Что она сказала?

— Она сообщила мне, что постоялец из 5-го номера лежит на полу мертвым.

— И вы сразу поднялись в 5-й номер?

— Да.

— Пожалуйста, опишите, что вы там обнаружили.

Доктор Клоуд повиновался. Труп мужчины... лицом вниз... повреждения головы... череп проломлен на затылке... каминные щипцы...

— Вы считаете, что повреждения нанесены этими щипцами?

— Некоторые из них — безусловно.

— И что было нанесено несколько ударов?

— Да. Я не делал подробного обследования, так как считал, что следует вызвать полицию, прежде чем менять положение тела.

— Вы правы. Этот человек был мертв?

— Да, уже несколько часов.

— Когда, по-вашему, наступила смерть?

— Не могу сказать точно. По меньшей мере одиннадцать часов тому назад — возможно, даже тринадцать или четырнадцать... Скажем, накануне вечером, между половиной восьмого и половиной одиннадцатого.

— Благодарю вас, доктор Клоуд.

Следующим вызвали полицейского хирурга, который дал подробное описание ран. На нижней челюсти имелись ссадина и опухоль, а в основание черепа нанесли пять или шесть ударов, причем некоторые из них уже после наступления смерти.

— Значит, нападавший был в ярости?

— Вот именно.

— Чтобы нанести эти удары, требовалась огромная сила?

— Ну, не совсем сила. Взмахнуть щипцами, взяв их за концы, можно без особого напряжения. Тяжелый стальной шар, образующий головку щипцов, превращает их в грозное оружие. Удары мог нанести даже человек хрупкого сложения, если он действовал в приступе гнева.

— Благодарю вас, доктор.

Последовала подробная характеристика физических данных убитого — упитанный, крепкий, возраст около сорока пяти лет. Никаких признаков болезней — сердце, легкие и остальное в полном порядке.

Беатрис Липпинкотт дала показания о прибытии покойного в гостиницу, который зарегистрировался как Енох Арден из Кейптауна.

— Он предъявил книжечку с продуктовыми талонами?

— Нет, сэр.

— И вы не попросили его это сделать?

— Сначала — нет. Я не знала, как долго он пробудет в гостинице.

— Но потом попросили?

— Да, сэр. Он прибыл в пятницу, а в субботу я предупредила, что если он собирается пробыть здесь более пяти дней, то должен передать мне свою продуктовую книжку.

— И что он на это ответил?

— Что передаст ее мне.

— Но он не сделал этого?

— Нет.

— Он не говорил, что потерял книжку или что вообще ее не имеет?

— Нет. Просто сказал: «Я найду ее и принесу вам».

— Мисс Липпинкотт, слышали ли вы в субботу вечером определенный разговор?

После пространных объяснений необходимости своего присутствия в номере 4 Беатрис Липпинкотт поведала свою историю. Коронер умело направлял ее показания в нужное русло.

— Благодарю вас. Вы сообщали кому-нибудь о подслушанном разговоре?

— Да. Я рассказала о нем мистеру Роули Клоуду.

— Почему именно мистеру Клоуду?

— Я подумала, что ему следует знать... — Беатрис покраснела.

Высокий худощавый мужчина — мистер Гейторн — поднялся и попросил разрешения задать вопрос.

— Во время разговора покойного с мистером Дэвидом Хантером тот не говорил, что он сам является Робертом Андерхеем?

— Нет, не говорил.

— Фактически, он упоминал Роберта Андерхея как другого человека?

— Ну... в общем, да.

— Благодарю вас, мистер коронер, это все, что я хотел выяснить.

Беатрис Липпинкотт сменил Роули Клоуд.

Он подтвердил, что Беатрис рассказала ему о разговоре, и дал отчет о своей беседе с покойным.

— Последнее, что он вам сказал, было: «Не думаю, что вам удастся доказать это без моей помощи». Под «этим» подразумевался факт, что Роберт Андерхей еще жив?

— Да, он так сказал и засмеялся.

— Вот как, засмеялся? И как же вы поняли его слова?

— Ну... я решил, что он пытается заставить меня предложить ему сделку, но потом я подумал...

— Что вы подумали потом, мистер Клоуд, едва ли имеет отношение к делу. Можно сказать, что в результате этого разговора вы попытались найти человека, который был знаком с покойным Робертом Андерхеем? И, заручившись помощью определенного лица, достигли успеха?

Роули кивнул:

— Да.

— Сколько было времени, когда вы расстались с убитым?

— Думаю, около без пяти девять.

— Почему вы так думаете?

— Идя по улице, я слышал через открытое окно позывные девятичасовой радиопередачи.

— Покойный упомянул, в какое время он ожидает своего «клиента»?

— Он просто сказал: «В любую минуту».

— И не назвал никакого имени?

— Нет.

— Дэвид Хантер!

Послышался слабый гул голосов, жители Уормсли-Вейл вытянули шеи, глядя на высокого молодого человека, который встал с вызывающим выражением лица.

С предварительными вопросами покончили быстро.

— Вы приходили повидать покойного в субботу вечером? — спросил коронер.

— Да. Я получил от него письмо с просьбой о помощи и утверждением, что он знал первого мужа моей сестры в Африке.

— У вас имеется это письмо?

— Нет, я не сохраняю письма.

— Вы слышали описание Беатрис Липпинкотт вашей беседы с убитым. Оно верно?

— Абсолютно неверно. Убитый говорил, что знал моего покойного зятя, жаловался на судьбу и просил денег, которые, как обычно бывает, обещал вернуть.

— Он говорил вам, что Роберт Андерхей все еще жив?

Дэвид улыбнулся:

— Конечно нет. Он сказал: «Если бы Роберт был жив, то я уверен, что он бы мне помог».

— Это резко отличается от того, что сообщила нам Беатрис Липпинкотт.

— Любители подслушивать, — отозвался Дэвид, — как правило, слышат только часть разговора, и у них нередко создается о нем неправильное впечатление, так как они дополняют недостающие детали с помощью своего живого воображения.

Беатрис вскочила с места и сердито начала:

— Я еще никогда...

— Прошу тишины! — грозно прервал ее коронер. — Мистер Хантер, вы посетили покойного снова во вторник вечером?

— Нет.

— Вы слышали, как мистер Клоуд утверждал, что покойный ожидал визитера?

— Может, он кого-то и ожидал, но не меня. Я уже дал ему пять фунтов и думал, что с него хватит. Не было никаких доказательств, что он знал Роберта Андерхея. С тех пор как моя сестра унаследовала от мужа крупное состояние, она стала мишенью для всех местных попрошаек. — И Дэвид бросил взгляд на семейство Клоуд.

— Не сообщите ли вы нам, мистер Хантер, где вы были во вторник вечером?

— Узнайте сами! — усмехнулся Дэвид.

— Мистер Хантер! — Коронер постучал по столу. — Ваш ответ в высшей степени неразумен.

— Почему я должен рассказывать вам, где был и что делал? Мне хватит для этого времени, когда вы обвините меня в убийстве этого человека.

— Если вы будете придерживаться такой позиции, это может произойти скорее, чем вы думаете. Вы узнаете этот предмет, мистер Хантер?

Наклонившись вперед, Дэвид взял в руку золотую зажигалку. Его лицо было озадаченным.

— Да, это моя зажигалка, — сказал он, возвращая ее.

— Когда вы видели ее в последний раз?

— Я потерял ее... — Дэвид умолк.

— Да, мистер Хантер? — вежливо поторопил его коронер.

Адвокат Гейторн заерзал, явно собираясь заговорить. Но Дэвид его опередил:

— Я пользовался зажигалкой в прошлую пятницу утром. Не припоминаю, что видел ее с тех пор.

Гейторн поднялся:

— С вашего позволения, мистер коронер. Вы посетили покойного в субботу вечером. Не могли вы оставить зажигалку у него?

— Очевидно, мог, — медленно ответил Дэвид. — Во всяком случае, я не видел ее после пятницы... А где ее нашли?

— Мы вернемся к этому позже, — пообещал коронер. — Можете сесть, мистер Хантер.

Дэвид вернулся на свое место и что-то прошептал Розалин Клоуд.

— Майор Портер!

Помявшись, майор занял свидетельское место, стоя прямо, как на параде. Только то, как он облизывал губы, выдавало его нервозность.

— Вы Джордж Даглас Портер, майор королевских африканских стрелков в отставке?

— Да.

— Насколько хорошо вы знали Роберта Андерхея?

Лающим голосом, словно на учебном плацу, майор Портер назвал несколько мест и дат.

— Вам показывали тело покойного?

— Да.

— Вы смогли его опознать?

— Да. Это тело Роберта Андерхея.

В зале послышался возбужденный гул.

— Вы утверждаете это без малейшего сомнения?

— Да.

— Вы не могли ошибиться?

— Не мог.

— Благодарю вас, майор Портер. Миссис Гордон Клоуд!

Розалин встала. Майор с любопытством на нее смотрел, но она, проходя мимо, даже не взглянула на него.

— Миссис Клоуд, полиция показывала вам тело покойного?

Розалин вздрогнула:

— Да.

— И вы твердо заявили, что это тело незнакомого вам человека?

— Да.

— Учитывая заявление, только что сделанное майором Портером, вы не желаете отказаться от вашего заявления или изменить его?

— Нет.

— Вы по-прежнему утверждаете, что это не было тело вашего мужа, Роберта Андерхея?

— Да. Я никогда в жизни не видела этого человека.

— Однако майор Портер уверенно опознал в нем своего друга, Роберта Андерхея.

— Майор Портер ошибся. — В голосе Розалин не слышалось никаких эмоций.

— В этом суде вы не под присягой, миссис Клоуд. Но вполне вероятно, что вскоре вам придется давать показания под присягой в другом суде. Вы готовы поклясться, что это тело не Роберта Андерхея, а незнакомого вам человека?

— Я готова поклясться, что это тело не моего мужа, а незнакомого человека. — Розалин произнесла это без запинки, глядя прямо в глаза коронеру.

— Можете сесть, — буркнул он.

Сняв пенсне, коронер обратился к присяжным.

Они присутствуют здесь, чтобы выяснить причину смерти этого человека. Тут не может быть сомнений. Нет и речи о несчастном случае, самоубийстве или непреднамеренном убийстве. Остается один вердикт — преднамеренное убийство. Что касается личности покойного, то она не была четко установлена.

Они слышали показания свидетеля, в чьей честности не приходится сомневаться, что это тело его друга, Роберта Андерхея. С другой стороны, смерть Роберта Андерхея от лихорадки в Африке не вызвала сомнений у местных властей. В противоположность показаниям майора Портера, вдова Роберта Андерхея, ныне миссис Гордон Клоуд, уверенно заявила, что это тело не Роберта Андерхея. Итак, перед ними два диаметрально противоположных заявления. Помимо вопроса об идентификации, им следует решить, имеются ли какие-либо указания на личность убийцы. Возможно, они считают, что такие указания имеются, но для обвинения необходимо наличие мотива преступления и возможности его совершить. Требуется, чтобы подозреваемого видели поблизости от места преступления в соответствующее время. Если таких доказательств не окажется, то наилучшим вердиктом будет преднамеренное убийство, совершенное неизвестным лицом или лицами. Такой вердикт предоставит полиции возможность продолжать расследование.

После этого коронер отпустил присяжных обдумывать вердикт.

Это заняло сорок пять минут.

Присяжные вернулись с вердиктом о преднамеренном убийстве, совершенном Дэвидом Хантером.

Глава 5

— Я боялся, что они вынесут такой вердикт, — виновато сказал коронер. — Местные предубеждения! Тут больше эмоций, чем логики.

Коронер, главный констебль, суперинтендант Спенс и Эркюль Пуаро совещались после дознания.

— Вы сделали все, что от вас зависит, — отозвался главный констебль.

— Этот вердикт преждевремен, чтобы не сказать больше, — нахмурился Спенс. — И здорово нам мешает. Вы знакомы с мсье Эркюлем Пуаро? Это он отыскал майора Портера.

— Я слышал о вас, мсье Пуаро, — вежливо сказал коронер, а Пуаро безуспешно попытался выглядеть скромным.

— Мсье Пуаро интересует это дело, — с усмешкой добавил Спенс.

— Совершенно верно, — кивнул Пуаро. — Можно сказать, я участвовал в этом деле еще до того, как оно стало таковым.

В ответ на их недоуменные взгляды Пуаро рассказал о странной маленькой сцене в клубе, когда он впервые услышал имя Роберта Андерхея.

— Когда дело попадет в суд, это будет дополнительным очком в пользу показаний Портера, — задумчиво промолвил главный констебль. — Значит, Андерхей действительно планировал притвориться умершим и воспользоваться именем Еноха Ардена.

— Да, но будет ли это принято как доказательство? — возразил Спенс. — Слова человека, которого нет в живых...

— Возможно, это не примут в качестве доказательства, — отозвался Пуаро, — но это наводит на очень интересные предположения.

— Нам нужны не предположения, а конкретные факты, — напомнил Спенс. — Например, кто-нибудь видевший Дэвида Хантера в «Олене» или рядом во вторник вечером.

— Это не составит труда, — заметил главный констебль.

— У меня на родине это было бы достаточно легко, — сказал Пуаро. — Там повсюду маленькие кафе, где люди по вечерам пьют кофе. Но в провинциальной Англии... — Он развел руками.

Суперинтендант кивнул:

— Некоторые торчат в пивных до самого закрытия, а другие сидят дома и слушают девятичасовую передачу новостей. Если вы пройдетесь по главной улице между половиной девятого и десятью, то не встретите ни души.

— Может быть, он на это и рассчитывал? — предположил главный констебль.

— Возможно, — ответил Спенс. Выражение его лица трудно было назвать радостным.

Главный констебль и коронер вскоре удалились. Пуаро и Спенс остались вдвоем.

— Вам не нравится это дело? — с сочувствием осведомился Пуаро.

— Меня беспокоит этот молодой человек, — сказал Спенс. — С такими, как он, ничего не знаешь наперед. Они могут вести себя крайне подозрительно, будучи абсолютно невиновными, и, наоборот, выглядеть сущими ангелами, в действительности являясь виновными.

— По-вашему, он виновен?

— А по-вашему?

Пуаро снова развел руками:

— Я бы хотел знать, сколько у вас фактов, говорящих против него.

— Вы имеете в виду не доказательства в юридическом смысле слова, а подозрительные обстоятельства?

Пуаро кивнул.

— Ну, во-первых, зажигалка, — сказал Спенс.

— Где вы ее нашли?

— Под трупом.

— На ней были отпечатки пальцев?

— Никаких.

— А-а! — протянул Пуаро.

— Мне самому это не слишком нравится, — вздохнул Спенс. — Далее часы убитого, остановившиеся на десяти минутах десятого. Это соответствует медицинскому заключению и заявлению Роули Клоуда, что Андерхей ожидал «клиента» в любую минуту.

— Да, все сходится, — согласился Пуаро.

— К тому же, мсье Пуаро, никуда не денешься от того, что только у Хантера (точнее, у него и у его сестры) имеется хотя бы подобие мотива. Либо Дэвид Хантер убил Андерхея, либо это дело рук какого-то постороннего, который последовал сюда за Андерхеем по неизвестной нам причине. Последнее выглядит крайне маловероятным.

— Согласен с вами.

— Понимаете, в Уормсли-Вейл нет ни одного человека, у которого мог бы быть мотив, — разве только кто-то из местных жителей (помимо Хантеров) был связан с Андерхеем в прошлом. Я никогда не исключаю совпадений, но в данном случае нет и намека на что-нибудь подобное. Этот человек был посторонним для всех, кроме брата и сестры.

Пуаро кивнул.

— Семья Клоуд должна была бы беречь Андерхея как зеницу ока, — продолжал суперинтендант. — Ведь живой и невредимый Роберт Андерхей гарантировал бы им огромное состояние.

— И снова, mon ami[1], я полностью с вами согласен. Живой и невредимый Роберт Андерхей — именно то, что нужно семье Клоуд.

— Таким образом, мы возвращаемся к тому, что мотив есть только у Розалин и Дэвида Хантера. Роза-

_____
[1] Мой друг (фр.).

лин Клоуд была в Лондоне. Но мы знаем, что Дэвид в тот день был в Уормсли-Вейл. Он прибыл на станцию «Уормсли-Хит» поездом в семнадцать тридцать.

— Итак, мы имеем Мотив с большой буквы и тот факт, что с половины шестого до неопределенного времени Дэвид Хантер находился здесь.

— Вот именно. Теперь возьмем рассказ Беатрис Липпинкотт. Лично я ей верю. Она сообщила то, что слышала, хотя, возможно, немного свой рассказ приукрасила, что свойственно человеческой натуре.

— Безусловно.

— Помимо того, что я знаю Беатрис, я верю, что она не могла такое выдумать. Например, Беатрис никогда не слышала о Роберте Андерхее. Поэтому мне кажется, что разговор между двоими мужчинами проходил именно таким образом, а не так, как утверждает Дэвид Хантер.

— Мне тоже, — сказал Пуаро. — Она производит впечатление вполне надежного свидетеля.

— У нас есть подтверждение ее показаниям. Как вы думаете, почему брат и сестра уехали в Лондон?

— Это один из наиболее интересующих меня вопросов.

— Их финансовое положение выглядит следующим образом. Розалин пожизненно распоряжается только процентами с капитала Гордона Клоуда — сам капитал она не может трогать, за исключением, кажется, тысячи фунтов. Но драгоценности и тому подобное принадлежат ей полностью. Первое, что сделала Розалин, прибыв в город, — отнесла самые ценные вещи на Бонд-стрит и продала их. Ей быстро требовалась крупная сумма наличными — иными словами, она должна была заплатить шантажисту.

— Вы называете это доказательством против Дэвида Хантера?

— А вы — нет?

Пуаро покачал головой:

— Доказательством, что имел место шантаж, — да. Но доказательством намерения совершить убий-

334

ство — нет. Это не может доказывать и то и другое, mon cher. Молодой человек собирался либо заплатить, либо убить. Вы предъявили доказательство первого.

— Возможно, вы правы. Но он мог изменить намерения.

Пуаро пожал плечами.

— Я знаю людей такого типа, — задумчиво продолжал суперинтендант. — Они хороши на войне — у них более чем достаточно чисто физической смелости, дерзости и пренебрежения личной безопасностью. Такие нередко получают крест Виктории — хотя, уверяю вас, большей частью посмертно. Да, в военное время они герои. Но в мирное такие люди обычно заканчивают тюрьмой. Они не могут обходиться без возбуждения, не любят идти прямой дорогой, им наплевать на общество и в конечном счете на человеческую жизнь.

Детектив молча кивнул.

Последовала длительная пауза.

— Eh bien, — заговорил наконец Пуаро. — Мы согласились, что перед нами тип убийцы. Но это все — это никуда нас не приведет.

Спенс с любопытством посмотрел на него:

— Вас очень интересует это дело, мсье Пуаро?

— Да.

— Могу я спросить, почему?

— Откровенно говоря, я и сам не знаю, — развел руками детектив. — Возможно, потому, что когда я два года назад сидел в курительной клуба моего друга, ощущая неприятное чувство вот здесь, — он выразительно указал на живот, — ибо я не люблю воздушные налеты и не блистаю смелостью, хотя стараюсь это скрыть... Так вот, когда я сидел там, клубный зануда, славный майор Портер, рассказывал длинную историю, которую не слушал никто, кроме меня, так как я старался отвлечься от бомб и так как факты, о которых он повествовал, казались мне любопытными и поучительными. Я подумал, что в один прекрасный день из этих фактов может что-то выйти. И теперь это случилось.

— Выходит, произошло неожиданное?

— Напротив, — поправил его Пуаро. — Произошло как раз вполне ожидаемое, что само по себе замечательно.

— Вы ожидали убийства? — скептически уточнил Спенс.

— Нет-нет! Но вдова выходит замуж вторично. Возможно, первый муж еще жив? Оказывается, жив! Он может объявиться? И объявляется! Вероятен шантаж? Так и происходит! Следовательно, шантажиста могут заставить замолчать? Ma foi, и это случилось!

— Ну, — Спенс с сомнением посмотрел на Пуаро, — по-моему, все достаточно типично. Шантаж приводит к убийству — в таком преступлении нет ничего необычного.

— Да, как правило, подобные преступления не представляют особого интереса. Но этот случай любопытен потому, что здесь все не так.

— Все не так? Что вы имеете в виду?

— Все имеет, так сказать, неправильную форму.

Спенс уставился на него.

— Старший инспектор Джепп всегда говорил, что у вас извилистый ум, — заметил он. Приведите мне пример того, что здесь, по-вашему, «не так».

— Ну, хотя бы сам убитый.

Спенс молча покачал головой.

— Вы так не считаете? — спросил Пуаро. — Ну, возможно, я фантазирую. Тогда другой пример. Андерхей прибывает в «Олень». Он пишет Дэвиду Хантеру. Хантер получает письмо на следующее утро за завтраком?

— Да, по его словам, он получил письмо от Ардена именно тогда.

— Это была первая информация о прибытии Андерхея в Уормсли-Вейл, не так ли? Что же делает Хантер прежде всего? Отправляет сестру в Лондон!

— Это вполне понятно, — сказал Спенс. — Хантер хочет иметь свободу действий. Возможно, он опасается, что Розалин проявит слабость. Не забывайте, в семье лидер — он. Миссис Клоуд полностью у него под каблуком.

— Да, это видно с первого взгляда. Итак, Хантер отсылает сестру в Лондон и наносит визит Еноху Ардену. Мы располагаем отчетом Беатрис Липпинкотт об их беседе, из которого, как у вас говорят, видно за милю, что Дэвид Хантер не был уверен, является ли его собеседник Робертом Андерхеем. Он подозревал это, но не знал наверняка.

— Но тут нет ничего странного, мсье Пуаро. Розалин Хантер вышла замуж за Андерхея в Кейптауне и сразу уехала с ним в Нигерию. Хантер и Андерхей никогда не встречались. Таким образом, как вы говорите, Хантер хотя и подозревал, что Арден — Андерхей, но не мог этого знать, потому что ни разу не видел Андерхея.

Пуаро задумчиво посмотрел на суперинтенданта.

— Значит, здесь ничего не кажется вам странным? — спросил он.

— Я знаю, куда вы клоните. Почему Арден не сказал прямо, что он Андерхей? Ну, думаю, это тоже понятно. Респектабельные люди, совершающие нечестный поступок, стараются сохранять внешние приличия. Они предпочитают обставлять все так, чтобы самим выглядеть незапятнанными, если вы понимаете, о чем я. По-моему, тут нет ничего необычного. Вы должны делать скидку на человеческую натуру.

— Да, — промолвил Пуаро. — Человеческая натура. Полагаю, это возможный ответ на вопрос, почему меня так интересует это дело. На дознании я внимательно разглядывал присутствующих — особенно членов семейства Клоуд, связанных общими интересами, но абсолютно различных по характеру, мыслям и чувствам. В течение многих лет все они зависели от сильного человека в их семействе — Гордона Клоуда. Я не имею в виду полную зависимость. У каждого из них были самостоятельные средства к существованию. Но, сознательно или бессознательно, они привыкли во всем полагаться на него. А что происходит с плющом, суперинтендант, когда дуб, вокруг которого он обвивается, рубят?

— Этот вопрос едва ли по моей части, — заметил Спенс.

— Вот как? По-моему, как раз по вашей. Человеческая личность, mon cher, не остается неизменной. Она может обретать силу, но может и разрушаться. Что человек собой представляет, становится ясным только в дни испытаний, когда он либо выстоит, либо упадет.

— Право, не знаю, на что вы намекаете, мсье Пуаро. — Спенс выглядел сбитым с толку. — Как бы то ни было, с семьей Клоуд теперь все в порядке — во всяком случае, будет в порядке после всех юридических формальностей.

Пуаро напомнил ему, что это может потребовать времени.

— Все еще необходимо опровергнуть показания миссис Гордон Клоуд. В конце концов, женщина не может не узнать собственного мужа.

Он склонил голову набок и вопрошающе посмотрел на суперинтенданта.

— По-вашему, женщине трудно не узнать собственного мужа, если от этого зависит состояние в пару миллионов фунтов? — цинично проговорил Спенс. — Кроме того, если это не Роберт Андерхей, то почему его убили?

— Действительно, — пробормотал детектив. — Вот в чем вопрос.

Глава 6

Пуаро вышел из полицейского участка задумчиво нахмурив брови. Его шаги становились все медленнее. На рыночной площади он остановился и огляделся вокруг. Невдалеке стоял дом доктора Клоуда с потускневшей медной табличкой, а рядом с ним — почта.

Напротив виднелся дом Джереми Клоуда. Прямо перед Пуаро, чуть в глубине, находилась католическая церковь Успения — скромное сооружение, казавшееся увядшей фиалкой в сравнении с собором Святой Марии, агрессивно возвышавшимся в центре площади, фасадом к зерновому рынку, символизируя торжество протестантской религии.

Повинуясь импульсу, Пуаро прошел через ворота и направился по дорожке к двери католической церкви. Он снял шляпу, преклонил колени перед алтарем и снова опустился на колени позади одного из стульев. Его молитва была прервана звуками душераздирающих рыданий.

Он обернулся. Женщина в черном стояла на коленях в проходе, закрыв лицо руками. Вскоре она поднялась и, продолжая всхлипывать, двинулась к двери. Пуаро узнал Розалин Клоуд, и в его глазах зажегся интерес. Он тоже встал и последовал за ней.

Розалин стояла на крыльце, пытаясь успокоиться.

— Мадам, не могу ли я вам помочь? — мягко обратился к ней Пуаро.

Она не обнаружила признаков удивления и ответила с простотой обиженного ребенка:

— Нет. Никто не в состоянии мне помочь.

— У вас серьезные неприятности, не так ли?

— Дэвида арестовали... Я осталась совсем одна. Они говорят, что он убил этого человека... Но он не делал этого! — Посмотрев на Пуаро, Розалин добавила: — Вы были сегодня на дознании. Я вас видела!

— Да, мадам. Я был бы очень рад оказать вам помощь.

— Я боюсь! Дэвид говорил, что я буду в безопасности, пока он присматривает за мной. Но теперь его забрали... Он говорил, что они все желают мне смерти. Ужасно! Но возможно, это правда.

— Позвольте мне помочь вам, мадам.

Розалин покачала головой:

— Никто не в силах мне помочь. Я даже не могу пойти на исповедь. Мне приходится одной нести бремя моих грехов. Я лишена милости Божьей.

339

— Никто не лишен милости Божьей, — возразил Эркюль Пуаро. — Вы отлично это знаете, дитя мое.

Она снова печально посмотрела на него:

— Я должна исповедаться в моих грехах. Если бы я только могла...

— Вы не можете исповедаться? Разве вы не за тем пришли в церковь?

— Я пришла за утешением. Но какое может быть утешение для такой грешницы, как я?

— Мы все грешники.

— Но вы можете покаяться... я имею в виду, рассказать... — Она снова закрыла лицо руками. — Сколько же лжи я наговорила!

— Вы солгали насчет вашего мужа — Роберта Андерхея? Убитый был Роберт Андерхей, не так ли?

Розалин резко повернулась к нему. Ее взгляд был настороженным и подозрительным.

— Говорю вам, это был не мой муж! — крикнула она. — Ничего похожего!

— Убитый не походил на вашего мужа?

— Нисколько! — с вызовом заявила девушка.

— Тогда расскажите, как выглядел ваш муж, — предложил Пуаро.

Ее лицо застыло, глаза потемнели от страха.

— Я не буду ничего вам рассказывать!

Быстро пройдя мимо него, Розалин побежала по дорожке и вышла за ворота на рыночную площадь.

Пуаро не пытался ее преследовать.

— Так вот оно что, — произнес он, удовлетворенно кивнув.

Выйдя на площадь, Пуаро после недолгого колебания зашагал по Хай-стрит и вскоре подошел к гостинице «Олень» — последнему зданию перед полем.

В дверях он столкнулся с Роули Клоудом и Линн Марчмонт.

Пуаро с интересом посмотрел на Линн. Красивая и явно неглупая девушка, хотя и не в его вкусе. Он предпочитал более мягких и женственных. Линн, подумал он, принадлежит к современному типу женщин, который, впрочем, столь же справедливо можно назвать елизаветинским[1]. Такие женщины сами все для себя решают, не стесняются в выражениях, восхищаются дерзостью и предприимчивостью в мужчинах.

— Мы очень признательны вам, мсье Пуаро, — сказал Роули. — Черт возьми, это выглядело как трюк фокусника.

«Каковым оно и являлось!» — подумал Пуаро. Задавая вопрос, на который уже знаешь ответ, нетрудно представить это в виде фокуса. Он понимал, что простодушному Роули появление майора Портера буквально из ничего казалось столь же захватывающим, как появление целого ряда кроликов из шляпы фокусника.

— Ума не приложу, как вы проделываете такие штуки, — продолжал Роули.

Пуаро не стал его просвещать. В конце концов, он был всего лишь человеком. Фокусник не объясняет публике, каким образом был проделан трюк.

— Как бы то ни было, Линн и я бесконечно вам благодарны, — добавил Роули.

Пуаро подумад, что Линн Марчмонт не выглядит особенно благодарной. Под ее глазами темнели круги; пальцы рук нервно сплелись друг с другом.

— Это внесет большие изменения в нашу будущую семейную жизнь, — сообщил Роули.

— Откуда ты знаешь? — резко осведомилась Линн. — Уверена, что предстоит еще множество формальностей.

— Когда вы женитесь? — вежливо спросил Пуаро.

— В июне.

— А сколько времени вы уже помолвлены?

— Почти шесть лет, — ответил Роули. — Линн только что вернулась из Женской вспомогательной службы флота.

— А на этой службе запрещено вступать в брак?

— Я была за границей, — кратко объяснила Линн.

---

[1] Имеется в виду период царствования королевы Елизаветы I Тюдор (1558—1603) — женщины твердой и решительной, в годы правления которой Англия смогла отразить агрессию Испании.

Пуаро заметил, как Роули нахмурился.

— Пошли, Линн, — предложил он. — Наверно, мсье Пуаро хочет вернуться в город.

— Но я не собираюсь возвращаться в город, — улыбнулся тот.

— Что? — Роули застыл как вкопанный.

— Я хочу немного пожить здесь, в «Олене».

— Но... но почему?

— C'est un beau paysage[1], — безмятежно произнес Пуаро.

— Да, конечно... — неуверенно пробормотал Роули. — Но разве вы... ну, я имею в виду, вас не ждут другие дела?

— Я скопил достаточно сбережений, — снова улыбнулся детектив, — так что мне незачем перетруждаться. Я могу наслаждаться досугом и проводить время в тех местах, которые меня привлекают. Сейчас меня привлекает Уормсли-Вейл.

Он заметил, как Линн внимательно посмотрела на него. Роули выглядел раздосадованным.

— Полагаю, вы играете в гольф? — спросил он. — В Уормсли-Хит есть гораздо лучший отель, чем это убогое заведение.

— Меня интересует исключительно Уормсли-Вейл, — ответил Пуаро.

— Пойдем, Роули, — сказала Линн.

Роули неохотно последовал за ней. У двери Линн повернулась и быстро подошла к Пуаро.

— Дэвида Хантера арестовали после дознания, — тихо проговорила она. — Вы думаете... они правы?

— После вердикта у них не было иного выбора, мадемуазель.

— Я имею в виду... вы думаете, он это сделал?

— А вы? — отозвался Пуаро.

Но тут к ним подошел Роули, и лицо девушки стало непроницаемым.

— До свидания, мсье Пуаро, — попрощалась она. — Надеюсь, мы еще увидимся.

---

[1] Здесь такой красивый пейзаж (фр.).

«Любопытно!» — подумал детектив.

Договорившись с Беатрис Липпинкотт о комнате, он снова вышел и на сей раз направился к дому доктора Лайонела Клоуда.

— О! — воскликнула тетя Кэти, открыв дверь и шагнув назад. — Мсье Пуаро!

— К вашим услугам, мадам, — поклонился он. — Я пришел засвидетельствовать вам мое почтение.

— Очень любезно с вашей стороны. Ну... полагаю, вам лучше войти. Садитесь... сейчас я уберу книгу мадам Блаватской[1]. Может быть, выпьете чашечку чаю? Только печенье ужасно черствое. Я собиралась зайти к Пикокам — у них по средам иногда бывает рулет с вареньем, — но дознание нарушило весь распорядок дня.

Пуаро выразил сочувствие по этому поводу.

Ему показалось, что Роули Клоуду не понравилось его намерение побыть в Уормсли-Вейл. Манеры тети Кэти тоже не блистали радушием. Она смотрела на него с чем-то весьма похожим на испуг.

— Вы ведь не скажете моему мужу, — прошептала она заговорщически, — что я приходила к вам посоветоваться о... ну, вы знаете о чем?

— Считайте, что мой рот на замке.

— Конечно, тогда я и понятия не имела, что бедный Роберт Андерхей — такая трагедия! — находится в Уормсли-Вейл. Это кажется мне очень странным совпадением.

— Было бы гораздо проще, — согласился Пуаро, — если бы доска «Уиджа» сразу направила вас в «Олень».

При упоминании о доске «Уиджа» тетя Кэти несколько приободрилась.

— В мире духов могут происходить самые неожиданные вещи, — заявила она. — Но я чувствую, мсье Пуаро, что во всем этом есть какая-то цель. Вы никогда не ощущали, что все имеет свою цель?

---

[1] Б л а в а т с к а я Елена Петровна (1831—1891) — автор книг по теософии и оккультизму, основательница ряда теософских обществ.

— Разумеется, мадам. Даже то, что я сижу в вашей гостиной.

— В самом деле? — Миссис Клоуд выглядела несколько озадаченной. — Очевидно, так оно и есть... Конечно, вы возвращаетесь в Лондон?

— Не сейчас. Я остановился на несколько дней в «Олене».

— В «Олене»? Но ведь именно там... Вы считаете это разумным, мсье Пуаро?

— Я был направлен туда, — торжественно произнес Пуаро.

— Направлены? Что вы имеете в виду?

— Направлен вами.

— Но я и понятия не имела... Все это так ужасно....

Детектив печально кивнул.

— Я только что говорил с мистером Роули Клоуд и мисс Марчмонт, — сказал он. — Кажется, они скоро собираются пожениться?

Тетя Кэти сразу же переключилась на новую тему:

— Линн такая славная девочка и так хорошо запоминает цифры. Я вечно их путаю. Иметь рядом Линн — благословение Божье. Если я в чем-нибудь запутываюсь, она всегда все мне объясняет. Надеюсь, Линн будет счастлива. Роули, конечно, отличный парень, хотя, возможно... ну, немного скучноват. Я имею в виду, скучноват для девушки, которая повидала мир. Роули всю войну проторчал на ферме. Разумеется, по закону — этого хотело правительство. Ему не присылали белых перьев, как в бурскую войну[1], но это сделало его кругозор довольно ограниченным.

— Шесть лет помолвки — хорошее испытание чувств.

— Да, конечно. Но когда девушки возвращаются домой из армии, они становятся довольно беспокойными, а если рядом появляется мужчина, который вел жизнь, полную приключений...

---

[1] Во время англо-бурской войны и других колониальных войн конца XIX века в Англии существовал обычай присылать белые перья тем, кого подозревали в трусости и уклонении от военной службы.

— Такой, как Дэвид Хантер?

— Между ними ничего нет, — поспешно заверила тетя Кэти. — Я в этом абсолютно уверена. В противном случае это было бы просто ужасно — ведь оказалось, что он убил своего зятя! Пожалуйста, мсье Пуаро, не думайте, что между Линн и Дэвидом существовала какая-то привязанность. Они ссорились практически при каждой встрече. Я просто чувствую, что... О Боже, кажется, идет мой муж! Помните, мсье Пуаро, ни слова о нашей первой встрече! Мой бедный муж ужасно расстроится, если узнает, что... О, Лайонел, пришел мсье Пуаро, который так быстро разыскал этого майора Портера и привел его опознать тело.

Доктор Клоуд выглядел усталым и изможденным. Его светло-голубые глаза с крошечными зрачками рассеянно шарили по комнате.

— Здравствуйте, мсье Пуаро. Собираетесь в Лондон?

«Mon Dieu[1], еще один хочет спровадить меня в Лондон!» — подумал тот.

— Нет, — терпеливо отозвался он. — Я на несколько дней останусь в «Олене».

— В «Олене»? — Лайонел Клоуд нахмурился. — Полиция попросила вас задержаться?

— Нет. Это мой собственный выбор.

— В самом деле? — Доктор бросил на него проницательный взгляд. — Значит, вы не удовлетворены?

— Почему вы так думаете, доктор Клоуд?

Миссис Клоуд, что-то прощебетав насчет чая, вышла из комнаты.

— Но ведь это правда, не так ли? — продолжал доктор. — Вы чувствуете, что тут что-то не так?

— Странно, что вы это говорите, — удивленно заметил детектив. — По-видимому, вы сами это ощущаете?

Клоуд заколебался:

— Н-нет, едва ли... Возможно, это просто чувство какой-то нереальности. В книгах шантажистов обычно

---

[1] Господи (фр.).

убивают. В жизни, очевидно, тоже. Но это кажется неестественным.

— Вас что-то не удовлетворяет в медицинском аспекте дела? Разумеется, я спрашиваю неофициально.

— Пожалуй, нет, — задумчиво промолвил доктор Клоуд.

— Но я вижу, что вас что-то беспокоит.

Когда Пуаро хотел, его голос мог обретать почти гипнотическое воздействие. Доктор Клоуд слегка нахмурился.

— Конечно, у меня нет опыта в полицейских делах, — неуверенно произнес он. — Но медицинское заключение вовсе не последняя инстанция, которую нельзя опровергнуть. Медицина может ошибаться. Что такое диагноз? Догадка, основанная на минимуме знаний и нескольких неопределенных симптомах, указывающих отнюдь не в одном направлении. Возможно, я хорошо диагностирую корь, потому что в свое время видел сотни случаев этой болезни и знаю великое множество признаков и симптомов. Едва ли можно столкнуться с тем, что учебники именуют «типичным случаем» кори. Но я сталкивался с достаточным количеством необычных случаев. Я видел женщину, уже практически лежащую на операционном столе для удаления аппендикса, когда в последний момент у нее диагностировали паратиф! Видел ребенка с поражениями кожи, которые серьезный и добросовестный молодой врач определил как тяжелый случай авитаминоза, — а местный ветеринар объяснил матери, что мальчик заразился стригущим лишаем от кошки, с которой играл! Врачи, как и все остальные, становятся жертвами предвзятых идей. Допустим, перед нами человек, очевидно убитый, а рядом лежат испачканные кровью каминные щипцы. Предположение, что его ударили чем-то еще, кажется чепухой, и все же, несмотря на то, что у меня нет большого опыта с черепными травмами, я бы заподозрил что-то не столь гладкое и круглое — что-то с более острыми краями, вроде кирпича.

— Вы не упомянули об этом на дознании?

— Нет, так как не был уверен. Дженкинс, полицейский врач, был удовлетворен, а в первую очередь учитывают его мнение. Но здесь явно предвзятая идея — оружие лежит рядом с телом. Раны могли быть нанесены этим оружием? Да, могли. Но если бы вам показали раны и спросили, чем они нанесены... ну, не знаю, сказали бы вы это, так как это звучит бессмысленно... Я имею в виду, что один человек наносил удары кирпичом, а другой — щипцами... — Доктор неудовлетворенно покачал головой. — Бессмысленно, не так ли?

— А он не мог упасть на какой-нибудь острый предмет?

Доктор Клоуд покачал головой:

— Он лежал лицом вниз посередине комнаты, на старомодном плотном эксминстерском ковре... — Доктор умолк, так как в этот момент вошла его жена. — А вот и Кэти со своим пойлом.

Тетя Кэти несла поднос с чашками, половиной буханки хлеба и удручающим на вид вареньем на дне двухлитровой банки.

— По-моему, чайник вскипел, — с сомнением заметила она, подняв крышку и заглянув внутрь.

Доктор Клоуд фыркнул:

— Бурда! — и с этим кратким эпитетом вышел из комнаты.

— Бедный Лайонел, — вздохнула тетя Кэти. — С начала войны его нервы в ужасном состоянии. Он слишком много работал. Многие врачи уехали, а Лайонел не давал себе отдыха ни днем ни ночью. Удивительно, что он полностью не сломался. Конечно, Лайонел рассчитывал уйти на покой, как только кончится война. Они обо всем договорились с Гордоном. Его хобби — ботаника, особенно использование лекарственных растений в средние века. Он пишет об этом книгу и дожидался возможности заняться исследованиями. Но после смерти Гордона... Ну, вы знаете, мсье Пуаро, как обстоят дела в наши дни, — налоги и все прочее. Лайонел не может себе позволить бросить практику, и это его ожесточило. Конечно, это несправедливо. То, что Гордон умер вот так, не оставив завещания, поколебало мою веру. Я не вижу в этом никакой цели и не могу избавиться от мысли, что произошла ошибка. — Она вздохнула и продолжала более бодро: — Но я получила уверение из потустороннего мира: «Терпение, мужество — и выход будет найден». И в самом деле, когда этот славный майор Портер твердо заявил, что убитый — Роберт Андерхей, я поняла, что выход найден! Удивительно, как все оборачивается к лучшему, не так ли, мсье Пуаро?

— Даже убийство, — добавил он.

Глава 7

Пуаро вернулся в «Олень» в задумчивом настроении, слегка ежась от пронизывающего восточного ветра. Холл был пуст. Он открыл дверь в комнату отдыха. Там пахло дымом: огонь в камине почти погас. Детектив на цыпочках подошел к двери в дальнем конце холла с надписью: «Только для постояльцев». Здесь огонь полыхал вовсю, но в большом кресле у камина уютно грела ноги монументальная старая леди, которая с такой свирепостью взглянула на заглянувшего, что тот с извинением отступил.

Стоя в холле, Пуаро перевел взгляд с пустого застекленного офиса на старомодную надпись: «Кофейная». По своему опыту пребывания в сельских гостиницах он хорошо знал, что кофе там подают только на завтрак, и то с величайшей неохотой, да и тогда его основным компонентом является водянистое горячее молоко. Маленькие чашечки приторной мутной жидкости, именуемой черным кофе, подавали не в кофейной, а в комнате отдыха. Виндзорский суп, бифштекс по-венски с помидорами и горячий пудинг, составляющие обед, можно было получить в кофейной ровно в семь. До тех пор в обитаемых помещениях «Оленя» царила мертвая тишина.

Пуаро задумчиво поднялся по лестнице. Вместо того чтобы свернуть налево, где находился отведенный ему

11-й номер, он повернул направо, остановился у двери номера 5 и огляделся вокруг. Тишина и пустота. Пуаро открыл дверь и вошел.

Полиция уже закончила работу в комнате. Ее убрали и помыли. На полу не было ковра — очевидно, старомодный эксминстерский ковер отдали в чистку. Одеяла были сложены на кровати в аккуратную стопку.

Закрыв за собой дверь, Пуаро прошелся по комнате. В ней не ощущалось никаких признаков человеческого присутствия. Он начал осматривать мебель: письменный стол, комод красного дерева, гардероб из того же материала (по-видимому, закрывавший дверь в 4-й номер), широкую медную кровать, умывальник с холодной и горячей водой — дань современности и нехватке персонала; большое, но весьма неудобное кресло, два маленьких стула, старомодную викторианскую каминную решетку с кочергой и совком из того же комплекта, что и щипцы, тяжелую мраморную каминную полку и мраморный прямоугольный бордюр вокруг очага.

Детектив наклонился и стал разглядывать камин. Послюнив палец, он потер им правый угол бордюра и посмотрел на результат. Палец слегка почернел. Он повторил ту же операцию другим пальцем у левого угла бордюра. На сей раз палец остался абсолютно чистым.

— Та-ак, — задумчиво пробормотал Пуаро.

Он взглянул на умывальник, затем подошел к окну. Оно выходило на освинцованную крышу — вероятно, гаража, — за которой виднелся переулок позади гостиницы. Самый легкий способ незаметно проникнуть в номер 5 и уйти оттуда. Впрочем, столь же незаметно можно было подняться сюда по лестнице. Он сам только что это проделал.

Пуаро вышел в коридор, бесшумно закрыв за собой дверь, и направился к себе в комнату, но там было слишком холодно. Он спустился вниз, поколебался немного, однако, подстрекаемый холодным вечерним воздухом, решительно шагнул в комнату, предназначенную «только для постояльцев», придвинул к камину второе кресло и сел.

Монументальная старая леди вблизи выглядела еще более грозно. У нее были серо-стального оттенка волосы, пышные усы и (что выяснилось, когда она заговорила) низкий, внушающий трепет голос.

— Эта комната, — заявила леди, — предназначена только для постояльцев отеля.

— Я постоялец отеля, — отозвался Эркюль Пуаро.

Леди подумала несколько секунд, прежде чем возобновить атаку, затем произнесла обвиняющим тоном:

— Вы иностранец.

— Совершенно верно, — кивнул детектив.

— По-моему, — продолжала старая леди, — вы все должны убраться.

— Куда? — осведомился он.

— Туда, откуда пришли, — твердо сказала леди, после чего добавила вполголоса: — Иностранцы! — и фыркнула.

— Это было бы нелегко, — мягко заметил Пуаро.

— Чепуха, — возразила старая леди. — Разве не за это мы сражались на войне? Чтобы все могли вернуться на свои места и оставаться там!

Пуаро не стал возражать. Он давно усвоил, что каждый имел свою точку зрения на проблему: «За что мы сражались на войне?»

Воцарилось враждебное молчание.

— Не знаю, куда все катится, — снова заговорила старая леди. — Каждый год я приезжаю сюда и останавливаюсь в этой гостинице. Мой муж умер здесь шестнадцать лет назад. Здесь он и похоронен. Я провожу тут месяц.

— Благочестивое паломничество, — вежливо сказал Пуаро.

— И с каждым годом здесь становится все хуже. Никакого обслуживания! Пища несъедобна! Тоже мне бифштекс по-венски! Бифштекс делают из крестца или филе, а не из рубленой конины!

Пуаро печально кивнул.

— Одно хорошо — они закрыли аэродром, — не унималась старая леди. — Стыдно было видеть этих молодых летчиков, приходивших сюда с ужасными девицами! Не знаю, куда смотрят их матери, позволяя им слоняться без дела! А во всем виновато правительство! Это оно посылает матерей работать на фабрики, освобождая только тех, у кого маленькие дети. Чушь! Кто угодно может присматривать за малышами — они ведь не бегают за солдатами! Девушки от четырнадцати до восемнадцати — вот они нуждаются в присмотре! Нуждаются в своих матерях! Что у них в голове? Солдаты, летчики, американцы, нигтеры, всякие польские подонки!.. — Леди закашлялась от негодования. Но, придя в себя, продолжала, с удовольствием доводя себя до исступления и используя Пуаро в качестве объекта своего дурного настроения. — Почему вокруг их лагерей колючая проволока? Чтобы солдаты не приставали к девушкам? Нет, чтобы девушки не приставали к солдатам! Они просто помешались на мужчинах! Посмотрите, что они носят! Брюки, а некоторые дурочки даже шорты! Они бы не стали этого делать, если бы знали, как выглядят сзади!

— Полностью согласен с вами, мадам.

— А что у них на головах? Нормальные шляпы? Нет, какие-то перекрученные куски материи! Лица покрыты краской и пудрой, помада на губах размазана, а ногти ярко-красные не только на руках, но и на ногах! — Старая леди умолкла и выжидающе посмотрела на Пуаро.

Он вздохнул и покачал головой. Тогда она заговорила вновь:

— Даже в церковь они приходят без шляп, а иногда и без этих дурацких шарфов. А перманент? Не волосы, а неизвестно что! В наши дни вообще не знают, что такое волосы. Когда я была молодая, то могла сидеть на своих волосах.

Пуаро украдкой взглянул на ее серо-стальные пряди. Казалось невозможным, чтобы эта свирепая старуха когда-то была молодой!

— Одна из этих девиц как-то вечером появилась здесь, — заявила она. — На голове оранжевый шарф, лицо намазано и напудрено. Я только на нее посмотрела — и вскоре ее как ветром сдуло! Конечно, эта девица не из постояльцев — такие, слава Богу, тут не останавливаются! Тогда почему она выходила из мужской спальни? Мерзость! Я так и сказала этой Липпинкотт, но она ничем не лучше — готова бежать целую милю за каждым, кто носит брюки.

У Пуаро внезапно пробудился интерес.

— Выходила из мужской спальни? — переспросил он.

Старая леди с радостью ухватилась за эту тему:

— Вот именно! Своими глазами видела — из номера 5.

— Когда это было, мадам?

— Накануне того дня, когда началась эта суматоха с убийством. Просто позор, что такое здесь случилось! Эта гостиница всегда была старомодной и респектабельной. А теперь...

— И в котором часу это произошло?

— Поздно вечером — после десяти. Я ложусь спать в четверть одиннадцатого. Она выскочила из 5-го номера, увидела меня и сразу юркнула назад, смеясь и болтая с мужчиной.

— Вы слышали его голос?

— А я о чем говорю? Она вернулась в номер, и он крикнул: «Ну-ка, девочка, убирайся отсюда! С меня довольно!» Ничего себе, разговор мужчины с девушкой! Но эти потаскушки сами на такое напрашиваются!

— Вы не сообщали об этом полиции? — спросил Пуаро.

Старая леди с трудом поднялась и устремила на него взгляд василиска:

— Никогда не имела никаких дел с полицией! Вот еще! Я и полиция!

Дрожа от гнева и злобно посмотрев на Пуаро, она вышла из комнаты.

Несколько минут Пуаро сидел, задумчиво поглаживая усы, потом отправился на поиски Беатрис Липпинкотт.

— Вы имеете в виду старую миссис Ледбеттер — вдову каноника Ледбеттера? Да, она приезжает сюда каждый год, но, говоря между нами, вытерпеть ее нелегко. Миссис Ледбеттер часто бывает грубой с людьми и никак не может понять, что времена изменились. Конечно, ей почти восемьдесят...

— Но у нее ясный ум? Она понимает, что говорит?

— Вполне. Она весьма смышленая старая леди — иногда даже слишком.

— Вы знаете, кто была молодая женщина, которая посещала убитого во вторник вечером?

Беатрис выглядела удивленной.

— Не помню, чтобы его вообще посещала молодая женщина. Как она выглядела?

— С оранжевым шарфом на голове и, насколько я понял, с большим количеством косметики на лице. Она была в 5-м номере и говорила с Арденом во вторник вечером в четверть одиннадцатого.

— Право, мсье Пуаро, я понятия об этом не имею.

Пуаро отправился в полицейский участок.

Суперинтендант Спенс молча выслушал его рассказ, потом откинулся на спинку стула и медленно кивнул.

— Забавно, — заметил он, — как часто приходится возвращаться к все той же древней формулировке: «Cherchez la femme».

Хотя французское произношение суперинтенданта было не таким хорошим, как у сержанта Грейвса, он очень им гордился. Поднявшись, Спенс отошел в дальний конец комнаты и вскоре вернулся, что-то держа в руке. Это была губная помада в позолоченном корпусе.

— Эта штука все время указывала, что тут может быть замешана женщина, — сказал он.

Пуаро взял помаду и аккуратно мазнул ею по тыльной стороне кисти руки.

— Хорошее качество, — заметил он. — Темно-вишневый оттенок — подходит для брюнетки.

— Да. Ее нашли на полу в 5-м номере. Она закатилась под комод и, возможно, пролежала там не один день. Никаких отпечатков пальцев. Разумеется, в наши дни нет такого множества помад, как раньше, — всего несколько сортов.

— И вы, несомненно, уже навели справки?

Спенс улыбнулся:

— Да, как вы говорите, мы навели справки. Таким типом помады пользуются Розалин Клоуд и Линн Марчмонт. Франсис Клоуд использует менее яркий оттенок, миссис Марчмонт — розовато-лиловый, а миссис Лайонел Клоуд и вовсе обходится без помады. Беатрис Липпинкотт едва ли употребляет такой дорогой сорт, а горничная Глэдис — тем более.

— Вы все тщательно проверили, — заметил Пуаро.

— Недостаточно тщательно. Похоже, тут замешана посторонняя женщина — возможно, какая-то знакомая Андерхея в Уормсли-Вейл.

— Которая была с ним во вторник вечером в четверть одиннадцатого?

— Да. — Спенс со вздохом добавил: — Это освобождает от подозрений Дэвида Хантера.

— Разве?

— Увы! Его высочество после беседы со своим адвокатом наконец согласился дать показания. Вот отчет о его передвижениях.

Пуаро прочитал аккуратно отпечатанный текст:

«В 16.16 выехал из Лондона поездом в Уормсли-Хит. Прибыл туда в 17.30. Пошел в «Фарроубэнк» по пешеходной дорожке».

— Он объясняет свой приезд, — вставил суперинтендант, — необходимостью забрать кое-какие письма, документы и чековую книжку, а также проверить, не прислали ли рубашки из прачечной, — чего, разумеется, не произошло. Прачечные превратились в настоящую проблему! У нас забрали белье месяц назад, в доме не осталось ни одного чистого полотенца — теперь жена все стирает сама.

После этого вполне понятного отступления Спенс вернулся к путеводителю по маршрутам Дэвида:

«Ушел из «Фарроубэнка» в 19.25 и отправился на прогулку, так как пропустил поезд в 19.20, а следующий отходил только через два часа».

— В каком направлении он прогуливался? — спросил Пуаро.

Суперинтендант заглянул в свои записи.

— Говорит, что в сторону Даун-Копс, Бэтс-Хиллз и Лонг-Ридж.

— Фактически, обошел вокруг «Белого дома».

— Быстро же вы усвоили местную географию, мсье Пуаро!

— Нет. — Детектив улыбнулся и покачал головой. — Я не знаю упомянутых вами мест. Я просто догадался.

— Вот как? — Суперинтендант склонил голову набок. — По его словам, поднявшись на Лонг-Ридж, он понял, что опаздывает, помчался на станцию и успел на поезд в последний момент. Без четверти одиннадцать он прибыл на вокзал Виктория, пошел пешком в «Шепердс-Корт» и добрался туда к одиннадцати — последнее заявление подтверждает миссис Гордон Клоуд.

— А кто-нибудь еще подтверждает?

— Да, хотя и немногие. Роули Клоуд и еще несколько человек видели, как Хантер прибыл на станцию Уормсли-Хит. У горничных в «Фарроубэнке» был выходной (разумеется, у Хантера имелся свой ключ), поэтому они его не видели, но обнаружили в библиотеке сигаретный окурок, который, как я понял, изрядно их озадачил, а также беспорядок в бельевом шкафу. Один из садовников работал поздно — кажется, закрывал оранжереи — и заметил Хантера. Мисс Марчмонт встретила его в Мардонском лесу, когда он спешил на поезд.

— А кто-нибудь видел его садящимся в поезд?

— Нет, но он звонил мисс Марчмонт, как только вернулся в Лондон, — в пять минут двенадцатого.

— Это проверено?

— Да, мы уже запросили насчет звонков с этого номера. В четыре минуты двенадцатого был междугородный звонок в Уормсли-Вейл, 36 — это номер Марчмонтов.

— Весьма любопытно, — пробормотал Пуаро.

— Роули Клоуд ушел от Ардена без пяти девять, — методично продолжал Спенс. — Он уверен, что не раньше. Около десяти минут десятого Линн Марчмонт видела Хантера в Мардонском лесу. Даже если бы он бежал всю дорогу от «Оленя», хватило бы ему времени встретиться с Арденом, поссориться с ним, убить его и добраться до Мардонского леса? Не думаю. Как бы то ни было, теперь нам приходится все начинать заново. Ардена убили гораздо позже девяти — он был жив в десять минут одиннадцатого, если только вашей старой леди это не померещилось. Причем был убит либо женщиной в оранжевом шарфе, которая уронила помаду, либо кем-то, явившимся после ее ухода. И кто бы это ни сделал, он намеренно перевел стрелки часов назад — на десять минут десятого.

— Что поставило бы Дэвида Хантера в весьма затруднительное положение, если бы он чисто случайно не наткнулся на Линн Марчмонт в крайне маловероятном для подобной встречи месте, — заметил Пуаро.

— Да, в самом деле. Поезд в девять двадцать — последний, отправляющийся из Уормсли-Хит. Этим поездом всегда возвращаются игроки в гольф. Уже темнело, и вряд ли кто-нибудь заметил бы Хантера — тем более что станционные служащие не знают его в лицо. В Лондоне он не брал такси. Поэтому мы можем полагаться только на слова его сестры, что он прибыл в «Шепердс-Корт» в указанное им время. — Так как детектив хранил молчание, Спенс спросил: — О чем вы думаете, мсье Пуаро?

— Длинный путь вокруг «Белого дома»... — промолвил тот. — Встреча в Мардонском лесу... Телефонный разговор позднее... И Линн Марчмонт помолвлена с Роули Клоудом... Мне бы очень хотелось знать, о чем она и Дэвид Хантер говорили по телефону.

— Вам не дает покоя простое любопытство?

— Как всегда, — ответил Эркюль Пуаро.

Глава 8

Было уже поздно, но Эркюль Пуаро хотел нанести еще один визит. Он направился к дому Джереми Клоуда.

Маленькая, смышленая на вид горничная проводила его в кабинет хозяина.

Оставшись один, Пуаро с интересом огляделся. Даже дома у адвоката все сухо, как пыль, подумал он. На письменном столе стояла большая фотография Гордона Клоуда. Другой пожелтевший от времени фотоснимок изображал лорда Эдуарда Трентона верхом на лошади. Пуаро разглядывал его, когда вошел Джереми Клоуд.

— Прошу прощения. — Смущенный Пуаро поставил на место фотографию.

— Мой тесть, — не без гордости пояснил Джереми. — И одна из его лучших лошадей — Гнедая. Пришла второй на дерби в 1924 году. Вы интересуетесь скачками?

— Увы, нет.

— На них уходит куча денег, — сухо заметил Джереми. — Лорд Эдуард из-за них разорился — ему пришлось уехать и жить за границей. Да, дорогое удовольствие. — Но в его голосе по-прежнему слышались горделивые нотки.

Сам адвокат, подумал Пуаро, скорее бы выбросил деньги на улицу, чем истратил их на лошадей, но он испытывал тайное восхищение теми, кто поступал иначе.

— Чем могу служить, мсье Пуаро? — поинтересовался Клоуд. — Я чувствую, что наша семья у вас в долгу — за то, что вы нашли майора Портера, который опознал тело.

— Семья, кажется, очень этому рада?

— Радость довольно преждевременная, — сухо отозвался Джереми. — Еще много воды утечет, прежде чем все окончательно выяснится. В конце концов, смерть Андерхея была официально признана в Африке. Понадобятся годы, чтобы это опровергнуть, — к тому же

357

заявление Розалин звучало весьма уверенно. Она произвела хорошее впечатление. — Казалось, Джереми не очень полагался на улучшение семейных перспектив. — Но вы хотели меня видеть? — спросил он, устало отодвинув какие-то бумаги.

— Я собирался спросить у вас, мистер Клоуд, действительно ли вы вполне уверены, что ваш брат не оставил завещания? Я имею в виду, завещания, составленного после вступления в брак?

Джереми выглядел удивленным.

— Не думаю, чтобы когда-либо возникало подобное предположение. Он, безусловно, не составлял завещания до отъезда из Нью-Йорка.

— Но он мог это сделать во время своего двухдневного пребывания в Лондоне.

— То есть обратиться там к юристу?

— Или сам написать завещание.

— А кто бы его засвидетельствовал?

— В доме было трое слуг, — напомнил Пуаро, — которые погибли в ту же ночь, что и он.

— Хм! Но если Гордон составил завещание, то оно также было уничтожено взрывом.

— В том-то и дело. За последнее время многие документы, считавшиеся полностью уничтоженными, были расшифрованы с помощью новых методов. Например, некоторые сгорели в домашних сейфах, но не настолько, чтобы их нельзя было прочитать.

— Любопытная идея, мсье Пуаро. Но я не думаю... нет, не верю, что из этого может что-нибудь выйти. Насколько мне известно, в доме на Шеффилд-Террас не было сейфа. Гордон хранил все важные бумаги в своем офисе — а там, безусловно, не было завещания.

— Но можно навести справки, — настаивал Пуаро. — Например, у сотрудников ПВО. Вы бы поручили мне это сделать?

— О, разумеется. С вашей стороны очень любезно это предложить. Но, боюсь, у меня нет веры в успех. Все же маленький шанс, возможно, имеется. Значит, вы сразу же возвращаетесь в Лондон?

Пуаро прищурил глаза. В голосе Джереми слышалось явное нетерпение. «Возвращаетесь в Лондон...» Неужели они все хотят поскорее его спровадить?

Прежде чем он успел ответить, дверь открылась, и вошла Франсис Клоуд.

Пуаро поразили два факта. Во-первых, то, что она выглядела совсем больной, и, во-вторых, очень сильное сходство с фотографией ее отца.

— Мсье Эркюль Пуаро пришел повидать нас, дорогая, — без особой надобности объяснил Джереми.

Франсис пожала гостю руку, а Джереми Клоуд рассказал ей о предложении Пуаро насчет завещания.

На лице Франсис отразилось сомнение.

— По-моему, шансов очень мало.

— Мсье Пуаро собирается в Лондон и любезно согласился навести справки.

— Насколько я понимаю, майор Портер руководил противовоздушной обороной в том районе, — сказал Пуаро.

Лицо Франсис приобрело странное выражение.

— Кто такой этот майор Портер? — спросила она.

Пуаро пожал плечами:

— Отставной армейский офицер, живущий на пенсию.

— Он действительно был в Африке?

Пуаро с любопытством поглядел на нее:

— Разумеется, мадам. А почему бы и нет?

— Не знаю, — почти рассеянно проговорила она. — Он меня озадачил.

— Да, миссис Клоуд, — кивнул Пуаро. — Я могу это понять.

Франсис бросила на него резкий взгляд, и при этом в ее глазах мелькнул страх. Потом она повернулась к мужу:

— Джереми, я очень огорчена из-за Розалин. Она совсем одна в «Фарроубэнке» и, должно быть, ужасно расстраивается из-за ареста Дэвида. Ты не будешь возражать, если я предложу ей пожить у нас?

— По-твоему, это разумно? — В голосе Джереми звучало сомнение.

— Не знаю, насколько разумно, но человечно. Она такое беспомощное создание.

— Не думаю, что она согласится.

— Во всяком случае, я могу ей это предложить.

— Хорошо, если это сделает тебя счастливее, — спокойно произнес адвокат.

— Счастливее! — В этом возгласе слышалась горечь. Франсис с тревогой взглянула на Пуаро.

— С вашего позволения, я удаляюсь, — с формальной вежливостью произнес он.

Франсис проводила его в холл.

— Вы собираетесь в Лондон?

— Я уезжаю завтра, но самое большее на сутки. А потом вернусь в «Олень», где вы сможете повидать меня, мадам, если захотите.

— Почему я должна этого хотеть? — резко отреагировала она.

Пуаро не ответил на вопрос.

— Я вернусь в «Олень», — повторил он.

Ночью в темноте Франсис Клоуд сказала мужу:

— Я не верю, что этот человек едет в Лондон из-за завещания Гордона. А ты, Джереми?

Ей ответил усталый, безнадежный голос:

— Я тоже не верю, Франсис. Он едет туда по другой причине.

— По какой?

— Понятия не имею.

— Что же нам делать, Джереми? — помолчав, спросила Франсис.

— По-моему, — ответил он, — можно сделать только одно...

Глава 9

Получив от Джереми Клоуда необходимые полномочия, Пуаро добился ответов на свои вопросы. Они были вполне определенными. Дом был разрушен полностью. Место расчистили совсем недавно, готовясь к новостройке. Никто не выжил, кроме Дэвида Хантера и миссис Клоуд. В доме находилось трое слуг: Фредерик Гейм, Элизабет Гейм и Айлин Корриган. Всех убило на месте. Гордона Клоуда извлекли живым, но он умер по дороге в больницу, не приходя в сознание. Пуаро записал имена и адреса ближайших родственников троих слуг.

— Возможно, — сказал он, — слуги сообщили им какие-нибудь сплетни или замечания, которые дали бы мне ключ к необходимой информации.

Чиновник, с которым он разговаривал, был настроен скептически. Геймы были родом из Дорсета, а Айлин Корриган из графства Корк.

После этого Пуаро направил стопы к дому Портера. Он помнил слова майора, что тот руководил районной ПВО, и хотел узнать, дежурил ли Портер в ту ночь и видел ли происшедшее на Шеффилд-Террас. Кроме того, у него имелись и другие причины для беседы с этим человеком.

Свернув на Эджуэй-стрит, детектив с удивлением увидел полисмена в униформе, стоящего у дома майора. Поодаль собралось несколько мальчишек и других зевак, глазевших на дом. У Пуаро упало сердце — он понял, что это означает.

Констебль преградил ему дорогу.

— Сюда нельзя, сэр, — сказал он.

— Что случилось?

— Вы ведь не живете в этом доме, не так ли, сэр? — Когда Пуаро покачал головой, полисмен спросил: — Кого вы хотели повидать?

— Я хотел повидать майора Портера.

— Вы его друг, сэр?

— Нет, едва ли я могу охарактеризовать себя как друга. А что произошло?

— Насколько я понимаю, джентльмен застрелился. А, вот и инспектор.

Дверь открылась, и из дома вышли два человека. Одним был местный инспектор, в другом Пуаро узнал сержанта Грейвса из Уормсли-Вейл. Сержант также узнал Пуаро и сразу же представил его инспектору.

— Лучше войдем внутрь, — сказал последний.

Трое мужчин вошли в дом.

— Они позвонили в Уормсли-Вейл, — объяснил сержант, — и суперинтендант послал меня сюда.

— Это самоубийство?

— Да, — ответил инспектор. — Случай вроде бы ясный. Может, на него так подействовала необходимость давать показания на дознании. Иногда люди на это странно реагируют, но я понял, что последнее время он вообще казался подавленным. Финансовые трудности и тому подобное. Застрелился из собственного револьвера.

— Я могу подняться? — спросил Пуаро.

— Если хотите. Проводите мсье Пуаро наверх, сержант.

Грейвс повел Пуаро в комнату на втором этаже. Там все было как в прошлый раз — выцветшие ковры, книги... Майор Портер сидел в большом кресле. Его поза была почти естественной — только голова склонилась на грудь. Правая рука безвольно свисала — под ней на ковре лежал револьвер. В воздухе еще ощущался едкий запах пороха.

— Они думают, что это случилось часа два назад, — пояснил Грейвс. — Никто не слышал выстрела. Хозяйка ходила за покупками.

Пуаро нахмурился, глядя на неподвижную фигуру с маленькой опаленной ранкой в правом виске.

— У вас есть какое-нибудь предположение, почему он это сделал, мсье Пуаро? — поинтересовался Грейвс. Он держался с Пуаро почтительно, так как видел уважительное отношение к нему суперинтенданта, но в глубине души считал его старой развалиной.

— Да-да, — рассеянно отозвался детектив, — это несложно. У него была очень веская причина.

Он посмотрел на маленький столик слева от майора. На нем стояла большая стеклянная пепельница с трубкой и коробком спичек. Снова окинув взглядом комнату, Пуаро подошел к письменному столу с откидной крышкой.

Бумаги были аккуратно разложены по отделениям. В центре лежали кожаная папка с промокательной бумагой, поднос с ручкой и двумя карандашами, коробка со скрепками и альбом с марками. Все в полном порядке. Упорядоченная жизнь и упорядоченная смерть... Ну конечно! Вот чего не хватает!

— Он не оставил какой-нибудь записки или письма коронеру? — спросил Пуаро.

Грейвс покачал головой:

— Нет, хотя от отставных военных всегда этого ожидаешь.

— Да, это странно.

Педантичный в жизни, майор Портер не был таковым в смерти. «Поистине очень странно, — думал детектив, — что он не оставил записки».

— Тяжелый удар для семейства Клоуд, — заметил Грейвс. — Это отбросит их назад. Теперь им придется разыскивать еще кого-нибудь, близко знавшего Андерхея. — Он нетерпеливо переминался с ноги на ногу. — Хотите еще на что-нибудь взглянуть, мсье Пуаро?

Тот покачал головой и вышел из комнаты вслед за сержантом.

На лестнице они встретили хозяйку. Она явно наслаждалась собственным возбужденным состоянием и тут же пустилась в пространный монолог. Грейвс ловко ретировался, предоставив Пуаро принимать огонь на себя.

— До сих пор не могу дыхание перевести. Грудная жаба — моя мать умерла от нее прямо на Каледонском рынке. Я сама чуть не свалилась, когда увидела его. Никогда такого не ожидала, хотя он давно уже выглядел мрачным. Наверно, беспокоился из-за денег, да и недоедал постоянно, хотя от нас никогда не принимал угощения. А вчера он ездил в Оустшир — в Уормсли-Вейл — давать показания на дознании, и это его доконало. Вернулся он совсем плохим. Всю ночь ходил взад-вперед. Я собралась за покупками и знала, что простою в очереди за рыбой, поэтому поднялась спросить, не хочет ли майор чашечку чаю. Смотрю, а бедный джентльмен откинулся в кресле и револьвер на пол уронил. Я жутко перепугалась. Пришлось вызы-

363

вать полицию. Куда катится мир — вот что я хотела бы знать.

— Мир становится трудным местом для проживания, — медленно проговорил Пуаро. — Это относится ко всем, кроме сильных.

Глава 10

Было начало девятого, когда бельгиец вернулся в «Олень». Он нашел записку от Франсис Клоуд с просьбой прийти к ней и сразу же последовал приглашению.

Франсис ожидала его в гостиной. Эту комнату Пуаро видел впервые. Открытые окна выходили в сад с цветущими грушевыми деревьями. На столиках стояли вазы с тюльпанами. Старая мебель была натерта воском, а каминная решетка и ведерко для угля отполированы до блеска.

Комната показалась детективу очень красивой.

— Вы говорили, что я захочу вас повидать, мсье Пуаро, и оказались правы. Мне нужно кое-что рассказать — и я думаю, лучше всего это рассказать вам.

— Всегда легче, мадам, рассказывать тому, кто уже в значительной степени в курсе дела.

— Вы думаете, что знаете, о чем я собираюсь вам сообщить?

Он кивнул.

— С тех пор как...

Она оставила фразу неоконченной, но Пуаро быстро ответил:

— С того момента, как я увидел фотографию вашего отца. Фамильные черты выражены очень сильно. Невозможно усомниться, что вы из одной семьи. Столь же сильно эти черты были выражены у человека, который явился сюда под именем Еноха Ардена.

Франсис тяжело вздохнула:

— Да, вы правы, хотя бедный Чарльз носил бороду. Он был моим троюродным братом, мсье Пуаро, и паршивой овцой в семье. Я никогда хорошо его не знала, но в детстве мы вместе играли, а теперь по моей вине он умер ужасной смертью...

Несколько секунд она молчала.

— Расскажите мне все, — мягко попросил детектив.

Франсис очнулась:

— Да, этого не избежать. Мы отчаянно нуждались в деньгах. У моего мужа были серьезные неприятности — более чем серьезные. Ему угрожало и все еще угрожает бесчестье, а может, и тюремное заключение. Поверьте, мсье Пуаро, план, который я осуществила, принадлежал мне — мой муж не имел к этому отношения. Такой план вообще не в его духе — слишком много риска. Но я никогда не возражала против риска и, очевидно, не отличалась особой щепетильностью. Но прежде всего я обратилась к Розалин Клоуд с просьбой о займе. Не знаю, согласилась бы она или нет, но тут появился ее брат. Он был в дурном настроении и держался в высшей степени оскорбительно. Поэтому, приводя в действие мой план, я не испытывала никаких угрызений совести.

Чтобы вы все поняли, я должна сообщить вам, что муж неоднократно пересказывал мне довольно интересную историю, которую слышал в клубе. Кажется, вы там тоже были, так что мне незачем повторять ее во всех подробностях. Эта история допускала предположения, что первый муж Розалин жив, — в таком случае она не имела никакого права на деньги Гордона. Конечно, это была всего лишь глупая надежда, но у нас не выходило из головы, что она может оказаться правдой. И я подумала, что эту возможность нужно каким-то образом использовать. Мой кузен Чарльз сидел на мели. Боюсь, ему пришлось побывать в тюрьме, но на войне он хорошо себя проявил. Я предложила ему помочь мне осуществить мой план. Конечно, это был шантаж — не более и не менее. Но мы полагали, что у нас есть шанс на удачу. В самом худшем случае, думала я, Дэвид Хантер отказался бы платить. Я не боялась, что он обратится в полицию, — люди вроде него полицию не слишком жалуют.

Сначала все шло хорошо. Дэвид попался на удочку быстрее, чем мы ожидали. Конечно, Чарльз не мог открыто выдать себя за Роберта Андерхея. Розалин сразу же его разоблачила бы. Но, к счастью, она уехала в Лондон, и это предоставило Чарльзу возможность хотя бы намекнуть, что он может оказаться Робертом Андерхеем. Ну, как я сказала, Дэвид попался в ловушку. Он должен был принести деньги во вторник в девять вечера. Но вместо этого... — Ее голос дрогнул. — Нам следовало знать, что Дэвид... опасный человек. Чарльз убит, и, если бы не я, он мог бы быть жив. Я послала его на смерть. Можете себе представить, что я чувствую с тех пор?

— Тем не менее, — заметил Пуаро, — вы достаточно быстро сообразили, как действовать дальше. Ведь это вы уговорили майора Портера опознать вашего кузена как Роберта Андерхея?

— Клянусь вам, это не я! — горячо возразила Франсис. — Мы были просто ошарашены, когда этот майор Портер заявил, что Чарльз — Роберт Андерхей! Я все еще не могу этого понять!

— Но ведь кто-то пошел к майору Портеру и убедил его или подкупил, чтобы он опознал в убитом Роберта Андерхея?

— Это не я, — решительно повторила Франсис. — И не Джереми. Никто из нас так не поступил бы. О, я понимаю, что для вас это звучит абсурдно! Вы думаете, что если я была готова на шантаж, то не остановилась бы и перед обманом. Но, по-моему, это совсем разные вещи. Не забывайте, я считала — и считаю до сих пор, — что мы имеем право на часть денег Гордона, и просто собиралась получить нечестным способом то, что должна была получить честным. Но сознательно лишить Розалин всего, сфабриковав доказательство, что она не являлась женой Гордона... Нет, мсье Пуаро, на такое я никогда бы не пошла. Пожалуйста, поверьте мне!

— По крайней мере, я признаю, — медленно сказал Пуаро, — что у каждого имеются те грехи, которые ему присущи. Да, я вам верю. — Он внимательно посмотрел на нее. — Вам известно, миссис Клоуд, что майор Портер сегодня застрелился?

Она отшатнулась с расширенными от ужаса глазами:

— О нет, мсье Пуаро!..

— Да, мадам. Понимаете, майор Портер au fond[1] был честным человеком. Но у него было очень плохо с деньгами, и, когда возникло искушение, он, подобно многим другим, не сумел ему противостоять. Ему могло казаться, что его ложь морально почти оправдана. В душе майор был глубоко предубежден против женщины, на которой женился его друг Андерхей. Он считал, что она обошлась с ним постыдно. А теперь эта бессердечная маленькая хищница вышла замуж за миллионера и завладела состоянием второго мужа в ущерб его родственникам. Должно быть, майор считал, что она заслужила, чтобы ей вставляли палки в колеса. Всего лишь опознав в мертвеце Андерхея, он обеспечил бы свое будущее. Когда Клоуды вступили бы в права наследства, он получил бы свою долю... Да, я могу его понять... Но, как и у многих людей его типа, у него отсутствовало воображение. На дознании ему было не по себе — это видели все. Вскоре ему пришлось бы повторить свою ложь под присягой. И не только это — человека арестовали по обвинению в убийстве, и личность покойного давала сильные основания для этого обвинения. Майор вернулся домой, посмотрел в лицо фактам и избрал выход, который счел наилучшим.

— Он застрелился?

— Да.

— И не сказал, кто... — пробормотала Франсис.

Пуаро медленно покачал головой:

— У него был свой кодекс чести. Портер не стал разоблачать того, кто толкнул его на лжесвидетельство.

Он внимательно наблюдал за ней. Ему показалось, что в ее взгляде мелькнуло облегчение. Впрочем, это было бы достаточно естественно в любом случае...

Франсис встала и подошла к окну.

— Итак, — промолвила она, — мы снова там же, где были раньше.

Пуаро интересовало, что творится у нее в уме.

---

[1] В сущности (*фр.*).

Глава 11

На следующее утро суперинтендант Спенс почти в точности повторил слова Франсис.

— Итак, мы вернулись туда, откуда начали, — со вздохом проговорил он. — Мы должны выяснить, кем в действительности был этот Енох Арден.

— Могу вам это сообщить, суперинтендант, — сказал Пуаро. — Его звали Чарльз Трентон.

— Чарльз Трентон? — Спенс присвистнул. — Хм! Один из Трентонов... Полагаю, его подговорила миссис Джереми, но доказать ее участие нам не удастся. Чарльз Трентон... Кажется, я припоминаю...

— Да, — кивнул Пуаро. — У него были неприятности с законом.

— Так я и думал! Мошенничество в отелях, если я правильно помню. Прибывал в «Риц», выходил оттуда и покупал «роллс-ройс», условившись, что будет испытывать его утром, потом объезжал в нем все самые дорогие магазины и делал покупки. Могу вас заверить, что чеки человека, которого снаружи ожидает «роллс», чтобы отвезти его в «Риц», ни у кого не вызовут сомнения! Кроме того, у него были прекрасные манеры и породистая внешность. Он проводил в отеле около недели, а когда начинали возникать подозрения, потихоньку исчезал, по дешевке распродавая вещи, которыми успевал обзавестись, приятелям. Чарльз Трентон... Хм! — Спенс посмотрел на Пуаро. — Вам все удается выяснить!

— Как продвигается дело против Дэвида Хантера?

— Нам придется его освободить. В тот вечер у Ардена действительно была женщина. И дело не только в словах этой старой ведьмы. Джимми Прайс как раз возвращался домой, когда его выставили из «Стога сена», — он становится буйным после одного-двух стаканов, — и видел, как в начале одиннадцатого женщина вышла из «Оленя» и направилась к телефонной будке возле почты. По словам Джимми, он не узнал ее и подумал, что это кто-то из постояльцев. Он назвал ее «лондонской шлюшкой».

— Прайс находился не очень близко от нее?

— Нет, по другую сторону улицы. Что же это за женщина, мсье Пуаро?

— Он говорил, как она была одета?

— В твидовый жакет и брюки, с оранжевым шарфом на голове и обилием макияжа. Соответствует описанию старой леди.

— В самом деле. — Пуаро нахмурился.

— Кто она была, откуда появилась и куда подевалась? — продолжил Спенс. — Вы знаете наше железнодорожное расписание. Последний поезд в Лондон отходит в двадцать один двадцать, а в обратную сторону — в двадцать два ноль три. Возможно, эта женщина болталась где-то всю ночь и уехала в шесть восемнадцать утра? А может быть, у нее была машина или она воспользовалась автостопом? Мы повсюду разослали ее описание — но безрезультатно.

— А как насчет поезда в шесть восемнадцать?

— Он всегда переполнен, но в основном мужчинами. Думаю, они обратили бы внимание на женщину — вернее, женщину такого типа. Конечно, она могла уехать на машине, но в наши дни автомобили в Уормсли-Вейл редкость. Мы ведь в стороне от основной дороги.

— И в ту ночь не заметили никаких автомобилей?

— Только машину доктора Клоуда. Он ездил по вызову в сторону Миддлингема. Полагаю, кто-нибудь обратил бы внимание на постороннюю женщину в автомобиле.

— Она не обязательно была посторонней, — медленно произнес Пуаро. — Подвыпивший человек на расстоянии сотни ярдов мог не узнать местную женщину, с которой не был близко знаком. Тем более если она была одета не так, как обычно.

Спенс с сомнением посмотрел на него.

— Узнал бы этот молодой Прайс, к примеру, Линн Марчмонт? — продолжал Пуаро. — Она ведь отсутствовала несколько лет.

— В то время Линн Марчмонт была с матерью в «Белом доме», — возразил Спенс.

— Вы уверены?

— Миссис Лайонел Клоуд — эта чокнутая жена доктора — говорит, что звонила ей в десять минут одиннадцатого. Розалин Клоуд была в Лондоне. Миссис Джереми... ну, я ни разу не видел ее в брюках, и она почти не пользуется косметикой. Да и вообще, она уже далеко не молода.

— О, mon cher! — Пуаро наклонился вперед. — Разве можно определить возраст женщины вечером, при тусклом освещении, да еще под слоем макияжа на лице?

— К чему вы клоните, Пуаро? — осведомился Спенс.

Пуаро откинулся на спинку стула и полузакрыл глаза.

— Брюки, твидовый жакет, оранжевый шарф на голове, обилие косметики и потерянная губная помада. Это наводит на мысли.

— Можно подумать, что вы дельфийский оракул, — проворчал суперинтендант. — Хотя я не знаю, что за оракул был в Дельфах, — это молодой Грейвс постоянно щеголяет своей эрудицией, что не идет на пользу его работе. У вас имеются про запас еще какие-нибудь загадочные пророчества, мсье Пуаро?

— Я ведь говорил вам, — ответил тот, — что в этом деле все имеет неправильную форму. В качестве примера я привел вам убитого. Как Андерхей он выглядел абсолютно неправильно. Андерхей был рыцарем, эксцентричным субъектом, старомодным и консервативным. Человек в «Олене» был шантажистом — его никак не назовешь рыцарем, старомодным, консервативным и даже особенно эксцентричным, — следовательно, он не был Андерхеем. Он не мог быть им, ибо люди не меняются до такой степени. Интересным было то, что Портер опознал в нем Андерхея.

— И это привело вас к миссис Джереми?

— К миссис Джереми меня привело сходство — характерные черты, типично трентоновский профиль. Позволив себе маленькую шутку, могу сказать, что в качестве Чарльза Трентона мертвец выглядел вполне подходяще. Но остаются вопросы, которые еще требуют ответа. Почему Дэвид Хантер так легко дал себя шантажировать? Характерно ли это для него? Ответ — категорически нет. Следовательно, он тоже ведет себя нетипично. Затем Розалин Клоуд. Все ее поведение совершенно непонятно, но я бы хотел знать одно. Чего она боится? Почему она думает, что с ней что-то случится, когда рядом нет брата, который защитил бы ее? Кто-то или что-то внушает ей этот страх. И дело не в том, что она опасается лишиться своего состояния, — нет, тут кроется нечто более серьезное. Она боится за свою жизнь.

— Господи, мсье Пуаро, вы ведь не думаете...

— Вы ведь сами только что сказали, Спенс, что мы вернулись туда, откуда начали. Это относится и к семейству Клоуд. Роберт Андерхей умер в Африке, а жизнь Розалин стоит между ними и возможностью наслаждаться деньгами Гордона Клоуда...

— Вы в самом деле думаете, что кто-то из них способен на такое?

— Я думаю вот что. Розалин Клоуд двадцать шесть лет, и хотя она умственно неуравновешена, но физически вполне крепка и здорова. Она может прожить до семидесяти лет или даже еще больше. Скажем, еще сорок четыре года. Вы не считаете, суперинтендант, что такой срок может показаться кое-кому слишком долгим?

Глава 12

Когда Пуаро вышел из полицейского участка, он почти сразу же был энергично атакован тетей Кэти, тащившей несколько хозяйственных сумок.

— Какая ужасная история с бедным майором Портером! — сразу же заговорила она. — Не могу избавиться от мысли, что его взгляд на жизнь был чересчур материалистическим. Ничего не поделаешь, сказывались годы военной службы. Хотя он много времени провел в Индии, но, боюсь, не воспользовался воз-

371

можностями духовного общения, которые предоставляет эта страна. Наверняка он не выходил за рамки узкого армейского круга, а ведь мог бы сидеть у ног какого-нибудь гуру! Как печально, мсье Пуаро, думать об упущенных возможностях!

Тетя Кэти покачала головой и упустила одну из сумок. Отткуда выскользнул довольно удручающий на вид кусок трески и свалился в канаву. Пуаро поднял его, но тем временем из другой сумки выпала банка светлой патоки и весело покатилась по Хай-стрит.

— Спасибо, мсье Пуаро! — Запыхавшаяся тетя Кэти схватила треску, покуда Пуаро мчался за патокой. — Благодарю вас... я такая неловкая, но меня так огорчила смерть этого бедняги... Да, она липкая, но я не хочу пачкать ваш носовой платок. Очень любезно с вашей стороны... Я всегда говорила, что мы мертвы при жизни и живы после смерти... Меня бы ничуть не удивило, если бы я увидела астральное тело одного из моих покойных друзей. Знаете, мимо них иногда проходишь на улице. Как-то вечером, совсем недавно, я...

— Вы позволите? — Пуаро вернул треску в сумку. — Так о чем вы говорили?

— Об астральных телах, — отозвалась тетя Кэти. — Я попросила двухпенсовую монету — у меня были только полупенни. Лицо показалось мне знакомым, но я никак не могла вспомнить... И теперь не могу, но, по-моему, это был кто-то, отошедший в потусторонний мир — возможно, уже давно, — поэтому воспоминание было очень смутным... Просто удивительно, как людей направляют к тому, кто им нужен, — даже если дело только в монетках для телефона. О Боже, у Пикоков такая очередь — должно быть, получили рулет с вареньем! Надеюсь, я не опоздала!

Перебежав через дорогу, миссис Лайонел Клоуд пристроилась в хвост очереди у кондитерской, состоящей из женщин с угрюмыми лицами.

Пуаро зашагал по Хай-стрит. Он не стал заходить в «Олень», а направился к «Белому дому». Ему очень хотелось побеседовать с Линн Марчмонт, и он подозревал, что это желание взаимно.

Было прекрасное утро — почти летнее, но с подлинно весенней свежестью.

Пуаро свернул с основной дороги. Он видел тропинку, тянущуюся мимо «Плакучих ив» вверх по склону холма к «Фарроубэнку». Чарльз Трентон шел по ней со станции в пятницу, незадолго до смерти. Спускаясь с холма, он встретил идущую наверх Розалин Клоуд. Трентон не узнал ее, что неудивительно, так как он не был Робертом Андерхеем, и она, естественно, не узнала его по той же причине. Но когда ей показали тело, она поклялась, что ни разу не видела этого человека. Розалин сказала так ради собственной безопасности или же она в тот день была настолько погружена в свои мысли, что даже не взглянула на лицо мужчины, который шел ей навстречу? Если так, то о чем она думала? Случайно, не о Роули Клоуде?

Пуаро двинулся по боковой дорожке, ведущей к «Белому дому». Сад выглядел очень приятно. Цвели сирень и золотой дождь, а в центре лужайки возвышалась старая сучковатая яблоня. Под ней растянулась в шезлонге Линн Марчмонт.

Она нервно вскочила, когда Пуаро церемонно пожелал ей доброго утра.

— Вы напугали меня, мсье Пуаро. Я не слышала ваших шагов по траве. Значит, вы все еще в Уормсли-Вейл?

— Как видите.

— Почему?

Пуаро пожал плечами:

— Это приятное уединенное место, где можно расслабиться. Вот я и расслабляюсь.

— Я рада, что вы здесь, — сказала Линн.

— Вы не спрашиваете меня, как ваши родственники: «Когда вы возвращаетесь в Лондон, мсье Пуаро?» — с тревогой дожидаясь ответа?

— Они хотят, чтобы вы вернулись в Лондон?

— По-видимому, да.

— Ну а я не хочу.

— Да, вижу. Почему, мадемуазель?

— Потому что это означает, что вы не удовлетворены. Я имею в виду, не удовлетворены версией, будто это сделал Дэвид Хантер.

— А вам так хочется, чтобы он оказался невиновным?

Пуаро увидел, как она слегка покраснела под загаром.

— Естественно, я не хочу, чтобы человека повесили за то, чего он не совершал.

— Да, вполне естественно.

— А полиция просто предубеждена против него, потому что он их разозлил. Самое худшее в Дэвиде — это то, что ему нравится восстанавливать людей против себя.

— Полиция не так предубеждена, как вы думаете, мисс Марчмонт. Предубеждены были присяжные. Они не подчинились указаниям коронера и вынесли вердикт, вынуждающий полицию арестовать Дэвида Хантера. Но могу вас заверить, они далеко не удовлетворены обвинением против него.

— Значит, его могут освободить? — обрадовалась Линн.

Пуаро снова пожал плечами.

— А кого же они подозревают, мсье Пуаро?

— Тем вечером в «Олене» была женщина, — медленно произнес он.

— Ничего не понимаю! — воскликнула Линн. — Когда мы думали, что этот человек — Роберт Андерхей, все выглядело так просто. Почему майор Портер сказал, что это Андерхей, если это не так? Почему он застрелился? Мы вернулись туда, откуда начали.

— Вы третья, кто использует эту фразу!

— Вот как? — Она казалась удивленной. — А чем вы занимаетесь теперь, мсье Пуаро?

— Разговариваю с людьми — вот и все.

— Но вы не спрашиваете их об убийстве?

Пуаро покачал головой:

— Нет, я просто... как бы это сказать получше... собираю сплетни.

— Это помогает?

— Иногда. Вас бы удивило, как много я знаю о повседневной жизни в Уормсли-Вейл за последние несколько недель. Я знаю, кто куда ходил, кто с кем встречался, а иногда и кто что говорил. Например, я знаю, что Арден шел по тропинке в деревню мимо «Фарроубэнка» и спросил дорогу у мистера Роули Клоуда, что у него был рюкзак на спине и не было багажа. Я знаю, что Розалин Клоуд провела больше часа на ферме с Роули Клоудом и была там счастлива, что для нее весьма необычно.

— Да, — кивнула Линн, — Роули мне рассказывал. Он говорил, что она вела себя как горничная, которой предоставили несколько свободных часов.

— Так он сказал это? — Пуаро сделал паузу. — Да, я знаю многое о происходящем здесь. И многое слышал о людских затруднениях — например, ваших и вашей матери.

— Это не секрет, — усмехнулась Линн. — Мы все пытались выклянчить деньги у Розалин. Вы это имеете в виду, не так ли?

— Я этого не говорил.

— Но это правда! И, полагаю, вы слышали разговоры обо мне, Роули и Дэвиде.

— Но ведь вы собираетесь замуж за Роули Клоуда?

— Разве? Хотела бы я это знать... Как раз это я и пыталась решить в тот день, когда Дэвид выбежал из леса. У меня в голове словно застрял огромный вопросительный знак. Выходить мне за Роули или нет? Даже поезд в долине, казалось, спрашивал о том же. Дым превосходно изобразил в небе знак вопроса.

На лице Пуаро появилось странное выражение. Линн неправильно его поняла.

— Неужели вы не видите, мсье Пуаро, как все сложно? — воскликнула она. — Дело вовсе не в Дэвиде, а во мне! Я изменилась! Меня не было здесь три... четыре года. И я вернулась совсем не такой, какой была, когда уезжала отсюда. Такие трагедии происходят повсюду. Люди возвращаются домой изменившимися, им приходится приспосабливаться. Невозможно несколько лет вести другую жизнь и не меняться!

— Вы не правы, — возразил Пуаро. — Трагедия всей жизни как раз в том, что люди не меняются.

Линн уставилась на него, качая головой.

— Так оно и есть, — настаивал он. — Почему вы вообще уехали?

— Почему? Я поступила в армию — в Женскую вспомогательную службу флота.

— Да, но почему вы туда поступили? Вы любили Роули Клоуда и были с ним помолвлены. Вы ведь могли работать на ферме здесь, в Уормсли-Вейл.

— Могла, но мне хотелось...

— Вам хотелось уехать за границу, повидать мир. Возможно, уехать от Роули Клоуда... И теперь вам все еще не сидится на месте! Нет, мадемуазель, люди не меняются!

— Когда я была на Востоке, то тосковала по дому! — запротестовала Линн.

— Да, там хорошо, где нас нет. У вас, возможно, всегда будет такое чувство. Вы воображали себе картину возвращения Линн Марчмонт домой. Но картина оказалась ложной, так как воображаемая вами Линн Марчмонт была не настоящей, а такой, какой бы вам хотелось быть.

— По-вашему, я нигде не буду знать покоя? — с горечью спросила она.

— Я этого не утверждаю. Но, уезжая, вы были не удовлетворены вашей помолвкой, и теперь, когда вернулись, все еще ею не удовлетворены.

Линн сорвала длинную травинку и стала задумчиво ее жевать.

— Вы все знаете, не так ли, мсье Пуаро?

— Это мое métier, — скромно отозвался он. — Но думаю, есть и другая истина, которую вы еще не осознали.

— Вы имеете в виду Дэвида? — резко спросила Линн. — По-вашему, я влюблена в него?

— Это решать вам, — сдержанно ответил Пуаро.

— Но я сама этого не знаю! Что-то в Дэвиде меня пугает, а что-то притягивает... — Помолчав, она добавила: — Вчера я разговаривала с его бригадиром. Он приехал сюда, услышав об аресте Дэвида, чтобы узнать, нельзя ли ему чем-нибудь помочь. Бригадир сказал мне, что Дэвид был одним из самых храбрых людей, когда-либо служивших под его командованием.

Но несмотря на все похвалы, я чувствовала, что он не вполне уверен в его невиновности.

— И вы также в этом не уверены?

Линн криво улыбнулась:

— Я никогда не доверяла Дэвиду. Можно любить человека, которому не доверяешь?

— К сожалению, да.

— Конечно, я была к нему несправедлива. Я верила грязным сплетням, будто он никакой не Дэвид Хантер, а просто дружок Розалин. Мне стало стыдно, когда бригадир сказал, что знал Дэвида еще мальчиком в Ирландии.

— C'est épatant[1], — пробормотал Пуаро, — как часто люди хватают палку не с того конца!

— Что вы имеете в виду?

— Только то, что сказал. Не могли бы вы вспомнить, звонила ли вам миссис Клоуд — жена доктора — в тот вечер, когда произошло убийство?

— Тетя Кэти? Да, звонила.

— По какому поводу?

— Запуталась в каких-то цифрах.

— Она говорила из дома?

— Нет, ее телефон испортился, и ей пришлось выйти к автомату.

— В десять минут одиннадцатого?

— Около того. Наши часы никогда не показывают точное время.

— Около того, — задумчиво повторил Пуаро. — Это был не единственный звонок вам в тот вечер? — деликатно осведомился он.

— Нет, — кратко ответила Линн.

— Дэвид Хантер звонил вам из Лондона?

— Да. — Она внезапно вспылила. — Полагаю, вы хотите знать, что он сказал?

— О, я бы не осмелился...

— Можете знать! Дэвид сказал, что уходит из моей жизни, что он для меня слишком плох и никогда не сможет исправиться — даже ради меня.

---

[1] Просто поразительно (фр.).

— И так как это, по-видимому, правда, она не пришлась вам по вкусу, — заметил Пуаро.

— Я надеюсь, что он уедет, — конечно, если его полностью оправдают... Надеюсь, что они оба уедут в Америку или куда-нибудь еще. Тогда, возможно, мы перестанем о них думать и научимся рассчитывать только на себя. Мы перестанем исходить злобой...

— Злобой?

— Да. Впервые я это почувствовала однажды вечером у тети Кэти — она устроила нечто вроде приема. Возможно, это было потому, что я только вернулась из-за границы и все воспринимала обостренно, но я просто в воздухе чувствовала злобу нашего семейства к Розалин. Мы все желали ей смерти! Это ужасно — желать смерти человеку, который не причинил тебе никакого вреда!

— Разумеется, ее смерть — единственное, что может принести вам практическую пользу, — деловитым тоном заметил Пуаро.

— Вы имеете в виду — финансовую? Само пребывание здесь Розалин действовало на нас разлагающе! Завидовать человеку, ненавидеть его и у него же попрошайничать — такое никому не на пользу. А теперь Розалин совсем одна в «Фарроубэнке» — ходит как привидение, смертельно напуганная и выглядит так, словно вот-вот сойдет с ума. И она не позволяет никому из нас помочь ей! Мы все пытались... Мама предлагала ей погостить у нас, тетя Франсис приглашала ее к себе. Даже тетя Кэти предложила пожить с ней в «Фарроубэнке». Но Розалин не хочет иметь с нами никакого дела, и я ее не порицаю. Она даже не захотела повидаться с бригадиром Конроем. По-моему, она больна — больна от беспокойства, страха и горя. А мы ничего не можем сделать, потому что она нам не позволяет.

— А вы сами предпринимали какие-нибудь попытки?

— Да. Я ходила к ней вчера и спросила, не могу ли я как-нибудь ей помочь. Розалин посмотрела на меня... — Линн неожиданно вздрогнула. — По-моему, она меня ненавидит. Она сказала: «Вы — в последнюю очередь!» Думаю, Дэвид велел ей оставаться в «Фарроубэнке», а Розалин всегда его слушается. Роули приносил ей яйца и масло из «Плакучих ив». Кажется, он единственный из нас, кто ей нравится. Она поблагодарила его и сказала, что он всегда был к ней добр. Конечно, Роули очень добрый...

— Некоторые люди, которые несут на своих плечах слишком тяжелое бремя, — промолвил Пуаро, — вызывают огромную жалость и сочувствие. Я испытываю колоссальную жалость к Розалин Клоуд и с радостью оказал бы ей помощь, если бы мог. Даже теперь, если бы только она меня выслушала... — Он поднялся с внезапной решимостью. — Давайте пойдем в «Фарроубэнк», мадемуазель.

— Вы хотите, чтобы я пошла с вами?

— Если вы готовы проявить великодушие и понимание.

— Конечно! — воскликнула Линн.

Глава 13

Им понадобилось всего около пяти минут, чтобы добраться до «Фарроубэнка». Подъездная аллея вилась между аккуратно посаженными кустами рододендронов. Гордон Клоуд не жалел ни трудов, ни расходов, чтобы сделать «Фарроубэнк» как можно более презентабельным.

Горничная, открывшая парадную дверь, казалось, удивилась при виде посетителей и засомневалась, смогут ли они повидать миссис Клоуд. Она объяснила, что мадам еще не встала, но провела их в гостиную, а сама поднялась наверх.

Пуаро огляделся вокруг. Он сравнивал эту комнату с гостиной Франсис Клоуд, которая отражала характер ее хозяйки. Гостиная в «Фарроубэнке» была абсолютно безликой — она свидетельствовала только о богатстве, уравновешенном хорошим вкусом. О последнем позаботился Гордон Клоуд — все здесь отличалось высоким качеством и даже художественными достоинствами, но нигде не ощущалось никакой печати индивидуальности владельцев дома.

Розалин жила в «Фарроубэнке», как иностранец мог бы жить в «Рице» или «Савое».

«Интересно, — думал Пуаро, — что, если бы...»

Линн прервала его размышления, спросив, о чем он думает и почему выглядит таким мрачным.

— Говорят, мадемуазель, что грех карается смертью. Но иногда карой может быть и роскошь. Неужели легче быть оторванным от привычной жизни, лишь изредка ловя ее проблески, когда путь назад уже закрыт...

Он не договорил. Горничная, отбросив всякую чопорность и став всего лишь испуганной женщиной средних лет, ворвалась в комнату, задыхаясь от волнения.

— О, сэр, мисс Марчмонт... — с трудом вымолвила она. — Хозяйка наверху... Ей очень плохо... Она не отвечает, я не могу ее разбудить, и руки у нее такие холодные...

Пуаро резко повернулся и выбежал из гостиной. Линн и горничная последовали за ним. Они поднялись на второй этаж, и горничная указала на открытую дверь перед лестницей.

За дверью находилась большая красивая спальня — солнечные лучи, проникая через открытые окна, падали на светлые дорогие ковры.

В массивной резной кровати лежала Розалин. Она казалась спящей. На щеках темнели длинные ресницы, голова покоилась на подушке. Рука сжимала носовой платок — как у ребенка, который плакал перед сном.

Пуаро взял ее за руку, пытаясь нащупать пульс. Холодная как лед рука поведала ему то, о чем он уже догадался.

— Она мертва уже некоторое время, — тихо объяснил он Линн. — Умерла во сне.

— О, сэр, что же нам делать? — Горничная разразилась рыданиями.

— Кто был ее врачом?

— Дядя Лайонел, — ответила Линн.

— Позвоните доктору Клоуду, — велел Пуаро горничной.

Та вышла из спальни, продолжая всхлипывать. Детектив начал бродить взад-вперед по комнате. Возле кровати лежала картонная коробочка с надписью: «Принимать по одному порошку перед сном». Пользуясь носовым платком, он открыл ее. Там оставалось три порошка. Пуаро подошел к камину, затем к письменному столу. Стул перед ним был отодвинут, папка с промокательной бумагой открыта. На столе лежал лист бумаги, на котором было нацарапано нетвердым детским почерком:

«Я не знаю, что делать... Больше я так не могу... Я была грешницей. Я должна все рассказать кому-нибудь и обрести покой... Я не хотела так грешить. Просто не знала, что из этого выйдет. Я должна написать...»

Текст обрывался посреди фразы. Рядом лежала ручка. Пуаро стоял, глядя на бумагу. Линн застыла у кровати, не сводя глаз с мертвой девушки.

Внезапно дверь резко отворилась, и в комнату шагнул Дэвид Хантер.

— Дэвид! — Линн рванулась к нему. — Тебя отпустили? Я так рада...

Он почти грубо отодвинул ее в сторону и склонился над неподвижной белой фигурой.

— Роза! Розалин!.. — Дэвид коснулся ее руки, потом повернулся к Линн с потемневшим от гнева лицом. — Это вы ее убили? Избавились, наконец? Сначала отделались от меня, отправив в тюрьму по сфабрикованному обвинению, а затем убрали с пути и ее! Вы все или только кто-то один из вас? А впрочем, мне все равно! Вам нужны были эти проклятые деньги — теперь вы их получили! Благодаря смерти Розалин вы, шайка грязных воров и убийц, станете богатыми. Вы не осмелились бы ее тронуть, если бы я был рядом. Я знал, как защитить мою сестру. Но она сама никогда не умела себя защищать. Вы воспользовались тем, что она осталась одна... — Он пошатнулся и добавил тихим дрожащим голосом: — Убийцы!

— Нет, Дэвид! — вскрикнула Линн. — Ты не прав! Никто из нас не убивал ее! Мы не могли сделать такое!

— Один из вас убил ее, Линн Марчмонт. И ты знаешь это не хуже меня!

— Клянусь тебе, Дэвид, мы этого не делали!

Его свирепый взгляд немного смягчился.

— Может быть, ты, Линн, в этом не участвовала...

— Ни я, ни остальные! Клянусь тебе!..

Эркюль Пуаро шагнул вперед и кашлянул. Дэвид повернулся к нему.

— Думаю, — сказал Пуаро, — ваше предположение слишком драматично. Зачем сразу приходить к выводу, что вашу сестру убили?

— А по-вашему, ее не убили? Вы называете это... — он указал на фигуру в постели, — естественной смертью? Розалин страдала нервным расстройством, но у нее не было никаких органических заболеваний. И сердце у нее было абсолютно здоровое.

— Прошлой ночью, — заметил Пуаро, — прежде чем лечь спать, она написала вот это...

Дэвид шагнул к столу и склонился над листом бумаги.

— Не трогайте, — предупредил его Пуаро.

Дэвид отдернул руку и молча прочитал текст, потом обернулся, вопросительно глядя на Пуаро.

— Вы предполагаете самоубийство? Но почему Розалин должна была покончить с собой?

Ему ответил не Пуаро. Спокойный оустширский голос принадлежал появившемуся в дверях суперинтенданту Спенсу.

— Предположим, что вечером в прошлый вторник миссис Клоуд была не в Лондоне, а в Уормсли-Вейл. Предположим, что она пришла к человеку, который ее шантажировал. Предположим, что в приступе отчаяния она убила его..

Дэвид повернулся к нему. Его взгляд был гневным и суровым.

— Во вторник вечером моя сестра находилась в Лондоне. Она была в своей квартире, когда я пришел туда в одиннадцать часов.

— Да, — кивнул Спенс, — вы так утверждаете, мистер Хантер, и будете на этом настаивать. Но я не обязан вам верить. Да и в любом случае уже несколько поздно. — Он указал на кровать. — Это дело никогда не дойдет до суда.

Глава 14

— Он ни за что не признается, — сказал Спенс, — но, думаю, ему известно, что она это сделала. — Сидя в своем кабинете в полицейском участке, он смотрел через стол на Пуаро. — Забавно, что мы тщательно проверяли его алиби, почти не думая о Розалин Клоуд. А ведь нет никаких подтверждений тому, что в тот вечер она была в своей лондонской квартире. Полагаемся лишь на слова Хантера. Мы все время знали, что только у двух человек был мотив для убийства Ардена — у Дэвида Хантера и Розалин Клоуд. Я гонялся за ним, а ее совсем упустил из виду. Она выглядела такой кроткой, даже немного придурковатой... Но, думаю, это многое объясняет. Очевидно, по этой причине Дэвид Хантер и отправил ее в Лондон. Он видел, что Розалин в панике, и знал, что в таком состоянии она может быть опасна. Интересно, что я часто видел ее в оранжевом платье, — это был ее любимый цвет. Оранжевое полосатое платье, оранжевый шарф, оранжевый берет... Но даже когда старая миссис Ледбеттер описала молодую женщину с оранжевым шарфом на голове, я не подумал, что это может быть миссис Гордон. Мне кажется, что девушка была немного не в себе — не вполне отвечала за свои действия. Судя по вашему рассказу о встрече с ней в католической церкви, она совсем потеряла голову от раскаяния и чувства вины.

— Розалин Клоуд действительно сознавала свою вину, — подтвердил Пуаро.

— Должно быть, она напала на Ардена в приступе ярости, — задумчиво продолжал Спенс. — Наверно, застигла его врасплох — едва ли Арден опасался такой хрупкой женщины. — И, помолчав, заметил: — Одно мне непонятно. Кто вовлек в это дело Портера? Вы говорите, что не миссис Джереми? Но я готов держать пари, что это она!

— Нет, — возразил Пуаро. — Это была не миссис Джереми. Она поклялась мне, и я ей верю. Конечно, я был глуп. Мне давно следовало догадаться, кто это был. Майор Портер сам мне сообщил.

— Сам сообщил?

— Конечно, косвенно...

— Ну и кто же это был?

Пуаро наклонил голову набок:

— Вы позволите сначала задать вам два вопроса?

— Спрашивайте что хотите.

— Что собой представляли снотворные порошки, найденные у кровати Розалин?

Суперинтендант выглядел удивленным.

— Они абсолютно безвредны. Бромид успокаивает нервы. Она принимала их ежедневно — по одному перед сном. Разумеется, мы отдали порошки на анализ. С ними все в порядке.

— Кто их прописал?

— Доктор Клоуд.

— Когда?

— Некоторое время тому назад.

— Какой яд убил ее?

— Ну, мы еще не получили заключение экспертизы, но вряд ли тут могут быть сомнения. Морфий, и в солидной дозе.

— А в доме нашли морфий?

Спенс с любопытством посмотрел на него:

— Нет. Куда вы клоните, мсье Пуаро?

— Перейдем ко второму вопросу, — уклончиво отозвался тот. — Дэвид Хантер звонил Линн Марчмонт из Лондона во вторник вечером в пять минут двенадцатого. Вы говорили, что проверили все телефонные разговоры в квартире в «Шепердс-Корт». Звонили только оттуда или и туда?

— В четверть одиннадцатого был звонок из Уормсли-Вейл. По телефону-автомату.

— Понятно. — Несколько секунд Пуаро молчал.

— Новая идея, мсье Пуаро?

— На звонок ответили? Я имею в виду, телефонист получил ответ из лондонской квартиры?

— Теперь я понимаю, о чем вы, — медленно произнес Спенс. — В квартире должен был кто-то находиться. Это не мог быть Дэвид Хантер — в то время он возвращался в Лондон поездом. Значит, это была Розалин Клоуд. А если так, Розалин не могла находиться в «Олене» несколькими минутами раньше. Вы ведете к тому, мсье Пуаро, что женщина в оранжевом шарфе не была Розалин Клоуд. В таком случае она не убивала Ардена. Но тогда почему она покончила с собой?

— Ответ на это очень прост, — сказал Пуаро. — Она не покончила с собой. Розалин Клоуд была убита!

— Что?!

— Убита преднамеренно и хладнокровно.

— Тогда кто убил Ардена? Мы ведь исключили Дэвида...

— Это был не Дэвид.

— А теперь вы исключаете Розалин. Но, черт возьми, эти двое — единственные, у кого имелось хотя бы подобие мотива!

— Да, — кивнул детектив. — Мотив. Это и сбило нас со следа. Если у А есть мотив для убийства В, а у Б — мотив для убийства Г, кажется бессмысленным предполагать, что А убил Г, а Б убил В.

— Полегче, мсье Пуаро, — простонал Спенс. — С вашими А, Б и В я вообще перестаю что-либо понимать.

— Дело выглядит запутанным, потому что перед нами два различных типа преступления, — пояснил бельгиец, — и, следовательно, должны наличествовать два различных убийцы. Входит Первый убийца, и входит Второй убийца.

— Не цитируйте Шекспира!¹ — взмолился Спенс. — Это вам не драма елизаветинских времен.

— Но ситуация в самом деле шекспировская — в ней присутствуют все человеческие эмоции, которыми так упивался Шекспир: зависть, ненависть, быстрые, отчаянные действия. Есть и надежда на удачу. «В делах людей прилив есть и отлив. С приливом достигаем мы успеха...» Кто-то на это рассчитывал, суперинтендант. Поймать шанс и использовать его в своих интересах. Именно это блестяще осуществили под самым вашим носом!

Суперинтендант раздраженно почесал нос.

— Если можете, Пуаро, объясните внятно, что вы имеете в виду.

— Постараюсь быть прозрачным, как кристалл. Перед нами три смерти. Вы с этим согласны, не так ли? Умерли три человека.

— Не стану спорить, — усмехнулся Спенс. — Вы ведь не собираетесь заставить меня поверить, что один из них еще жив?

— Нет-нет, — успокоил его Пуаро. — Все они мертвы. Но как они умерли? Как бы вы, так сказать, классифицировали их смерть?

— Что до этого, мсье Пуаро, то вам известна моя точка зрения. Одно убийство и два самоубийства. Но вы считаете, что последнее самоубийство в действительности является еще одним убийством.

— Я считаю, — отозвался детектив, — что мы имеем дело с одним самоубийством, одним несчастным случаем и одним убийством.

— С несчастным случаем? Вы полагаете, что миссис Клоуд приняла яд случайно? Или что майор Портер случайно застрелился?

— Нет, — ответил Пуаро. — Случайной была смерть Чарльза Трентона — он же Енох Арден.

— Что за вздор! — взорвался суперинтендант. — Если человеку размозжили череп несколькими ударами, это несчастный случай?

---

¹ Имеется в виду появление убийц в третьем акте трагедии У. Шекспира «Макбет».

Ничуть не тронутый горячностью Спенса, Пуаро спокойно ответил:

— Когда я говорю «несчастный случай», я имею в виду отсутствие намерения совершить убийство.

— Отсутствие намерения, когда голову человека превратили в месиво? Вы имеете в виду, что на него напал сумасшедший?

— Думаю, это недалеко от истины, хотя не в том смысле, в каком вы полагаете.

— Во всей этой истории единственная чокнутая — миссис Гордон. Иногда она выглядела более чем странно — я сам тому свидетель. Конечно, у миссис Лайонел Клоуд тоже мозги набекрень, но на насильственные действия она не способна. У миссис Джереми с головой все в порядке. Кстати, вы утверждаете, что это не миссис Джереми подкупила Портера?

— Да. Я знаю, кто это был. Как я уже сказал, Портер сам случайно проговорился. Одно маленькое замечание — я готов волосы на себе рвать из-за того, что сразу не обратил на него внимания!

— А потом ваш безымянный псих А, Б, В убил Розалин Клоуд? — Голос Спенса звучал все более скептически.

Пуаро энергично покачал головой:

— Ни в коем случае. В этом месте Первый убийца уходит со сцены, уступая место Второму. Это совсем иной тип преступления — в нем нет ни горячности, ни страсти. Холодное, расчетливое убийство — и я намерен позаботиться о том, чтобы преступника за это повесили.

Он встал и направился к двери.

— Эй! — окликнул его Спенс. — Так не пойдет! Вы должны назвать мне имена.

— Скоро я вам их назову. Но прежде я должен дождаться кое-чего, а именно письма из-за моря.

— Не говорите как гадалка...

Но детектив уже успел ускользнуть.

Перейдя площадь, он позвонил в дверь дома доктора Клоуда. Миссис Клоуд открыла ему и, как всегда при виде Пуаро, ахнула. Он не стал терять времени даром:

— Мадам, я должен с вами поговорить.

— Ну конечно... Входите... Боюсь, я не успела убрать, но...

— Я хочу спросить вас кое о чем. Как давно ваш муж пристрастился к морфию?

Тетя Кэти сразу же разразилась слезами:

— О Боже... Я так надеялась, что никто не узнает... Это началось во время войны. Лайонел так переутомлялся, а потом эта ужасная невралгия... Он старается уменьшить дозу, но из-за этого бывает страшно раздражительным...

— Это одна из причин, по которым он так нуждается в деньгах?

— Да, очевидно... Мсье Пуаро, он обещал пройти курс лечения...

— Успокойтесь, мадам, и ответьте еще на один вопрос. В тот вечер, когда вы звонили Линн Марчмонт, вы ходили к телефонной будке возле почты, не так ли? Вы никого не встретили на площади?

— Нет, мсье Пуаро, ни души.

— Но, насколько я понял, вам пришлось попросить двухпенсовую монету, так как у вас были только полупенни?

— Да, я попросила у женщины, которая вышла из будки. Она дала мне два пенса за мои полупенни.

— Как эта женщина выглядела?

— Ну, как актриса, если вы понимаете, о чем я. Оранжевый шарф на голове. Забавно, но я почти уверена, что где-то видела ее раньше. Ее лицо показалось мне очень знакомым. Наверно, это была одна из отошедших в потусторонний мир. Но где и когда мы встречались, я не могу вспомнить.

— Благодарю вас, миссис Клоуд, — сказал Эркюль Пуаро.

Глава 15

Линн вышла из дому и посмотрела на небо.

Солнце клонилось к закату, но небо не было красным, а сияло как-то неестественно. Вечер был тихим

388

и душным. «Очевидно — скоро будет гроза, — подумала Линн».

Время пришло. Больше нельзя откладывать. Она должна пойти в «Плакучие ивы» и сама рассказать Роули. Письмом тут не обойтись, хотя это было бы куда легче.

Линн убеждала себя, что приняла решение, но при этом что-то ее удерживало. Она огляделась вокруг и подумала: «Ведь это прощание с привычным миром — со всем, что было прежде...»

Линн не питала иллюзий. Жизнь с Дэвидом подобна игре — авантюре, которая может завершиться удачей или крахом. Он сам предупредил ее по телефону в тот вечер, когда произошло убийство...

А несколько часов назад он сказал ей: «Я собирался уйти из твоей жизни. Конечно, я был дураком — только подумать, что я мог тебя покинуть... Мы поедем в Лондон и поженимся по специальной лицензии — я не намерен дать тебе шанс передумать. Ты пустила здесь корни — они тебя удерживают, но мне придется вырвать тебя с корнями... — Помолчав, Дэвид добавил: — Роули мы сообщим об этом, когда ты уже станешь миссис Дэвид Хантер. Так будет лучше для бедняги».

С этим Линн не была согласна, хотя она не сказала этого Дэвиду. Нет, она должна сама обо всем рассказать Роули.

Гроза только начиналась, когда Линн постучала в дверь «Плакучих ив». Роули открыл ей и удивленно спросил:

— Почему ты не позвонила и не сказала, что придешь? Я мог бы тебя встретить.

— Я хочу поговорить с тобой, Роули.

Он шагнул в сторону, пропуская ее, и последовал за ней на большую кухню. На столе стояли остатки ужина.

— Собираюсь поставить новую плиту, чтобы тебе было легче готовить, — сообщил Роули. — И новую раковину — стальную...

— Не строй планы, — перебила его Линн.

— Ты имеешь в виду, потому, что бедняжку еще не похоронили? Конечно, это выглядит бессердечно. Но

Розалин никогда не казалась мне особенно счастливой. Очевидно, она так и не оправилась после воздушного налета. Как бы то ни было, Розалин умерла, да и какое мне до нее дело — вернее, нам с тобой?

Линн собралась с силами:

— Нет, Роули. Больше нет никакого «нам с тобой». Это я и пришла тебе сказать.

Он уставился на нее. Ненавидя себя, Линн решительно проговорила:

— Я выхожу замуж за Дэвида Хантера.

Она сама не знала, чего ожидала — протестов или вспышки гнева, — но, безусловно, не такой реакции.

С минуту Роули молча смотрел на нее, потом подошел к печке, поковырял в ней кочергой и наконец повернулся с рассеянным видом:

— Давай все проясним. Ты выходишь замуж за Дэвида Хантера. Почему?

— Потому что я его люблю.

— Ты любишь меня.

— Нет. Я любила тебя, когда уезжала отсюда. Но это было четыре года назад, и я... я изменилась. Мы оба изменились.

— Ты не права, — спокойно возразил он. — Я не изменился.

— Ну, возможно, изменился не так сильно...

— Я не изменился вовсе. У меня было для этого не так уж много возможностей. Я ведь просто вкалывал здесь целыми днями, а не прыгал с парашютом, не взбирался в темноте на утесы, не хватал людей за горло и не закалывал их под покровом ночи...

— Роули...

— Я не был на войне и никогда не сражался. Я не знаю, что такое война! Вместо этого я жил на ферме припеваючи, в полной безопасности. Счастливчик Роули! Но ты бы стыдилась такого мужа!

— Нет, Роули! Дело совсем не в этом...

— Именно в этом!

Он подошел ближе. Кровь прилила к его шее, на лбу обозначились вены. А этот взгляд — Линн однажды видела такой у быка, мимо которого проходила в поле. Бык топал ногой и тряс головой, постепенно наливаясь слепой яростью...

— Помолчи, Линн. Послушай разок меня для разнообразия. Я упустил то, что должен был иметь. Упустил возможность сражаться за мою страну. Вместо меня на фронт пошел мой лучший друг и погиб. Я видел мою девушку, одетую в военную форму и отправляющуюся далеко за море. Я был просто мужчиной, которого она оставила дома. Моя жизнь превратилась в ад — неужели ты этого не понимаешь, Линн? А потом ты вернулась — и все стало еще хуже. С того вечера у тети Кэти, когда я увидел, как ты смотришь на Дэвида Хантера. Но он тебя не получит, слышишь? Если ты не будешь моей, то не достанешься никому! Кто я, по-твоему?

— Роули...

Линн поднялась и стала медленно отступать к двери. Она была испугана. Перед ней стоял не человек, а дикий зверь.

— Я убил двоих, — продолжал Роули Клоуд. — Думаешь, я не смогу убить третьего?

— Роули...

Его руки сомкнулись на ее горле.

— Я больше не выдержу, Линн...

Комната завертелась вокруг нее, дышать становилось труднее, все погружалось во мрак...

Внезапно послышался кашель — чопорный и слегка искусственный.

Руки Роули безвольно опустились. Линн рухнула на пол бесформенной грудой.

В дверях, виновато покашливая, стоял Эркюль Пуаро.

— Надеюсь, я не помешал? — осведомился он. — Я стучал, но никто не ответил. Полагаю, вы были заняты?

Атмосфера была наэлектризованной до предела. Роули уставился на Пуаро. Казалось, он сейчас бросится на него, но вместо этого отвернулся и произнес бесцветным, невыразительным голосом:

— Вы появились как раз вовремя.

Глава 16

Эркюль Пуаро разрядил предгрозовую атмосферу, деловито спросив:

— Чайник кипит?

— Да, — тупо отозвался Роули.

— Тогда вы, может быть, приготовите кофе? Или чай, если это легче?

Роули повиновался, словно автомат.

Вынув из кармана чистый носовой платок, Пуаро обмакнул его в холодной воде, выжал и подошел к Линн.

— Обмотайте его вокруг шеи, мадемуазель, — вот так. У меня есть английская булавка. Холод сразу же облегчит боль.

Линн хриплым голосом поблагодарила его. Кухня «Плакучих ив», суетящийся Пуаро — все это походило на ночной кошмар. У нее кружилась голова и нестерпимо болело горло. Она пошатнулась. Пуаро осторожно подвел ее к стулу и усадил на него.

— Как там кофе? — спросил он через плечо.

— Готов, — ответил Роули.

Он принес кофе, Пуаро налил его в чашку и подал Линн.

— Послушайте, — заговорил Роули. — По-моему, вы не понимаете. Я пытался задушить Линн.

— Ай-ай-ай! — огорченно произнес Пуаро. Казалось, он упрекает Роули за проявление дурного вкуса.

— На моей совести две смерти, — продолжил Роули, — и была бы третья, если бы не появились вы.

— Давайте выпьем кофе, — предложил детектив, — и не будем говорить о смерти. Это не нравится мадемуазель Линн.

— Господи! — Роули недоуменно уставился на Пуаро.

Линн с трудом потягивала кофе. Он был крепким и горячим. Но вскоре она почувствовала, что горло болит меньше.

— Стало лучше, не так ли? — спросил бельгиец.

Линн молча кивнула.

— Тогда мы можем поговорить. Вернее, говорить буду я.

— Как много вам известно? — мрачно поинтересовался Роули. — Вы знаете, что я убил Чарльза Трентона?

— Да, — отреагировал Пуаро. — Я знаю это уже некоторое время.

Дверь распахнулась, и на пороге появился Дэвид Хантер.

— Линн! — воскликнул он. — Ты мне не сказала... — Он не договорил и озадаченно посмотрел на присутствующих. — Что с твоим горлом?

— Еще одну чашку, — велел Пуаро.

Роули взял чашку из кухонного шкафа, детектив наполнил ее кофе и передал Дэвиду.

— Садитесь, мистер Хантер. Выпьем кофе, и вы трое послушаете Эркюля Пуаро, который прочитает вам лекцию о преступлении. — Окинув их взглядом, он кивнул.

«Какой-то фантастический кошмар! — подумала Линн. — Это нереально!»

Казалось, все находились под властью нелепого маленького человечка с огромными усами. Все трое: Роули — убийца, Линн — его жертва, Дэвид — человек, который любил ее. Они послушно сидели, держали чашки с кофе и молча слушали.

— Что служит причиной преступлений? — задал риторический вопрос Пуаро. — Что их стимулирует? Нужна ли для этого врожденная предрасположенность? Способен ли каждый на преступление — на определенное преступление? И что происходит — я спрашивал себя об этом с самого начала, — что происходит, когда люди, которые были защищены от бед и тревог реальной жизни, внезапно лишаются этой защиты?

Я имею в виду Клоудов. Здесь присутствует только один Клоуд, поэтому я могу говорить свободно. Передо мной оказалась целая семья, членов которой обстоятельства избавили от необходимости самим держаться на ногах. Хотя у каждого была своя жизнь и профессия, они постоянно пребывали под покровительством, не зная страха, живя в полной безопасности — причем безопасности неестественной. За ними всегда стоял Гордон Клоуд.

Невозможно определить характер человека, пока он не сталкивается с испытаниями. Для большинства из нас испытания начинаются рано. Человеку быстро приходится вставать на ноги, смотреть в лицо трудностям и опасностям и находить способ с ними справляться. Это может быть прямой путь или извилистый, но в любом случае человек, как правило, рано узнает, из какого теста он сделан.

Однако Клоуды не имели возможности узнать собственные слабости, пока внезапно не лишились покровительства и не столкнулись с трудностями. Между ними и возвращением привычной безопасности стояло только одно — жизнь Розалин Клоуд. Я абсолютно уверен, что каждый из Клоудов в тот или иной момент думал: «Если бы Розалин умерла...»

Линн поежилась. Пуаро сделал паузу, давая им время усвоить услышанное, потом заговорил вновь:

— Мысль о ее смерти приходила в голову каждому из них — я в этом не сомневался. Но приходила ли им в голову мысль о ее убийстве? И не воплотилась ли эта мысль — в одном конкретном случае — в действие? — Он повернулся к Роули: — Вы думали о том, чтобы убить ее?

— Да, — ответил тот. — Это было в тот день, когда она приходила ко мне на ферму. Кроме нас, здесь никого не было. Тогда я подумал, что легко мог бы ее убить. Она выглядела такой славной и трогательной, как телята, которых я отправлял на бойню. Они вам нравятся, но вы все равно посылаете их на смерть. Меня удивляло, что Розалин совсем не боится... Она ужаснулась бы, зная, что творится у меня в голове... Да, я думал об этом, когда взял у нее зажигалку, чтобы зажечь ей сигарету.

— Полагаю, Розалин забыла ее здесь. Так вот как она у вас оказалась?

Роули кивнул.

— Не знаю, почему я не убил ее, — задумчиво сказал он. — Это можно было выдать за несчастный случай.

— Ответ в том, что это не ваш тип преступления, — пояснил Пуаро. — Того человека вы убили в приступе ярости — к тому же вы не собирались его убивать, не так ли?

— Господи, конечно нет! Я двинул ему в челюсть. Он упал и ударился затылком о мраморный бордюр вокруг каминной решетки. Я не мог поверить своим глазам, когда увидел, что он мертв. — Внезапно Роули с изумлением посмотрел на детектива: — Как вы об этом узнали?

— Думаю, — ответил он, — я реконструировал ваши действия достаточно верно. Вы скажете мне, если я ошибусь. Вы пришли в «Олень», и Беатрис Липпинкотт рассказала вам о подслушанном ею разговоре. После этого вы отправились, как и говорили, к вашему дяде, Джереми Клоуду, узнать мнение его, как юриста, о сложившейся ситуации. Но там произошло нечто заставившее вас отказаться от консультации с ним. По-моему, я знаю, в чем дело. Вы увидели фотографию...

— Да, — кивнул Роули. — На письменном столе. Я увидел сходство и понял, почему лицо этого парня показалось мне таким знакомым. Я сообразил, что Джереми и Франсис наняли ее родственника, чтобы вытянуть деньги у Розалин. Это привело меня в бешенство. Я вернулся в «Олень», поднялся в номер 5 и обвинил этого типа в обмане. Он засмеялся и сразу во всем признался — сказал, что Дэвид Хантер попался на удочку и этим вечером должен принести деньги. У меня потемнело в глазах, когда я понял, как меня провела моя же родня. Я назвал его свиньей и набросился на него. Он упал и ударился затылком о выступ...

Последовала пауза.

— А потом? — спросил Пуаро.

— У меня в кармане была зажигалка, — медленно продолжил Роули. — Я захватил ее, собираясь при встрече вернуть Розалин. Когда я наклонился, она выпала из кармана прямо на труп, и я увидел инициалы «Д.Х.». Зажигалка принадлежала не Розалин, а Дэвиду. После той вечеринки у тети Кэти я чувствовал... ну, не важно. Иногда мне казалось, что я схожу с ума, — возможно, я в самом деле немного спятил. Сначала Джонни ушел на войну и погиб, а теперь Линн и этот парень... Я не могу толком объяснить, но иногда я теряю голову от гнева. Я оттащил мертвеца на середину комнаты и перевернул лицом вниз. Потом взял тяжелые стальные щипцы... Ну, обойдемся без подробностей. Я стер отпечатки пальцев, вытер мраморный бордюр, потом перевел ручные часы на десять минут десятого и разбил их. После этого забрал его бумаги и продуктовые талоны — боялся, что по ним установят его личность, — и ушел. Мне казалось, что рассказ Беатрис о том, что она подслушала, навлечет подозрения на Дэвида...

— Спасибо, — вставил Дэвид.

— И тогда, — снова заговорил Пуаро, — вы пришли ко мне. Вы разыграли маленькую комедию, попросив отыскать свидетеля, который знал Андерхея. Для меня уже было ясно, что Джереми Клоуд сообщил своим родственникам историю, рассказанную майором Портером. Ибо почти два года вся семья лелеяла тайную надежду, что Андерхей может объявиться. Это желание повлияло на миссис Лайонел Клоуд во время ее манипуляций с доской «Уиджа» — разумеется, подсознательно, но этот инцидент был весьма многозначительным.

Eh bien, я показал мой «фокус». Я льстил себе, думая, что произвел на вас впечатление, хотя в действительности сам остался в дураках. Но потом майор Портер в своей комнате, предложив мне сигарету, сказал вам: «Вы ведь не курите, верно?»

Откуда он знал, что вы не курите? Ведь он вроде бы видел вас впервые в жизни. И тогда я догадался — вы и майор Портер сговорились заранее! Неудивительно, что он так нервничал в то утро. Да, мне отвели роль простофили — я должен был привести майора Портера опознать труп. Но я не мог вечно оставаться простофилей — теперь я перестал им быть, не так ли? — Пуаро сердито посмотрел на Роули и добавил: — Но затем майор Портер отказался выполнять соглашение. Ему не хотелось давать показания под присягой на процессе по делу об убийстве, а обвинение против Дэвида Хантера главным образом основывалось на личности жертвы. Поэтому майор дал задний ход.

— Он написал мне, что больше не станет в этом участвовать, — угрюмо подтвердил Роули. — Чертов дурак! Неужели не понимал, что мы зашли слишком далеко, чтобы остановиться? Я поехал к нему, чтобы попытаться его переубедить, но опоздал. Портер предупреждал, что скорее застрелится, чем станет лжесвидетелем по делу об убийстве. Входная дверь оказалась не заперта — я поднялся и обнаружил его мертвым. Не могу передать, что я тогда почувствовал. Словно стал дважды убийцей. Если бы он только подождал меня, позволил мне с ним поговорить...

— Там была записка? — поинтересовался Пуаро. — Вы забрали ее?

— Да, тогда я уже был готов на все. Записка была адресована коронеру. Майор писал, что дал ложные показания на дознании и что убитый — не Роберт Андерхей. Я забрал записку и уничтожил. — Роули ударил кулаком по столу. — Это походило на дурной сон! Я уже не мог остановиться. Мне нужны были деньги, чтобы получить Линн, и я хотел, чтобы Хантера повесили. Но потом — не понимаю, каким образом, — обвинение против него развалилось. Какая-то история о женщине, которая позже была с Арденом. Я все еще этого не понимаю. Что за женщина? Каким образом она могла находиться в комнате Ардена и говорить с ним, когда он уже был мертв?

— Не было никакой женщины, — сообщил Пуаро.

— Но, мсье Пуаро, — хриплым голосом возразила Линн, — ведь ее видела и слышала старая леди.

— Да, — кивнул тот. — Но что именно она видела и слышала? Старая леди видела кого-то в твидовом жакете и брюках, с оранжевым шарфом, повязанным на голове на манер тюрбана, с лицом, покрытым густым слоем косметики, и ярко накрашенными губами. Причем видела все это при тусклом освещении. А что она слышала? Мужской голос, произнесший: «Ну-ка, девочка, убирайся отсюда», когда «потаскушка» юркнула назад в комнату. Eh bien, миссис Ледбеттер видела и слышала мужчину! Это была изобретательная идея, мистер Хантер! — повернулся Пуаро к Дэвиду.

— Что вы имеете в виду? — резко спросил тот.

— Теперь я расскажу кое-что вам. Вы пришли в «Олень» около девяти — пришли не убивать, а платить. И что же вы там обнаружили? Человек, который вас шантажировал, лежал на полу, убитый самым зверским образом. Вы быстро соображаете, мистер Хантер, поэтому сразу поняли, что вам грозит опасность. Насколько вам было известно, никто не видел, как вы входили в «Олень», так что вашей первой мыслью было убраться оттуда как можно скорее, успеть на поезд в девять двадцать и поклясться, что вы даже не приближались к Уормсли-Вейл. Но чтобы успеть на поезд, вам пришлось мчаться через деревню. Вы неожиданно наткнулись на мисс Марчмонт и поняли, что опоздали на поезд, увидев дым паровоза в долине. Она также — хотя вы этого не знаете — видела дым, но не поняла, что для вас это означает невозможность успеть к поезду, а когда вы сказали ей, что сейчас четверть десятого, она не усомнилась в ваших словах.

Дабы убедить ее, что вам удалось уехать, вы быстро изобрели новый план. Фактически, вам пришлось заново все придумывать, чтобы отвести от себя подозрения.

Вы вернулись к «Фарроубэнку», потихоньку открыли дверь своим ключом, повязали на голову шарф вашей сестры, накрасили губы ее помадой и с помощью ее косметики загримировались, как в театре.

Потом снова отправились в «Олень», намеренно попались на глаза старой леди, которая сидела в комнате для постояльцев и чьи странности служили в гостинице пищей для сплетен, поднялись в номер 5. Услышав, что леди идет спать, вышли в коридор, затем быстро юркнули назад и громко произнесли: «Ну-ка, девочка, убирайся отсюда!» — Пуаро сделал паузу и заметил: — Недурной спектакль.

— Это правда, Дэвид? — воскликнула Линн.

Дэвид широко ухмыльнулся:

— Думаю, я добился бы успеха в женских ролях. Видели бы вы физиономию этой старой ведьмы!

— Но как ты мог быть здесь в десять часов и звонить мне из Лондона в одиннадцать? — удивилась Линн.

Дэвид Хантер отвесил поклон Эркюлю Пуаро.

— Объяснить это предоставляю ему, — сказал он. — Человеку, который знает все. Ну, как я это проделал?

— Очень просто, — ответил тот. — Вы позвонили вашей сестре в лондонскую квартиру по телефону-автомату и дали ей точные указания. Ровно в четыре минуты двенадцатого она вызвала по телефону Уормсли-Вейл, 34. Когда мисс Марчмонт подошла к телефону, телефонистка проверила номер и сказала нечто вроде: «Вам звонят из Лондона»

Линн кивнула.

— Тогда Розалин Клоуд положила трубку, а вы, — Пуаро обернулся к Дэвиду, — тщательно отсчитав время, набрали номер Линн, произнесли, изменив голос: «Вам звонят из Лондона» — и начали разговор. При нынешней работе телефона перерыв в связи на одну-две минуты никого не удивляет.

— Так вот почему ты звонил мне, Дэвид, — проговорила девушка.

В ее спокойном голосе слышалось нечто, заставившее Хантера бросить на нее резкий взгляд. Потом он повернулся к Пуаро и развел руками:

— Вы действительно знаете все! По правде говоря, я жутко перепугался и должен был что-то придумать. Позвонив Линн, я прошагал пешком пять миль до Дэзлби, вернулся в Лондон самым ранним поездом и проскользнул в квартиру как раз вовремя, чтобы успеть смять постель и позавтракать с Розалин. Мне и в голову не приходило, что полиция ее заподозрит. И конечно, я понятия не имел, кто убил Ардена. Я просто представить себе не мог, кому это было нужно. Мне казалось, что ни у кого нет мотива, кроме меня и Розалин.

— Это была главная трудность, — признался Пуаро. — Мотив. У вас и вашей сестры был мотив для убийства Ардена. А у всех членов семьи Клоудов — мотив для убийства Розалин.

— Значит, ее убили? — воскликнул Дэвид. — Это не было самоубийство?

— Нет. Это было тщательно подготовленное убийство. Один из ее снотворных порошков на дне коробочки с бромидом заменили морфием.

— Порошок? — Дэвид нахмурился. — Вы хотите сказать, что Лайонел Клоуд...

— Нет, — покачал головой Пуаро. — Понимаете, практически любой из Клоудов мог заменить порошок. Тетя Кэти могла это сделать прямо в приемной. Роули приносил в «Фарроубэнк» масло и яйца для Розалин. Миссис Марчмонт, Джереми Клоуд и Линн Марчмонт тоже приходили туда. И у каждого из них был мотив.

— Кроме Линн, — возразил Дэвид.

— Он был у всех нас, — подтвердила она.

— Да, — кивнул детектив. — Это и усложняло все дело. Дэвид Хантер и Розалин Клоуд имели мотив для убийства Ардена — но они не убивали его. Все Клоуды имели мотив для убийства Розалин, и тем не менее никто из них не убивал ее. Это дело всегда было неправильным от начала до конца. Розалин Клоуд убил человек, который больше всех терял с ее смертью. — Он слегка повернул голову. — Вы убили ее, мистер Хантер.

— Я? — воскликнул Дэвид. — За каким чертом мне убивать собственную сестру?

— Вы убили ее, потому что она не была вашей сестрой. Розалин Клоуд погибла во время воздушного налета на Лондон почти два года назад. Женщина, которую вы убили, была молодой горничной-ирландкой, Айлин Корриган, чью фотографию я получил сегодня из Ирландии.

Он вынул из кармана фотографию. С быстротой молнии Дэвид выхватил ее у него, метнулся к двери, захлопнул ее за собой и был таков. Роули с гневным воплем бросился следом за ним.

Пуаро и Линн остались одни.

— Это неправда! — воскликнула девушка. — Это не может быть правдой!

— Нет, это правда. Вы видели ее половину, думая, что Дэвид Хантер не ее брат. Поменяйте все местами — представьте, что не он, а она не та, за кого себя выдает, — и вам все станет ясно. Эта Розалин была католичкой (жена Андерхея ею не была), ее мучила совесть, она была беззаветно предана Дэвиду. Представьте себе его чувства в ночь воздушного налета: сестра погибла, Гордон Клоуд умирает, новая, беззаботная и обеспеченная жизнь ускользает от него — и вдруг он видит девушку одного возраста с Розалин, контуженную и потерявшую сознание, но пережившую бомбардировку вместе с ним. К тому времени она уже, несомненно, была его любовницей, и Дэвид мог заставить ее делать все, что захочет. У него был подход к женщинам, — сухо добавил Пуаро, не глядя на покрасневшую Линн. — Дэвид воспользовался шансом наудачу. Он опознал горничную как свою сестру. Придя в сознание, она обнаружила его сидящим у ее постели. Он убедил ее сыграть отведенную ей роль.

Но представьте себе их испуг, когда пришло письмо от Еноха Ардена. Я все время спрашивал себя: неужели такой человек, как Хантер, мог так легко позволить себя шантажировать? К тому же казалось, что он не уверен, является ли шантажист Андерхеем или нет. Но как он мог не быть в этом уверен? Ведь Розалин Клоуд могла сразу сказать ему, был ли этот человек ее первым мужем. Зачем было отсылать ее в Лондон, прежде чем она успела на него взглянуть? Только по одной причине — Дэвид не мог рисковать, позволив этому человеку встретиться с ней. Если незнакомец — Андерхей, он не должен узнать, что Розалин Клоуд на самом деле вовсе не Розалин. Остается одно — потихоньку уплатить шантажисту, а потом побыстрее уехать в Америку.

Но неожиданно шантажиста убили, а майор Портер опознал в нем Андерхея. Еще никогда в жизни Дэвид Хантер не оказывался в столь трудном положении! Дело ухудшало и то, что девушка начала сдавать.

Ее мучила совесть, она была на грани срыва. Рано или поздно могла во всем сознаться и подставить его. К тому же ее любовь ему наскучила — он влюбился в вас. И тогда Дэвид решил убить Айлин. Заменив морфием один из порошков, прописанных ей доктором Клоудом, он уговорил ее принимать их ежедневно перед сном, внушил ей страх перед семейством Клоудов. Никто не должен был заподозрить Дэвида Хантера, так как смерть его сестры означала, что ее деньги вернутся к Клоудам. Это была его козырная карта — отсутствие мотива. Как я говорил вам, дело было неправильным с начала до конца.

Дверь открылась, и вошел суперинтендант Спенс.

— Eh bien? — быстро отреагировал Пуаро.

— Все в порядке, — ответил Спенс. — Мы его схватили.

— Он... сказал что-нибудь? — спросила Линн.

— Сказал, что он хорошо бы попользовался деньгами. Забавно, — улыбнулся суперинтендант, — как они всегда становятся разговорчивыми в неподходящий момент... Конечно, мы его предупредили, что все сказанное может быть использовано против него. Но он ответил: «Бросьте, приятель! Я игрок — и знаю, когда проиграл».

— «В делах людей прилив есть и отлив, — пробормотал Пуаро. — С приливом достигаем мы успеха...» Да, прилив несет нас к удаче, но отлив может унести в открытое море.

Глава 17

Было воскресное утро, когда Роули Клоуд, услышав стук в дверь и открыв ее, увидел стоящую на крыльце Линн.

Он шагнул назад.

— Линн!

— Могу я войти, Роули?

Он не знал, что ответить. Девушка прошла мимо него на кухню. Она пришла из церкви, и на ней была шляпа. Медленно, почти ритуальным жестом, Линн подняла руки, сняла шляпу и положила ее на подоконник.

— Я пришла домой, Роули.

— Что ты имеешь в виду?

— Только это. Я пришла домой. Мой дом здесь, с тобой. Я была глупой, не зная этого раньше — не зная, что путешествие подошло к концу.

— Ты сама не понимаешь, что говоришь, Линн. Я... я пытался убить тебя!

— Знаю. — Она поморщилась и провела пальцем по горлу. — Как раз в тот момент я и подумала, какой дурой была!

— Не понимаю, — заявил Роули.

— Не будь таким глупым. Я всегда хотела выйти за тебя замуж, верно? Но потом потеряла с тобой контакт — ты казался таким ручным и кротким, и я чувствовала, что жизнь с тобой будет безопасной... и скучной. Я влюбилась в Дэвида потому, что он казался опасным и привлекательным, и, честно говоря, потому, что он хорошо знал женщин. Но все это было ненастоящим. Когда ты схватил меня за горло и сказал, что если я не буду твоей, то не достанусь никому... ну, я поняла, что мне нужен ты! К сожалению, мне казалось, что я умираю и уже слишком поздно... Хорошо, что Эркюль Пуаро пришел и спас положение. Теперь я твоя, Роули!

Он покачал головой:

— Это невозможно, Линн. Я убил двух человек...

— Чепуха! — возразила Линн. — Не будь таким упрямым и мелодраматичным. Если ты поссорился со здоровым крепким мужчиной и ударил его, а он упал и разбил голову о каминную решетку, это не убийство — даже с юридической точки зрения.

— Это непреднамеренное убийство. За него сажают в тюрьму.

— Возможно. Если так, я буду стоять у дверей тюрьмы, когда тебя выпустят.

— А Портер? Я морально ответствен за его смерть.

— Вовсе нет. Он был взрослым человеком и мог отвергнуть твое предложение. Нельзя винить другого за

403

то, что он совершает добровольно, находясь в здравом уме. Ты предложил ему бесчестный поступок, майор согласился, но потом раскаялся и прибегнул к самому быстрому выходу из положения. Портер был просто слабохарактерным.

Роули упрямо покачал головой:

— Это не пойдет, старушка. Ты не можешь выйти замуж за заключенного.

— Не думаю, что ты попадешь в тюрьму. Иначе тебя уже арестовали бы.

Он уставился на нее:

— Но, черт возьми, непредумышленное убийство, подкуп Портера...

— Почему ты думаешь, что полиция обо всем этом знает или когда-нибудь узнает?

— Знает этот парень — Пуаро.

— Он не полиция. Я скажу тебе, что думают в полиции. Они считают, что Дэвид Хантер убил не только Розалин, но и Ардена, зная, что он был в тот вечер в Уормсли-Вейл. Ему не предъявили обвинение в убийстве Ардена потому, что в этом нет необходимости, — а кроме того, по-моему, нельзя арестовать дважды по одному обвинению. Но пока они думают, что это сделал он, они не станут искать кого-то другого.

— Но этот Пуаро...

— Он говорил суперинтенданту, что это был несчастный случай, а суперинтендант только посмеялся над ним. Если хочешь знать мое мнение, то Пуаро никому ничего не расскажет. Он такой симпатичный...

— Нет, Линн, я не могу позволить тебе рисковать. Помимо всего прочего, я... ну, не могу быть уверенным в самом себе. Я имею в виду, что жизнь со мной будет небезопасной для тебя.

— Может быть. Но я люблю тебя, Роули. Ты пережил сущий ад, а я никогда особенно не стремилась к безопасности...

Занавес

Роман

Curtain

Глава 1

У кого из нас не щемило сердце при мысли, что мы бывали в этих краях прежде?

Все это уже было со мной когда-то...

Почему эти слова всегда так трогают?

Вот какой вопрос задавал я себе, глядя из окна поезда на плоский эссекский ландшафт.

Сколько же лет прошло с тех пор, как я ехал туда же? Как забавно: тогда мне казалось, что все лучшее в жизни — позади! Я был ранен на той войне, которая навсегда останется для меня единственной войной, — хотя ее затмила вторая, куда более страшная.

В 1916 году молодому Артуру Гастингсу казалось, что он уже старый, обремененный опытом человек. Я тогда даже не подозревал, что жизнь для меня только начинается.

Я ехал в гости к своему старинному другу, Джону Кэвендишу, не ведая того, что там мне предстоит встретить человека, который окажет на меня большое влияние и определит всю мою дальнейшую жизнь. У его матери, которая недавно снова вышла замуж, было поместье под названием Стайлз. Я думал лишь о том, как приятно будет возобновить прежние знакомства, и мне в голову не приходило, что скоро я буду вовлечен в зловещие перипетии загадочного убийства.

Именно в Стайлз я познакомился с Эркюлем Пуаро, странным маленьким человеком, которого впервые увидел в Бельгии.

Я очень хорошо помню изумление, охватившее меня при виде экстравагантного господина с большими усами, который, прихрамывая, шел по деревенской улице.

Эркюль Пуаро! С того времени он стал моим самым дорогим другом, встреча с которым круто изменила мою жизнь. Когда мы вместе охотились за очередным убийцей, я встретил свою будущую жену, самую верную и прелестную спутницу, о какой мог бы мечтать мужчина.

Теперь моя жена лежит в аргентинской земле. Она ушла из жизни так, как могла бы себе пожелать сама — без длительных страданий, не изведав немощной старости, но оставив очень одиноким и безутешным своего супруга.

Ах! Если можно было бы вернуться назад и прожить жизнь заново! Если бы сейчас снова был тот день в 1916 году, когда я впервые ехал в Стайлз... Сколько перемен произошло с тех пор! Сколько знакомых лиц никогда больше не суждено увидеть! Кэвендиши продали Стайлз. Джона Кэвендиша уже не было в живых, а его жена Мэри (это обворожительное, загадочное создание) жила теперь в Девоншире. Лоренс вместе с женой и детьми поселился в Южной Африке. Перемены — всюду перемены.

И лишь одно, как ни странно, было по-прежнему. Я ехал в Стайлз на встречу с Эркюлем Пуаро.

Как потрясен я был, когда получил от него письмо, где вверху был указан адрес: Стайлз-Корт, Стайлз, Эссекс.

Я не видел своего старого друга почти год. Наша последняя встреча очень огорчила меня. Пуаро выглядел настоящим стариком, а хронический артрит превратил его в инвалида. Он ездил в Египет поправить здоровье, но вернулся — как сообщил в письме — в еще худшем состоянии, чем прежде. Тем не менее письмо звучало бодро:

«Не заинтригованы ли Вы, мой друг, увидев адрес на моем письме? Он вызывает в памяти прошлое, не так ли? Да, я нахожусь здесь, в Стайлз. Только представьте себе — теперь это то, что называют пансионом. Его владелец — один из ваших полковников, таких британских до кончиков ногтей. Старая колониальная школа. Благодаря его жене, bien entendu[1], дела у них идут не так уж плохо. Она хорошая хозяйка, но язык у нее как бритва, и бедный полковник сильно страдает от этого. Я бы на его месте давно ее прирезал!

Я случайно увидел их объявление в газете, и мне пришла вдруг фантазия снова увидеть то место, которое было моим первым домом в этой стране. В моем возрасте получаешь удовольствие, вновь переживая прошлое.

И затем, представьте себе, я нахожу здесь одного джентльмена, баронета, который дружит с доктором Франклином, работодателем Вашей дочери! (Это немного похоже на фразу из учебника французского языка, не правда ли?)

И сразу же у меня зародился план. Баронет убеждает Франклинов приехать сюда на лето. Я, в свою очередь, уговариваю Вас, и мы окажемся все вместе, en famille[2]. Это будет так чудесно. Поэтому, mon cher Гастингс, dépêchez-vous[3]. Приезжайте как можно скорее. Я попросил оставить для Вас комнату с ванной (как Вы понимаете, он теперь модернизирован, милый старый Стайлз) и торговался с полковницей, миссис Латтрелл, пока мы не сошлись на цене très bon marché[4].

Франклины и Ваша очаровательная Джудит находятся здесь уже несколько дней. Все устроено, так что не сопротивляйтесь.

A bientôt[5].

Всегда Ваш *Эркюль Пуаро*».

---

[1] Безусловно (*фр.*).
[2] В своем кругу (*фр.*).
[3] Поспешите (*фр.*).
[4] Очень дешево (*фр.*).
[5] До скорого свидания (*фр.*).

Перспектива была заманчивая, и я без всяких возражений пошел навстречу желаниям старого друга. Ничто не связывало меня и не держало в моем доме. Один из сыновей служил в военно-морском флоте, второй был женат и управлял ранчо в Аргентине. Дочь Грейс, вышедшая замуж за военного, в настоящий момент находилась в Индии. Оставалась Джудит, которую я втайне любил больше всех, хотя никогда не понимал. Странная, скрытная девочка, ею владела какая-то страсть хранить все в секрете, что порой обижало и огорчало меня. Моя жена лучше понимала дочь. Она уверяла меня, что тут дело не в недоверии, а в особенностях характера. Однако порой жена не меньше меня беспокоилась о ребенке. Чувства Джудит, говорила она, слишком сильны и безоглядны, а инстинктивная сдержанность дочери не дает им выхода. Она иногда подолгу молчала, о чем-то сосредоточенно размышляя, или фанатично отдавалась какому-нибудь делу, забывая обо всем на свете. Она была самой способной в семье, и мы с радостью пошли навстречу ее желанию получить университетское образование. Около года назад Джудит получила степень бакалавра наук, а вслед за тем место секретаря у медика, который занимался научными изысканиями в области тропических болезней. Его жена была тяжело больной женщиной.

Иногда меня обуревали сомнения, уж не влюбилась ли Джудит в своего работодателя: так велика была ее поглощенность работой и преданность доктору. Однако их сугубо деловые отношения разуверили меня.

Мне казалось, Джудит меня любит, однако она была очень сдержанна по природе и не проявляла своих чувств. Часто она бывала нетерпимой и с пренебрежением отзывалась о моих, как она выражалась, сентиментальных и устаревших идеях. Честно говоря, я немного побаивался своей дочери!

Тут мои размышления были прерваны: поезд прибыл на станцию Сент-Мэри-Стайлз. По крайней мере она не изменилась. Время обошло ее стороной. Вокруг станции по-прежнему простирались поля, и казалось непонятным, зачем она вообще понадобилась.

Однако, едучи в такси по деревне, я ощутил, как много лет прошло с той поры, когда мне довелось здесь бывать. Сент-Мэри-Стайлз изменилась до неузнаваемости. Бензоколонки, кинотеатр, две новые гостиницы и ряды муниципальных домов.

Вскоре мы свернули к воротам Стайлз. Здесь время снова отступило. Парк был таким, как я его помнил; однако за подъездной аллеей плохо следили, и она сильно заросла сорняками, пробивавшимися сквозь гравий. За поворотом перед нами предстал дом. Он нисколько не изменился, но его очень не мешало бы покрасить.

И как всегда, когда я приезжал сюда прежде, над одной из клумб в саду виднелась склоненная женская фигура. Сердце мое забилось сильнее. Потом женщина выпрямилась и направилась ко мне, и я засмеялся над собой. Трудно было вообразить кого-нибудь менее похожего на крепкую Ивлин Говард.

Передо мной стояла хрупкая пожилая леди с седыми буклями и розовыми щеками. Взгляд холодных голубых глаз не вязался с радушием, высказанным, на мой взгляд, слишком нарочито.

— Вы капитан Гастингс, не так ли? — осведомилась она. — А у меня все руки в грязи, и я даже не могу поздороваться. Мы счастливы видеть вас здесь — столько слышали о вас! Мне следует представиться. Я миссис Латтрелл. Мы с мужем — видно, в помрачении рассудка — купили этот дом и пытаемся извлечь из него выгоду. Вот уж не думала, что придет день, когда я стану хозяйкой гостиницы! Но должна вас предупредить, капитан Гастингс, я очень деловая женщина — беру дополнительную плату за все, что можно.

Мы оба засмеялись, словно это была превосходная шутка. Однако мне пришло в голову, что, по всей вероятности, слова миссис Латтрелл следует понимать в буквальном смысле. За милым добродушием пожилой леди угадывалась твердость кремня. Хотя миссис Латтрелл при случае демонстрировала легкий ирландский акцент, в ее жилах не текла ирландская кровь. Это было чистое жеманство.

Я осведомился о своем друге.

— Ах, бедный маленький мсье Пуаро! Как он ждал вашего приезда! Это тронуло бы даже каменное сердце. Мне его ужасно жаль — он так сильно страдает.

Мы шли к дому. Миссис Латтрелл на ходу стягивала садовые перчатки.

— И вашу хорошенькую дочь тоже, — продолжала она. — Она прелестная девушка, мы все ею восхищаемся, но, мне кажется, — я, знаете ли, старомодна, — это просто грех, когда такая девушка, как она, вместо того чтобы бывать на вечеринках и танцах с молодыми людьми, весь день режет кроликов и корпит над микроскопом. Пусть этим занимаются дурнушки, говорю я.

— Джудит сейчас где-то поблизости? — спросил я.

Миссис Латтрелл «скорчила рожу», как выражаются дети.

— Ах, бедная девочка! Она сидит взаперти в мастерской в конце сада. Доктор Франклин снимает ее у меня и оборудовал там свою лабораторию. Все заставил клетками с морскими свинками, мышами и кроликами. Бедняжки! Не уверена, что я в восторге от всей этой науки, капитан Гастингс. А вот и мой муж.

Полковник Латтрелл как раз показался из-за угла дома. Это был высокий худой старик с изнуренным мертвенно-бледным лицом и кроткими синими глазами. У полковника была привычка в нерешительности подергивать себя за седые усики. Во всем его облике сквозили неуверенность и нервозность.

— Ах, Джордж, капитан Гастингс приехал.

Полковник Латтрелл обменялся со мной рукопожатием.

— Вы прибыли на поезде пять... э... сорок, да?

— А каким же еще он мог приехать? — вмешалась миссис Латтрелл. — И какое это вообще имеет значение? Отведи его наверх и покажи ему комнату, Джордж. И потом, возможно, он захочет пройти прямо к мсье Пуаро — или вы сначала выпьете чаю?

Я заверил ее, что не хочу чаю и предпочел бы пойти поздороваться со своим другом.

Полковник Латтрелл обратился ко мне:

— Хорошо. Пойдемте. Полагаю... э... ваши вещи уже отнесли наверх? Да, Дейзи?

— Это твое дело, Джордж, — не преминула уязвить мужа миссис Латтрелл. — Я работала в саду. Я не могу заниматься всем сразу.

— Нет, нет, ну конечно нет... Я... я позабочусь об этом, моя дорогая.

Я последовал за полковником по ступенькам парадного входа. В дверях мы столкнулись с седовласым худощавым человеком, он, прихрамывая, торопливо спустился с крыльца, сжимая в руках полевой бинокль. На его лице было написано детское нетерпение.

— Т-там, на платане, — слегка заикаясь, проговорил он, — свила гнездо п-пара черноголовок.

Когда мы вошли в холл, Латтрелл пояснил:

— Это Нортон. Славный парень. Помешан на птицах.

В холле у стола стоял высокий, крепкого сложения человек. Очевидно, он только что закончил телефонный разговор. Взглянув в нашу сторону, он произнес:

— Мне бы хотелось повесить, расстрелять и четвертовать всех подрядчиков и строителей. Никогда ничего не сделают как надо, черт бы их побрал.

Его возмущение было таким комичным, а тон — столь горестным, что мы оба невольно рассмеялись. Я сразу же расположился к этому человеку. Ему было далеко за пятьдесят, но он выглядел очень привлекательным. Густой загар говорил о том, что он, по-видимому, проводил много времени на воздухе. Словом, это был тот тип англичанина, который в наше время встречается все реже. Человек старой закалки — честный, прямой, не склонный сидеть взаперти и умеющий командовать.

Меня нисколько не удивило, когда полковник Латтрелл представил его как сэра Уильяма Бойд Каррингтона. Я знал, что он был губернатором одной из провинций в Индии и весьма преуспел на этом поприще. Он также славился как первоклассный стрелок и охотник на крупных зверей. Тот сорт людей, с грустью подумал я, который мы, по-видимому, больше не выращиваем в наши дни упадка.

— Так-так! — воскликнул он. — Рад увидеть во плоти легендарную личность «mon ami Гастингс». — Каррингтон засмеялся. — Знаете, милый старый бельгиец так много о вас говорит. И потом, тут у нас ваша дочь. Чудесная девушка.

Я с улыбкой ответил:

— Не думаю, что Джудит так уж много обо мне говорит.

— Нет, нет, она слишком современна. Кажется, в наши дни девушки смущаются, когда им приходится признать, что у них есть отец или мать.

— Да, — согласился я, — иметь родителей — это просто позор.

Он засмеялся:

— О, я избавлен от этого. К несчастью, у меня нет детей. Ваша Джудит — очень красивая девушка, но она ужасно заумная. Это никуда не годится. — Он снова взялся за телефонную трубку. — Надеюсь, вы не возражаете, Латтрелл, если я устрою разнос вашей телефонной станции? Я человек нетерпеливый.

— Так им и надо, — ответил Латтрелл.

Он стал подниматься по лестнице, я последовал за ним. Он повел меня в левое крыло дома, к последней двери по коридору. И тут я понял, что Пуаро выбрал для меня ту самую комнату, которую я занимал прежде.

Здесь время тоже внесло свои поправки. Некоторые двери были открыты, и я, идя по коридору, увидел, что большие старомодные спальни разделены перегородками на маленькие номера.

В моей комнате, которая была небольшой, ничего не изменилось — только провели водопровод, так что была холодная и горячая вода, да еще отгородили часть комнаты для маленькой ванной. Мебель стояла современная, дешевая, что меня несколько разочаровало. Я бы предпочел стиль, более близкий к архитектуре дома.

Мой багаж уже внесли в комнату. Полковник сказал, что комната Пуаро — как раз напротив моей. Он уже собирался отвести меня туда, когда снизу, из холла, донесся повелительный зов:

— Джордж!

Полковник Латтрелл нервно вздрогнул, как пугливая лошадь. Рука его потянулась к усам.

— Я... я... вы уверены, что все в порядке? Если вам что-нибудь понадобится, звоните...

— *Джордж!*

— Иду, моя дорогая, иду.

И он заспешил по коридору. Я постоял с минуту, глядя ему вслед. Затем с бьющимся сердцем пересек коридор и постучал в дверь Пуаро.

Глава 2

На мой взгляд, ничего нет печальнее разрушительного воздействия возраста.

Мой бедный друг! Я описывал его много раз, но теперь это был совсем другой человек. Болезнь сделала Пуаро неспособным ходить: он передвигался в кресле на колесиках. Когда-то полный, он сильно похудел. Теперь это был маленький худой старичок. Все лицо в морщинах. Правда, волосы и усы оставались по-прежнему черными как смоль, но, честно говоря, он напрасно продолжал их красить (хотя я ни за что на свете не сказал бы этого Пуаро, щадя его чувства). Наступает момент, когда подобные ухищрения становятся слишком очевидны. В свое время я и не подозревал, что столь черный цвет волос Пуаро достигается с помощью бутылочки с краской. Теперь же это бросалось в глаза и выглядело какой-то бутафорией, будто он надел парик и приклеил усы, чтобы посмешить детей!

Только глаза у него поблескивали по-прежнему, и взгляд был проницательный, как всегда. Сейчас этот взгляд — да, в этом нет сомнения — был согрет чувством.

— Ах, mon ami Гастингс, mon ami Гастингс...

Я поклонился, а Пуаро, по своему обыкновению, тепло обнял меня.

Он откинулся назад и внимательно оглядел меня, слегка склонив голову набок.

— Да, точно такой же — прямая спина, широкие плечи, седина в волосах — très distingué[1]. Знаете, мой друг, вы совсем не меняетесь. Les femmes[2], они все еще проявляют к вам интерес? Да?

— Право же, Пуаро, — запротестовал я. — Должны ли вы...

— Но уверяю вас, друг мой, это критерий, безошибочный критерий. Когда очень молодые девушки подходят и разговаривают с тобой так нежно — о, так нежно, — это конец! «Бедный старик, — говорят они про себя, — с ним надо быть как можно любезнее. Ведь это ужасно — быть таким, как он». Но вы, Гастингс, — vous êtes encore jeune[3]. У вас еще есть перспективы. Это правда, и можете крутить усы и горбить плечи — все именно так, в противном случае у вас не был бы такой смущенный вид.

Я рассмеялся:

— Вы действительно невыносимы, Пуаро! А как вы сами?

— О, я, — с гримасой отмахнулся Пуаро. — Со мной все кончено. Я калека, совсем не могу ходить. Меня всего скрючило. К счастью, я еще могу сам есть, но что до остального — за мной приходится ухаживать, как за младенцем. Укладывать в постель, мыть и одевать. Enfin[4], это совсем невесело. Однако хотя оболочка разрушается, сердцевина все еще здоровая.

— Да, в самом деле. У вас золотое сердце.

— Сердце? Возможно. Я имел в виду не сердце. Мозг, mon cher, — вот что я имел в виду, говоря «сердцевина». Мой мозг все еще великолепно функционирует.

---

[1] Очень изысканны (фр.).
[2] Женщины (фр.).
[3] Вы еще молоды (фр.).
[4] Одним словом (фр.).

Я убедился, что, по крайней мере, по части скромности никаких изменений в мозгу не произошло.

— А вам здесь нравится? — спросил я.

Пуаро пожал плечами.

— Тут сносно. Как вы понимаете, это, конечно, не «Ритц». Сначала меня поселили в комнате, которая была мала и неважно меблирована. Потом я перебрался сюда без повышения цен. А кухня здесь английская, в самом худшем варианте. Брюссельская капуста, огромная и твердая — англичане такую очень любят. Картошка либо недоваренная, либо переваренная. У овощей вкус воды, воды и еще раз воды. Полное отсутствие соли и перца во всех блюдах... — Он сделал выразительную паузу.

— Звучит ужасно, — посочувствовал я.

— Я не жалуюсь, — сказал Пуаро и продолжил это делать: — И еще эта так называемая модернизация. Ванные комнаты, повсюду краны — и что же из них течет? Чуть теплая вода, mon ami, большую часть дня. А полотенца! Такие тонкие, такие маленькие!

— Да, невольно вспомнишь старые времена, — задумчиво произнес я.

Я вспомнил облака пара, вырывавшиеся из крана с горячей водой в одной-единственной ванной комнате, где в центре гордо красовалась огромная ванна, обшитая красным деревом. Вспомнил я и огромные купальные полотенца, и сверкающие медные кувшины с кипятком, стоявшие в старомодной раковине.

— Но не следует жаловаться, — вновь повторил Пуаро. — Я согласен пострадать — ради благой цели.

Внезапно меня озарило.

— Послушайте, Пуаро, может быть, вы... стеснены в средствах? Я знаю, капиталовложения сильно пострадали из-за войны...

Пуаро сразу же разуверил меня:

— Нет-нет, мой друг. У меня вполне достаточно средств. Я по-настоящему богат. Меня привела сюда вовсе не необходимость экономить.

— Тогда все в порядке, — сказал я и продолжал: — Думаю, мне понятны ваши чувства. Когда стареешь, все сильнее хочется вернуться в прошлое. Пытаешься вновь пережить прежние чувства. В некотором смысле мне тяжело здесь находиться, и все же на меня нахлынуло множество чувств и мыслей, которые давно меня не посещали. Полагаю, с вами происходит то же самое.

— Ни в коей мере. Я не ощущаю ничего подобного.

— А хорошее было время, — печально покачал я головой.

— Говорите за себя, Гастингс. Для меня, когда я впервые оказался в Сент-Мэри-Стайлз, то была грустная и мучительная пора. Я оказался эмигрантом — раненым, изгнанным из дома и страны, существовавшим за счет благотворительности на чужбине. Нет, это было совсем невесело. Я тогда не знал, что Англия станет мне домом и я найду здесь свое счастье.

— Я об этом забыл, — виновато признался я.

— Вот именно. Вы всегда приписываете другим чувства, которые испытываете сами. Гастингс был счастлив — все были счастливы!

— Нет-нет, — засмеялся я.

— И это в любом случае неправда, — продолжал Пуаро. — Вы оглядываетесь назад и говорите со слезами на глазах: «О, счастливые дни. Я был молод тогда». Но на самом деле, мой друг, вы не были так счастливы, как вам кажется. Вы получили тяжелое ранение, вы горевали о том, что не сможете больше служить, вас терзали тягостные воспоминания о пребывании в госпитале. К тому же, насколько я помню, вы не могли разобраться в своих чувствах, влюбившись в двух женщин одновременно.

Я снова засмеялся и покраснел.

— Какая у вас память, Пуаро.

— Та-та-та — я и сейчас помню меланхолический вздох, который вы испустили, когда мололи всякий вздор о двух красивых женщинах.

— А вы помните, что вы сказали? Вы сказали: «И обе они — не для вас!» Но courage, mon ami[1].

---

[1] Не падайте духом, мой друг (фр.).

Мы снова вместе выйдем на охоту, и тогда, быть может...

Я умолк. Потому что мы с Пуаро действительно отправились охотиться во Францию, и именно там я встретил ту единственную женщину...

Мой друг ласково погладил меня по руке.

— Я знаю, Гастингс, я знаю. Рана еще свежа. Но не думайте об этом все время, не оглядывайтесь назад. Лучше смотрите вперед.

Я сделал протестующий жест.

— Смотреть вперед? Чего же мне ждать?

— Eh bien[1], мой друг, нужно выполнить одну работу.

— Работу? Где?

— Здесь.

Я удивленно взглянул на него.

— Только что, — продолжал Пуаро, — вы спросили меня, почему я приехал сюда, и, возможно, не обратили внимания, что я не ответил. Сейчас я дам вам ответ. Я здесь для того, чтобы охотиться на убийцу.

Я посмотрел на него в еще большем изумлении. На минуту мне показалось, что он заговаривается.

— Вы действительно имеете это в виду?

— Ну конечно имею. По какой другой причине стал бы я убеждать вас присоединиться ко мне? Мои руки и ноги больше не служат мне, но мозг, как я уже говорил вам, не поврежден. Вспомните — я всегда придерживался одного правила: сядь и подумай. Этим я еще могу заниматься, по существу, это единственное, что мне осталось. Для осуществления более активной части кампании при мне мой бесценный Гастингс.

— Вы в самом деле имеете это в виду? — повторил я, не веря своим ушам.

— Разумеется. Вы и я, Гастингс, *снова будем охотиться*.

Мне понадобилось несколько минут, чтобы понять, что Пуаро в самом деле говорит всерьез.

---

[1] Итак (*фр.*).

Хотя его заявление звучало фантастично, у меня не было оснований сомневаться в твердости его намерений.

Он произнес с легкой улыбкой:

— Наконец-то я вас убедил. Вначале вы вообразили — не правда ли? — что у меня размягчение мозга?

— Нет-нет, — поспешно возразил я. — Только мне кажется маловероятным, чтобы в таком месте, как это, оказался преступник.

— Ах, вы так думаете?

— Конечно, я еще не видел всех этих людей...

— Кого вы видели?

— Только Латтреллов, человека по фамилии Нортон — он кажется совсем безобидным — и Бойд Каррингтона — должен сказать, что он мне очень понравился.

Пуаро кивнул.

— Ну что же, Гастингс, когда вы увидите всех остальных, мое утверждение покажется вам точно таким же невероятным, как сейчас.

— Кто здесь еще?

— Франклины — доктор с женой, медсестра, которая ухаживает за миссис Франклин, ваша дочь Джудит. Есть еще некто Аллертон, сердцеед, и мисс Коул — женщина, которой за тридцать. Все они, признаюсь, очень милые люди.

— И один из них убийца?

— И один из них убийца.

— Но почему... каким образом... с чего вы взяли?..

Мне трудно было сформулировать вопросы, мысли путались.

— Успокойтесь, Гастингс. Давайте с самого начала. Прошу вас, подайте мне ту маленькую шкатулку с бюро. Bon[1], вот он, ключ — так...

Отперев портфель, он достал кипу листов, отпечатанных на машинке, и газетные вырезки.

— Вырезки изучите на досуге, Гастингс, пока не будем ими заниматься. Это просто сообщения в прессе о различных громких процессах — порой неточные, иногда наводящие на размышления. Чтобы вы получи-

---

[1] Хорошо (*фр.*).

ли представление о них, предлагаю вам почитать краткое изложение, которое я сделал.

Сильно заинтересованный, я начал читать.

«ДЕЛО А. ЛЕОНАРДА ЭТЕРИНГТОНА

Леонард Этерингтон. Малоприятные привычки — принимал наркотики, а также пил. Тяжелый, садистский характер. Жена молода и привлекательна. Отчаянно несчастна с ним. Этерингтон умер — очевидно, от пищевого отравления. Доктор не удовлетворен. В результате вскрытия обнаружилось, что смерть вызвана отравлением мышьяком. Запас гербицида в доме, но заказан задолго до того. Миссис Этерингтон арестована по обвинению в убийстве. Незадолго до смерти мужа подружилась со служащим колониальной администрации в Индии. Никаких доказательств неверности, но есть свидетельства глубокой симпатии между ними. После возвращения в Индию молодой человек обручился с девушкой, которую встретил на пути в колонию. Некоторые сомнения относительно того, получила ли миссис Этерингтон письмо, где сообщается о помолвке, после или до смерти ее мужа. Сама она утверждает, что до. На суде вызвала всеобщее сочувствие из-за характера мужа и его плохого обращения с женой. В заключительной речи судьи, которая была в ее пользу, подчеркивалось, что не может быть никаких сомнений относительно решения суда.

Миссис Этерингтон была оправдана. Однако, по общему мнению, она была виновна. В дальнейшем она чувствовала себя очень несчастной, поскольку друзья и т. д. оказывали ей холодный прием. Умерла в результате приема слишком большой дозы снотворного через два года после суда. Вердикт о смерти от несчастного случая возвращен на расследование.

ДЕЛО Б. МИСС ШАРПЛЗ

Пожилая старая дева. Инвалид. Сильно страдала от болей. За ней ухаживала племянница, Фреда Клей. Мисс Шарплз умерла в результате приема слишком большой дозы морфия. Фреда Клей признала, что допустила ошибку, дав своей тете больше морфия, чем следует, чтобы облегчить ее страдания, которые не в силах была видеть. Полиция заподозрила не ошибку, а злой умысел. Однако доказательства сочли недостаточными, чтобы возбудить дело.

ДЕЛО В. ЭДВАРДА РИГГЗА

Сельскохозяйственный рабочий. Заподозрил, что жена изменяет ему с их жильцом, Беном Крейгом. Крейг и миссис Риггз найдены расстрелянными. Оказалось, что выстрелы произведены из ружья Риггза. Риггз сдался полиции, сказав, что, по его предположениям, это сделал он, но не может вспомнить. По его словам, у него пробел в памяти. Риггз был приговорен к смерти, впоследствии смертную казнь заменили на пожизненную каторгу.

ДЕЛО Г. ДЕРЕКА БРЕДЛИ

Завел роман с девушкой. Его жена обнаружила это, угрожала его убить. Бредли умер от цианистого калия, добавленного в пиво. Миссис Бредли была арестована по подозрению в убийстве. Призналась во время перекрестного допроса. Признана виновной и повешена.

ДЕЛО Д. МЭТЬЮ ЛИЧФИЛДА

Старый тиран. Четверо дочерей, жили с ним. Не позволял им никаких развлечений, не давал денег на расходы. Однажды вечером, когда он возвращался домой, на него напали у боковой двери его дома и убили ударом по голове. Позднее, после полицейского дознания, старшая дочь, Маргарет, пошла в полицейский участок и призналась в убийстве отца. По ее словам, она сделала это, чтобы ее младшие сестры получили возможность жить своей жизнью, пока не будет слишком поздно. Личфилд оставил большое состояние. Маргарет Личфилд была признана невменяемой и помещена в Бродмур, однако вскоре скончалась».

Я внимательно читал, однако недоумение мое все возрастало. Наконец я отложил лист и вопросительно взглянул на Пуаро.

— Итак, mon ami?

— Я помню дело Бредли, — медленно произнес я. — Читал о нем в то время. Она была красивой женщиной.

Пуаро кивнул.

— Однако вы должны меня просветить. Что все это значит?

— Сначала скажите мне, что вы об этом думаете.

Я был поставлен в тупик.

— То, что вы мне дали, — краткое изложение пяти дел о совсем разных убийствах. Они были совершены в разных местах и в разной общественной среде. К тому же между этими убийствами нет никакого внешнего сходства. То есть одно убийство из ревности; во втором случае несчастная жена пыталась избавиться от мужа; в другом мотивом послужили деньги; еще одно убийство совершено, можно сказать, из бескорыстных побуждений, поскольку убийца не пытался избегнуть наказания; и, наконец, пятое было откровенно зверским — вероятно, совершено под воздействием алкоголя. — Я сделал паузу и затем произнес с сомнением: — Нет ли между всеми этими случаями какого-нибудь сходства, которое я не заметил?

— Нет-нет, вы очень точно все подытожили. Единственное, что вы могли бы упомянуть, но не упомянули, — это что ни в одном из этих дел не оказалось *альтернативного* подозреваемого.

— Я не совсем понимаю.

— Например, миссис Этерингтон была оправдана. Тем не менее все были уверены, что убила она, и только она. Фреду Клей не обвинили открыто, но никто не подумал о каком-либо ином решении этого преступления. Риггз утверждал, что не помнит, как убивал жену и ее любовника, однако никогда не вставал вопрос, не сделал ли это кто-то другой. Маргарет Личфилд призналась. Вы видите, Гастингс, в каждом случае был лишь один явный подозреваемый, и никаких других.

Я наморщил лоб.

— Да, это верно, но я не понимаю, какие конкретные выводы вы отсюда делаете.

— Ах, Гастингс, но ведь я как раз подхожу к факту, который вам пока еще не известен. Предположим, что в каждом из этих случаев, которые я изложил, была одна особенность, присущая им всем.

— Что вы имеете в виду?

Пуаро медленно сказал:

— Гастингс, я буду очень осторожен в выражении своей мысли. Предположим, существует некая личность — Х. Ни в одном из упомянутых случаев у Х (очевидно) не было причин убивать жертву. В одном случае, насколько мне удалось выяснить, Х действительно находился за двести миль от места преступления. И тем не менее я скажу вам вот что. Х был в дружеских отношениях с Этерингтоном; Х некоторое время жил в одной деревне с Риггзом; Х был знаком с миссис Бредли. У меня есть фотография, на которой Х и Фреда Клей вместе идут по улице. И, наконец, Х находился возле дома, когда умер старый Мэтью Личфилд. Что вы на это скажете?

Я удивленно посмотрел на него, потом согласился:

— Да, это уж слишком. Совпадение могло быть в двух случаях, даже в трех, но пять — это многовато. Должна существовать какая-то связь между этими разными убийствами, как бы маловероятно это ни казалось.

— Значит, вы предполагаете то же самое, что и я?

— Что Х убийца? Да.

— В таком случае, Гастингс, вам придется продвинуться с моей помощью еще дальше. Позвольте сообщить вам, что *Х в этом доме.*

— Здесь? В Стайлз?

— В Стайлз. Какой логический вывод нужно из этого сделать?

Я знал, каков будет ответ, когда попросил:

— Так поделитесь со мной этим выводом.

Эркюль Пуаро мрачно произнес:

— Скоро убийство будет совершено здесь — *здесь.*

Глава 3

Минуту-другую я в испуге смотрел на Пуаро, потом отреагировал.

— Нет, не будет, — сказал я. — Вы этого не допустите.

Пуаро растроганно ответил:

— Мой верный друг. Как я ценю вашу веру в меня! Tout de même[1] я не уверен, оправдана ли она в данном случае.

— Ерунда. Конечно, вы можете его остановить.

Тон у Пуаро сделался озабоченным, когда он возразил:

— Задумайтесь на минуту, Гастингс. Можно поймать убийцу, да. Но как же остановить убийство?

— Ну, вы... вы... словом, я хочу сказать — если вам известно заранее...

Я замолчал с беспомощным видом, так как вдруг осознал все сложности.

— Вот видите? — заметил Пуаро. — Все не так просто. Фактически существует всего три способа. Первый заключается в том, чтобы предупредить жертву. Он или она должны быть постоянно начеку. Это не всегда удается, потому что некоторых людей невероятно трудно убедить, что им грозит серьезная опасность, — возможно, со стороны кого-то близкого и дорогого. Они негодуют и отказываются верить. Второй способ — это предостеречь убийцу. Сказать в завуалированной форме следующее: *Мне известно о ваших намерениях. Если такой-то умрет, вас,* мой друг, наверняка повесят». Этот метод успешнее, чем первый, но и в данном случае есть вероятность потерпеть неудачу. Потому что нет на свете более самоуверенного существа, чем убийца. Убийца всегда умнее всех — никто никогда не заподозрит его (ее), полиция будет совершенно сбита с толку, и так далее. Поэтому он (или она) совершают-таки задуманное, а вам остается лишь удовлетворяться тем, что их после этого повесят. — Сделав паузу, он

---

[1] И все же (*фр.*).

задумчиво проговорил: — Дважды в моей жизни я предостерег убийцу: один раз в Египте, второй раз — в другом месте. И в обоих случаях преступника это не остановило... Так может получиться и здесь.

— Вы сказали, есть еще третий способ, — напомнил я.

— Ах да. Он требует от сыщика высочайшего мастерства. Нужно точно угадать, как и когда будет нанесен удар, и быть готовым вмешаться в момент, выбранный с предельной точностью. Вы должны поймать убийцу если не на месте преступления, то когда не останется ни малейших сомнений в его намерениях. А это, — продолжал Пуаро, — смею вас заверить, дело чрезвычайно сложное и деликатное, и я ни в коем случае не гарантирую успех! Возможно, я самоуверен, но не до такой степени.

— Какой метод вы предлагаете использовать здесь? — спросил я.

— Быть может, все три. Первый — самый трудный.

— Почему? Я бы подумал, что он самый легкий.

— Да, если вы знаете, кого собираются убить. Но разве вы не понимаете, Гастингс, что в данном случае я не знаю жертвы?

— Что?

Это восклицание вырвалось у меня невольно. Потом до меня начала доходить вся неординарность ситуации. Существует — должно существовать — какое-то звено, соединяющее серию преступлений, но мы не знаем, что это за звено. Не хватает мотива, что крайне существенно. А не зная его, мы не можем определить, кому угрожает опасность.

Пуаро кивнул, увидев по выражению моего лица, что я осознал, в каком мы оказались положении.

— Вот видите, мой друг, это не так просто.

— Да, — ответил я. — Я понимаю. Вам пока что не удалось нащупать связь между этими разными случаями?

Пуаро покачал головой:

— Ничего.

Я снова погрузился в размышления. Обычно преступления, совершенные одно за другим, предполагают их однотипность, однако здесь не было ничего подобного.

Я спросил:

— А вы совершенно уверены, что тут нет какого-нибудь мотива, связанного с деньгами? Ничего такого, что вы, например, обнаружили в деле Ивлин Карлисл?

— Нет. Можете не сомневаться, мой дорогой Гастингс, первое, что я ищу, — это финансовая заинтересованность.

Это было верно. Пуаро всегда был откровенно циничен в отношении денег.

Я снова задумался. Какая-то вендетта? Это лучше увязывалось с имеющимися фактами. Но даже в таком случае, казалось, не было никакого связующего звена. Я вспомнил прочитанную когда-то историю о серии бесцельных убийств. Ключом оказалось то, что все жертвы когда-то были присяжными заседателями. Преступления совершил человек, которого они приговорили. Мне пришло в голову, что нечто подобное могло быть в данном случае. К стыду своему, должен сказать, что утаил эту идею от своего друга. Для меня станет предметом гордости, если я приду к Пуаро с решением загадки!

Вместо этого я спросил:

— А теперь скажите мне, кто Х?

К моей крайней досаде, Пуаро весьма решительно покачал головой:

— А вот этого, мой друг, я не скажу.

— Чепуха! Почему же?

Глаза Пуаро блеснули.

— Потому что, mon cher, вы все тот же Гастингс. У вас все на лице написано. Видите ли, я не хочу, чтобы вы сидели, глядя на Х с открытым ртом, и по выражению вашего лица каждый мог без труда прочесть: «Вон тот — тот, на которого я смотрю, — убийца!»

— Вы могли бы отдать мне должное: в случае необходимости я умею притворяться.

— Когда вы пытаетесь притворяться, это еще хуже. Нет, нет, mon ami, мы должны быть инкогнито, вы и я. В таком случае когда мы атакуем — то атакуем.

— Вы упрямый старый дьявол, — сказал я. — Мне очень хочется...

Меня прервал стук в дверь.

— Входите, — пригласил Пуаро, и в комнату вошла моя дочь Джудит.

Мне бы хотелось описать Джудит, но я не мастер описывать людей.

Джудит высокая, с гордой осанкой. Ровные темные брови, линия профиля правильная, строго очерченная. У Джудит серьезный и слегка презрительный вид, и, как мне кажется, ее всегда окружает атмосфера какой-то трагичности.

Джудит не подошла ко мне и не поцеловала — это не в ее характере. Она просто улыбнулась и произнесла:

— Привет, папа.

Улыбка у нее была немного смущенная, но я почувствовал, что, несмотря на сдержанность, дочь рада меня видеть.

— Ну что же, вот я и здесь, — сказал я, чувствуя, как глупо это звучит (что со мной часто бывает при общении с младшим поколением).

— Очень умно с твоей стороны, дорогой.

— Я рассказываю ему, — заметил Пуаро, — о здешней кухне.

— Она очень плохая? — спросила Джудит.

— Вам бы не следовало это спрашивать, дитя мое. Неужели вы не думаете ни о чем, кроме пробирок и микроскопов? Ваш средний палец запачкан метиленовой синью. Вашему мужу несладко придется, если вы не будете интересоваться его желудком.

— Полагаю, у меня не будет мужа.

— Несомненно, у вас будет муж. Для чего же вас создал bon Dieu?[1]

— Надеюсь, для многого, — ответила Джудит.

— Le mariage[2] — прежде всего.

---

[1] Добрый Бог (*фр.*).
[2] Брак (*фр.*).

— Прекрасно, — согласилась Джудит. — Вы найдете мне хорошего мужа, и я буду очень тщательно заботиться о его желудке.

— Она смеется надо мной, — пожаловался Пуаро. — Однажды она узнает, как мудры старики.

Снова раздался стук в дверь, и вошел доктор Франклин, высокий нескладный человек лет тридцати пяти. У него были рыжеватые волосы, решительный подбородок и ясные синие глаза. Более неуклюжего человека, чем он, я никогда не встречал, он вечно натыкался на разные предметы.

Налетев на ширму, огораживавшую кресло Пуаро, Франклин наклонил голову и машинально пробормотал «Прошу прощения» в сторону ширмы.

Это было очень смешно, но, как я заметил, Джудит оставалась совершенно серьезной. Полагаю, она уже привыкла к подобным эпизодам.

— Вы, должно быть, помните моего отца? — обратилась Джудит к Франклину.

Доктор Франклин нервно вздрогнул, смутился и, прищурившись, посмотрел на меня. Затем он протянул мне руку, как-то неловко сказав:

— Конечно, конечно, как поживаете? Я слышал, вы должны приехать. — Он повернулся к Джудит: — Как вы полагаете, нам нужно изменить планы? Если нет, мы могли бы еще немного поработать после обеда. Если бы мы подготовили еще несколько этих предметных стекол...

— Нет, — ответила Джудит. — Я хочу побыть со своим отцом.

— О да. О, конечно. — Внезапно Франклин улыбнулся извиняющейся, совсем мальчишеской улыбкой. — Простите, я так ужасно увлекаюсь. Это совершенно непростительно: я становлюсь очень эгоистичным. Пожалуйста, простите меня.

Часы пробили, и Франклин бросил на них торопливый взгляд.

— Боже мой, неужели так поздно? Какая неприятность! Обещал Барбаре, что почитаю ей до обеда.

Он смущенно усмехнулся нам обоим и поспешно вышел из комнаты, на ходу налетев на дверной косяк.

— Как миссис Франклин? — спросил я.

— Так же, как обычно, и еще хуже, — ответила Джудит.

— Как печально, что она так тяжело больна, — заметил я.

— Это может свести с ума доктора, — сказала Джудит. — Доктора любят здоровых людей.

— Как жестоки вы, молодые! — воскликнул я.

Джудит холодно бросила:

— Я просто констатирую факт.

— И тем не менее, — вмешался Пуаро, — добрый доктор спешит, чтобы ей почитать.

— Очень глупо, — заявила Джудит. — Ее сиделка вполне способна ей почитать, раз уж миссис Франклин так хочется, чтобы ей читали. Лично я терпеть не могу, когда *мне* читают вслух.

— Ну что же, у каждого свой вкус, — заметил я.

— Она глупа как пробка, — вынесла свой приговор Джудит.

— Отнюдь, mon enfant[1], — возразил Пуаро. — Я с вами не согласен.

— Она никогда ничего не читает, кроме самых дешевых романов. Она не интересуется его работой. Не идет в ногу с современной мыслью. Она говорит только о своем здоровье с каждым, кто готов слушать.

— И все-таки я продолжаю утверждать, — настаивал Пуаро, — что она использует свое серое вещество таким образом, о котором вы, дитя мое, понятия не имеете.

— Она очень женственная, — согласилась Джудит. — Все время воркует и мурлыкает. Полагаю, вам такие нравятся, дядя Пуаро.

— Вовсе нет,— возразил я. — Он любит больших, ярких и преимущественно русского происхождения.

— Вот, значит, как вы выдаете мои секреты, Гастингс? Ваш отец, Джудит, всегда питал слабость к золотисто-каштановым волосам. Из-за этого он много раз попадал в беду.

---

[1] Дитя мое (*фр.*).

430

Джудит снисходительно улыбнулась нам обоим.

— Какая вы забавная пара!

Потом она отвернулась, и я поднялся.

— Мне нужно распаковать вещи, и неплохо бы принять ванну перед обедом.

Пуаро позвонил в небольшой колокольчик, находившийся у него под рукой, и спустя пару минут появился его слуга. Я был удивлен, увидев незнакомого мне человека.

— Как! А где же Джордж?

Джордж прослужил у Пуаро много лет.

— Джордж поехал домой. Его отец болен. Надеюсь, когда-нибудь он вернется ко мне. А пока что... — он улыбнулся своему новому слуге, — обо мне заботится Куртис.

Куртис почтительно улыбнулся в ответ. Это был крупный человек с грубым тупым лицом.

Выходя за дверь, я заметил, как Пуаро тщательно запирает портфель с бумагами.

В голове у меня царил сумбур, когда я пересек коридор, направляясь к своей двери.

Глава 4

В тот вечер я шел ужинать с ощущением, что все вокруг вдруг утратило реальность.

Когда я одевался к ужину, то несколько раз задал себе вопрос: а не мог ли Пуаро все это вообразить? В конце концов, мой милый старый друг — человек очень немолодой и здоровье его сильно пошатнулось. Сам он может заявлять, что полностью сохранил ясность ума и здравость рассудка, но *так ли это* на самом деле? Он провел всю жизнь раскрывая преступления. Что ж удивительного, если он вообразил преступления там, где их нет? Должно быть, вынужденное бездействие сильно угнетало его. Вполне вероятно, что он придумал для себя новую охоту на убийцу. Принятие желаемого за действительное — вполне объяснимый невроз. Он выбрал несколько случаев, о которых сообщалось в прессе, и углядел в них то, чего там не было, — призрачную фигуру, стоящую за этими преступлениями, маньяка-убийцу. По всей вероятности, миссис Этерингтон действительно убила своего мужа, рабочий застрелил жену, молодая женщина дала своей престарелой тетушке слишком большую дозу морфия, ревнивая жена расправилась с мужем, как и обещала, а безумная старая дева на самом деле совершила убийство, в котором потом созналась. За всеми этими преступлениями абсолютно ничего не крылось!

Этой точке зрения (несомненно, исполненной здравого смысла) я мог противопоставить только свою непоколебимую веру в остроту ума Пуаро.

Пуаро сказал, что убийство уже подготовлено. Во второй раз Стайлз должен стать местом преступления.

Время подтвердит или опровергнет это утверждение, но если оно верно, то нам следует предупредить несчастье.

И Пуаро знает, кто убийца, а мне это неизвестно.

Чем больше я об этом думал, тем больше злился! Нет, в самом деле, это ужасная наглость со стороны Пуаро! Он хочет, чтобы я с ним сотрудничал, и в то же время отказывает мне в доверии!

Почему? Он назвал причину — разумеется, совершенно неубедительную! Я устал от этих глупых шуток по поводу того, что у меня все «на лице написано». Я умею хранить секреты не хуже остальных. Пуаро всегда настаивал на унизительном для меня утверждении, будто у меня настолько открытое лицо, что кто угодно может читать мои мысли. Иногда он пытается подсластить пилюлю, приписывая это моему прекрасному, честному характеру, которому несносна ложь в любой форме!

Конечно, рассуждал я, если все это — плод воображения Пуаро, его собственную скрытность легко объяснить.

Я так и не пришел ни к какому выводу, когда прозвучал гонг, и спустился к обеду, решив быть непредубежденным, но тем не менее смотреть в оба, чтобы вычислить мифического X Пуаро.

Пока что я приму на веру все, что говорил Пуаро. Под этой крышей *находится* человек, который уже совершил пять убийств и готовится снова убить. Кто он?

Перед тем как мы пошли ужинать, меня представили в гостиной мисс Коул и майору Аллертону. Первая была высокой женщиной лет тридцати четырех, все еще сохранившей красоту. К майору Аллертону я сразу же почувствовал безотчетную неприязнь. Это был интересный мужчина сорока с небольшим лет, широкоплечий, с бронзовым загаром, умевший непринужденно вести беседу, причем почти все, что он говорил, звучало двусмысленно. У Аллертона были мешки под глазами, что давало основание заподозрить его в разгульном образе жизни. Он, скорее всего, играет в карты или сильно пьет, решил я, и, несомненно, отчаянно волочится за женщинами.

Как я заметил, старый полковник Латтрелл тоже не особенно жаловал Аллертона, а Бойд Каррингтон был с ним довольно холоден. Что же касается дам, Аллертон пользовался у них несомненным успехом. Миссис Латтрелл оживленно щебетала с ним, а он лениво отвечал ей двусмысленными комплиментами. Меня раздражало, что Джудит, по-видимому, тоже получает удовольствие от его общества и беседы с ним. Для меня всегда было загадкой, почему самые недостойные из мужчин непременно нравятся и вызывают интерес у самых милых представительниц слабого пола. Я интуитивно понимал, что Аллертон — подлец, и девять мужчин из десяти согласились бы со мной. В то время как девять из десяти женщин — а то и все десять — сразу же были бы им очарованы.

Когда мы уселись за стол и перед нами поставили тарелки с клейкой белой жидкостью, я обвел взглядом собравшихся, мысленно прикидывая разные варианты.

Если Пуаро прав и не утратил былой прозорливости, один из этих людей — опасный убийца и, вероятно, к тому же маньяк.

Хотя Пуаро не говорил этого, я предположил, что X — мужчина. Кто же из этих мужчин может им быть?

Конечно, это не старый полковник Латтрелл — он такой нерешительный и, похоже, слабовольный человек. Нортон — тот, который столкнулся со мной в дверях, выбегая из дома с полевым биноклем? Вряд ли. Он производил впечатление доброго малого. Такого растяпы-неудачника. Конечно, говорил я себе, многие убийцы были людьми малозначительными — именно поэтому они и шли на преступление, для самоутверждения. Им было обидно, что их не берут в расчет и игнорируют. Возможно, Нортон — убийца этого типа. Однако он любит птиц. А я свято верил, что любовь к природе — признак морального здоровья в человеке.

Бойд Каррингтон? Совершенно исключено. Человек, имя которого известно всему миру. Прекрасный спортсмен, бывший губернатор, человек, которого все любят и почитают. Я также исключил Франклина, зная, как его уважает Джудит и как восхищается им.

Теперь майор Аллертон. Я посмотрел на него оценивающим взглядом. Да уж, мерзкий тип! Такой обдерет собственную бабушку. И при этом внешний лоск и обаятельные манеры. Сейчас он как раз рассказывал о том, как однажды попал в неловкое положение, и вызвал смех слушателей, с горестным видом оценив по достоинству шутку в свой адрес.

Если Аллертон — X, решил я, то он совершил преступления ради какой-либо выгоды.

Правда, Пуаро не сказал определенно, что X — мужчина. Я рассмотрел мисс Коул как возможный вариант. Ее движения были судорожными и порывистыми — чувствовалось, что эта женщина вся на нервах. Красивая, но вид какой-то подавленный. И все же она выглядела вполне нормальной. Она, миссис Латтрелл и Джудит были единственными дамами за столом. Миссис Франклин обедала в своей комнате наверху, а ее сиделка ела позже нас.

После ужина я стоял в гостиной у окна, выходившего в сад, и вспоминал те дни, когда увидел, как Сэнди

Мердок, молодая девушка с золотисто-каштановыми волосами, бежит по лужайке. Как очаровательно она выглядела в своем белом медицинском халате...

Я так погрузился в мысли о прошлом, что вздрогнул, когда Джудит взяла меня под руку, увела от окна на террасу и резко спросила:

— В чем дело?

— В чем, — обеспокоенно переспросил я, — дело? Что ты имеешь в виду?

— Ты такой странный весь вечер. Почему ты всех пристально разглядывал за ужином?

Я был раздосадован. Я понятия не имел, что позволил своим мыслям выдать себя.

— В самом деле? Наверно, я думал о прошлом. Быть может, видел призраков.

— О да, конечно — ты же здесь жил, когда был молодым! Здесь, кажется, была убита старая леди?

— Отравлена стрихнином.

— Какая она была? Милая или противная?

Я задумался над вопросом дочери.

— Она была доброй женщиной, — медленно произнес я. — Щедрой. Занималась благотворительностью.

— О, *такого рода* щедрость. — В голосе Джудит прозвучало легкое презрение. Она задала следующий вопрос: — А люди, которые здесь жили, — они были счастливы?

Нет, они не были счастливы. По крайней мере это было мне известно. Я ответил:

— Нет.

— Почему нет?

— Потому что они чувствовали себя пленниками. Всеми деньгами, понимаешь ли, распоряжалась миссис Инглторп и... скупо их выдавала. Ее пасынки не могли жить своей собственной жизнью.

Я услышал, как Джудит судорожно вздохнула, и почувствовал, как рука ее напряглась.

— Это дурно, дурно. Злоупотребление властью. Этого не следует допускать. Старые люди и больные не должны заедать век молодых и сильных. Связывать их, заставлять страдать и тратить свои силы и энергию, которые можно было бы употребить... которые так нужны. Это просто эгоизм.

— Не только старым и больным, — сухо заметил я, — свойствен подобный недостаток.

— О, я знаю, папа, ты считаешь молодых эгоистичными. Но мы, по крайней мере, лишь хотим делать то, что нам хочется, и не заставляем всех остальных делать то, что хочется нам. Мы не собираемся превращать других людей в рабов.

— Нет, вы просто перешагиваете через них, если они случайно окажутся у вас на пути.

Джудит стиснула мою руку.

— Не говори с такой горечью! На самом деле я ни через кого не перешагиваю, и ты никогда не пытался диктовать никому из нас, как жить. Мы тебе за это благодарны.

— Боюсь, однако, — честно признался я, — что мне бы этого хотелось. Это ваша мама настояла, чтобы вам позволили учиться на собственных ошибках.

Джудит снова сжала мне руку.

— Я знаю. Тебе бы хотелось носиться с нами, как наседка! Терпеть не могу кудахтанья. Просто не переношу. Но ты же со мной согласен, не так ли, насчет полезных жизней, которые приносятся в жертву бесполезным?

— Иногда это случается, — признался я. — Но нет необходимости в крутых мерах... Можно просто уйти, знаешь ли.

— Да, но так ли это? *Так ли?*

Она произнесла это так пылко, что я удивленно взглянул на нее. Было темно, так что я неясно видел ее лицо. Она продолжала глухим от волнения голосом:

— Тут много разного — это сложно — финансовые соображения, чувство ответственности, нежелание причинить боль тому, кого вы любили... и все такое, а некоторые люди так бессовестны — они хорошо умеют играть на подобных чувствах. Некоторые... некоторые люди похожи на *пиявок!*

— Моя дорогая Джудит! — воскликнул я, пораженный яростью, прозвучавшей в ее голосе.

Казалось, она поняла, что переборщила, поскольку тут же рассмеялась и убрала руку.

— Я, наверно, слишком погорячилась? Но это вопрос, к которому я не могу относиться равнодушно. Видишь ли, я знаю один случай... Старый негодяй. А когда девушка оказалась достаточно мужественной, чтобы разрубить узел и освободить людей, которых она любила, ее объявили сумасшедшей. Сумасшедшей? Этот поступок был самым разумным — и самым смелым!

Ужасное подозрение овладело мной. Ведь совсем недавно я слышал нечто подобное.

— Джудит, — резко спросил я, — о каком случае ты говоришь?

— О, ты их не знаешь. Друзья Франклинов. Один старик по фамилии Личфилд. Он был весьма состоятелен, а своих несчастных дочерей буквально морил голодом. Никогда не позволял им ни с кем видеться, нигде бывать. Он был, конечно, ненормальный, просто это не было медицински подтверждено.

— И старшая дочь его убила, — заключил я.

— О, ты, наверно, об этом читал? Полагаю, ты бы счел это убийством. Но ведь она так поступила не ради себя. Маргарет Личфилд отправилась прямо в полицию и во всем созналась. Думаю, она очень смелая. У меня бы не хватило мужества.

— Мужества, чтобы сознаться или чтобы совершить убийство?

— И то и другое.

— Я очень рад это слышать, — сурово сказал я. — И мне не нравится, что ты в определенных случаях оправдываешь убийство. — Я сделал паузу, потом добавил: — Что думает по этому поводу доктор Франклин?

— Считает, что поделом ему, — ответила Джудит. — Знаешь, папа, некоторые люди просто напрашиваются, чтобы их убили.

— Я не хочу слышать от тебя ничего подобного, Джудит. Кто внушил тебе такие идеи?

— Никто.

— Ну что же, позволь сказать тебе, что это — вредный вздор.

— Понятно. Оставим эту тему. — Она помолчала. — Вообще-то я пришла передать тебе просьбу миссис Франклин. Она хотела бы тебя повидать, если тебе не трудно подняться к ней в спальню.

— Я сделаю это с удовольствием. Мне так жаль, что она слишком больна, чтобы спуститься к обеду.

— С ней все в порядке, — безжалостно заявила Джудит. — Просто любит, чтобы с ней носились.

До чего же молодые бездушны!

Глава 5

Прежде я видел миссис Франклин всего один раз. Это была женщина лет тридцати — я бы сказал, что у нее внешность мадонны. Большие карие глаза, волосы разделены на прямой пробор, удлиненное кроткое лицо. Она очень стройна, а ее кожа кажется прозрачной.

Когда я вошел, миссис Франклин лежала на кушетке, обложенная подушками. Она была в изящном белом пеньюаре с бледно-голубой отделкой.

Франклин и Бойд Каррингтон тоже были в комнате — они пили кофе. Миссис Франклин с улыбкой протянула мне руку.

— Как я рада, что вы приехали, капитан Гастингс. Это хорошо для Джудит. В самом деле, бедное дитя слишком много работает.

— Ей это нравится, — заметил я, беря протянутую мне хрупкую маленькую ручку.

Барбара Франклин вздохнула:

— Да, ей повезло. Как я ей завидую! Вероятно, она не знает, что такое слабое здоровье. Как вы думаете, сестра? О! Позвольте мне вас представить. Это сестра Крейвен, которая ужасно, ужасно добра ко мне. Не знаю, что бы я без нее делала. Она ухаживает за мной, как за ребенком.

Сестра Крейвен была высокой красивой молодой женщиной с прекрасным цветом лица и роскошными золотисто-каштановыми волосами. Я заметил, что руки у нее белые, с тонкими длинными пальцами — совсем не похожие на руки медсестер. Она, по-видимому, не отличалась словоохотливостью и лишь молча кивнула.

— Нет, в самом деле, — продолжала миссис Франклин. — Джон заставляет вашу бедную девочку слишком много трудиться. Он такой эксплуататор! Ты эксплуататор, не так ли, Джон?

Ее муж стоял, глядя в окно. Он что-то насвистывал, бренча мелочью в кармане. Услышав вопрос жены, он слегка вздрогнул.

— Что такое, Барбара?

— Я говорю, что ты безбожно эксплуатируешь бедную Джудит Гастингс. Сейчас, когда здесь капитан Гастингс, мы объединим наши силы и не позволим тебе это делать.

Доктор Франклин не очень-то понимал шутки. С встревоженным видом он вопросительно взглянул на Джудит и пробормотал:

— Вы должны дать мне знать, если я переусердствую.

Джудит ответила:

— Они просто пытаются шутить. Кстати, о работе — я хотела вас спросить о мазке на втором предметном стекле — вы знаете, о том, которое...

Повернувшись к ней, мистер Франклин нетерпеливо перебил:

— Да-да. Послушайте, если не возражаете, давайте пойдем в лабораторию. Мне бы хотелось быть вполне уверенным...

Продолжая беседовать, они вместе вышли из комнаты.

Барбара Франклин откинулась на подушки и вздохнула. Сестра Крейвен вдруг неодобрительно заявила:

— Это мисс Гастингс эксплуататор, вот что я думаю!

Миссис Франклин снова вздохнула. Она прошептала:

— Я чувствую себя такой *никчемной*. Я знаю, мне бы следовало больше интересоваться работой Джона, но я просто не могу. Полагаю, что-то со мной не так, но...

Бойд Каррингтон, стоявший у камина, прервал ее, возмущенно фыркнув:

— Вздор, Бабс, с тобой-то все в порядке. Не расстраивайся.

— О нет, Билл, дорогой, я расстраиваюсь. Ничего не могу с собой поделать. Все так... так *мерзко*. Морские свинки, и крысы, и все-все. Фу! — Она передернулась. — Я знаю, это глупо, но я такая дурочка. Меня от этого просто тошнит. Мне хочется думать обо всем красивом и радостном — о птицах, и цветах, и играющих детях. Ты же знаешь, Билл.

Он подошел и взял руку, которую миссис Франклин протянула к нему с умоляющим видом. Выражение лица у него изменилось — стало нежным, как у женщины. Это произвело на меня глубокое впечатление — ведь Бойд Каррингтон был воплощением мужественности.

— Ты почти не изменилась с тех пор, как тебе было семнадцать, Бабс, — сказал он. — Помнишь беседку в вашем саду, и кормушку для птиц, и кокосовые орехи? — Он обернулся ко мне. — Мы с Барбарой — друзья детства, — пояснил он.

— Какие же мы друзья детства! — запротестовала она.

— О, я не отрицаю, что ты более чем на пятнадцать лет младше меня. Но я же играл с тобой, когда ты была крошкой, а я — молодым человеком. Ты ездила на мне верхом, моя дорогая. А когда позже я вернулся домой, то увидел красивую юную леди, которой как раз предстоял первый выезд в свет. И я внес свою лепту — сопровождал тебя на площадку для игры в гольф и учил играть. Ты помнишь?

— О, Билл, неужели ты думаешь, что я забыла? Мои родители жили в этих краях, — объяснила мне миссис Франклин. — А Билл приезжал сюда и гостил у своего старого дяди, сэра Эверарда, в Нэттоне.

— Этот особняк был похож на огромную усыпальницу, да и сейчас тоже, — сказал Бойд Каррингтон. —

Иногда я отчаиваюсь сделать его пригодным для жилья.

— О, Билл, из него можно сделать настоящую картинку, да, картинку!

— Да, Бабс, но беда в том, что у меня нет никаких идей. Ванны и какие-нибудь действительно удобные кресла — вот все, что я могу придумать. Тут нужна женщина.

— Я же говорила тебе, что приеду и помогу. Честное слово.

Сэр Уильям с сомнением взглянул на сестру Крейвен.

— Если у тебя достаточно сил, я могу отвезти тебя на машине. Как вы думаете, сестра?

— О да, сэр Уильям. Думаю, это пошло бы миссис Франклин на пользу. Конечно, если она не будет переутомляться.

— Значит, решено, — заключил Бойд Каррингтон. — А теперь хорошенько выспись сегодня ночью. Чтобы завтра была как огурчик.

Мы оба пожелали миссис Франклин спокойной ночи и вместе вышли. Спускаясь по лестнице, Бойд Каррингтон угрюмо сказал:

— Вы представить себе не можете, как хороша она была в семнадцать лет. Я вернулся домой из Бирмы — там умерла моя жена. Не скрою от вас, что влюбился в Барбару без памяти. Года через три-четыре она вышла замуж за Франклина. Не думаю, что их брак оказался счастливым. По моему мнению, именно в этом причина слабости ее здоровья. Франклин не понимает и не ценит свою жену. А она по природе чувствительна. Думаю, что ее нездоровье как-то связано с нервами. Отвлеките ее, позабавьте, заинтересуйте — и она становится другим человеком! Но этот чертов эскулап интересуется только пробирками, туземцами Западной Африки и микробами. — Он сердито фыркнул.

Я подумал, что в его словах что-то есть. Однако меня удивило, что Бойд Каррингтон мог увлечься миссис Франклин, которая в конечном счете была болезненным созданием, хотя и не лишенным хрупкой «конфетной» красоты. Бойд Каррингтона, полного энергии и жизни, казалось бы, должна раздражать подобного рода болезненная нервическая особа. Однако Барбара Франклин, вероятно, была очень красивой в девичестве, а многие мужчины, особенно такие идеалисты, как Бойд Каррингтон, верны прежним впечатлениям.

Внизу на нас налетела миссис Латтрелл с предложением сыграть в бридж. Я извинился под тем предлогом, что хочу повидать Пуаро.

Мой друг уже был в постели. Куртис, занимавшийся уборкой, при моем появлении вышел, прикрыв за собой дверь.

— Черт бы вас побрал, Пуаро, — сказал я. — Вас и вашу кошмарную привычку не раскрывать все карты. Я провел весь вечер, пытаясь вычислить X.

— Наверно, от этого вы были несколько distrait[1], — заметил мой друг. — Кто-нибудь обратил на это внимание и спросил, в чем дело?

Я слегка покраснел, вспомнив вопросы Джудит. Думаю, Пуаро заметил мое смущение. На губах у него заиграла ехидная улыбка. Однако он лишь спросил:

— И к какому же выводу вы пришли?

— А вы мне скажете, прав ли я?

— Конечно не скажу.

Я пристально взглянул ему в лицо.

— Я подумал о Нортоне...

Выражение лица Пуаро не изменилось.

— Не то чтобы тут есть за что ухватиться, — продолжал я. — Просто он вызывает меньше подозрений, чем другие. И потом, он... в общем... неприметный. Мне подумалось, что такого рода убийца, за каким мы охотимся, и должен быть неприметным.

— Это верно. Но существует больше способов быть неприметным, чем вам кажется.

— Что вы хотите сказать?

— Допустим, мы возьмем такой гипотетический случай: если незнакомец зловещего вида прибывает на ме-

---

[1] Рассеянны (*фр.*).

442

сто будущего преступления за несколько недель до убийства, причем без всяких видимых причин, он будет заметен. Было бы лучше — не так ли? — если бы у незнакомца была ничем не примечательная внешность и он бы занимался каким-нибудь безобидным видом спорта вроде рыболовства.

— Или наблюдением за птицами, — согласился я. — Да, но ведь я именно об этом и толкую.

— С другой стороны, — продолжал рассуждать Пуаро, — было бы еще лучше, если бы он был заметной личностью — скажем, мясником. Тут есть еще одно дополнительное преимущество: никто бы не заметил пятна крови на одежде мясника!

— Вы просто шутите. Каждый знал бы о том, что мясник поссорился с булочником.

— Нет, если бы мясник стал мясником *только для того, чтобы получить возможность убить булочника*. Нужно всегда смотреть на один шаг назад, мой друг.

Я пристально взглянул на него, пытаясь распознать, нет ли в словах Пуаро скрытого намека. Если он имеет в виду что-то определенное, то они, по-видимому, указывают на полковника Латтрелла. Что, если он намеренно открыл пансион для того, чтобы убить одного из постояльцев?

— По моему лицу вы ничего не узнаете, — покачал он головой.

— Вы способны довести до белого каления любого, Пуаро, — сказал я со вздохом. — Впрочем, Нортон — не единственный, кого я подозреваю. Как насчет этого парня, Аллертона?

Пуаро осведомился с бесстрастным выражением лица:

— Он вам не нравится?

— Да, не нравится.

— Вы находите его малоприятной личностью. Не так ли?

— Определенно. Вы так не думаете?

— Конечно нет. Это мужчина, — спокойно проговорил Пуаро, — весьма привлекательный для женщин.

Я презрительно хмыкнул:

— Как могут быть женщины столь глупы? Что они находят в таком субъекте?

— Кто знает? Но так бывает всегда. Mauvais sujet[1] — женщины всегда к нему тянутся.

— Но почему?

Пуаро пожал плечами.

— Возможно, они видят нечто, чего не видим мы.

— Что именно?

— Быть может, опасность... Мой друг, всем нужен пряный привкус опасности в жизни. Некоторые получают ее за чужой счет — например, на корриде. Другие читают о ней. Кое-кто находит ее в кино. Но вот в чем я уверен — слишком уж большая безопасность претит человеческой природе. Мужчины ищут опасности разными способами, а женщины вынуждены искать ее лишь в делах любовных. Наверно, вот почему их привлекает, когда в мужчине есть что-то от хищника, который может в любую минуту выпустить когти или предательски наброситься. А встретив прекрасного парня, из которого получится хороший, добрый муж, они проходят мимо.

Несколько минут я в мрачном молчании размышлял над этими словами. Потом вернулся к своей теме:

— Вы знаете, Пуаро, на самом деле мне довольно легко выяснить, кто Х. Нужно лишь выведать у здешних постояльцев, кто из них был знаком со всеми этими людьми. Я имею в виду людей, имевших отношение к тем пяти убийствам, — торжествующим тоном объявил я, но Пуаро бросил на меня снисходительный взгляд.

— Я вызвал вас сюда не для того, Гастингс, чтобы наблюдать, как вы, напрасно затрачивая массу усилий, следуете путем, который я уже прошел. И позвольте вам сказать, что это не так просто, как вам кажется. Четыре из этих преступлений были совершены в этом графстве. Люди, собравшиеся под этой крышей, — это не группа незнакомцев, прибывших сюда независимо друг от друга. И это не совсем обычная гостиница. Лат-

---

[1] Испорченный субъект (фр.).

треллы отсюда родом. У них было туго со средствами, и они купили усадьбу, чтобы попытаться поправить с ее помощью дела. Здешние постояльцы — их друзья или рекомендованы их друзьями. Сэр Уильям уговорил приехать сюда Франклинов. Они, в свою очередь, подали мысль Нортону и, кажется, мисс Коул — и так далее. А это говорит вот о чем: существует очень большая вероятность, что лицо, с которым знаком один из этих людей, известно и всем другим. Да и Х тоже не заказано находиться там, где факты хорошо известны. Возьмем дело рабочего Риггза. Деревня, где произошла эта трагедия, недалеко от дома дяди Бойд Каррингтона. Родные миссис Франклин тоже жили неподалеку. Деревенская гостиница очень популярна среди туристов. Некоторые из друзей семьи Франклин обычно в ней останавливались. Сам Франклин жил там. Возможно, Нортон и мисс Коул тоже там останавливались.

Нет-нет, мой друг. Я прошу вас отказаться от этих неуклюжих попыток узнать секрет, который я вам не открою.

— Это чертовски глупо. Как будто я бы его выдал. Послушайте, Пуаро, мне надоели ваши шутки о том, что у меня все «на лице написано». Это не смешно.

Пуаро спокойно сказал:

— Вы уверены, что это единственная причина? Разве вы не понимаете, мой друг, что такая информация может быть опасной? Вам невдомек, что я беспокоюсь о вашей безопасности?

Я уставился на него открыв рот. До сей минуты я и не задумывался об этой стороне дела. Но Пуаро был действительно прав. Если умный и изобретательный убийца, на счету у которого уже пять убийств, вдруг заподозрит, что кто-то пытается его выследить, тому, кто у него на хвосте, грозит серьезная опасность.

— Но тогда вы, — спохватился я, — вы сами в опасности, Пуаро?

Пуаро, насколько позволяло его состояние, сделал жест крайнего пренебрежения.

— Я к этому привык. Я способен себя защитить. И к тому же разве у меня нет преданной собаки, которая меня защитит? Моего замечательного и верного Гастингса!

Глава 6

По-видимому, Пуаро рано ложился. Поэтому я пожелал ему спокойной ночи и направился вниз. По пути я остановился, чтобы перекинуться несколькими словами с его слугой Куртисом.

Он был флегматичен и медленно соображал, но был надежен и компетентен. Куртис служил у Пуаро с тех пор, как тот вернулся из Египта. Как он сказал мне, здоровье его господина было довольно хорошим, но иногда случались сердечные приступы, внушавшие беспокойство. За последние несколько месяцев сердце его ослабло. Как мотор, который постепенно сдает.

О, Пуаро прожил хорошую жизнь. Но тем не менее я горевал при виде старого друга, который так мужественно боролся за каждый шаг на пути, ведущем вниз. Даже теперь, когда он был инвалидом, его несокрушимый дух все еще побуждал его заниматься профессией, в которой он был непревзойденным мастером.

С тяжелым сердцем я спустился в гостиную. Невозможно было представить себе жизнь без Пуаро...

В гостиной как раз заканчивали роббер, мне предложили занять место выбывшего игрока. Подумав, что это могло бы меня отвлечь, я согласился. Бойд Каррингтон выбыл, и я сел за карты вместе с Нортоном, полковником и миссис Латтрелл.

— Ну как, мистер Нортон? — спросила миссис Латтрелл. — Мы с вами сыграем против них двоих? Наше партнерство было успешным.

Нортон любезно улыбнулся, но пробормотал, что, может быть, следует снять колоду, чтобы определить партнеров... не так ли?

446

Миссис Латтрелл согласилась, хотя, как я заметил, с недовольным видом.

Мы с Нортоном играли против Латтреллов. Миссис Латтрелл это определенно не нравилось. Она кусала губы, от ее приветливости, равно как и ее ирландского акцента, не осталось и следа.

Вскоре я понял, в чем дело. Позже я сыграл с полковником Латтреллом еще немало партий, в которых он показал себя не таким уж плохим игроком. Я бы сказал, что он был средним игроком, правда склонным к забывчивости. Благодаря этому он время от времени совершал грубые ошибки. Однако, играя в паре с женой, он делал одну ошибку за другой. Он явно побаивался ее и поэтому играл раза в три хуже, чем обычно. Миссис Латтрелл действительно была хорошим игроком, однако играть с ней не доставляло удовольствия. Она при любой возможности норовила схитрить, игнорировала правила, если ее противник их не знал, но настаивала на их соблюдении, как только это становилось выгодно для нее. Она также умела чрезвычайно ловко подглядывать в карты противника. Одним словом, она играла для того, чтобы выиграть.

Я вскоре понял, что имел в виду Пуаро, говоря о ее языке «как бритва». За картами выдержка изменяла миссис Латтрелл, и она поносила несчастного мужа за каждую его ошибку. Мы с Нортоном чувствовали себя весьма неловко, и я был рад, когда роббер подошел к концу.

Мы оба отказались сыграть еще одну партию, сославшись на поздний час. Когда мы вышли, Нортон довольно неосторожно дал выход своим чувствам.

— Послушайте, Гастингс, это было просто ужасно. Меня выводит из себя, когда над беднягой так издеваются. Причем он, полковник британской колониальной армии, все это безропотно сносит!

— Тсс! — предостерег я Нортона, который повысил голос: я боялся, что нас может услышать полковник Латтрелл.

— Но ведь это несносно!

Я сочувственно кивнул:

— Не удивлюсь, если он когда-нибудь ее зарежет.

Нортон покачал головой:

— Не зарежет. Он так и будет нести свой крест и твердить: «Да, моя дорогая, нет, моя дорогая, прости, моя дорогая», дергая себя за усы и кротко блея, пока не ляжет в гроб. *Он* не смог бы постоять за себя, даже если бы попытался.

Я печально покачал головой, поскольку Нортон, по-видимому, был прав.

Мы остановились в холле, и я заметил, что боковая дверь, ведущая в сад, открыта и оттуда дует.

— Следует ли нам ее запереть? — спросил я.

Нортон замялся:

— Ну... э... не думаю, что все уже дома.

Внезапно мне в душу закралось подозрение.

— Кого нет?

— Полагаю, вашей дочери... и... э... Аллертона.

Он старался произнести это небрежным тоном, но, вспомнив свой разговор с Пуаро, я встревожился.

Джудит и Аллертон. Конечно, Джудит, мою умную, рассудительную Джудит вряд ли сможет обмануть мужчина подобного типа. Разумеется, она его насквозь видит.

Я все время повторял это себе, пока раздевался, но какая-то смутная тревога не проходила. Я никак не мог заснуть и ворочался с боку на бок.

Ночные страхи всегда преувеличены. Меня захлестнуло острое чувство потери. Если бы только была жива моя дорогая жена! Я так много лет полагался на ее суждение. Она всегда была мудрой и понимала наших детей.

Без нее я чувствовал себя совершенно беспомощным. Ответственность за их безопасность и счастье легла теперь на меня. Справлюсь ли я с этой задачей? Видит Бог, я не очень-то дальновиден. Я совершал ошибки. Если Джудит загубит свою жизнь, если она обречет себя на страдания...

В отчаянии я зажег свет и сел.

Нет, это никуда не годится. Я должен поспать. Встав с постели, я подошел к раковине и с сомнением взглянул на пузырек с таблетками аспирина.

Мне нужно что-нибудь посильнее аспирина. Вероятно, у Пуаро есть какое-нибудь снотворное. Я прошел через коридор к его двери и стоял, не решаясь постучать. Стыдно будить старика.

Вдруг я услышал шаги и оглянулся. По коридору шел Аллертон. Коридор был слабо освещен, и, пока он не подошел поближе, я не видел его лица и гадал, кто бы это мог быть. А когда увидел, то весь напрягся. Потому что он улыбнулся своим мыслям, и мне очень не понравилась эта улыбка.

Тут он взглянул на меня, приподняв брови.

— Привет, Гастингс. Еще не спите?

— Не могу заснуть, — отрывисто ответил я.

— И это все? Я вам помогу. Пойдемте со мной.

Я последовал за Аллертоном в его комнату, которая находилась рядом с моей. Под воздействием каких-то странных чар мне захотелось поближе узнать этого человека.

— Вы сами поздно ложитесь, — заметил я.

— Я никогда рано не ложусь, особенно когда есть чем развлечься. Такие прекрасные вечера жаль тратить на сон.

Аллертон засмеялся — и мне не понравился его смех.

Я последовал за ним в ванную. Открыв маленький шкафчик, он вынул пузырек с таблетками.

— Вот, пожалуйста. Настоящий наркотик. Будете спать как убитый и к тому же видеть приятные сны. Чудесное снадобье, сламберил — так оно называется.

Энтузиазм, прозвучавший в его голосе, меня поразил. Значит, он еще и наркотики принимает? Я с сомнением спросил:

— А это... это не опасно?

— Только если примете слишком много. Это один из барбитуратов — его токсичная доза близка к эффективной. — Он улыбнулся, и уголки рта приподнялись, отчего лицо стало неприятным.

— Неужели его дают без рецепта врача? — спросил я.

— Нет, старина, не дают. Во всяком случае, *вам* не дадут. У меня есть блат.

Полагаю, это было глупо с моей стороны, но мне свойственна импульсивность. Я спросил:

— Думаю, вы знали Этерингтона?

Я сразу же понял, что задел некую струну. Взгляд у Аллертона сделался жестким и настороженным. Тон изменился — стал каким-то фальшиво-непринужденным.

— О да, я знал Этерингтона. Бедняга. — Потом, не дождавшись, что я заговорю, он продолжал: — Этерингтон принимал наркотики конечно же, но он перестарался. Нужно знать, когда следует остановиться. Он не знал. Скверное дело. Его жене повезло. Если бы симпатии присяжных не были на ее стороне, ее бы повесили.

Он передал мне пару таблеток. Затем спросил небрежным тоном:

— Вы тоже знали Этерингтона?

— Нет. — Я говорил правду.

Он, по-видимому, растерялся, не зная, что еще сказать. Потом отделался легким смешком:

— Забавный малый. Он не отличался особым благонравием, но иногда с ним приятно было провести время.

Поблагодарив Аллертона за таблетки, я вернулся к себе в комнату.

Когда я улегся и выключил свет, то стал размышлять, не сделал ли глупость.

Потому что я почти не сомневался, что Аллертон — X. А я дал ему понять, что подозреваю его.

Глава 7

I

Мой рассказ о днях, проведенных в Стайлз, должен неизбежно быть несколько бессвязным. На память приходят все больше разговоры — наводящие на размышления слова и фразы, которые врезались в мое сознание.

Прежде всего, и очень скоро, пришло понимание того, как немощен и бессилен Пуаро. Я верил его утверждению, что мозг его сохранил всю прежнюю остроту, но физическая оболочка совсем износилась. Я сразу же понял, что мне придется сыграть гораздо более активную роль, чем обычно. Мне фактически предстояло стать глазами и ушами Пуаро.

Правда, в ясные дни Куртис осторожно спускал своего хозяина вниз — там его ожидало кресло, которое выносили заранее. Потом он катал Пуаро по саду, выбирая место, где не дует. А когда погода была неважная, моего друга спускали в гостиную.

Где бы ни находился Пуаро, кто-нибудь обязательно подсаживался к нему, чтобы побеседовать. Однако прежде было совсем другое дело: тогда он сам мог выбрать себе собеседника. Теперь же ему не удавалось заполучить человека, с которым хотелось бы поговорить.

На следующий день после моего приезда Франклин повел меня в старую мастерскую в глубине сада, которая была наскоро переоборудована для научных исследований.

Позвольте мне сразу же заявить, что у меня нет склонности к наукам. Вероятно, в своем рассказе о работе доктора Франклина я перевру термины, чем вызову презрение людей, сведущих в подобных вопросах.

Насколько смог разобрать я, непрофессионал, Франклин проводил эксперименты с различными алкалоидами семян калабарского боба, Physostigma venerosum. Кое-что большее я уразумел после разговора, который однажды произошел между Франклином и Пуаро. Джудит, пытавшаяся меня просветить, слишком уж увлекалась специальной терминологией, что характерно для серьезной молодежи. Она рассуждала об алкалоидах со знанием дела и засыпала меня такими терминами, как эзерин, физостигмин и генезерин, а потом перешла к совсем уж невозможным названиям — например, простигмин или деметилкарбоновый сложный эфир из 3-гидраксифеил триметил ламмония, и т. д. и т. п., и еще много чего — что, как оказалось, было тем же самым, только полученным другим путем! Во всяком случае, все это представлялось мне галиматьей, и я навлек на себя презрение Джудит, спросив: а какая *польза* от всего этого человечеству? Ни один вопрос не злит до такой степени истинного ученого. Метнув в меня гневный взгляд, Джудит снова пустилась в пространные заумные объяснения. Как я понял, суть сводилась к тому, что некоторые малоизвестные племена Западной Африки проявили удивительный иммунитет к столь же малоизвестной, хотя и смертельной болезни под названием джорданит — если мне не изменяет память. Открыл это заболевание некий энтузиаст, доктор Джордан. Это была чрезвычайно редкая тропическая болезнь. Пару раз ее подхватили белые люди, и исход был смертельным.

Я рискнул вызвать гнев Джудит, высказав замечание, что было бы разумнее найти лекарство, которое противодействовало бы последствиям кори!

С жалостью и пренебрежением Джудит разъяснила мне, что единственная цель, к которой следует стремиться — это отнюдь не облагодетельствовать человечество, а расширить его *познания.*

Я посмотрел в микроскоп на предметные стекла, изучил несколько фотографий западноафриканских туземцев (действительно весьма занятных!), встретился с сонным взглядом крысы в клетке и поспешил выйти в сад, на воздух.

Как я уже говорил, мой интерес несколько подогрела беседа Франклина с Пуаро.

Доктор сказал:

— Знаете ли, Пуаро, это вещество скорее по вашей части. Калабарский боб используется при испытании «судом Божьим» — предполагается, что с его помощью можно определить, виновен ли подозреваемый или нет. Некоторые западноафриканские племена верят в него безоговорочно — или верили. В наши дни они постепенно утрачивают былое простодушие. Обычно они торжественно разжевывают калабарский боб, совершенно уверенные, что он убьет их, если они виновны, или не причинит вреда, если невинны.

— И таким образом, увы, они умирают?

— Нет, не все умирают. До сих пор этот факт всегда игнорировали. За всем этим что-то стоит — думаю, мошенничество лекарей. Есть две разновидности этого боба, но они настолько схожи, что их трудно различить. И все же разница *есть*. Оба вида содержат физостигмин, генезерин и все остальное, но во второй разновидности можно изолировать — или мне кажется, что можно, — еще один алкалоид, нейтрализующий воздействие других. И более того: растение второго вида постоянно ест избранная часть племени во время тайного ритуала — и люди, которые его едят, никогда не болеют джорданитом. Нейтрализующий алкалоид оказывает поразительное воздействие на мышечную систему, причем без вредных эффектов. Это чертовски интересно. К сожалению, чистый алкалоид очень нестабилен. И все-таки я получаю результаты. Но необходимо провести гораздо больше исследований там, *прямо на месте*. Эту работу нужно выполнить! Да, черт побери... Я бы продал свою душу, чтобы... — Он резко остановился. И снова усмехнулся. — Простите, что говорю на узкопрофессиональные темы. Я слишком увлекаюсь, когда речь заходит об этих вещах!

— Как вы сказали, — безмятежным тоном заговорил Пуаро, — моим делом было бы намного легче заниматься, если бы я мог так просто определить, виновен или нет подозреваемый. Ах, если бы существовало вещество, которое обладало бы свойствами, приписываемыми калабарскому бобу!

— Да, но на этом ваши проблемы не закончились бы, — возразил Франклин. — В конце концов, что такое вина и невиновность?

— Мне казалось, что насчет *этого* не может быть никаких сомнений, — вмешался я.

Франклин повернулся ко мне.

— Что такое зло? Что такое добро? Представления о них меняются из века в век. То, что вы бы проверяли, было бы, вероятно, *чувством* вины или чувством невиновности. Фактически такая проверка не имеет никакой ценности.

— Я не совсем вас понимаю.

— Мой дорогой, предположим, человек полагает, что у него есть священное право убить диктатора, или ростовщика, или сводника — или кого-то еще, кто вызывает его благородное негодование. Он совершает то, что вы считаете преступлением, но он-то считает это невинным поступком. Чем же тут поможет несчастный калабарский боб?

— Но при убийстве непременно должно появиться чувство вины, не так ли? — спросил я.

— *Мне* бы хотелось убить многих людей, — бодро заявил доктор Франклин. — Не думаю, что совесть мешала бы после этого мне спать по ночам. Знаете ли, согласно моей идее *следует* уничтожить около восьмидесяти процентов человеческой расы. Без них наши дела пошли бы гораздо лучше.

Он поднялся и зашагал прочь, весело насвистывая на ходу.

Я с подозрением посмотрел ему вслед. Тихий смешок Пуаро вывел меня из задумчивости.

— У вас такой вид, друг мой, словно вы увидели ядовитую змею. Будем надеяться, что наш друг доктор не практикует то, что проповедует.

— Ах, — отозвался я, — а если практикует?

II

После некоторых сомнений я решил, что нужно поговорить с Джудит относительно Аллертона. Мне было необходимо знать, как она отреагирует. Я верил, что она девушка благоразумная, вполне способная о себе позаботиться, и не думал, что ее действительно может обмануть дешевый лоск такого человека, как Аллертон. Скорее всего, я хотел прозондировать почву на этот счет, только чтобы окончательно успокоиться.

К сожалению, я не получил желаемого результата. Пожалуй, я слишком неуклюже взялся за дело. Ничто так не возмущает молодежь, как советы старших. Я попытался говорить беззаботным и доброжелательным тоном, но, вероятно, мне это не удалось.

Джудит сразу же ощетинилась.

— Это что — отеческое предостережение против большого, нехорошего волка?

— Нет, нет, Джудит, конечно же нет.

— По-видимому, тебе не нравится майор Аллертон?

— Честно говоря, да. Полагаю, тебе он тоже не нравится.

— Почему?

— Ну... э... это не твой тип, не так ли?

— Что ты считаешь моим типом, папа?

Джудит всегда умела поставить меня в тупик. Я окончательно растерялся. А она смотрела на меня в упор, и губы ее скривились в презрительной усмешке.

— Конечно, *тебе* он не нравится. А мне — нравится. Я нахожу его очень забавным.

— О, забавным — возможно, — поспешил я согласиться.

— Он очень привлекателен с точки зрения любой женщины, — нарочитым тоном продолжала Джудит, мужчинам этого, конечно, не понять.

— Разумеется, не понять, — промямлил я и добавил совсем невпопад: — Вчера вечером вас с ним не было очень поздно...

Договорить мне не удалось. Разразилась буря.

— В самом деле, папа, ты несешь какой-то бред. Разве ты не понимаешь, что я в том возрасте, когда сама способна справиться со своими делами? У тебя нет ни малейшего права контролировать, что я делаю и кого выбираю себе в друзья. Вот именно это бессмысленное вмешательство в жизнь детей так бесит в родителях. Я тебя очень люблю, но я взрослая, и у меня своя жизнь. Не пытайся разыгрывать из себя мистера Барретта.

Я был очень уязвлен этой злой отповедью и не нашелся что ответить, а Джудит быстро удалилась.

Я остался с тревожным ощущением, что наделал больше вреда, чем пользы.

Мои грустные размышления прервал голос сиделки миссис Франклин. Она лукаво воскликнула:

— О чем это вы задумались, капитан Гастингс?

Я с готовностью обернулся, так как рад был отвлечься от своих дум.

Сестра Крейвен была действительно красивой молодой женщиной. Пожалуй, она вела себя несколько развязно и игриво, но была мила и неглупа.

Она только что устроила свою пациентку на солнышке, неподалеку от импровизированной лаборатории.

— Миссис Франклин интересуется работой своего мужа? — спросил я.

Сестра Крейвен пренебрежительно тряхнула головой.

— О, это слишком сложно для *нее*. Знаете ли, капитан Гастингс, она весьма недалекая женщина.

— Да, наверно.

— Конечно, работу доктора Франклина может оценить только тот, кто разбирается в медицине. Он ведь очень умный человек. Блестящий. Бедняга, мне так его жаль.

— Жаль его?

— Да. Я видела такое много раз. Я имею в виду — когда женятся не на той женщине, не того типа.

— Вы полагаете, она ему не подходит?

— А вы так не думаете? У них совсем нет ничего общего.

— Он, кажется, очень любит ее, — возразил я. — Очень предупредителен к ее желаниям и все такое.

Сестра Крейвен саркастически усмехнулась:

— Да уж, она бы не допустила, чтобы было иначе!

— Вы думаете, она спекулирует своим... своим слабым здоровьем? — недоверчиво спросил я.

Сестра Крейвен засмеялась:

— Вот уж кого не надо учить, как добиться своего! Чего бы ни пожелала ее светлость — все к ее услугам. Есть такие женщины — хитрые, как целая орава обезьян. Стоит сказать ей слово поперек, и она откидывается на подушки и прикрывает глаза и выглядит такой больной и несчастной. А некоторые устраивают истерику. Но миссис Франклин относится к категории несчастных страдалиц. Не спит всю ночь — и утром она такая бледная и измученная.

— Но ведь она действительно тяжело больна, не так ли? — спросил я в недоумении.

Сестра Крейвен как-то странно на меня посмотрела и сухо произнесла:

— О, конечно.

Затем она резко сменила тему, спросив, правда ли, что я бывал здесь много лет назад, во время Первой мировой войны.

— Да, совершенно верно.

Она понизила голос:

— Здесь произошло убийство, не правда ли? Мне рассказывала одна из служанок. Погибла пожилая леди?

— Да.

— И вы здесь были в то время?

— Да, был.

Сестра Крейвен поежилась.

— Это все объясняет, не так ли?

— Объясняет что?

Она бросила на меня взгляд искоса.

— Атмосферу этого дома. Разве вы не чувствуете? Я чувствую. Что-то не так, если вы понимаете, о чем я говорю.

Я помолчал с минуту, размышляя. Верно ли то, что она сейчас сказала? Неужели насильственная смерть — предумышленное убийство — оставляет в том месте, где это произошло, некий след, явственно ощутимый даже много лет спустя? Медиумы утверждают, что это так. Несет ли на себе Стайлз отпечаток тех событий, которые произошли здесь так давно? Здесь, в этих стенах, в этом саду, вынашивались мысли об убийстве, они становились все неотвязчивее, и наконец замысел был осуществлен. Витают ли отголоски этих мыслей в воздухе и по сей день?

Сестра Крейвен отвлекла меня от раздумий, отрывисто сказав:

— Я как-то была в доме, где было совершено убийство. Никогда не забуду. Знаете, такое не забывается. Один из моих пациентов. Пришлось давать показания и все такое. Я ужасно себя чувствовала. Тяжелое испытание для девушки.

— Да, должно быть. Я знаю сам...

Я замолчал: из-за угла дома показался Бойд Каррингтон.

Как обычно, его крупная фигура и бодрый вид разогнали тени и необъяснимые тревоги. Он был такой большой, такой основательный, и от него так и веяло свежим ветром. Одна из тех привлекательных, сильных личностей, которые излучают жизнерадостность и здравый смысл.

— Доброе утро, Гастингс, доброе утро, сестра. Где миссис Франклин?

— Доброе утро, сэр Уильям. Миссис Франклин в глубине сада — под буком, возле лаборатории.

— А Франклин, полагаю, *внутри* лаборатории?

— Да, сэр Уильям с мисс Гастингс.

— Несчастная девушка. Только представьте себе: сидеть в этой вонючей лаборатории в такое утро! Вы должны воспрепятствовать этому, Гастингс.

Сестра Крейвен тут же возразила:

— О, мисс Гастингс *совершенно* счастлива. Ей это нравится, и, уверена, доктор не смог бы без нее обойтись.

— Бедный парень, — продолжал Каррингтон. — Если бы у меня секретарем была такая хорошенькая девушка, как Джудит, я бы смотрел на *нее*, а не на морских свинок. Ведь так?

Шутка такого рода явно пришлась бы не по вкусу Джудит, но сестра Крейвен оценила ее и залилась смехом.

— О, сэр Уильям! — воскликнула она. — Вы могли бы этого и не говорить. Мы все прекрасно представляем, как вели бы себя *вы*! Но бедный доктор Франклин такой серьезный — весь поглощен своей работой.

Бойд Каррингтон не преминул пошутить:

— И тем не менее его жена, по-видимому, заняла позицию, откуда она может наблюдать за своим мужем. Думаю, она ревнует.

— Вы слишком много знаете, сэр Уильям! — В восторге от его добродушного подтрунивания воскликнула сестра Крейвен и с сожалением добавила: — Ну что же, наверно, мне нужно пойти и принести миссис Франклин молоко.

Она нехотя удалилась, а Бойд Каррингтон, глядя ей вслед, заметил:

— Красивая девушка. Какие у нее чудесные волосы и зубы. Великолепный образец женской красоты и здоровья. Должно быть, невеселая это жизнь — все время ухаживать за больными людьми. Такая девушка заслуживает лучшей участи.

— Ну что же, — ответил я. — Полагаю, когда-нибудь она выйдет замуж.

— Надо думать.

Он вздохнул — и мне пришло в голову, что он думает о своей покойной жене. Затем Бойд Каррингтон сказал:

— Не хотите поехать со мной в Нэттон и посмотреть дом?

— С удовольствием. Только сначала узнаю, не нужен ли я Пуаро.

Я нашел Пуаро на веранде. Он был тепло укутан. Мой друг поддержал мое намерение поехать.

— Ну конечно, Гастингс, поезжайте. Думаю, это очень красивая усадьба. Вы непременно должны ее увидеть.

— Мне бы хотелось. Но как же я вас брошу?

— Мой верный друг! Нет, нет, поезжайте с сэром Уильямом. Очаровательный человек, не так ли?

— Первоклассный, — откликнулся я с жаром.

Пуаро улыбнулся.

— О да. Я так и думал, что он в вашем вкусе.

Глава 8

Я получил огромное удовольствие от этой поездки. Погода была прекрасная — настоящий летний день. К тому же я наслаждался обществом этого человека.

Бойд Каррингтон обладал личным обаянием и к тому же приобрел богатейший жизненный опыт, повидав множество интересных мест. Это делало его прекрасным собеседником. Он рассказывал мне истории из тех времен, когда служил в Индии, а также интригующие подробности о племенах Восточной Африки. Я был так захвачен интересной беседой, что совсем забыл о своих горестях, связанных с Джудит, и серьезных тревогах, вызванных откровениями Пуаро.

Мне также нравилось то, как Бойд Каррингтон отзывался о моем друге. Он питал к Пуаро глубокое почтение — и к его работе, и к его характеру. Огорченный нынешним плохим состоянием здоровья Пуаро, Бойд Каррингтон не повторял пустых слов жалости. По-видимому, он считал, что человек, проживший жизнь так, как Пуаро, уже щедро вознагражден судьбой, и воспоминания дают моему другу удовлетворение и поддерживают его чувство собственного достоинства.

— К тому же, — сказал Бойд Каррингтон, — бьюсь об заклад, его ум так же остер, как и прежде.

— Да, это действительно так, — с жаром согласился я.

— Самая большая ошибка — это считать, что, если у человека не ходят ноги, у него перестает варить котелок. Ничего подобного. Старость гораздо меньше воздействует на мозг, чем вы думаете. Черт возьми, я бы не рискнул совершить убийство под носом у Эркюля Пуаро — даже теперь.

— Он бы до вас добрался, если бы вы это сделали, — ответил я, усмехнувшись.

— Бьюсь об заклад, добрался бы. Правда, — добавил баронет с горестным видом, — у меня в любом случае не получилось бы ничего путного. Знаете, я не умею планировать. Слишком нетерпелив. Если бы я совершил убийство, то только под влиянием минуты.

— Пожалуй, такое преступление труднее всего раскрыть.

— Не думаю. Я бы сильно наследил. Ну что же, к счастью, у меня нет криминальных наклонностей.

Единственный, кого я, пожалуй, мог бы убить, — это шантажист. Шантаж — самая подлая вещь на свете. Я всегда считал, что шантажистов нужно убивать. А как вы думаете?

Я признался, что в некоторой степени сочувствую его точке зрения.

Затем мы занялись осмотром усадьбы и нововведений в ней — к нам навстречу уже спешил молодой архитектор.

Архитектура Нэттона была главным образом эпохи Тюдоров, лишь одно крыло было добавлено позже. Здесь ничего не модернизировали и не меняли со времен сороковых годов девятнадцатого века, когда были оборудованы две примитивные ванные комнаты.

Бойд Каррингтон рассказал, что его дядя был до некоторой степени отшельником, не очень-то жаловавшим людей. В огромном доме он использовал под жилье только небольшую его часть. Бойд Каррингтона с братом дядюшка терпел, и они проводили здесь школьные каникулы. Тогда сэр Эверард еще не стал таким затворником, как впоследствии.

Старик никогда не был женат, за свою жизнь он израсходовал всего одну десятую фамильного состояния. Поэтому, когда был уплачен налог на наследство, нынешний баронет оказался очень богатым человеком.

— Но очень одиноким, — вздохнул он.

Я замолчал. Сочувствие мое было слишком глубоким, чтобы выразить его в словах. Ведь я тоже был одинок. С тех пор как умерла Цинтия, я ощущал, что от меня осталась лишь половина.

Наконец, запинаясь, я поведал ему малую толику того, что чувствовал.

— Ах да, Гастингс, но у вас было то, чего у меня никогда не было.

Он немного помолчал и затем немного сбивчиво рассказал о своей трагедии.

Его красивая молодая жена была очаровательным существом, обладавшим множеством достоинств. Однако у нее была плохая наследственность. Почти все в ее семье умирали от алкоголизма, и она тоже пала жертвой этого заклятия. Всего лишь год спустя после свадьбы его жена не устояла перед соблазном и, раз выпив, стала запойной алкоголичкой, отчего в конце концов и умерла. Бойд Каррингтон не обвинял ее. Он понимал, что ей было не справиться с наследственной болезнью.

После смерти жены он вел одинокую жизнь. Столь печальный опыт отбил у него охоту жениться.

— Одному как-то спокойнее, — просто сказал он.

— Да, мне понятно, что одиночество казалось вам благом, во всяком случае первое время.

— Это была такая трагедия. Я преждевременно состарился и ожесточился. — Он помолчал. — Правда, один раз я испытал очень сильное искушение. Однако она была так молода — я считал, что нечестно связывать ее с разочарованным человеком. Я был слишком стар для нее, почти ребенка — такой хорошенькой, такой невинной.

Бойд Каррингтон внезапно прервал речь и покачал головой.

— Разве не она должна была решать?

— Не знаю, Гастингс. Я думал, нет. Она... она, казалось, любит меня. Но, как я уже говорил, она была так молода. Я всегда буду помнить ее такой, как увидел в последний день того отпуска. Голова немного склонена набок, этот чуть растерянный взгляд, ее маленькая ручка...

Он остановился. Нарисованная им картина показалась мне смутно знакомой, хотя я не мог понять почему.

Голос Бойд Каррингтона, вдруг сделавшийся резким, прервал мои мысли.

— Я был дураком, — сказал он. — Любой человек, упускающий свой шанс, — дурак. И вот теперь я владелец огромного особняка, слишком большого для меня, и рядом нет нежного создания, которое бы сидело во главе моего стола.

Я нашел его несколько старомодную манеру изложения очаровательной. Она вызывала в воображении старинную картину, полную прелести и покоя.

— Где эта леди сейчас? — спросил я.

— О... она замужем, — коротко ответил он. — Видите ли, Гастингс, теперь я — старый холостяк. У меня свои маленькие привычки. Пойдемте посмотрим сад. Он сильно запущен, но по-своему очень хорош.

Мы погуляли по усадьбе, и все увиденное произвело на меня сильное впечатление. Несомненно, Нэттон был прекрасным поместьем, и меня не удивляло, что Бойд Каррингтон им гордится. Он хорошо знал округу и местных жителей, хотя, конечно, среди них были и новые люди.

Бойд Каррингтон знавал полковника Латтрелла в прежние времена. Он выразил надежду, что Стайлз станет давать доходы.

— Бедный старый Тоби Латтрелл очень стеснен в средствах, — сказал он. — Славный парень. Хороший солдат, превосходный стрелок. Мы с ним как-то вместе охотились в Африке. Ах, прекрасная была пора! Конечно, он к тому времени уже женился, но, слава Богу, его жена с нами не ездила. Она была хорошенькая, но всегда отличалась деспотизмом. Чего только мужчина не стерпит от женщины! Старый Тоби Латтрелл, который вызывал трепет у подчиненных — он был таким суровым, придирчивым начальником! И вот вам пожалуйста — подбашмачник, кроткий и безответный! Да, у этой женщины, несомненно, язык как бритва. Но у нее есть мозги. Уж если кто и сделает эту усадьбу доходной, так это сна. У Латтрелла никогда не было деловой жилки, но миссис Тоби обманет собственную бабушку!

— И при этом она сама любезность, — заметил я.

Это позабавило Бойд Каррингтона.

— Я знаю. Просто мед. Но вы играли с ними в бридж?

Я энергично кивнул.

— Я вообще держусь подальше от женщин, играющих в бридж, — заметил Бойд Каррингтон. — И мой вам совет — поступайте так же.

Я рассказал ему, как неловко мы с Нортоном чувствовали себя в первый вечер моего приезда.

— Совершенно верно. Не знаешь, куда смотреть! — Он добавил: — Приятный парень этот Нортон. Правда, очень тихий. Вечно наблюдает за птицами и все в таком духе. Не любит в них стрелять, как он мне сказал. Удивительно! Никакого охотничьего азарта. Я говорил ему, что он многое теряет. Не понимаю, что за удовольствие — шататься в холод по лесам, разглядывая птиц в бинокль.

Нам тогда в голову не приходило, что хобби Нортона может сыграть важную роль в грядущих событиях.

Глава 9

I

Дни проходили без всякой пользы в тревожном ожидании неведомых событий.

Фактически ничего — если я могу так выразиться — не *происходило*. Однако были происшествия, обрывки странных разговоров, случайные сведения о разных обитателях Стайлз, замечания, кое-что разъясняющие. Все это скапливалось, и, если бы эти кусочки правильно сложить, многое для меня прояснилось бы.

Именно Пуаро в нескольких убедительных словах показал мне то, к чему я был преступно слеп.

Я в сотый раз сетовал на его отказ довериться мне. Это нечестно, говорил я ему. Мы с ним всегда бывали в одинаковой степени осведомлены — даже если ему удавалось сделать на основании этих сведений правильные выводы, а я оказывался не столь проницателен, как он.

Пуаро нетерпеливо взмахнул рукой.

— Совершенно верно, мой друг. Это нечестно! Это не спортивно! Это игра не по правилам! Примите все это и успокойтесь. Это *не* игра — это не le sport[1]. Ведь вы занимаетесь тем, что лихорадочно гадаете, кто та-

---

[1] Спорт (*фр.*).

кой X. Не для этого я просил вас сюда приехать. Вам нет нужды этим заниматься. *Я знаю ответ на этот вопрос. Но вот чего я не знаю и что хочу знать: «Кто должен умереть — и очень скоро?»* Вам, mon vieux, следует не ребусы решать, а спасти человеческое существо от смерти.

Я был поражен.

— Конечно, — пробормотал я. — Я... да, ведь вы практически сказали то же самое один раз, но я не совсем осознал.

— Так осознайте это сейчас — немедленно.

— Да, да, непременно... я хочу сказать, что уже осознал.

— Bien! Тогда скажите мне, Гастингс, кто же должен умереть?

Я смотрел на него в полной растерянности.

— Я действительно не имею никакого представления об этом!

— А вы должны иметь представление! Для чего же вы здесь еще?

— Конечно, — сказал я, возвращаясь к своим размышлениям на эту тему, — должна существовать связь между жертвой и X, так что если бы вы сказали мне, кто X...

Пуаро так энергично затряс головой, что смотреть на это было мучительно.

— Разве я вам не говорил, что в том-то и суть метода X? Не будет ничего, связывающего X с этой смертью. Это несомненно.

— Вы имеете в виду, что связь будет скрыта?

— Она будет так хорошо скрыта, что ни вам, ни мне ее не найти.

— Но несомненно, изучив прошлое X...

Он перебил меня:

— Говорю вам — нет. Сейчас не *время* для этого. Убийство может произойти в любой момент, вы понимаете?

— Убьют кого-то в этом доме?

— Кого-то в этом доме.

— И вы в самом деле не знаете, кого и каким образом?

— Ах! Если бы я знал, то не принуждал вас выяснять это за меня.

— Вы основываете свое предположение просто на присутствии X?

В голосе моем прозвучало сомнение. Пуаро, которому стало изменять самообладание с тех пор, как он утратил подвижность, буквально заорал на меня:

— Ах, ma foi[1], сколько же раз я должен все это повторять? Если множество военных корреспондентов внезапно съезжаются в определенную точку Европы, что это означает? Это означает войну! Если доктора со всего мира прибывают в определенный город, что это показывает? Что там должна состояться медицинская конференция. Если вы видите, что стервятник кружит над каким-то местом, — там скоро будет труп. Если вы видите, как по вересковой пустоши идут загонщики, значит, будет охота. Если вы видите, как человек вдруг останавливается, срывает с себя одежду и бросается в море, — это означает, что он будет спасать утопающего.

Если вы видите, как леди средних лет и респектабельной внешности подсматривают сквозь изгородь — вы можете сделать вывод, что там происходит что-то непристойное! И наконец, если вы почуяли запах жареного мяса и заметили, как несколько человек идут по коридору в одном и том же направлении, можете с полной уверенностью предположить, что скоро подадут обед!

С минуту-другую я размышлял над этими аналогиями, потом сказал, обратившись к первой:

— Все равно один военный корреспондент еще не делает войны!

— Конечно нет. И одна ласточка еще не делает весны. Но один убийца, Гастингс, делает убийство.

Конечно, это было неоспоримо. Но мне пришло в голову то, о чем, по-видимому, не подумал Пуаро: даже у убийцы бывают выходные. Возможно, X приехал в Стайлз просто на каникулы, без всякого наме-

---

[1] Право же (*фр.*).

рения убивать. Однако Пуаро так разъярился, что я не рискнул высказать это предположение. Я только сказал, что все это дело кажется мне безнадежным. Мы должны подождать...

— И посмотреть, — закончил мою фразу Пуаро. — Как мистер Асквит в последнюю войну. Именно это, mon cher, мы и не должны делать. Я не говорю, заметьте, что нам удастся что-то сделать. Как я уже сказал прежде, когда убийца намерен убить, его нелегко перехитрить. Но мы можем по крайней мере попытаться. Представьте себе, Гастингс, что перед вами задача из игры в бридж, напечатанная в газете. Вы видите все карты. От вас требуется: «Предсказать результат сдачи карт».

Я покачал головой.

— Это не имеет смысла, Пуаро, у меня нет ни малейшего представления. Если бы я знал, кто Х...

Пуаро снова заорал на меня. Он кричал так громко, что из соседней комнаты прибежал испуганный Куртис. Пуаро отослал его взмахом руки и, когда тот вышел, заговорил более спокойно:

— Ну же, Гастингс, вы не так глупы, как притворяетесь. Вы изучили те случаи, о которых я дал вам почитать. Вы можете не знать, кто такой Х, но вы знаете метод, которым Х совершает преступления.

— А-а, — обрадовался я, — понимаю.

— Конечно понимаете. Ваша беда в том, что вы ленитесь думать. Вам нравится играть в «угадайку». Вы не любите работать головой. Каков основной элемент метода Х? Не заключается ли он в том, что, когда преступление совершено, мы имеем *полный набор* его составных? То есть мотив преступления, возможность его совершить, средство и, наконец, что еще важнее, виновное лицо, готовое для скамьи подсудимых.

Я сразу же ухватил суть и понял, каким дураком был, что не увидел это раньше.

— Я понял, — сказал я. — Мне нужно искать того, кто... кто отвечает этим требованиям — потенциальную жертву.

Пуаро со вздохом откинулся на спинку кресла.

— Enfin! Я очень устал. Пошлите ко мне Куртиса. Теперь вам ясна ваша задача. Вы свободны в своих передвижениях, можете разгуливать где хотите, следовать за людьми, беседовать с ними, незаметно шпионить... — (Тут я чуть было не стал с негодованием протестовать, но промолчал. Это был слишком старый спор.) — Вы можете подслушивать разговоры, у вас колени, которые гнутся, и вы можете на них стать и подсматривать в замочную скважину...

— Я не стану подсматривать в замочную скважину, — возмутился я.

Пуаро прикрыл глаза.

— Ну что же, очень хорошо. Вы не будете подглядывать в замочную скважину. Вы останетесь английским джентльменом, а кого-то убьют. Это не имеет значения. Для англичан прежде всего — честь. Ваша честь важнее, чем чья-то жизнь. Bien! Все ясно.

— Нет, к черту, Пуаро...

Пуаро холодно перебил меня:

— Пошлите ко мне Куртиса. Уходите. Вы упрямы и крайне глупы, и мне бы хотелось, чтобы тут был кто-нибудь еще, кому я мог бы доверять. Однако, полагаю, мне все-таки придется иметь дело с вами, невзирая на ваши абсурдные идеи о честной игре. Поскольку вы не можете использовать свои серые клетки, так как не имеете их, то используйте хотя бы ваши глаза, уши и нос, если возникнет необходимость — в тех пределах, в которых позволяют правила чести.

II

Только на следующий день осмелился я высказать идею, которая не раз приходила мне в голову. Я сделал это с некоторым сомнением, поскольку никогда не знаешь, как отреагирует Пуаро!

Я сказал:

— Я знаю, Пуаро, от меня не очень много проку. Вы сказали, что я глуп, ну что же, в некотором смысле это верно. И я — всего лишь половина того человека, которым был. После смерти Цинтии...

Я остановился. Пуаро издал тяжкий вздох в знак сочувствия.

Я продолжал:

— Но здесь есть человек, который мог бы нам помочь — как раз такой, как нам нужен. Мозги, воображение, находчивость. Привык принимать решения и обладает большим жизненным опытом. Я говорю о Бойд Каррингтоне. Вот человек, который нам необходим, Пуаро. Доверьтесь ему. Изложите ему все.

Пуаро открыл глаза и крайне решительно заявил:

— Ну конечно нет.

— Но почему? Вы не можете отрицать, что он умен, намного умнее, чем я.

— *Это* не так уж трудно, — с убийственным сарказмом ответил Пуаро. — Но выкиньте эту идею из головы, Гастингс. Мы *никому* не станем доверяться, вы поняли? Я запрещаю вам обсуждать эту тему.

— Хорошо, раз вы так настаиваете, но Бойд Каррингтон действительно...

— Ах, скажите пожалуйста! Бойд Каррингтон. Что он такое, в конце концов? Верзила, полный самомнения и довольный собой, потому что люди называли его «ваше превосходительство». Человек с определенным обаянием, тактом и хорошими манерами. Но не такой уж он восхитительный, этот ваш Бойд Каррингтон. Он повторяется, он рассказывает одну и ту же историю дважды — и более того, у него такая плохая память, что он пересказывает вам историю, которую рассказали ему вы! Человек с выдающимися способностями? Вовсе нет. Старый зануда, болтун, enfin, выскочка!

И тут меня озарило.

У Бойд Каррингтона действительно была неважная память. И он совершил оплошность, которая, как я теперь понял, сильно разозлила Пуаро. Мой друг рассказал Каррингтону историю о тех днях, когда служил в полиции в Бельгии. А пару дней спустя в саду, где нас собралось несколько человек, Бойд Каррингтон в забывчивости пересказал ту же самую историю Пуаро, предварив ее замечанием: «Я помню, Chef de la Sûretè[1] в Париже рассказывал мне...»

Теперь я понял, что это смертельно обидело Пуаро! Я тактично промолчал и удалился.

III

Я спустился вниз и вышел в сад. Там никого не было. Пройдя через рощицу, я поднялся на холмик, поросший травой. На вершине его стояла беседка, находившаяся на последней стадии обветшалости. Здесь я уселся, закурил трубку и принялся размышлять о положении дел.

У кого в Стайлз есть достаточно определенный мотив для убийства?

Если не считать полковника Латтрелла, который вряд ли зарежет свою жену во время партии в роббер, — хотя у него имелся явный мотив, вполне оправданный, — поначалу никто, кроме него, не приходил мне в голову.

Беда в том, что я слишком мало знаю об этих людях. Например, о Нортоне и мисс Коул. Каковы обычные мотивы убийства? Деньги? Насколько мне известно, Бойд Каррингтон был единственным богатым человеком из всей компании. Если он умрет, кто унаследует его деньги? Кто-нибудь из присутствующих в этом доме? Вряд ли. И все же не мешало бы навести справки. Возможно, Каррингтон оставил деньги на исследования, сделав Франклина доверительным собственником. В таком случае — да еще если вспомнить довольно необдуманное замечание Франклина насчет уничтожения восьмидесяти процентов человечества — рыжеволосый доктор становился одним из наиболее вероятных подозреваемых. Не исключено также, что Нортон или мисс Коул были дальними родственниками и могли автоматически стать наследниками. При-

---

[1] Шеф полиции (фр.).

тянуто за уши, но возможно. А если полковник Латтрелл, который был старым другом Бойд Каррингтона, указан в завещании последнего? На этом корыстный мотив оказался исчерпан. Я обратился к более романтическим версиям. Франклины. Миссис Франклин — тяжело больна. Возможно ли, что это действие медленно отравляющего яда? И если так — ее смерть могла бы быть делом рук мужа? Он врач, и, несомненно, располагает средствами и возможностью. А как насчет мотива? Мне пришла в голову неприятная мысль, что тут может быть замешана Джудит. Я-то знал, что у них сугубо деловые отношения, но поверят ли в это остальные? Поверит ли в это какой-нибудь циник полицейский? Джудит — очень красивая молодая женщина. Привлекательная секретарша или ассистентка — причина многих преступлений. Эта мысль меня напугала.

Следующим я рассмотрел Аллертона. Мог бы кто-нибудь вознамериться его убить? Уж если тут должно произойти убийство, я бы предпочел, чтобы жертвой стал Аллертон! Должно быть, легко обнаружить, почему кто-то хотел бы его убить. Взять, к примеру, мисс Коул, которая уже не молода, но все еще хороша. Она вполне могла его ревновать, если у них с Аллертоном когда-то были близкие отношения. Правда, у меня не было никаких оснований так полагать. К тому же если Аллертон — Х...

Я нетерпеливо тряхнул головой. Все это ничего мне не давало. Звук шагов по гравию, донесшийся снизу, привлек мое внимание. Это был Франклин. Он быстрой походкой направлялся к дому; руки засунуты в карманы, шея вытянута. У него был какой-то подавленный вид. Сейчас, когда доктор не следил за собой, он выглядел очень несчастным человеком. Это поразило меня.

Я так засмотрелся на Франклина, что не услышал шаги неподалеку. Когда мисс Коул заговорила со мной, я вздрогнул и обернулся к ней.

— Я не слышал, как вы подошли, — объяснил я извиняющимся тоном, вскочив на ноги.

Она рассматривала беседку.

— О, викторианская реликвия!

— Да, не правда ли? Боюсь, что тут много пауков. Садитесь. Я сейчас сотру пыль со скамейки.

Вот удобный случай познакомиться поближе с одним из постояльцев, решил я, смахивая паутину и украдкой разглядывая мисс Коул.

Ей можно было дать от тридцати до сорока лет. Худенькая, с тонким профилем и очень красивыми глазами. В ней чувствовалась какая-то скрытность, более того — подозрительность. Я вдруг понял, что эта женщина много страдала и вследствие этого глубоко разочарована в жизни. Мне захотелось узнать побольше об Элизабет Коул.

— Ну вот, — сказал я, последний раз проведя по скамье платком, — это все, что я мог сделать.

— Благодарю вас. — Улыбнувшись, она села.

Я уселся рядом с ней. Скамейка издала зловещий скрип, но катастрофы не произошло.

Мисс Коул спросила:

— Скажите, о чем это вы думали, когда я подошла? Вы целиком ушли в свои мысли.

— Я наблюдал за доктором Франклином, — признался я.

— Да?

Я не видел причин, почему бы не поведать о том, что было у меня на уме.

— Меня поразило, что он выглядел очень несчастным.

Женщина, сидевшая рядом со мной, тихо сказала:

— Ну конечно же он несчастен. Вы должны были это понять.

Полагаю, я не сумел скрыть своего удивления, когда, запинаясь, ответил:

— Нет... нет... я не понял. Я всегда думал, что он полностью поглощен своей работой.

— Так оно и есть.

— Вы называете это несчастьем? Я бы сказал, что это самое счастливое состояние из всех, какие можно вообразить.

— О да, я не спорю с этим... но только если вам не мешают сделать то, что, как вы чувствуете, в ваших силах. То есть если вы не можете сделать все, на что способны.

Я с озадаченным видом посмотрел на мисс Коул. Она продолжала объяснять:

— Прошлой осенью доктору Франклину представилась возможность поехать в Африку и продолжить там свои исследования. Как вам известно, он удивительно талантлив и уже заявил о себе первоклассными работами в области тропической медицины.

— И он не поехал?

— Нет. Его жена запротестовала. Она недостаточно здорова, чтобы вынести тамошний климат. А идея остаться в Англии пришлась ей не по вкусу — тем более что это означало для нее более скромный образ жизни. Предложенное вознаграждение было небольшим.

— Но, — возразил я, — полагаю, он понимал, что не может оставить ее при таком состоянии здоровья.

— Много ли вы знаете о состоянии ее здоровья, капитан Гастингс?

— Ну, я... нет... Но ведь она больна, не так ли?

— Она определенно получает удовольствие от своих болезней, — сухо ответила мисс Коул.

Я удивленно взглянул на нее. Легко было заметить, что ее симпатии всецело на стороне мужа.

— Думаю, — осторожно проговорил я, — что женщины... э... хрупкого здоровья склонны быть эгоистичными?

— Да, я полагаю, больные — хроники — обычно очень эгоистичны. Возможно, их нельзя за это винить.

— Вы не считаете, что миссис Франклин так уж тяжело больна?

— О, мне бы не хотелось это утверждать. Просто у меня есть некоторое сомнение. По-моему, на то, что ей хочется сделать, у нее всегда находятся силы и здоровье.

Я про себя удивился, что мисс Коул так хорошо осведомлена о положении дел в семье Франклин.

— Полагаю, вы хорошо знаете доктора Франклина? — полюбопытствовал я.

Она покачала головой.

— О нет. Я видела его всего один-два раза до того, как мы встретились здесь.

— Но, наверное, он рассказывал вам о себе?

Мисс Коул снова отрицательно покачала головой.

— Нет, то, что я вам рассказала, я узнала от вашей дочери Джудит.

Джудит, подумал я с мимолетной горечью, беседует со всеми, кроме меня.

Мисс Коул продолжала:

— Джудит. очень предана своему работодателю и за него готова любому выцарапать глаза. Она яростно осуждает эгоизм миссис Франклин.

— Вы тоже считаете, что жена доктора эгоистична?

— Да, но я могу ее понять... Я... я понимаю больных. Я могу также понять, почему доктор Франклин ей потакает. Джудит, конечно, считает, что ему нужно было оставить свою жену где угодно и продолжать работу. Ваша дочь с большим энтузиазмом занимается научной работой.

— Я знаю, — ответил я без особой радости. — Порой меня это огорчает. Это кажется неестественным, если вы понимаете, что я имею в виду. Мне кажется, в ней должно быть... больше человеческих слабостей... Желания развлекаться. Она должна веселиться, влюбляться в славных молодых людей. В конце концов, юность — это пора, когда нужно перебеситься, а не корпеть над пробирками. Это неестественно. Когда мы были молоды, мы развлекались, флиртовали, наслаждались жизнью, в общем, вы сами знаете.

Последовало молчание. Затем мисс Коул произнесла странным тоном:

— Я не знаю.

Я ужаснулся, спохватившись, что по недомыслию говорил с ней так, словно мы — ровесники. А ведь на самом деле она на добрый десяток лет меня моложе, и я невольно совершил страшную бестактность.

Я рассыпался в извинениях, запинаясь от неловкости. Мисс Коул прервала меня:

— Нет-нет, я не то имела в виду. Пожалуйста, не извиняйтесь. Я имела в виду только то, что сказала. *Я не знаю.* Я никогда не была «молодой» в вашем понимании. Я никогда не знала, что такое «веселиться».

Что-то в ее голосе — горечь, глубокая обида — привело меня в замешательство. Я сказал несколько неловко, но искренне:

— Простите.

— О, ничего, это не важно. Не огорчайтесь так. Давайте поговорим о чем-нибудь другом.

Я повиновался.

— Расскажите мне о других людях, живущих в этом доме, — попросил я. — Если только они вам знакомы.

— Я знаю Латтреллов всю свою жизнь. Грустно, что они вынуждены заниматься такими вещами, особенно жаль его. Он славный. И она лучше, чем вам кажется. Ей приходилось жаться и экономить всю жизнь, вот почему она стала несколько... скажем так — хищной. Когда постоянно приходится на всем выгадывать, это в конце концов сказывается. Единственное, что мне в ней не нравится, — ее экзальтированность.

— Расскажите мне что-нибудь о мистере Нортоне.

— Рассказывать особенно нечего. Он очень милый, довольно застенчивый и, пожалуй, немного глуповатый. Никогда не отличался крепким здоровьем. Он жил вместе с матерью — сварливой недалекой гусыней. Думаю, Нортон был у нее в полном подчинении. Несколько лет тому назад она умерла. Он хорошо разбирается в птицах, цветах и все такое прочее. Нортон очень добрый, и он из тех, кто много видит.

— В свой бинокль, хотите вы сказать?

Мисс Коул улыбнулась:

— О, я выразилась не в буквальном смысле. Я имела в виду, что он многое замечает. Как и большинство тихих людей. Он не эгоистичен и очень внимателен ко всем, но в какой-то мере это неудачник, если вы понимаете, что я имею в виду.

Я кивнул:

— О да, я понимаю.

Внезапно в голосе Элизабет Коул снова зазвучала горькая нота:

— Именно это угнетает в подобных местах. Пансионы, хозяева которых — люди благородного происхождения, сломленные жизнью. Там полно неудачников — людей, которые ничего не достигли и никогда ничего не добьются, которые... которые потерпели фиаско. Старых и усталых, конченых людей.

Ее голос замер. Глубокая печаль проникла мне в душу. Как это верно! У тех, кто собрался здесь, нет будущего. *Седые головы, отлюбившие сердца, утраченные мечты.* Я сам, пребывающий в тоске и одиночестве. Женщина возле меня, исполненная горечи и разочарования. Доктор Франклин, энергичный и честолюбивый, планы которого срываются, и его жена, изнуренная болезнью. Тихий маленький Нортон, который, прихрамывая, бродит по окрестностям и наблюдает за птицами. Даже Пуаро, когда-то блистательный Пуаро, теперь прикованный к инвалидному креслу старик.

В прежние времена все было иначе — в те дни, когда я впервые приехал в Стайлз. Эта мысль была так печальна, что я не сдержался и с губ моих сорвался горестный стон.

Моя собеседница поспешно спросила:

— Что такое?

— Ничего. Просто меня поразил контраст. Знаете, в молодости, много лет назад, я бывал здесь. Я думал сейчас о том, что многое изменилось с тех пор.

— Понятно. Значит, это был счастливый дом? Все были счастливы здесь?

Любопытно, как иногда мысли сменяют одна другую, словно стеклышки в калейдоскопе. Это произошло со мной сейчас. Замелькали картины давних событий. И наконец мозаика сложилась в правильный рисунок.

Мне дорого было само по себе прошлое, а не его реальные события. Потому что даже тогда, в то далекое время, в Стайлз не было счастья. В памяти вставали бесстрастные факты. Мой друг Джон и его жена, оба несчастные, недовольные жизнью, которую вынуждены были вести. Лоренс Кэвендиш, погруженный в меланхолию. Юная Сэнди, жизнерадостность которой омрачалась ее зависимым положением. Инглторп, женившийся на богатой женщине ради ее денег. Нет, никто из них не был счастлив. Этот дом не знал радости.

Я сказал мисс Коул:

— Я поддался обманчивому чувству ностальгии. Этот дом никогда не был счастливым. И сейчас тоже. Все здесь несчастны.

— Нет, нет. Ваша дочь...

— Джудит не счастлива, — возразил я и вдруг отчетливо понял это.

Да, Джудит не была счастлива.

— Вот и Бойд Каррингтон, — неуверенно продолжал я. — На днях он говорил, что очень одинок. Однако, несмотря на это, мне кажется, что он наслаждается жизнью: у него есть дом и еще много всего.

Мисс Коул ответила довольно резко:

— О да, но ведь сэр Уильям другой. Мы не чета ему. Он пришел сюда из другого мира — мира успеха и независимости. Он преуспел в жизни и сознает это. Он не из числа... покалеченных.

Меня удивило выбранное ею определение. Я озадаченно взглянул на свою собеседницу.

— Какое странное слово пришло вам на ум! Отчего, не поясните ли?

— Потому что, — с неожиданным ожесточением ответила мисс Коул, — это именно так и есть. Во всяком случае, в отношении меня. Я покалечена.

— Я вижу, что вы были очень несчастны, — мягко произнес я.

— Вы ведь не знаете, кто я, не так ли? — Она посмотрела мне прямо в лицо.

— Э-э... я знаю вашу фамилию...

— Коул — не моя фамилия. Вернее, это фамилия моей матери. Я взяла ее... после.

— После?

— Моя настоящая фамилия Личфилд.

В первое мгновение эта фамилия показалась мне просто смутно знакомой. Потом я вспомнил.

— Мэтью Личфилд.

Она кивнула.

— Я вижу, вы в курсе. Именно это я имела в виду. Мой отец был душевно больным человеком и тираном. Он запрещал нам жить нормальной жизнью. Мы не могли пригласить в дом друзей. Он почти не давал нам денег. Мы жили как в тюрьме.

Она запнулась, в ее красивых темных глазах застыла печаль.

— А потом моя сестра... моя сестра...

— Пожалуйста, не надо... не продолжайте. Это слишком мучительно для вас. Я знаю эту историю. Нет необходимости мне рассказывать.

— Но вы не знаете. Не можете знать. Мэгги! Это непостижимо, невероятно. Я знаю, она пошла в полицию и созналась. Но иногда мне все же не верится! Порой мне кажется, что это неправда... что это не так... не так, как она сказала.

— Вы имеете в виду... — осторожно начал я, — что факты... факты расходятся с...

Мисс Коул резко оборвала меня:

— Нет-нет. Дело не в этом. Дело в самой Мэгги. Это на нее не похоже. Это была не... не *Мэгги!*

Я с трудом заставил себя промолчать. Еще не пришло то время, когда я смогу сказать ей: «Вы правы. *Это была не Мэгги...*»

Глава 10

Было около шести часов, когда на тропинке показался полковник Латтрелл. На плече у него было ружье, в руках — пара убитых диких голубей.

Он вздрогнул, когда я его окликнул: вероятно, был удивлен, увидев нас здесь.

— Привет! Что это вы тут делаете? Эта полуразрушенная беседка не очень-то безопасное место, знаете ли. Она вот-вот рухнет. Может упасть вам на голову. Боюсь, вы там испачкаетесь, Элизабет.

— О, все в порядке. Капитан Гастингс великодушно пожертвовал своим носовым платком ради того, чтобы я не запачкала платье.

— О, в самом деле? — пробормотал полковник. — Ну что же, прекрасно.

Он стоял, пощипывая себя за усы. Мы подошли к нему.

Казалось, мысли Латтрелла витали где-то далеко. Наконец он очнулся и сказал:

— Пытался подстрелить этих проклятых диких голубей. Знаете, от них столько вреда!

— Я слышал, вы прекрасный стрелок, — заметил я.

— Да? Кто вам это сказал? О, Бойд Каррингтон. Когда-то был — да, был. Но сейчас уже не тот. Годы сказываются.

— Зрение, — предположил я.

— Чепуха, — решительно возразил он. — Зрение ничуть не ухудшилось. Нет, конечно, читаю в очках, но вдаль вижу нисколько не хуже. — Он повторил: - Да, нисколько не хуже. Впрочем, какое это имеет значение... — Голос его пресекся, потом он пробормотал что-то еще невнятное.

Мисс Коул огляделась и сказала:

— Какой прекрасный вечер.

Она была совершенно права. Солнце клонилось к западу, и в его закатном свете темно-зеленая листва деревьев приобретала золотистый оттенок. Это был спокойный и безмятежный, истинно английский вечер — о таких вечерах вспоминают, находясь в далеких тропических странах. Я высказал эту мысль.

Полковник Латтрелл с жаром согласился:

— Да-да, я, знаете ли, часто думал о таких вот вечерах — там, в Индии. Предвкушал то время, когда выйду в отставку и где-нибудь поселюсь.

Я кивнул. Он продолжил изменившимся голосом:

— Да, вернусь домой и поселюсь где-нибудь. Но никогда не бывает так, как представляешь себе... нет, никогда.

Я подумал, что это особенно верно в его случае. Он никогда не мог себе представить, что станет хозяином пансиона и будет стараться, чтобы его заведение приносило доход. А рядом будет вечно недовольная жена, которая постоянно ворчит и придирается к нему.

Мы медленно пошли к дому. На веранде сидели Нортон и Бойд Каррингтон. Мы с полковником присоединились к ним, а мисс Коул вошла в дом.

Мы немного поболтали, и полковник как будто приободрился и пару раз пошутил. Он казался оживленнее и увереннее в себе, чем обычно.

— Какой жаркий сегодня день, — заметил Нортон. — Очень пить хочется.

— Давай-ка выпьем, ребята. За счет заведения, а? — с готовностью радостно предложил полковник.

Мы с благодарностью приняли это предложение. Латтрелл поднялся и вошел в дом.

Мы сидели как раз под окном столовой, и оно было открыто.

Мы услышали, как полковник открывает буфет. Затем скрипнул штопор и раздался хлопок — пробка вылетела из бутылки.

И тут громко прозвучал визгливый голос миссис Латтрелл:

— Что это ты делаешь, Джордж?

Полковник ответил шепотом. Мы могли расслышать лишь отдельные слова: «Ребята на веранде...», «выпить...».

Резкий сварливый голос продолжал с негодованием:

— Ты не сделаешь ничего подобного, Джордж. Что за идеи! О каких доходах может идти речь, если ты будешь всех угощать выпивкой? Здесь за выпивку платят. У *меня* есть голова на плечах, если у тебя ее нет. Да если бы не я, ты бы завтра же обанкротился! Я одна кое-что смыслю в делах. Мне приходится следить за тобой, как за ребенком. Да, как за ребенком. У тебя совершенно нет здравого смысла. Дай мне эту бутылку. Отдай ее мне, я сказала.

Полковник снова забормотал что-то, протестуя. Миссис Латтрелл ответила ворчливым тоном:

— А мне все равно, слышат они или нет. Бутылка отправится обратно в буфет, и я его запру.

Мы услышали, как ключ поворачивается в замке.

— Ну вот. Теперь все в порядке.

На этот раз голос полковника прозвучал более отчетливо:

— Ты заходишь слишком далеко, Дейзи. Я этого не потерплю.

— *Ты* не потерпишь? Да кто ты такой, хотела бы я знать? Кто управляет домом? Я. И не забывай об этом.

Послышалось шуршание материи, и миссис Латтрелл, очевидно, вылетела из комнаты. Прошло несколько минут, прежде чем полковник вновь появился на веранде. Казалось, за это время он постарел и совсем сник.

Каждый из нас в душе сочувствовал ему и охотно прикончил бы миссис Латтрелл.

— Ребята, мне очень жаль, — сказал он каким-то неестественным голосом. — Похоже, у нас кончилось виски.

Полковник, вероятно, догадался, что мы невольно подслушали сцену в столовой. В любом случае он вскоре понял бы это по нашему поведению, поскольку мы пришли в полное замешательство. Нортон вначале поспешно заявил, что вообще-то он не хотел пить, — ведь скоро обед, не так ли? — а затем, нарочито сменив тему, начал что-то бессвязно лепетать. Положение было в высшей степени безнадежное. Меня словно парализовало, а Бойд Каррингтон, единственный из нас, кто мог бы как-то сгладить ситуацию, не сумел прорваться из-за болтовни Нортона.

Уголком глаза я увидел, как миссис Латтрелл шагает по тропинке, вооружившись перчатками и тяпкой. Конечно, она была деловой женщиной, но в тот момент я испытывал к ней недобрые чувства. Ни одно человеческое существо не имеет права унижать себе подобное.

Нортон все еще продолжал оживленно болтать. Взяв в руки голубя, он рассказал нам, как над ним смеялись в школе, когда его стошнило при виде убитого кролика. Затем он перешел к куропаткам и охотничьим угодьям, поведав нам длинную и довольно неинтересную историю о несчастном случае, который произошел в Шотландии, — там был убит загонщик. Мы принялись обсуждать разные несчастные случаи на охоте, которые знали, и Бойд Каррингтон, откашлявшись, начал:

— Довольно забавная история случилась как-то с моим денщиком, ирландским парнем. Поехал в отпуск в Ирландию. Когда он вернулся, я спросил, хорошо ли он провел отпуск.

«Чтоб мне лопнуть, ваша честь, лучший отпуск в моей жизни!» — «Я рад», — говорю я, несколько удивленный его энтузиазмом. «Вот уж точно славный был отпуск! Я застрелил своего брата». — «Ты застрелил своего брата?» — ужаснулся я. «Ага, застрелил. Давненько мне хотелось это сделать. И вот стою это я на крыше в Дублине, и как вы думаете, кто идет по улице? Мой брат. А у меня в руках винтовка. Грех хвастаться, но выстрел был что надо! Срезал его чисто, как птицу. Ну и повеселился я, приятно вспомнить!»

Бойд Каррингтон хорошо рассказал эту историю, подчеркивая комические эффекты, и все мы рассмеялись и почувствовали себя более непринужденно. Когда он встал и удалился, сказав, что должен принять ванну перед обедом, Нортон выразил наши общие чувства, воскликнув:

— Какой он прекрасный человек!

Я согласился, а Латтрелл сказал:

— Да, да, хороший парень.

— Насколько я понимаю, ему всегда сопутствовал успех, — продолжал Нортон. — Все ему удавалось. У него ясная голова, и он знает, чего хочет — это человек действия. Поистине баловень судьбы.

Латтрелл медленно произнес:

— Да, есть такие люди. Все им удается. У них не бывает осечки. Некоторым достается вся удача.

Нортон отрицательно помотал головой.

— Нет-нет, сэр. Дело не в удаче. — И он с выражением процитировал: — «Не в наших звездах, милый Брут, но в нас самих».

— Возможно, вы правы, — ответил Латтрелл.

Я поспешно вмешался:

— Во всяком случае, ему повезло, что он унаследовал Нэттон. Какое имение! Но ему, конечно, надо жениться. Одному ему будет там одиноко.

Нортон рассмеялся:

— Жениться и поселиться там? А вдруг жена будет им помыкать...

Это было просто не к месту сказано. Любому могла прийти в голову такая мысль, но в данных обстоятельствах она прозвучала ужасно. Нортон, сразу осознав это, попытался взять свои слова обратно, смешался, стал запинаться и наконец замолчал, чем только усугубил общую неловкость.

Мы с ним заговорили одновременно. Я высказал какое-то идиотское замечание относительно вечернего освещения. Нортон предложил сыграть в бридж после обеда.

Полковник Латтрелл, казалось, не слышал нас. Он произнес каким-то странным бесстрастным тоном:

— Нет, Бойд Каррингтоном не будет помыкать жена. Он не из тех, кто *позволяет* собой помыкать. С ним все в порядке. Он мужчина!

Наступила неловкая пауза. Затем Нортон снова начал что-то лепетать о бридже. В это время у нас над головой с шумом пролетел большой дикий голубь и уселся на ветку дерева поблизости.

Полковник Латтрелл схватил свое ружье со словами:

— Сейчас я тебя, разбойника!

Но не успел он прицелиться, как птица снова взлетела и скрылась за деревьями, так что ее невозможно было подстрелить.

Однако в этот момент внимание полковника привлекло движение на дальнем склоне.

— Черт побери, там кролик обгладывает кору с молодых фруктовых деревьев, хотя, по-моему, я огородил это место проволокой.

Он поднял винтовку и выстрелил, и тут...

Раздался пронзительный женский крик, который перешел в ужасный хрип.

Ружье выпало из рук полковника, он ссутулился, рука потянулась к губе.

— Боже мой, это Дейзи!

Я уже бежал по лужайке. Нортон следовал за мной. Добежав до того места, я опустился на колени. Это была миссис Латтрелл. По-видимому, она, присев, подвязывала один из фруктовых саженцев. Трава там была высокая, так что я понял, почему полковник не разглядел жену, а лишь заметил движение в траве — ему помешали солнечные блики. Пуля угодила миссис Латтрелл в плечо, хлынула кровь.

Я наклонился, чтобы осмотреть рану, затем поднял глаза на Нортона. Он стоял прислонившись к дереву, совершенно зеленый. Казалось, его сейчас стошнит. Нортон произнес извиняющимся тоном:

— Я не переношу вида крови.

Я резко сказал:

— Немедленно позовите Франклина. Или сестру.

Первой появилась сестра Крейвен. Она прибежала невероятно быстро и сразу же деловито принялась останавливать кровотечение. Вскоре примчался Франклин. Вдвоем они отнесли миссис Латтрелл в дом и уложили в постель. Франклин обработал и забинтовал рану и вызвал по телефону врача миссис Латтрелл. Сестра Крейвен осталась возле нее.

Я столкнулся с Франклином, когда тот положил трубку, закончив телефонный разговор с врачом.

— Как она?

— О, она поправится. К счастью, пуля не задела жизненно важные центры. Как это случилось?

Я рассказал. Франклин сказал:

— Понятно. Где старина Латтрелл? Неудивительно, что он выбит из колеи. Вероятно, он больше нуждается во внимании, чем она. Не сказал бы, что у него хорошо с сердцем.

Мы нашли полковника Латтрелла в курительной. Губы у него были синие, казалось, он вот-вот потеряет сознание.

— Дейзи? Она... как она? — прерывисто спросил он.

Франклин поспешил его успокоить:

— С ней все будет хорошо, сэр. Вам нечего беспокоиться.

— Я... думал... кролик... обгладывает кору. Не знаю, как я мог совершить такую ошибку. Свет бил мне в глаза.

— Такое бывает, — сухо ответил Франклин. — Мне приходилось пару раз с этим сталкиваться. Послушайте, сэр, вам нужно что-нибудь выпить для поддержания тонуса. Вы не очень хорошо себя чувствуете.

— Со мной все в порядке. Я могу... могу к ней пойти?

— Не сейчас. С ней сестра Крейвен. Но вам нечего беспокоиться. Все обошлось. Доктор Оливер скоро будет здесь, и он скажет вам то же самое.

Я оставил их вдвоем и вышел из дома. Вечер был солнечный. Джудит и Аллертон шли ко мне по тропинке. Он склонил к ней голову, и оба они смеялись.

После только что разыгравшейся трагедии эта сцена меня сильно разозлила. Я резко окликнул Джудит, и она с удивлением взглянула на меня. В нескольких словах я поведал им, что произошло.

— Какое странное происшествие, — заметила моя дочь.

По моему мнению, она могла отреагировать более взволнованно.

Поведение же Аллертона было просто возмутительным. Он вздумал шутить по поводу этой злополучной истории.

— Хороший урок для этой ведьмы! — заявил он. — Наверно, старина все это подстроил?

— Разумеется, нет, — возмутился я. — Это был несчастный случай.

— Знаю я эти несчастные случаи. Иногда они происходят чертовски кстати. Честное слово, если старик подстрелил ее умышленно, я снимаю перед ним шляпу.

— Ничего подобного, — сердито возразил я.

— Не обольщайтесь. Я знал двух мужчин, которые застрелили своих жен. Один чистил револьвер. Второй выстрелил в жену в упор. Это была шутка, сказал он.

Не знал, что револьвер заряжен. И оба выкрутились. Вот повезло!

— Полковник Латтрелл не принадлежит к такому типу мужей, — холодно сказал я.

— Но вы же не станете отрицать, что это было бы благословенным избавлением, не так ли? — настаивал Аллертон. — У них не было чего-нибудь вроде ссоры, а?

Я в сердцах отвернулся, невольно почувствовав смятение. Аллертон чуть не попал в яблочко. Впервые сомнение закралось мне в душу.

Оно еще более усилилось, когда я встретил Бойд Каррингтона. Оказалось, что во время происшествия он прогуливался у озера. Когда я рассказал ему новости, он сразу же спросил:

— Вы не думаете, что он собирался застрелить ее, не правда ли, Гастингс?

— Боже упаси, мой друг!

— О, простите. Я не должен был это говорить. Просто на минуту показалось, что... Она... она его провоцировала, знаете ли.

Мы оба с минуту помолчали, вспомнив сцену, невольными свидетелями которой стали.

Я поднялся наверх, расстроенный и удрученный, и постучал в дверь Пуаро.

Он уже слышал от Куртиса, что случилось, но с нетерпением ждал подробностей. С самого приезда в Стайлз я привык докладывать Пуаро во всех деталях о своих встречах и разговорах. Таким образом мой милый старый друг был не до такой степени отрезан от окружающих. Это давало ему иллюзию, что он участвует во всех событиях. У меня всегда была хорошая память, так что я без труда мог дословно повторять разговоры.

Пуаро слушал очень внимательно. Я надеялся, что он высмеет ужасное предположение, уже завладевшее моим умом. Однако прежде чем он успел высказать свое мнение, в дверь тихонько постучали.

Это была сестра Крейвен. Она извинилась, что помешала нам.

— Простите, но я думала, что полковник здесь. Старая леди пришла в себя и беспокоится о муже. Ей бы хотелось его увидеть. Вы не знаете, где он, капитан Гастингс? Я не хочу оставлять мою пациентку.

Я вызвался пойти поискать его. Пуаро одобрительно кивнул, а сестра Крейвен тепло поблагодарила меня.

Я нашел полковника Латтрелла в маленькой гардеробной, которую редко использовали. Он стоял, глядя в окно.

Полковник резко обернулся, когда я вошел. На его, как мне показалось, испуганном лице читался вопрос.

— Ваша жена пришла в сознание, полковник Латтрелл, и спрашивает вас.

— О! — Краска прилила к его щекам, и только тогда я понял, насколько он был бледен. Он произнес медленно, запинаясь, как глубокий старик: — Она... она меня спрашивает? Я... я иду... немедленно.

Он такой нетвердой походкой двинулся к двери, что я подошел ему помочь. Тяжело опершись о меня, полковник стал подниматься по лестнице. Я слышал его затрудненное дыхание. Как и предсказывал Франклин, потрясение оказалось для него слишком сильным.

Мы подошли к двери, где находилась раненая, и я постучал. Бодрый голос сестры Крейвен откликнулся:

— Войдите.

Все еще поддерживая старика, я ввел его в комнату. Кровать была загорожена ширмой. Мы зашли за нее.

Миссис Латтрелл выглядела очень больной — бледная, хрупкая, глаза прикрыты. Она открыла их, когда мы подошли к кровати, и прошептала задыхаясь:

— Джордж... Джордж...

— Дейзи... моя дорогая...

Одна рука у нее была на перевязи. Другую она через силу протянула мужу. Он сделал шаг вперед и схватил ее слабую маленькую ручку.

— Дейзи... — повторил он и хрипло добавил: — Слава Богу, с тобой все хорошо.

Взглянув на полковника и увидев его затуманенные слезами глаза, полные любви и тревоги, я ощутил острый стыд за наши мерзкие предположения.

Я крадучись вышел из комнаты. Инсценированный несчастный случай! Разве можно подделать искреннюю благодарность, прозвучавшую в голосе Латтрелла! Я почувствовал огромное облегчение.

Проходя по коридору, я вздрогнул от удара гонга, совершенно забыв о времени. Несчастный случай всех выбил из колеи. Только кухарка продолжала работать, как обычно, и вовремя приготовила обед.

Большинство из нас не переоделись к обеду, а полковник Латтрелл не появился. Однако миссис Франклин, на этот раз спустившаяся к столу, выглядела весьма привлекательно в бледно-розовом нарядном платье. Она, по-видимому, хорошо себя чувствовала и была в прекрасном настроении. Франклин показался мне угрюмым и погруженным в свои мысли.

После обеда Аллертон и Джудит, к моему неудовольствию, вместе удалились в сад. Я еще немного посидел, слушая, как Франклин и Нортон обсуждают тропические болезни. Даже не будучи особенно сведущ в этом вопросе, Нортон оставался внимательным и заинтересованным слушателем.

Миссис Франклин и Бойд Каррингтон беседовали на другом конце комнаты. Он показывал ей образцы занавесей и драпировочных тканей.

Элизабет Коул, казалось, была поглощена книгой. У меня сложилось впечатление, что она слегка смущена и избегает меня. Возможно, это естественно после ее признаний днем. Тем не менее это меня огорчило, и я надеялся, что она не сожалеет о своей откровенности. Мне бы хотелось дать ей понять, что я ценю ее доверие и не стану им злоупотреблять. Однако она не предоставила мне такой возможности.

Через некоторое время я поднялся к Пуаро.

Я увидел там полковника Латтрелла, который сидел в кругу света, отбрасываемого маленькой электрической лампочкой — единственной, которая была включена.

Он говорил, а Пуаро слушал. Полагаю, полковник разговаривал скорее сам с собою, нежели со своим собеседником.

— Я так хорошо помню... да, это был охотничий бал. Она была в платье из белой материи... по-моему, тюль. Оно так и кружилось вокруг нее. Такая хорошенькая девушка — я влюбился в нее с первого взгляда. И сказал себе: «Вот девушка, на которой я женюсь». И, черт возьми, так и сделал. И она была ужасно остроумная — такая живая и острая на язык. Никогда не лезла за словом в карман, благослови ее Бог.

Он издал смешок.

Я мысленно представил себе эту картину. Юная Дейзи Латтрелл с дерзким лицом и острым язычком — очаровательная в то время, но с годами ставшая сварливой.

Однако сегодня вечером полковник Латтрелл думал о той молодой девушке, о своей первой любви. О своей Дейзи.

И снова я устыдился того, что мы говорили всего несколько часов тому назад.

Конечно, когда полковник Латтрелл наконец ушел спать, я рассказал обо всем Пуаро.

Он слушал очень спокойно. Выражение лица у него оставалось непроницаемым.

— Значит, вот что вы думали, Гастингс? Что выстрел был сделан нарочно?

— Да. Теперь мне стыдно...

Пуаро отмахнулся от моих излияний.

— Пришла ли вам эта мысль самому, или кто-то внушил вам ее?

— Аллертон сказал что-то в таком духе, — обиженно ответил я. — Конечно, это похоже на него.

— Кто-нибудь еще?

— Бойд Каррингтон высказал такую же мысль.

— А! Бойд Каррингтон.

— В конце концов, он человек, умудренный жизненным опытом, и многое повидал.

— О, разумеется, разумеется. Его не было при этом?

— Нет, он пошел прогуляться. Немного размяться, прежде чем выйти к обеду.

— Понятно.

— Не думаю, — сконфуженно пробормотал я, — что действительно верю в эту теорию. Это было всего лишь...

Пуаро перебил меня:

— Да не угрызайтесь так из-за ваших подозрений, Гастингс. Подобная идея вполне могла прийти в голову любому при данных обстоятельствах. О да, все это было вполне естественно.

В поведении Пуаро было нечто, чего я не понимал. Какой-то намек. Он всматривался в меня с выражением любопытства.

Я медленно проговорил:

— Может быть. Но когда видишь, как он ей предан...

Пуаро кивнул.

— Совершенно верно. Так часто бывает. За ссорами, недопониманием, враждебностью в каждодневной жизни может таиться подлинная и верная привязанность.

Я согласился. И вспомнил, с какой нежностью смотрела маленькая миссис Латтрелл на мужа, склонившегося над ее кроватью. Куда подевались раздражение, нетерпимость, злость!

Да, размышлял я, укладываясь спать, супружеская жизнь — любопытная штука.

То «нечто» в поведении Пуаро все еще не давало мне покоя. Этот пытливый внимательный взгляд, словно он ждал, чтобы я увидел... что именно?

Я уже лег, когда до меня дошло. Как обухом по голове ударило.

Если бы миссис Латтрелл была убита, это было бы точно такое же дело, *как те другие*. Не кто иной, как полковник Латтрелл, убил бы свою жену. Это сочли бы несчастным случаем, однако никто бы не был уверен, действительно ли тут несчастный случай, или это сделано умышленно. Улик недостаточно, чтобы доказать, что это убийство, но вполне достаточно, чтобы подозревать убийство.

Но это означало... означало...

Что же это означало?

Это означало — если вообще есть какой-то смысл в моих рассуждениях, — что миссис Латтрелл подстрелил *не* полковник, а Х.

Но это совершенно невозможно. Я видел всю сцену. Стрелял не кто иной, как полковник Латтрелл.

Если только не... Но это, кажется, невозможно. Нет, не то чтобы *невозможно* — просто в высшей степени невероятно. Но возможно, да... Предположим, кто-то еще выждал, и в тот самый момент, когда полковник Латтрелл выстрелил (в кролика), этот другой выстрелил в миссис Латтрелл. Тогда был бы слышен только один выстрел. И даже если бы второй выстрел прозвучал чуть позже, это отнесли бы за счет эха. (Теперь, когда я об этом подумал, мне начало казаться, что действительно было эхо.)

Но нет, это абсурд. Есть способы точно определить, из какого оружия выпущена пуля. По пуле можно идентифицировать оружие.

Но тут я вспомнил, что это делается лишь в том случае, когда полиция хочет установить, из какого оружия стреляли. А в данном случае не было бы следствия. Поскольку полковник Латтрелл так же, как все остальные, был бы уверен, что именно он сделал роковой выстрел. Этот факт был бы принят без всякого дознания. И не было бы никакой экспертизы. Единственное сомнение касалось бы того, случаен ли выстрел или произведен с преступными намерениями. А это никогда не могли бы установить.

И поэтому данный случай в точности совпадал бы с теми другими случаями — делом рабочего Риггза, который не помнил, но предполагал, что это сделал он, с делом Мэгги Личфилд, которая помешалась и признала себя виновной в преступлении, которого не совершала.

Да, этот случай походил на остальные, и теперь я понял, что означало поведение Пуаро. Он ждал, чтобы я это понял.

Глава 11

I

На следующее утро в беседе с Пуаро я вернулся к этому вопросу. Лицо его прояснилось, и' он одобрительно закивал головой.

— Превосходно, Гастингс. Мне было интересно, уловите ли вы сходство. Понимаете, я не хотел вам подсказывать.

— Значит, я прав. Это еще одно дело X?

— Несомненно.

— Но *почему,* Пуаро? Каков мотив?

Пуаро покачал головой.

— Разве вы не знаете? И у вас нет никакой идеи?

— Да, у меня есть идея, — медленно произнес Пуаро.

— Вы нашли связь между всеми этими разными случаями?

— Думаю, да.

— Итак?

Я с трудом сдерживал нетерпение.

— Нет, Гастингс.

— Но я должен знать.

— Гораздо лучше, чтобы вы не знали.

— Почему?

— Поверьте мне на слово, что это так.

— Вы неисправимы, — взорвался я. — Вас скрутил артрит. Вы неподвижны и беспомощны. И все-таки пытаетесь играть в одиночку.

— Не думайте, что я играю в одиночку. Вовсе нет. Совсем напротив, Гастингс, от вас многое зависит в этом деле. Вы — мои глаза и уши. Я лишь отказываюсь давать вам информацию, которая может быть опасной.

— Для меня?

— Для убийцы.

— Вы хотите, — предположил я, — чтобы он не подозревал, что вы идете по следу? Думаю, дело в этом. Или вы полагаете, что я не в состоянии о себе позаботиться.

— Вам следует знать по крайней мере одну вещь, Гастингс. Человек, который убил один раз, будет убивать снова — и снова, и снова, и снова.

— Во всяком случае, — мрачно заметил я, — на этот раз не было убийства. По крайней мере одна пуля не достигла цели.

— Да, это было счастье — большое счастье. Как я говорил вам, подобные вещи трудно предвидеть.

Он вздохнул. На лице появилось огорченное выражение.

Я тихонько вышел из комнаты, с печалью думая, насколько не способен теперь Пуаро напрягаться. Ум его все такой же острый, но сам Пуаро — больной и усталый человек.

Пуаро предостерег меня, чтобы я не пытался разгадывать, кто такой Х. Но в душе я по-прежнему придерживался убеждения, что разгадал его. Лишь один человек в Стайлз казался мне несомненно порочным. Однако у меня была возможность удостовериться кое в чем, задав простой вопрос. Эта проверка даст отрицательный результат, но тем не менее будет представлять определенный интерес.

После завтрака я как бы между прочим спросил у Джудит:

— Где ты была вчера вечером, когда я встретил вас с майором Аллертоном?

К сожалению, увлекшись одним аспектом дела, совершенно выпускаешь из виду все остальные. Я растерялся, когда Джудит набросилась на меня:

— Я действительно не понимаю, папа, какое тебе до этого дело!

Я смотрел на нее в полной растерянности.

— Я... я только спросил.

— Да, но *почему?* Почему ты все время задаешь вопросы? Что я делала? Куда ходила? С кем была? Это действительно невыносимо!

Самое смешное заключалось в том, что на этот раз я спрашивал вовсе не о том, где была Джудит. Меня интересовал Аллертон.

Я попытался успокоить дочь:

— В самом деле, Джудит, не понимаю, почему я не могу задать простой вопрос.

— Я не понимаю, зачем тебе это знать.

— Я о другом. Я имею в виду, меня просто удивило, почему ни один из вас... э-э... по-видимому, не знал, что случилось.

— Ты хочешь сказать, о несчастном случае? Если тебе непременно нужно знать, то я была в деревне, покупала марки.

Я ухватился за личное местоимение, употребленное ею.

— Значит, Аллертон не был с тобой?

Джудит издала раздраженный вздох.

— Нет, не был. Мы встретились возле дома, всего за две минуты до того, как столкнулись с тобой. Надеюсь, теперь ты удовлетворен. Но мне бы хотелось заметить, что, даже если бы я целый день разгуливала с майором Аллертоном, это не твое дело. Мне двадцать один год, я зарабатываю себе на жизнь, и как именно я провожу свое время — исключительно мое дело.

— Конечно, — поспешно согласился я, стараясь задобрить дочь.

— Я рада, что ты согласился, — смягчилась Джудит. Она грустно улыбнулась. — О, дорогой, пожалуйста, не разыгрывай из себя строгого отца. Ты себе не можешь представить, как это действует на нервы. Если бы ты так не *кудахтал!*

— Я не буду — правда, ни за что не буду, — пообещал я.

В этот момент к нам подошел Франклин.

— Привет, Джудит. Пойдемте. Мы сегодня позже, чем обычно.

Он обратился к ней резко, можно сказать, бесцеремонно. Я невольно испытал раздражение. Конечно, Франклин — работодатель Джудит, он вправе претендовать на ее время и поскольку он платит, то может ей приказывать. Однако я не понимал, почему бы ему не вести себя как подобает воспитанному человеку. Манеры у него были не изысканные, но с остальными людьми он был по крайней мере вежлив. А с Джудит обращался резко — особенно в последнее время —

и тон у него был диктаторский. Он почти не смотрел на нее, когда говорил, и только отрывисто выдавал приказания. Казалось, Джудит это не возмущало, в отличие от меня. Мне пришло в голову, что это особенно некстати, поскольку такое поведение резко отличалось от подчеркнутого внимания Аллертона. Конечно, Джон Франклин в десять раз лучше Аллертона, но сильно уступает ему в привлекательности.

Я наблюдал, как Франклин шагает к лаборатории своей неуклюжей походкой. Нескладная фигура, рыжие волосы, веснушки. Некрасивый человек. Никаких внешних достоинств. Правда, у него хорошие мозги, но женщины редко влюбляются только за ум. Я с тревогой подумал, что Джудит, из-за этой своей работы, практически никогда не общается с другими мужчинами. У нее не было возможности познакомиться с какими-нибудь привлекательными молодыми людьми. На фоне неотесанного и некрасивого Франклина порочные чары Аллертона становятся еще выигрышнее. У моей бедной девочки нет возможности определить их истинную цену.

А вдруг она по-настоящему влюбится в него? Раздражение, которое она только что проявила, — тревожный знак. Я знал, что Аллертон — плохой человек. А что, если это еще не все? Если Аллертон — Х?..

Это возможно. В тот момент, когда прогремел выстрел, он не был с Джудит.

Но каков мотив всех этих преступлений, кажущихся бесцельными? Я был уверен, что Аллертон вовсе не безумен. Он в здравом уме, полностью в здравом уме и абсолютно беспринципен.

И Джудит — моя Джудит — проводит с ним слишком много времени.

II

До этого момента я был так поглощен Х и тем, что преступление может совершиться в любой момент, что, хотя меня слегка тревожила дочь, личные мотивы отодвигались на второй план.

Теперь, когда удар нанесен и совершена попытка преступления, к счастью неудачная, я мог поразмыслить о своих проблемах. И чем больше я о них думал, тем тревожнее у меня становилось на душе. Случайное слово, как-то оброненное при мне, открыло мне, что Аллертон женат.

Бойд Каррингтон, знавший все обо всех, еще больше просветил меня на этот счет. Жена Аллертона была набожной католичкой. Она ушла от него вскоре после свадьбы. Из-за ее религии никогда не вставал вопрос о разводе.

— И скажу вам откровенно, — заметил Бойд Каррингтон, — это вполне устраивает негодяя. Намерения у него всегда самые бесчестные, и жена где-то на заднем плане для него весьма удобна.

Приятно услышать такое отцу!

Дни после несчастного случая с миссис Латтрелл текли спокойно, но моя тревога все усиливалась.

Полковник Латтрелл много времени проводил в спальне у жены. Прибыла сиделка, чтобы ухаживать за раненой, и сестра Крейвен снова поступила в распоряжение миссис Франклин.

Признаюсь, что не без злорадства заметил признаки раздражения у миссис Франклин, которая не была теперь больной en chef¹. Суматоха вокруг миссис Латтрелл и внимание к ней были явно неприятны маленькой леди, которая привыкла, что ее здоровье — главная тема дня.

Она возлежала в шезлонге, прижав руку к сердцу и жалуясь на сердцебиение. Ее не устраивала пища, а все ее капризы маскировались показным долготерпением.

— Мне так неприятно, когда из-за меня суетятся, — жалобно шептала миссис Франклин Пуаро. — Мне так стыдно, что у меня слабое здоровье. Это так... так *унизительно* постоянно просить людей что-нибудь для меня сделать. Порой я думаю, что слабое здоровье — это преступление. Если кто-то нездоров и не бесчув-

---

¹ Главный (*фр.*).

ствен, он не годится для этого мира. Его следует просто спокойно убрать.

— О нет, мадам. — Пуаро, как всегда, был галантен. — Хрупкий экзотический цветок должен цвести под защитой оранжереи — ему не вынести холодный ветер. Это простой сорняк прекрасно себя чувствует на холоде, но его отнюдь не ценят выше из-за этого. Посмотрите на меня — я искалечен, скрючен, лишен возможности передвигаться, но мне... мне не приходит в голову уйти из жизни. Я все еще наслаждаюсь тем, что мне доступно, — едой, напитками, радостями интеллектуальной жизни.

Миссис Франклин вздохнула и пролепетала:

— Ах, но у вас другое дело. Вы должны считаться только с собой. А в моем случае есть бедный Джон. Я с болью ощущаю, какой обузой для него являюсь. Больная никчемная жена. Жернов у него на шее.

— Уверен, он никогда вам так не говорил.

— О, не *говорил*. Конечно нет. Но мужчины, бедняжки, видны насквозь. И Джон совсем не умеет скрывать свои чувства. Разумеется, я не хочу сказать, что он недобр, — но, к счастью для себя, очень неэмоционален. Ему неведомы душевные переживания, и поэтому он не ожидает, что они у кого-то есть. Это такое счастье — родиться толстокожим.

— Я бы не назвал доктора Франклина толстокожим.

— В самом деле? О, но вы же не знаете его так хорошо, как я. Конечно, я понимаю, что, если бы не я, он был бы гораздо свободнее. Знаете, иногда я так ужасно расстраиваюсь, что думаю: каким облегчением было бы покончить со всем этим.

— О, не надо, мадам.

— В конце концов, какая от меня польза кому бы то ни было? Уйти от всего этого в Великое Неизвестное... — Она покачала головой. — И тогда Джон будет свободен.

— Чепуха! — решительно возразила сестра Крейвен, когда я повторил ей этот разговор. — Она не сделает ничего подобного. Не беспокойтесь, капитан Гастингс.

Те, кто с видом умирающего лебедя болтают о том, чтобы «покончить со всем этим», не имеют ни малейшего намерения так поступить.

И я должен отметить, что, когда волнение, вызванное ранением миссис Латтрелл, улеглось, и миссис Франклин снова получила сестру Крейвен в свое полное распоряжение, настроение больной резко улучшилось.

В одно чудесное утро Куртис устроил Пуаро под буками, неподалеку от лаборатории. Этот уголок был защищен от восточного ветра, и вообще туда не проникало даже легкое дуновение ветерка. Это вполне устраивало Пуаро, который терпеть не мог сквозняки и всегда питал недоверие к свежему воздуху. Мне кажется, что он предпочитал находиться в доме, но терпел пребывание на воздухе, если его хорошо укутывали.

Я подошел к Пуаро и уселся рядом. В этот момент из лаборатории вышла миссис Франклин.

Она была одета с большим вкусом и пребывала в удивительно бодром расположении духа. Миссис Франклин объяснила, что едет вместе с Бойд Каррингтоном осмотреть его дом и проконсультировать на предмет выбора штор и тканей для обивки.

— Вчера я оставила сумочку в лаборатории, когда заходила побеседовать с Джоном. Бедный Джон, они с Джудит уехали в Тадкастер — у них кончился какой-то там реактив.

Миссис Франклин опустилась на складной стул рядом с Пуаро и покачала головой, придав лицу ироническое выражение.

— Бедняжка! Я рада, что не обладаю научным складом ума. В такой чудесный день подобные заботы представляются ребяческими.

— Не дай Бог, мадам, если вы скажете подобное при ученых.

— О, конечно нет. — Лицо ее сделалось серьезным. — Не думайте, мсье Пуаро, что я не восхищаюсь своим мужем. Я восхищаюсь. Я полагаю, то, что он живет ради своей работы, — это настоящее подвижничество.

Голос ее слегка задрожал.

В душу мне закралось подозрение, что миссис Франклин любит играть разные роли. В данный момент она была преданной женой, преклоняющейся перед своим мужем.

Она доверительно коснулась рукой колена Пуаро.

— Джон — это... это действительно в своем роде святой. Иногда это меня даже пугает.

Пожалуй, она несколько переборщила, назвав Франклина святым, подумал я. Барбара же Франклин продолжала, и глаза ее сияли.

— Он готов сделать что угодно — пойти на любой риск — ради того, чтобы преумножить знания человечества. Это удивительно, не правда ли?

— Разумеется, разумеется, — поддакнул Пуаро.

— Но иногда, вы знаете, я боюсь за него, — продолжала миссис Франклин. — Ведь он, скажу я вам, доходит до крайностей. Этот ужасный боб, с которым он сейчас экспериментирует. Я боюсь, он начнет проводить эксперименты на себе.

— Он конечно же примет меры предосторожности, — заметил я.

Она покачала головой с печальной улыбкой.

— Вы не знаете Джона. Вы никогда не слышали про его испытания нового газа?

— Нет, — ответил я.

— Необходимо было что-то выяснить про какой-то новый газ. Джон вызвался испытать его. Его заперли в резервуар часов на тридцать шесть и измеряли ему пульс, температуру и дыхание, чтобы выяснить воздействие газа и определить, одинаково ли оно на людей и животных. Это был страшный риск, как сказал мне один из профессоров впоследствии. Он легко мог скончаться. Но таков уж Джон — он совершенно забывает о собственной безопасности. Я думаю, чудесно быть таким, вы не находите? *Мне* бы никогда не хватило смелости.

— Да, тут действительно требовалось большое мужество, — согласился Пуаро, — чтобы совершить такое хладнокровно!

— Вот именно, — сказала Барбара Франклин. — Я ужасно горжусь им, но в то же время очень волнуюсь за него. Потому что, видите ли, на определенной стадии недостаточно морских свинок и лягушек. Нужна реакция человека. Вот почему я испытываю такой ужас при мысли о том, что Джон проведет на себе эксперимент с этим мерзким калабарским бобом и случится что-то страшное. — Она вздохнула и покачала головой. — Но он только смеется над моими страхами. Вы знаете, он действительно в некотором роде святой.

В этот момент к нам подошел Бойд Каррингтон.

— Привет, Бабс, ты готова?

— Да, Билл, жду тебя.

— Надеюсь, поездка не слишком тебя утомит.

— Конечно нет. Я уже сто лет не чувствовала себя так хорошо, как сегодня.

Она встала, мило улыбнулась нам с Пуаро и зашагала по лужайке со своим высоким спутником.

— Доктор Франклин — современный святой... гм, — произнес Пуаро.

— Довольно крутая смена настроения, — заметил я. — Впрочем, такова уж эта леди.

— Какова?

— Любит выступать в разных ролях. Один день — это непонятая жена, которой пренебрегают, завтра — страдающая женщина, готовая пожертвовать собой, которой ненавистна мысль, что она — обуза для любимого человека. А сегодня — это соратница, преклоняющаяся перед мужем-героем. Беда в том, что она немного переигрывает во всех этих ролях.

Пуаро задумчиво проговорил:

— Вы полагаете, миссис Франклин — дурочка, не так ли?

— Ну, я бы так не сказал — пожалуй, не очень блещет умом.

— Ах, она просто не в вашем вкусе.

— А кто в моем вкусе? — резко спросил я.

— Закройте глаза, — неожиданно пробормотал Пуаро, — и посмотрите, кого вам пошлют феи...

Я не успел ответить, как появилась сестра Крейвен, бежавшая прямо по газону. Она улыбнулась нам, сверкнув зубами, отперла дверь лаборатории, вошла внутрь и вновь появилась с парой перчаток.

— Сначала носовой платок, теперь перчатки — вечно *что-то* забывает, — бросила она на ходу и устремилась туда, где ждали Барбара Франклин и Бойд Каррингтон.

Миссис Франклин, подумалось мне, из тех беспомощных женщин, которые везде разбрасывают свои вещи, ожидая, что все будут за ними бегать, как будто так и надо. Она даже гордится этим. Я не раз слышал, как она с довольным видом говорила:

— Конечно, у меня голова как решето.

Я смотрел, как сестра Крейвен бежит по лужайке, пока она не скрылась из виду. Она бежала легко и красиво, тело ее было тренированным. Я невольно высказал вслух посетившую меня мысль:

— Наверно, эта девушка сыта по горло такой жизнью. Я имею в виду, когда приходится не столько ухаживать за больным, сколько быть на побегушках. Не думаю, что миссис Франклин очень уж добра и внимательна.

Ответ Пуаро сильно меня раздосадовал. Он прикрыл глаза и ни с того ни с сего прошептал:

— Золотисто-каштановые волосы.

Несомненно, у сестры Крейвен золотисто-каштановые волосы, но я не понимал, почему Пуаро выбрал именно эту минуту, чтобы сделать замечание по данному поводу.

Я ничего не ответил.

Глава 12

Мне кажется, на следующий день перед ленчем имел место разговор, оставивший у меня чувство смутного беспокойства.

Нас было четверо — Джудит, я, Бойд Каррингтон и Нортон.

Не помню, почему именно мы затронули эту тему, но говорили мы об эвтаназии — умерщвлении в случае неизлечимой болезни: доводы за и против.

Говорил главным образом Бойд Каррингтон, что вполне естественно. Нортон время от времени вставлял пару слов, а Джудит сидела молча, но слушала очень внимательно.

Сам я признался, что, хотя все говорят за то, чтобы принять эту практику, на деле меня что-то отталкивает от нее. Кроме того, по моему мнению, она дает слишком большую власть в руки родственников.

Нортон согласился со мной. Он добавил, что считает: это должно делаться лишь по желанию и с согласия пациента, когда после длительных страданий неизбежна смерть.

Бойд Каррингтон сказал:

— Да, но вот что любопытно. Хочет ли сам больной «покончить со страданиями», как мы говорим?

И он рассказал историю — по его словам, подлинную — о человеке, которого терзали ужасные боли. У него был неоперабельный рак. Больной попросил своего врача дать ему что-нибудь, чтобы покончить со всем этим. Доктор ответил: «Я не могу это сделать, старина». Позже, перед уходом, он положил на столик у кровати больного таблетки морфия, подробно объяснив, сколько нужно принимать и какая доза опасна. Хотя снотворное было в полном распоряжении пациента и тот мог принять роковую дозу, он этого не сделал.

— Это доказывает, — сказал Бойд Каррингтон, — что, несмотря на свои слова, больной предпочел страдания быстрой и безболезненной смерти.

Именно тогда впервые заговорила Джудит — резко и пылко.

— Конечно, предпочел, — заявила она. — Не следует предоставлять ему самому решать.

Бойд Каррингтон спросил, что она имеет в виду.

— Я имею в виду, что у того, кто слаб — от страданий и болезни, — нет сил принять решение. Они не могут это сделать. Это следует сделать за них. Долг того, кто их любит, — принять решение.

— Долг? — переспросил я.

Джудит повернулась ко мне.

— Да, *долг*. Того, чей разум ясен и кто возьмет на себя ответственность.

— И закончить на скамье подсудимых с обвинением в убийстве? — потряс головой Бойд Каррингтон.

— Не обязательно. Во всяком случае, если вы кого-то любите, вам следует пойти на риск.

— Но послушайте, Джудит, — вмешался Нортон, — то, что вы предлагаете, означает огромную ответственность.

— Не думаю. Люди слишком уж боятся ответственности. Они ведь готовы решить судьбу собаки — почему бы не сделать то же самое по отношению к человеческому существу?

— Ну... это же совсем другое, не так ли?

— Да, это важнее, — ответила Джудит.

Нортон прошептал:

— Вы меня просто ошеломили.

Бойд Каррингтон осведомился с любопытством:

— Значит, *вы* бы решились, не правда ли?

— Я так думаю. Я не боюсь брать на себя ответственность.

Бойд Каррингтон покачал головой.

— Так не годится, знаете ли. Нельзя, чтобы все, кому заблагорассудится, брали закон в свои руки и решали вопрос жизни и смерти.

— А ведь на самом деле, Бойд Каррингтон, — заметил Нортон, — мало у кого хватит *мужества* взять на себя ответственность. — Со слабой улыбкой он взглянул на Джудит: — Сомневаюсь, что вы бы смогли, если бы дошло до дела.

Джудит ответила ему сдержанно:

— Конечно, нельзя быть полностью уверенной, но думаю, я бы смогла.

— Разве что тут был бы замешан ваш личный интерес, — сказал Нортон, и глаза его блеснули.

Джудит залилась краской.

— Это показывает, что вы ничего не поняли, — отрезала она. — Если бы у меня был... был личный мотив, я бы ничего не смогла сделать. Как вы не понимаете? — обратилась она ко всем нам. — Тут не должно быть абсолютно ничего личного. Можно взять на себя ответственность, чтобы... чтобы прервать жизнь, только если совершенно уверен в бескорыстии своего мотива.

— Все равно вы бы этого не сделали, — не сдавался Нортон.

Джудит продолжала настаивать:

— Сделала бы. Для начала, в отличие от всех вас, я не считаю жизнь священной. Ненужные жизни, бесполезные жизни — их нужно убрать с пути. Они вносят столько *путаницы*. Только людям, которые могут сделать достойный вклад в общество, должно быть позволено жить. Другие должны быть безболезненно убраны. — Внезапно она обратилась к Бойд Каррингтону: — Вы согласны со мной, не так ли?

Он неуверенно проговорил:

— В принципе да. Только достойные должны выжить.

— Разве вы не взяли бы закон в свои руки, будь это возможно?

— Может быть. Не знаю...

Нортон тихо вставил:

— Многие согласились бы с вами в теории. Но практика — дело другое.

— Это нелогично.

Нортон нетерпеливо сказал:

— Конечно нет. Это действительно вопрос *мужества*. Выражаясь вульгарным языком, кишка тонка.

Джудит молчала. Нортон продолжил:

— Нет, честно, Джудит, с вами было бы то же самое. У вас не хватило бы мужества, если бы дошло до дела.

— Вы так думаете?

— Я в этом уверен.

— Думаю, вы заблуждаетесь, Нортон, — вмешался Бойд Каррингтон. — По-моему, у Джудит есть мужество. К счастью, наш спор беспредметен.

Из дома донесся звук гонга.

Джудит встала.

Она четко произнесла, обращаясь к Нортону:

— Вы ошибаетесь. У меня больше... больше мужества, чем вы думаете.

Она быстро пошла к дому. Бойд Каррингтон поспешил за ней со словами:

— Эй, подождите меня, Джудит.

Я пошел за ними, охваченный беспричинным смятением. Нортон, который всегда чутко реагировал на настроение собеседника, попытался меня утешить:

— Знаете, она не имела в виду ничего такого. Это что-то вроде незрелых теорий, какие бывают у молодых. К счастью, их никогда не осуществляют. Дело кончается разговорами.

Думаю, Джудит услышала эти слова, поскольку бросила яростный взгляд через плечо.

Нортон понизил голос.

— Не стоит огорчаться из-за теорий, — продолжал он. — Но послушайте, Гастингс...

— Да?

Нортон казался смущенным. Он спросил:

— Не хочу вмешиваться, но что вы знаете об Аллертоне?

— Об Аллертоне?

— Да. Простите, если я сую нос не в свое дело, но, откровенно говоря, на вашем месте я бы не позволял своей дочери проводить с ним слишком много времени. Он... ну, в общем, у него не очень-то хорошая репутация.

— Я и сам вижу, что он за птица, — ответил я с горечью. — Но в наше время не так-то просто быть отцом взрослой дочери.

— О, я знаю. Как говорится, девушки могут сами о себе позаботиться. И большинство действительно может. Но... э-э... у Аллертона довольно своеобразный метод по этой части. — Он замялся, потом продолжил: — Послушайте, я чувствую, что обязан вам сообщить. Разумеется, это не должно пойти дальше, но я случайно кое-что о нем знаю.

И он рассказал мне грязную историю, которую я смог позднее проверить во всех деталях. Историю о девушке, уверенной в себе, современной, независимой. Аллертон пустил в ход все средства, чтобы добиться у нее успеха. А закончилось все тем, что девушка в отчаянии отравилась, приняв большую дозу веронала.

И самое ужасное заключалось в том, что эта девушка была очень похожа на Джудит — такая же независимая интеллектуалка. Когда такая девушка влюбляется, то отдается чувству сполна, со всей силой страсти, неведомой пустым глупеньким кокеткам.

Я отправился на ленч с ужасным предчувствием.

Глава 13

I

— Вас что-то тревожит, mon ami? — спросил меня Пуаро в тот день. Я не ответил ему, а просто покачал головой. У меня было такое чувство, что я не вправе обременять Пуаро своими личными проблемами. Да и вряд ли он мог чем-нибудь помочь.

Джудит ответила бы на его увещания отсутствующей улыбкой — как все молодые, когда старики докучают им советами.

Джудит, моя Джудит...

Сейчас трудно описать, через что мне пришлось пройти в тот день. Когда я размышлял над этим впоследствии, то склонен был в чем-то винить атмосферу Стайлз. Зловещие мысли так и лезли в голову. Там было не только страшное прошлое, но и зловещее настоящее. Тень убийства и убийцы нависла над домом.

И я был почти уверен, что этот убийца — Аллертон; а Джудит увлеклась им! Это было невероятно, чудовищно, и я не знал, что делать.

После ленча Бойд Каррингтон отозвал меня в сторону. Он немного помялся перед тем, как перейти к делу. Наконец он начал:

— Не думайте, что я вмешиваюсь, но, по-моему, вам нужно побеседовать с дочерью. Предостерегите ее, ладно? Вы знаете этого парня Аллертона — репутация у него никудышная, а она... словом, похоже, это серьезно.

Легко говорить тем, у кого нет детей! Предостерегите ее!

Будет ли от этого толк? Или только ухудшит дело?

Если бы только здесь была Цинтия. Она бы знала, что сделать и что сказать.

Признаюсь, что у меня было искушение не вмешиваться. Но потом я подумал, что это трусость. Я пытался избежать неприятных объяснений с Джудит. Боялся своей высокой красивой дочери.

Я разгуливал по саду, и волнение мое все возрастало. Наконец я забрел в уголок, где цвели розы, и тут все само решилось. Я увидел Джудит, в одиночестве сидевшую на скамейке. Никогда еще мне не доводилось видеть такого горестного выражения лица у женщины.

Маска была сброшена, и смятение и отчаяние предстали во всей наготе.

Я собрался с духом и подошел к дочери. Она не слышала моих шагов, пока я не подошел вплотную.

— Джудит, — сказал я. — Ради Бога, Джудит, не расстраивайся так.

Вздрогнув, она повернулась ко мне.

— Папа? Я тебя не слышала.

Я продолжал, понимая, что, если ей удастся перевести беседу в обычное будничное русло, все пропало.

— О, мое дорогое дитя, не думай, что я ничего не знаю, ничего не вижу. Он этого не стоит — о, поверь мне, не стоит.

Ее встревоженное лицо было обращено ко мне. Она тихо спросила:

— Ты полагаешь, что действительно знаешь, о чем говоришь?

— Да, знаю. Тебе нравится этот человек. Но, моя дорогая, это не доведет до добра.

Она мрачно улыбнулась. Улыбкой, разрывающей сердце.

— Возможно, я знаю это не хуже тебя.

-- Нет, не знаешь. Не можешь знать. О, Джудит, что выйдет из всего этого? Он женат. С ним у тебя нет никакого будущего — только печаль и позор. И все это закончится отвращением к себе.

Ее улыбка стала шире — и еще печальнее.

— Как гладко ты говоришь!

— Откажись от этого, Джудит, откажись!

— Нет!

— Он того не стоит, моя дорогая.

Она произнесла очень спокойно и медленно:

— Для меня он стоит целого мира.

— Нет, нет. Джудит, я прошу тебя...

Джудит перестала улыбаться. Она повернулась ко мне, готовая, казалось, растерзать меня.

— Как ты смеешь? Какое ты имеешь право вмешиваться? Я не потерплю этого. И больше не заговаривай со мной на эту тему. Я ненавижу тебя, ненавижу. Это не твое дело. Это *моя* жизнь — моя личная жизнь!

Она встала. Решительно отстранила меня и разъяренной фурией прошла мимо. Я в отчаянии смотрел ей вслед.

II

Спустя четверть часа я все еще был в розарии, озадаченный, беспомощный и неспособный решить, что мне следует теперь предпринять.

Здесь меня и нашли Элизабет Коул и Нортон.

Как я осознал позднее, они были очень добры ко мне. Они увидели — должны были увидеть, — что я пребываю в сильном смятении. Однако они были столь тактичны, что ни словом не намекнули на мое состояние. И взяли с собой на прогулку. Оба они любили природу. Элизабет обращала мое внимание на дикие цветы, а Нортон давал посмотреть в бинокль на птиц.

Их беседа, касавшаяся только пернатых и лесной флоры, подействовала на меня успокоительно. Мало-помалу я пришел в себя, хотя в душе все еще был полный хаос.

К тому же, как это свойственно всем людям, я был убежден, что все происходившее вокруг связано с моими собственными проблемами.

Так, когда Нортон, поднеся бинокль к глазам, воскликнул:

— О, да это же крапчатый дятел! Надо же... — и затем внезапно замолчал, у меня сразу же возникло подозрение. Я протянул руку за биноклем.

— Дайте мне посмотреть. — Тон у меня был безапелляционный.

Нортон медлил, не отдавая мне бинокль. Он сказал каким-то странным голосом:

— Я... я ошибся. Он улетел — во всяком случае, это был обычный дятел.

Лицо у него было бледное и расстроенное, и он отводил глаза. Казалось, он чем-то смущен и растерян.

Даже сейчас я полагаю, что мое подозрение было не напрасно. Он видел в бинокль что-то такое, что решил скрыть от меня.

Во всяком случае, увиденное его обескуражило, и мы оба это заметили.

Его бинокль был направлен на полоску леса вдали. Что он там увидел?

Я сказал повелительным тоном:

— Дайте мне посмотреть, — и потянулся за биноклем.

Помню, Нортон попытался помешать мне, но сделал это неловко. Я резко вырвал бинокль у него из рук.

— Это действительно не был... — беспомощно пробормотал Нортон, — я имею в виду, птица улетела. Я хочу...

Мои руки слегка тряслись, когда я регулировал бинокль. Стекла были мощные. Я направил его в ту сторону, куда, как мне казалось, смотрел Нортон.

Но я ничего не увидел — только мелькнуло что-то белое (белое платье девушки?), исчезая за деревьями.

Я опустил бинокль. Ни слова не говоря, передал его Нортону. Он отвел от меня глаза. Вид у него был встревоженный.

Мы вместе вернулись домой, и, насколько я помню, Нортон всю дорогу был очень молчалив.

III

Миссис Франклин и Бойд Каррингтон появились вскоре после того, как мы вернулись домой. Он возил ее в своем автомобиле в Тадкастер, поскольку она хотела сделать какие-то покупки.

По-видимому, миссис Франклин сполна воспользовалась представившейся возможностью. Из машины вынесли множество свертков, а у миссис Франклин был весьма оживленный вид, щеки разрумянились; она весело смеялась и щебетала.

Она доверила Бойд Каррингтону особенно хрупкие покупки, а я галантно вызвался донести до дому остальное.

Речь ее была более взволнованная, чем обычно:

— Ужасно жарко, не правда ли? Думаю, будет гроза. Погода скоро должна испортиться. Знаете, говорят, выпало очень мало осадков. Такой засухи не было уже много лет. — Миссис Франклин продолжала, повернувшись к Элизабет Коул: — А что вы все тут делали? Где Джон? Он сказал, что у него болит голова и он собирается на прогулку. Очень не похоже на него — страдать от головной боли. Знаете, мне кажется, он беспокоится из-за своих экспериментов. Что-то там у него не ладится. Хотелось бы, чтобы он больше рассказывал. — Она сделала паузу, потом обратилась к Нортону: — Вы очень молчаливы, мистер Нортон. Что-нибудь случилось? У вас такой... такой перепуганный вид. Уж не увидели ли вы призрак старой миссис Как-бишь-ее?

Нортон вздрогнул.

— Нет, нет. Я не видел никаких привидений. Я... просто задумался.

Именно в этот момент в дверях появился Куртис, который вез Пуаро в инвалидном кресле.

Он остановился в холле, готовясь вынуть своего господина и отнести по лестнице на второй этаж.

Пуаро, глаза которого смотрели настороженно, переводил взгляд с одного из нас на другого.

Он отрывисто спросил:

— Что такое? Что-нибудь случилось?

В первый момент никто не ответил ему, затем Барбара Франклин сказала с деланным смешком:

— Нет, конечно нет. А что должно было случиться? Просто... может быть, приближается гроза? Я... о Боже, я ужасно устала. Пожалуйста, капитан Гастингс, отнесите эти вещи наверх. Большое вам спасибо.

Я последовал за ней по лестнице и по восточному крылу. Ее комната была последней по этой стороне.

Миссис Франклин открыла дверь. Я стоял позади нее, и руки мои были полны свертков.

Она резко остановилась в дверях. У окна стоял Бойд Каррингтон, а сестра Крейвен, держа в руках его ладонь, изучала ее.

Баронет взглянул на нас и смущенно рассмеялся:

— Привет, а мне предсказывают судьбу. Сестра умеет потрясающе читать по руке.

— В самом деле? Я понятия не имела. — Голос Барбары Франклин прозвучал довольно резко. Мне показалось, она была весьма недовольна сестрой Крейвен. — Пожалуйста, возьмите эти вещи, сестра. Вы должны сделать мне горячее вино с горячей водой, пожалуйста. Я поскорее лягу в постель.

— Конечно, миссис Франклин.

Сестра Крейвен отошла от окна. Лицо ее не выражало ничего, кроме деловитости сиделки, в обязанность которой входит выполнение всех требований больного.

Миссис Франклин сказала:

— Пожалуйста, ступай, Билл, я ужасно устала.

— О, послушай, Бабс, ты переутомилась? — всполошился Бойд Каррингтон. — Я так виноват! Какой же я легкомысленный дурак. Мне следовало подумать, что для тебя это слишком большая нагрузка.

Миссис Франклин одарила его ангельской улыбкой мученицы.

— Мне не хотелось ничего говорить. Я так не люблю быть кому-либо *в тягость*.

Мы с Бойд Каррингтоном, слегка сконфуженные, вышли из комнаты, оставив двух женщин наедине.

Бойд Каррингтон сокрушался:

— Какой же я, черт возьми, идиот! Барбара казалась такой оживленной и веселой, что я забыл о ее слабом здоровье. Надеюсь, она не наделала себе вреда.

Я машинально ответил:

— О, думаю, ей просто надо отдохнуть и хорошенько выспаться ночью.

Он начал спускаться по лестнице. Я немного замешкался, затем направился в другое крыло, к своей комнате и комнате Пуаро. Маленький человек ждет меня. Впервые я неохотно шел к нему. Голова моя была занята своими мыслями, душу точил червь подозрений.

Я медленно шел по коридору.

Из комнаты Аллертона до меня донеслись голоса. Не думаю, чтобы я сознательно собирался подслушивать, но тем не менее я автоматически остановился перед дверью. И тут она внезапно распахнулась, и из комнаты вышла моя дочь Джудит.

При виде меня она замерла на месте. Схватив Джудит за руку, я подтолкнул ее к своей комнате и зло спросил:

— С какой стати ты зашла в комнату к этому парню?

Она в упор смотрела на меня. Теперь она не выказала гнева, но взгляд был ледяной. Несколько секунд Джудит не отвечала.

Я потряс ее руку.

— Я этого не потерплю, ты слышишь? Ты сама не понимаешь, что делаешь.

Джудит тихо ответила с язвительной ноткой в голосе:

— Полагаю, у тебя весьма грязное воображение.

— Полагаю, что так, — ответил я. — Твое поколение любит упрекать в этом наше. Но, по крайней мере, у нас есть твердые моральные устои. Запомни, Джудит, что я категорически запрещаю тебе общаться с этим человеком.

Моя дочь пристально взглянула на меня, затем спокойно проговорила:

— Понятно. Значит, вот оно что.

— Ты отрицаешь, что влюблена в него?

— Нет.

— Но ты же не знаешь, что он собой представляет. Не можешь знать.

И, намеренно ничего не смягчая, я повторил ей историю об Аллертоне, рассказанную мне.

— Вот видишь, — заключил я свой рассказ. — Он — грязный негодяй.

Джудит это только вывело из себя. Губы ее скривились в презрительной усмешке.

— Я никогда не считала его святым, уверяю тебя.

— Разве тебе это безразлично? Джудит, ты же не можешь быть до такой степени испорчена.

— Называй это так, если тебе угодно.

— Джудит, ты не можешь... ты не...

Я не находил слов. Она стряхнула мою руку.

— А теперь послушай, отец. Я поступаю так, как нахожу нужным. И перестань меня запугивать. Это не приведет ни к чему хорошему. Я буду делать со своей жизнью все, что пожелаю, и ты не сможешь меня остановить.

В следующее мгновение ее не было в моей комнате.

У меня тряслись колени.

Я рухнул в кресло. Все было хуже, — гораздо хуже — чем я думаю. Девочка совсем потеряла голову. Мне не к кому обратиться за помощью. Ее мать — единственный человек, к кому Джудит могла бы прислушаться, — мертва. Теперь все зависело от меня.

Думаю, никогда — ни до, ни после того — я не чувствовал себя таким несчастным, как тогда.

Вскоре я встрепенулся. Вымылся, побрился и переоделся. Я спустился к обеду. Полагаю, что вел себя совершенно естественно. Казалось, никто ничего не заподозрил.

Пару раз я заметил, как Джудит бросала на меня любопытные взгляды. Должно быть, ее удивило, что я способен вести себя как обычно.

Но все это время моя решимость все больше возрастала.

Единственное, что мне нужно, — это мужество и мозги.

После обеда мы вышли во двор, взглянули на небо, обменялись замечаниями о том, как душно, предсказывали дождь, гром, грозу.

Краешком глаза я заметил, как Джудит исчезла за углом дома. Вскоре и Аллертон зашагал в том же направлении.

Закончив беседу с Бойд Каррингтоном, я тоже направился туда.

Думаю, Нортон попытался меня остановить. Он взял меня за руку. Кажется, предложил прогуляться по саду, к кустам роз. Я не слушал его.

Он все еще был рядом, когда я завернул за угол.

Они были там. Я увидел лицо Джудит, обращенное к Аллертону, увидел, как он склонился над ней, обнял ее, и увидел поцелуй, который последовал.

Затем они быстро оторвались друг от друга. Я сделал шаг вперед. Нортон с трудом оттащил меня за угол дома.

— Послушайте, вы не можете... — забормотал он.

Я перебил его.

— Могу. Я сделаю это, — решительно произнес я.

— Это *не поможет,* мой дорогой. Все это очень печально, но дело в том, что вы ничего не *можете* поделать.

Я молчал. Пусть думает, что это так, но я-то лучше знаю.

Нортон продолжал:

— Я знаю, каким беспомощным и взбешенным себя чувствуешь, но единственное, что можно сделать, — это признать поражение. *Смиритесь,* старина!

Я не возражал ему. Я ждал, позволяя ему болтать. Потом снова решительно обогнул угол дома.

Пара уже исчезла, но я догадывался, где они могут быть. Неподалеку, в зарослях сирени, была уединенная беседка.

Я направился к ней. Кажется, Нортон все еще был со мной. Впрочем, я в этом не уверен.

Подойдя поближе, я услышал голоса и остановился. Это был голос Аллертона:

— Итак, моя дорогая девочка, решено. Больше не возражай мне. Завтра ты приезжаешь в город. Я скажу, что еду на пару дней в Ипсуич повидаться с приятелем. Ты посылаешь телеграмму из Лондона, что не можешь попасть обратно. И ни одна душа не узнает о тихом милом ужине в моей квартире. Тебе не придется об этом жалеть, обещаю тебе.

Я чувствовал, что Нортон тянет меня прочь, и сделал вид, что внезапно послушался его. Я чуть не рассмеялся при виде его огорченного, встревоженного лица и позволил увести себя в дом. Я притворился, что сдаюсь, потому что в тот самый момент уже знал, что сделаю...

— Не беспокойтесь, старина, — проговорил я твердо. — Все это бесполезно — теперь я и сам вижу. Невозможно распоряжаться жизнью своих детей. Я с этим покончил.

Он, похоже, поверил, что меня развеселило.

Вскоре после этого я сказал Нортону, что лягу сегодня пораньше. У меня немного болит голова, пожаловался я.

У него не возникло ни малейших подозрений относительно того, что я собирался сделать.

V

На минуту я задержался в коридоре. Там было тихо и безлюдно. Горничная уже расстелила постели на ночь. Нортона, комната которого помещалась на этой стороне, я оставил внизу. Элизабет Коул играла в бридж. Куртис, как мне было известно, ужинал внизу. Весь этаж был в моем распоряжении.

К чести своей должен сказать, что не зря проработал столько лет вместе с Пуаро. Я знал, какие именно предосторожности нужно принять.

Аллертон не встретится с Джудит завтра в Лондоне. Все до смешного просто.

Я пошел в свою комнату и взял пузырек с аспирином. Потом зашел в комнату Аллертона и в его ванную. Таблетки сламберила находились в аптечке. Восьми, решил я, будет достаточно. Одна-две таблетки — обычная доза этого снотворного. Следовательно, восемь — то, что надо. Сам Аллертон сказал, что доза, которой можно отравиться, невелика. Я прочел ярлык: «Опасно превышать предписанную дозу» — и улыбнулся.

Затем, обернув руку шелковым носовым платком, осторожно отвинтил пробку. На ней не должны остаться отпечатки пальцев.

Я высыпал таблетки. Да, они почти точно такого же размера, как аспирин. Отложив себе восемь таблеток, я положил в пузырек такое же количество аспирина, а сверху насыпал оставшиеся таблетки снотворного. Теперь пузырек выглядел в точности так же, как прежде. Аллертон не заметит разницы.

Я вернулся в свою комнату. У меня была бутылка виски — почти как у всех в Стайлз. Я достал два стакана и сифон. Аллертон никогда еще не отказывался от выпивки. Когда он придет, я предложу ему пропустить стаканчик спиртного перед сном.

Я бросил таблетки сламберила в стакан и налил немного виски. Они довольно легко растворились. Я в высшей степени осторожно попробовал смесь. Возможно, чуть-чуть горчит, но это едва заметно. Мой план был таков: когда появится Аллертон, я как раз буду наливать себе виски; я передам этот стакан ему, а себе налью другой. Все будет выглядеть вполне естественно.

Он понятия не имеет о моих чувствах — разве что ему рассказала Джудит. Немного поразмыслив, я решил, что это исключено. Джудит никому ничего не расскажет.

Вероятно, он считает, что я ничего не подозреваю об их плане.

Мне оставалось только одно — ждать. Пройдет еще немало времени, вероятно час или два, прежде чем Аллертон отправится спать. Он всегда поздно ложился.

Я спокойно сидел, поджидая его.

Внезапный стук в дверь заставил меня вздрогнуть. Однако это был всего лишь Куртис. Пуаро меня звал.

Я сразу же пришел в себя. Пуаро! Я ни разу не вспомнил о нем за весь вечер. Должно быть, он не понимает, что со мной случилось. Мне стало немного не по себе, во-первых, потому что я так и не побывал у него, а во-вторых, я побоялся, как бы он не заподозрил, что со мной творится что-то неладное.

Я последовал за Куртисом по коридору.

— Eh bien! — воскликнул Пуаро. — Итак, вы меня покинули?

Я притворно зевнул и улыбнулся с извиняющимся видом.

— Ужасно виноват, старина. Но, по правде говоря, у меня прямо-таки раскалывается от боли голова и глаза на белый свет не глядят. Полагаю, это перед грозой. Я совсем одурел от этой боли — даже забыл, что не зашел пожелать вам спокойной ночи.

Как я и рассчитывал, Пуаро сразу же проникся сочувствием. Он предлагал лекарства. Он суетился. Он обвинял меня в том, что я сидел на улице, где меня продуло сквозняком. (Это в самый жаркий день лета!) Я отказался от аспирина на том основании, что якобы уже принял его. Но мне не удалось избежать чашки сладкого и совершенно омерзительного шоколада!

— Это питает нервы, поймите же, — объяснил Пуаро.

Я выпил шоколад, чтобы избежать споров, и затем пожелал доброй ночи своему другу, восклицания которого, полные нежности и тревоги, звенели у меня в ушах.

Вернувшись к себе в комнату, я нарочито громко захлопнул дверь. Затем с чрезвычайной осторожностью приоткрыл щелку. Теперь я обязательно услышу, как идет Аллертон. Но это будет еще не так скоро.

Я сидел в ожидании. И думал о своей покойной жене. Один раз я чуть слышно прошептал: «Ты же понимаешь, дорогая, я должен спасти ее».

Она оставила Джудит на моем попечении, и я ее не подведу.

В полной тишине я вдруг почувствовал, что Цинтия совсем близко.

Мне казалось, будто она находится в комнате, рядом со мной.

И я продолжал сидеть в мрачном ожидании.

Глава 14

I

Как это ни бьет по моему самолюбию, я вынужден признаться, что в ответственный момент сплоховал.

Дело в том, что, сидя в ожидании Аллертона, я заснул!

Полагаю, тут нет ничего удивительного. Я очень плохо спал ночью накануне. Провел целый день на воздухе. Был измотан тревогой и нервным напряжением, ценой которого мне далось решение сделать то, что я собирался. И все это происходило в гнетущей предгрозовой атмосфере. Возможно, сыграло свою роль и неимоверное усилие, дабы сосредоточиться.

Так или иначе, это случилось. Я уснул в своем кресле, а когда проснулся, за окном щебетали птицы и светило солнце. Я сидел в неудобной позе, мятом костюме. Во рту был неприятный вкус, голова раскалывалась.

В первый момент я был сконфужен, растерян, противен самому себе, но затем испытал чувство огромного облегчения.

Кто это написал: «Самый мрачный день, если пережить его до завтра, закончится»? Как это верно!

Сейчас, на свежую голову, я ясно видел, как перевозбужден и не прав был вчера. Вел себя как в мелодраме, утратив всякое чувство меры. Я вознамерился убить другого человека.

Тут мой взгляд упал на стакан с виски, стоявший передо мной. Вздрогнув, я встал и, развернув занавеси, вылил его в окно. Должно быть, вчера вечером я сошел с ума!

Я побрился, принял ванну и оделся. Затем, почувствовав себя гораздо лучше, пошел к Пуаро. Как мне было известно, он очень рано просыпался. Я сел и чистосердечно все ему выложил.

Это было большим облегчением.

Он с мягкой укоризной покачал головой.

— Ах, какие глупости приходят вам в голову! Я рад, что вы пришли ко мне исповедаться в своих грехах. Но почему же, мой дорогой друг, вы не сделали это вчера вечером и не рассказали, что задумали?

Я сконфуженно признался:

— Наверно, я боялся, что вы попытаетесь меня остановить.

— Конечно, я бы вас остановил. Да уж, непременно. Неужели вы думаете, мне бы хотелось увидеть, как вас повесят, и все из-за этого крайне неприятного типа, майора Аллертона?

— Меня бы не поймали, — возразил я. — Я принял необходимые меры предосторожности.

— Так думают все убийцы. И вы не исключение! Но позвольте вам заметить, mon ami, вы были не так хитроумны, как вам кажется.

— Я был очень предусмотрителен. Я стер свои отпечатки пальцев с пузырька.

— Совершенно верно. Вы также стерли отпечатки пальцев Аллертона. И вот, когда его нашли бы мертвым, то, конечно, произвели бы вскрытие. Тут выясняется, что он умер от слишком большой дозы сламберила. Принял ли он ее случайно или умышленно? Tiens[1], на пузырьке нет его отпечатков пальцев. Но

---

[1] Ну вот (фр.).

почему же? Будь это несчастный случай или самоубийство, у него не было никаких причин стирать их. И тогда производят анализ оставшихся таблеток и выясняют, что почти все они заменены аспирином.

— Но практически у всех есть аспирин, — неуверенно пробормотал я.

— Да, но не у всех есть дочь, которую Аллертон преследует с бесчестными намерениями — если использовать фразу из старомодной драмы. А за день до того у вас с дочерью произошла из-за этого ссора. Два человека — Бойд Каррингтон и Нортон — могут подтвердить под присягой, что вы питали недобрые чувства к Аллертону. Нет, Гастингс, это выглядело бы весьма подозрительно. Внимание сразу же сфокусировалось бы на вас, а к тому времени, вероятно, вы испытывали бы такое чувство страха — или мучились угрызениями совести, — что какой-нибудь дельный инспектор полиции совершенно определенно решил бы, что вы — преступник. Я даже не исключаю возможности, что кто-то видел, как вы подменили таблетки.

— Не может быть. Поблизости никого не было.

— За окном — балкон. Кто-нибудь мог там находиться и заглянуть в окно. Или, как знать, кто-то мог подглядывать в замочную скважину.

— У вас, Пуаро, все время на уме замочные скважины. Вам кажется, что люди только и делают, что подглядывают в них.

Пуаро прикрыл глаза и заметил, что я по своей природе слишком доверчив.

— И позвольте сказать вам, в этом доме происходят весьма странные вещи с ключами. Лично мне спокойнее, когда моя дверь заперта изнутри, даже если добрый Куртис находится в соседней комнате. Вскоре после того, как я сюда приехал, исчез мой ключ, причем бесследно! Нужно было сделать другой.

— Ну что ж, в любом случае, — сказал я с глубоким вздохом облегчения, поскольку мои мысли все еще были заняты собственными бедами, — из моей затеи ничего не вышло. Ужасно, что можно дойти до такого. — Я понизил голос: — Пуаро, вы не думаете, что из-за... из-за того давнего убийства в воздухе витает что-то вроде заразы?

— Вы хотите сказать, вирус убийства? Ну что же, это интересное предположение.

— Дома имеют свою особую атмосферу, — задумчиво произнес я. — У этого дома плохая история.

Пуаро кивнул:

— Да, здесь были люди — несколько человек, — которые очень сильно желали, чтобы кто-то другой умер. Это верно.

— Я верю, что это некоторым образом заражает. Но теперь посоветуйте, Пуаро, что мне делать — я имею в виду Джудит и Аллертона. Это нужно каким-то путем остановить. Как вы думаете, что мне предпринять?

— Ничего, — решительно отрезал Пуаро.

— О, но...

— Поверьте мне, вы наделаете меньше вреда, если не станете вмешиваться.

— Если бы мне крупно поговорить с этим Аллертоном...

— Что вы можете сказать или сделать? Джудит двадцать один год, и она сама себе хозяйка.

— Но мне кажется, я смогу...

— Нет, Гастингс, — перебил меня Пуаро. — Не воображайте, что вы достаточно умны или у вас достаточно авторитета или хитрости, чтобы навязать свою волю одному из этих двух людей. Аллертон привык иметь дело с разгневанными отцами, чувствующими свое бессилие, и смеяться над ними ему, вероятно, доставляет удовольствие. Джудит же не из тех, кого можно запугать. Уж если бы я советовал вам что-либо, так это — поступить совсем иначе. На вашем месте я бы доверял ей.

Я озадаченно уставился на него.

— Джудит, — продолжал Эркюль Пуаро, — сделана из прекрасного материала. Я ею восхищаюсь.

Я ответил неверным голосом:

— Я тоже ею восхищаюсь. Но я за нее боюсь.

Пуаро вдруг энергично потряс головой.

— Я тоже за нее боюсь. Но не так, как вы. Я ужасно боюсь. И я бессилен — или почти бессилен. А время идет. Существует опасность, и она очень близко.

II

Я не хуже Пуаро знал, что опасность очень близко. У меня было даже больше оснований тревожиться, чем у него, благодаря разговору, подслушанному накануне вечером.

Тем не менее я размышлял над фразой Пуаро, спускаясь к завтраку. «На вашем месте я бы доверял ей».

Она вспомнилась мне неожиданно, но дала странное чувство покоя. И чуть ли не сразу подтвердилась правота этой фразы. Потому что Джудит явно изменила свое решение уехать сегодня в Лондон.

Вместо этого она, как обычно, после завтрака отправилась с Франклином в лабораторию, и было ясно, что они проведут там трудный день и им предстоит большая работа.

У меня словно гора с плеч свалилась. Я возблагодарил Бога. Каким безумным и отчаявшимся я был вчера вечером! Предположил — причем со всей определенностью, — что Джудит приняла недвусмысленное предложение Аллертона. Но сейчас я осознал, что не слышал, как она согласилась. Нет, она слишком незаурядна и порядочна, чтобы сдаться. Она отказалась от этого свидания.

Как мне стало известно, Аллертон рано позавтракал и уехал в Ипсуич. Значит, он следует плану и, по-видимому, считает, что Джудит приедет в Лондон, как было условлено.

«Ну что же, — злорадно подумал я, — его ждет разочарование».

Появился Бойд Каррингтон и довольно брюзгливо заметил, что у меня весьма бодрый вид сегодня утром.

— Да, — ответил я. — У меня добрые новости.

Он сказал, что не может похвалиться тем же. У него был нудный телефонный разговор с архитектором, ка-

522

кие-то проблемы со строительством; местный маркшейдер вел себя по-хамски. И удручающие письма. К тому же он боится, что позволил миссис Франклин вчера переутомиться.

Миссис Франклин определенно брала реванш за вчерашний приступ бодрости. Как я узнал от сестры Крейвен, сегодня она была совершенно невыносима.

Сестре Крейвен пришлось отказаться от своего выходного, который был ей обещан, что весьма испортило ей настроение, так как сорвалась встреча с друзьями. С раннего утра миссис Франклин требовала то нюхательную соль, то грелки, то какую-то особую еду и питье и не отпускала сестру из комнаты. Она жаловалась на невралгию, боли в сердце, судороги в руках и ногах, озноб и Бог знает на что еще.

Должен сказать, что ни я и никто другой не были по-настоящему встревожены. Мы приписывали все это склонности миссис Франклин к ипохондрии.

Сестра Крейвен и доктор Франклин так же, как и все, не придавали значения поведению миссис Франклин.

Последнего вызвали из лаборатории. Он выслушал жалобы жены, спросил, не хочет ли она, чтобы пригласили местного доктора (это предложение миссис Франклин яростно отвергла). Затем доктор Франклин дал жене транквилизатор, успокоил ее, как мог, и снова вернулся к своей работе.

Сестра Крейвен сказала мне:

— Он знает, конечно, что она просто капризничает.

— Вы не думаете, что у нее действительно что-то не так?

— Температура нормальная, пульс прекрасный. Просто поднимает шум по пустякам, если хотите знать мое мнение.

Она была раздражена и говорила менее осторожно, чем обычно.

— Ей нравится мешать другим радоваться жизни. Она бы хотела, чтобы муж волновался, я прыгала вокруг нее, и даже сэр Уильям чувствовал себя негодяем из-за того, что «переутомил ее вчера». Она из таких.

Сестра Крейвен явно считала, что сегодня ее пациентка невыносима. Насколько я понял, миссис Франклин действительно крайне грубо с ней обращалась. Она была из тех женщин, которых медицинские сестры и слуги интуитивно недолюбливают — не столько из-за беспокойства, которое она причиняет, сколько из-за того, как при этом себя ведет.

Итак, как я говорил, никто из нас не отнесся серьезно к нездоровью миссис Франклин.

Единственное исключение составлял Бойд Каррингтон, слонявшийся вокруг с трогательным видом маленького мальчика, которого выбранили.

Сколько раз после этого я снова и снова перебирал события того дня, пытаясь вспомнить что-то упущенное в тот момент — какой-то крошечный забытый эпизод, ускользнувшую от внимания деталь. Я пытался вспомнить, как именно вел себя в тот день каждый — как обычно или выказывая волнение.

Позвольте мне еще раз изложить в точности, что я помню о каждом.

Бойд Каррингтон, как я уже сказал, чувствовал себя неуютно, и у него был виноватый вид. По-видимому, он считал, что накануне увлекся и, как настоящий эгоист, не подумал о хрупком здоровье своей спутницы. Он пару раз поднимался наверх, чтобы осведомиться, как себя чувствует Барбара Франклин, и сестра Крейвен, пребывавшая не в лучшем расположении духа, была с ним резка. Он даже побывал в деревне и купил коробку шоколадных конфет. Ее отослали обратно. «Миссис Франклин не выносит шоколада».

Бойд Каррингтон, который был безутешен, открыл коробку в курительной, где были мы с Нортоном. Мы втроем угостились в унылом молчании.

Нортону, как мне теперь кажется, в то утро определенно не давала покоя какая-то мысль. Он был задумчив, и пару раз я заметил, как он хмурит брови, словно чем-то озадаченный.

Он любил шоколад и теперь с рассеянным видом поглощал его в большом количестве.

Погода испортилась. С десяти часов шел дождь.

Он не навеял меланхолию, как это иногда бывает в хмурую погоду. Скорее дождь принес всем нам облегчение.

Около полудня Куртис спустил вниз Пуаро, и тот уютно устроился в гостиной. Здесь к нему присоединилась Элизабет Коул. Она играла для него на рояле. У нее была приятная манера исполнения. Элизабет играла Баха и Моцарта — любимых композиторов моего друга.

Франклин и Джудит пришли из сада примерно без четверти час. Джудит была бледна и держалась как-то скованно. Она почти все время молчала, с рассеянным видом озиралась, словно во сне, и вскоре ушла. Франклин посидел с нами. У него тоже был усталый и отсутствующий вид, и нервы, похоже, были на пределе.

Помнится, я сказал что-то насчет того, что дождь приносит облегчение, и доктор Франклин поспешно отозвался:

— Да. Бывает такое время, когда *что-то* должно разрешиться...

При этом у меня почему-то сложилось впечатление, что он говорил не только о погоде. Как всегда неуклюжий, он налетел на стол, и половина шоколадных конфет высыпалась на пол. С встревоженным видом доктор Франклин извинился — очевидно, перед коробкой.

— О, простите.

На сей раз мне почему-то не показалось это смешным. Он поспешно наклонился и принялся собирать рассыпанные конфеты.

Нортон спросил, трудное ли у него выдалось утро.

И тогда доктор вдруг улыбнулся своей мальчишеской, непосредственной улыбкой.

— Нет, нет, просто я сейчас понял, что шел неверным путем. Нужен гораздо более простой процесс. Теперь можно пойти кратчайшим путем.

Он стоял, слегка покачиваясь с пяток на носки, и в его рассеянном взгляде светилась решимость.

— Да, кратчайшим путем. Это лучше всего.

III

Если утром мы все были нервозные и неприкаянные, то день неожиданно прошел весьма приятно. Выглянуло солнце, в воздухе была разлита прохлада и свежесть. Миссис Латтрелл спустили вниз, и она сидела на веранде. Она была в прекрасной форме — обаятельна и остроумна, но без излишней экспансивности и без язвительности. Подтрунивала над мужем, однако добродушно и с нежностью, а он просто сиял. Было чудесно видеть, какие у них добрые отношения.

Пуаро также позволил вывезти свое кресло на воздух. Он тоже был в прекрасном настроении. Думаю, ему было приятно, что Латтреллы так милы друг с другом. Полковник сбросил несколько лет. Он держался увереннее и реже теребил усы. И даже предложил сыграть вечером в бридж.

— Дейзи так не хватает бриджа.

— Да, в самом деле, — подтвердила миссис Латтрелл.

Нортон предположил, что это ее утомит.

— Я сыграю один роббер, — ответила миссис Латтрелл и добавила, подмигнув: — И я буду хорошо себя вести и не стану есть поедом бедного Джорджа.

— Моя дорогая, — запротестовал ее муж, — я знаю, что никудышный игрок.

— И что с того? — не соглашалась миссис Латтрелл. — Разве мне не доставляет огромное удовольствие подкусывать тебя за это?

Мы все рассмеялись. Миссис Латтрелл продолжала:

— О, я знаю свои недостатки, но не собираюсь меняться, в мои-то годы. Джорджу просто придется с этим мириться.

Полковник Латтрелл посмотрел на нее с немым обожанием.

Полагаю, именно то, что мы видели чету Латтрелл в полном согласии друг с другом, вызвало дискуссию о браке и разводе, которая имела место несколько позже, в тот же день.

Являются ли возможности, предоставляемые разводом, благом для мужчин и женщин? Или за периодом временного раздражения и охлаждения (или проблем, связанных с появлением третьего лица) часто следует возрождение истинной привязанности и былых нежных чувств.

Иногда странно наблюдать, до какой степени взгляды людей не совпадают с практикой их личной жизни.

Мой собственный брак был невероятно счастливым и удачным, и я, по сути своей человек старомодный, однако же выступал за развод — за то, чтобы покончить с прошлым и начать все сначала. Бойд Каррингтон, потерпевший неудачу в браке, все-таки стоял за нерасторжимый брачный союз. По его словам, он питал глубочайшее почтение к институту брака. Это — основа государства.

Нортон, не связанный узами брака и не имевший опыта в этом деле, придерживался моей точки зрения. Франклин, современный ученый, как ни странно, решительно возражал против развода. Очевидно, развод был несовместим с его идеалом четкого мышления и действия. Вступая в брак, берут на себя определенную ответственность, и от нее нельзя впоследствии увиливать. Договор, сказал он, есть договор. Его заключают по доброй воле, и его следует выполнять. В противном случае возникает, как выразился Франклин, неразбериха. Полуразвязанные узлы, полураспавшиеся узы.

Доктор Франклин сидел откинувшись в кресле, вытянув длинные ноги; он говорил:

— Человек выбирает себе жену. И он берет на себя ответственность за нее, пока она не умрет — или он.

Нортон произнес с иронией:

— А иногда — о благословенная смерть, да?

Мы засмеялись, а Бойд Каррингтон сказал:

— Не вам говорить, мой дорогой, вы никогда не были женаты.

Покачав головой, Нортон ответил:

— А теперь уже слишком поздно.

— В самом деле? — Бойд Каррингтон насмешливо взглянул на него. — Вы в этом уверены?

Именно в этот момент к нам присоединилась Элизабет Коул. Она пришла от миссис Франклин.

То ли мне это почудилось, то ли Бойд Каррингтон действительно с многозначительным видом перевел взгляд с нее на Нортона, а Нортон покраснел.

Это подало мне новую идею, и я испытующе посмотрел на Элизабет Коул. Она была еще сравнительно молода. К тому же хороша собой. Обаятельная, милая и способная сделать мужчину счастливым. В последнее время они с Нортоном проводили много времени вместе. Они сдружились, охотясь за дикими цветами и птицами. Я вспомнил, как мисс Коул говорила, что Нортон очень добр.

Ну что же, коли так, я был рад за нее. Ее голодная и унылая жизнь в девичестве будет вознаграждена безоблачным счастьем. Трагедия, которую она пережила, не станет препятствием для этого счастья. Глядя на нее, я подумал, что сейчас она выглядит гораздо счастливее и — да, веселее, чем когда я приехал в Стайлз.

Элизабет Коул и Нортон — да, это возможно.

И вдруг, без всяких к тому причин, мной овладело неясное чувство тревоги. Негоже... небезопасно планировать здесь счастье. В атмосфере Стайлз есть что-то зловещее. Я ощутил это сейчас, в эту самую минуту. И вдруг почувствовал себя старым, и усталым, и... напуганным.

Минуту спустя это чувство прошло. Кажется, никто этого не заметил, за исключением Бойд Каррингтона. Чуть позже он обратился ко мне, понизив голос:

— Что-нибудь случилось, Гастингс?

— Нет, а что?

— Ну... у вас такой вид... я не могу это объяснить.

— Просто какое-то чувство... опасение.

— Предчувствие зла?

— Да, если хотите. Чувство, как будто... что-то должно произойти.

— Забавно. Такое со мной случалось один-два раза. А есть какое-то представление, *что именно?*

Он пристально смотрел на меня.

Я покачал головой. Потому что у меня действительно не было каких-либо определенных опасений. Просто неожиданное ощущение тоски и страха.

В этот момент из дома вышла Джудит. Она шла медленно, высоко подняв голову. Губы плотно сжаты, лицо серьезное и прекрасное.

Я подумал, насколько она не похожа ни на меня, ни на Цинтию. Она напоминала какую-то молодую жрицу. Нортон, видно почувствовавший что-то подобное, сказал, обращаясь к Джудит:

— Вы сейчас похожи на вашу тезку перед тем, как она отрубила голову Олоферну[1].

Джудит улыбнулась, слегка приподняв брови.

— Я не могу сейчас припомнить, почему она это сделала.

— О, из самых высокомерных принципов, на благо общества.

Его несколько насмешливый тон рассердил Джудит. Покраснев, она прошла мимо Нортона и уселась рядом с доктором Франклином.

— Миссис Франклин чувствует себя гораздо лучше, — сказала Джудит. — Она хочет, чтобы все мы сегодня вечером поднялись к ней выпить кофе.

IV

Миссис Франклин определенно человек настроения, подумал я, когда все мы собрались у нее наверху после ужина. Целый день отравляла всем жизнь, а теперь — само очарование.

Она возлежала в своем шезлонге в бледно-сиреневом неглиже. Возле нее был маленький вращающийся столик-этажерка с книгами, на котором уж стоял кофейник. Ее ловкие белые пальцы совершали риту-

---

[1] Имеется в виду Юдифь — вдова Манассеи, отрубившая голову Олоферну, вождю ассирийского войска. (Английское имя Judith может передаваться на русском и как Джудит, и как Юдифь.)

ал — она заваривала кофе, правда с небольшой помощью сестры Крейвен. Мы были здесь все — за исключением Пуаро, который всегда удалялся к себе до обеда, Аллертона, еще не вернувшегося из Ипсуича, и полковника Латтрелла с женой, которые оставались внизу.

Дразнящий аромат кофе ударил нам в нос. Обычно мы довольствовались в Стайлз какой-то бурдой, называвшейся кофе, поэтому предвкушали напиток, который миссис Франклин готовила из свежемолотых зерен.

Франклин, сидевший по другую сторону столика, передавал жене чашки, а она наливала кофе. Бойд Каррингтон стоял в изножье софы, Элизабет Коул и Нортон — у окна, сестра Крейвен находилась на заднем плане, у изголовья кровати. Я сидел в кресле, сражаясь с кроссвордом в «Таймс», и зачитывал вопросы.

— «Она убегала от Аполлона и превратилась в дерево», — читал я. — Пять букв.

Пару минут все думали. Наконец Джудит сказала:

— Дафна.

Я продолжил:

— «Последователь одного маркиза, любившего мучить людей».

— Садист, — быстро произнес Бойд Каррингтон.

— Цитата: «И что бы ни спросил, ответит Эхо» — пропуск. Теннисон. Шесть букв.

— Тотчас, — предложила миссис Франклин. — Конечно, это правильно. «Ответит Эхо: «Тотчас».

Элизабет Коул у окна подала голос:

— Цитата из Теннисона звучит так: «И что бы ни спросил, ответит Эхо: «Смерть».

Я услышал, как за спиной кто-то судорожно вздохнул, и оглянулся. Это была Джудит. Пройдя мимо нас к окну, она вышла на балкон.

Я записал последний ответ и перешел к следующему вопросу.

— «Ревности остерегайтесь, зеленоглазой ведьмы»[1], — сказала эта особа».

---

[1] Ш е к с п и р У. «Отелло», акт III, перевод Б. Пастернака.

— Шекспир, — сказал Бойд Каррингтон.

— Это Отелло или Эмилия? — раздумывала миссис Франклин.

— Очень длинные имена. Всего три буквы.

— Яго.

— Я *уверена,* что это Отелло.

— Это вообще не «Отелло». Ромео сказал эти слова Джульетте.

Мы все высказывали свое мнение. Внезапно Джудит крикнула с балкона:

— Посмотрите, падающая звезда! О, вот еще одна.

Бойд Каррингтон спросил:

— Где? Мы должны загадать желание.

Он вышел на балкон, присоединившись к Элизабет Коул, Нортону и Джудит. Сестра Крейвен тоже вышла на балкон. Они стояли там, вглядываясь в ночное небо и обмениваясь восклицаниями.

Я остался сидеть, склонившись над кроссвордом. Чего ради *мне* смотреть на падающую звезду? Мне нечего загадывать...

Вдруг в комнату вернулся Бойд Каррингтон.

— Барбара, вы должны выйти на балкон.

Миссис Франклин ответила ему резко:

— Нет, я не могу. Я слишком устала.

— Чепуха, Бабс! Вы должны выйти и загадать желание! — Он рассмеялся. — И не возражайте. Я отнесу вас.

И, внезапно наклонившись, он подхватил ее на руки. Она смеялась, отбиваясь:

— Билл, поставьте меня на пол! Не будьте же таким глупым.

— Маленькие девочки должны выйти и загадать желание. — И он вынес миссис Франклин на балкон.

Я еще ниже склонился над газетой. Потому что я вспоминал... Ясная тропическая ночь, кваканье лягушек... и падающая звезда. Я стоял тогда у окна, а потом, обернувшись, подхватил Цинтию на руки и вынес ее посмотреть на звезды и загадать желание...

Строчки кроссворда поплыли и затуманились у меня перед глазами.

Кто-то показался в дверях и вошел с балкона в комнату. Это была Джудит.

Джудит не должна увидеть, что у меня на глазах слезы. Это никуда не годится. Я торопливо крутанул столик-этажерку и притворился, будто ищу книгу. Я вспомнил, что видел тут старое издание Шекспира. Да, вот оно. Я начал пролистывать «Отелло».

— Что ты делаешь, папа?

Я промямлил что-то про кроссворд, а пальцы мои перелистывали страницы. Да, это был Яго.

«Ревности остерегайтесь,
Зеленоглазой ведьмы, генерал,
Которая смеется над добычей»[1].

Джудит продолжила, цитируя другой отрывок:

«Вот он идет. Уже ему ни мак,
Ни сонная трава, ни мандрагора —
Ничто не восстановит сна,
Которым спал он нынешнюю ночь»[2].

Ее сильный, красивый голос зазвенел.

С балкона вернулись остальные, смеясь и переговариваясь. Миссис Франклин вновь опустилась в шезлонг, Франклин сел на свой стул и помешал кофе. Нортон и Элизабет Коул, допив кофе, извинились, сказав, что обещали сыграть в бридж с Латтреллами.

Миссис Франклин выпила свой кофе и затем потребовала дать ей ее «капли». Джудит принесла их из ванной, поскольку сестра Крейвен как раз вышла.

Франклин бесцельно слонялся по комнате. Он споткнулся о маленький столик-этажерку. Его жена сказала резким тоном:

— Нельзя же быть таким неуклюжим, Джон.

— Прости, Барбара. Я задумался.

Миссис Франклин жеманно проворковала:

— Такой большой медведь, да, дорогой?

Доктор Франклин рассеянно взглянул на нее, затем проговорил:

---

[1] Ш е к с п и р У. «Отелло», III акт, перевод Б. Пастернака.
[2] Там же.

— Прекрасная ночь. Пожалуй, пойду прогуляться. И он вышел.

Миссис Франклин заметила:

— Вы знаете, он — гений. Об этом можно судить по его поведению. Я в самом деле безмерно восхищаюсь им. Такая страсть к своей работе!

— Да, да, умный малый, — довольно небрежно согласился Бойд Каррингтон.

Джудит стремительно вышла из комнаты, чуть не столкнувшись в дверях с сестрой Крейвен.

Бойд Каррингтон предложил:

— Как насчет того, чтобы сыграть в пикет, Бабс?

— О, чудесно. Вы можете раздобыть карты, сестра?

Сестра Крейвен пошла за картами, а я пожелал миссис Франклин доброй ночи и поблагодарил ее за кофе.

Выйдя за дверь, я увидел Франклина и Джудит. Они стояли, глядя в окно коридора. Не беседовали, а просто молча стояли рядом.

Франклин оглянулся через плечо, когда я приблизился. Он сделал пару шагов, в нерешительности остановился и спросил:

— Собираетесь прогуляться, Джудит?

Моя дочь покачала головой.

— Не сегодня. — И резко добавила: — Я собираюсь спать. Спокойной ночи.

Я спустился по лестнице вместе с Франклином. Он тихонько насвистывал себе под нос и улыбался.

Я заметил довольно зло, поскольку был подавлен:

— Кажется, сегодня вечером вы собой довольны.

— Да. Я сделал то, что собирался сделать уже давно. И все прошло успешно.

Я расстался с ним внизу и на минуту заглянул к игрокам в бридж. Когда миссис Латтрелл отвернулась, Нортон подмигнул мне. Судя по всему, за роббером царило непривычное согласие.

Аллертон еще не вернулся. Мне казалось, что без него атмосфера в доме не такая безрадостная и гнетущая.

Я пошел к Пуаро. У него в комнате сидела Джудит. Когда я вошел, она улыбнулась мне и ничего не сказала.

— Она простила вас, mon ami, — объявил Пуаро. Возмутительное замечание!

— В самом деле... — забормотал я бессвязно, — не думаю, что...

Джудит встала. Она обвила рукой мою шею и поцеловала.

— Бедный папа, — сказала она. — Дядя Пуаро пощадит твое самолюбие. Это меня нужно простить. Так что прости меня и пожелай доброй ночи.

Я не совсем понимаю, почему я сказал следующее:

— Прости меня, Джудит. Я очень сожалею, я не хотел...

Дочь остановила меня:

— Все в порядке. Давай забудем об этом. Теперь все хорошо. — Она улыбнулась каким-то своим собственным мыслям и повторила: — Теперь все хорошо... — и тихо вышла из комнаты.

Когда Джудит ушла, Пуаро взглянул на меня.

— Итак? — спросил он. — Что происходило сегодня вечером?

Я развел руками.

— Ничего не случилось, да и вряд ли случится.

На самом деле я был весьма далек от истины. Потому что кое-что случилось в ту ночь. Миссис Франклин стало очень плохо. Послали еще за двумя врачами, но тщетно. На следующее утро она скончалась.

Лишь сутки спустя мы узнали, что она умерла от отравления физостигмином.

Глава 15

I

Через два дня было дознание. Итак, я во второй раз в этих краях присутствовал на дознании.

Коронер был человеком средних лет, не без способностей. Его отличали сухая манера речи и пристальный взгляд.

Вначале было оглашено медицинское заключение, согласно которому смерть наступила в результате отравления физостигмином, а также другими алкалоидами калабарского боба. Яд был принят накануне вечером, между семью часами и полуночью. Медицинский эксперт из полиции и его коллега не могли указать более точное время.

Первым давал свидетельские показания доктор Франклин. В целом он произвел благоприятное впечатление. Его показания были четкими и точными. После смерти жены он проверил свои растворы в лаборатории. Он обнаружил, что одна бутылочка, в которой содержался концентрированный раствор алкалоидов калабарского боба, необходимый ему для экспериментов, была теперь наполнена обычной водой. В воде остался лишь след этого раствора. Доктор не мог сказать с определенностью, когда именно заменили раствор, поскольку уже несколько дней не пользовался им.

Затем возник вопрос о доступе в лабораторию. Доктор Франклин объяснил, что обычно лаборатория была заперта и ключ находился у него в кармане. У его ассистентки, мисс Гастингс, имелся дубликат этого ключа. Чтобы войти в лабораторию, необходимо было взять ключ у нее или у доктора. Его жена иногда брала ключ, когда оставляла свои вещи в лаборатории. Он никогда не вносил в дом раствор физостигмина и полагал, что его жена ни в коем случае не могла взять этот раствор случайно.

Отвечая на дальнейшие вопросы коронера, доктор Франклин сказал, что у его жены было расстройство нервной системы. Никакими органическими заболеваниями она не страдала. У нее бывали состояния депрессии и быстрой смены настроения.

В последнее время, продолжал он, она стала бодрее, и он считал, что ее здоровье и нервная система окрепли. Они не ссорились, и у них были хорошие отношения. В последний вечер его жена, по-видимому, пребывала в хорошем расположении духа и не предавалась меланхолии.

Доктор сказал, что иногда жена говорила о том, что покончит с собой, но он не принимал ее слова всерьез. Когда ему был задан вопрос со всей определенностью, он ответил, что жена не принадлежала к тем, кто имеет склонность к самоубийству. Это его мнение как врача, а также личное впечатление.

После доктора показания давала сестра Крейвен. Она выглядела элегантно в своей опрятной форме, отвечала уверенно и профессионально. Два месяца она ухаживала за миссис Франклин. У ее пациентки была тяжелая форма депрессии. Свидетельница по крайней мере три раза слышала, как миссис Франклин говорила, что «хочет покончить со всем этим», что ее жизнь бесполезна и она жернов на шее у мужа.

— Почему она так говорила? У них была размолвка?

— О нет, но она знала, что мужу недавно предложили работу за границей. Он отказался от нее, чтобы не покидать жену.

— И порой она болезненно переживала этот факт?

— Да. Она сетовала на свое расстроенное здоровье и огорчалась по этому поводу.

— Доктор Франклин знал об этом?

— Не думаю, чтобы она часто говорила ему о своих переживаниях.

— Но у нее бывали приступы депрессии.

— О, несомненно.

— Она когда-нибудь конкретно высказывала желание покончить жизнь самоубийством?

— Я помню, как она употребила выражение «Я хочу покончить со всем этим».

— Она никогда не имела в виду какого-либо конкретного способа самоубийства?

— Нет. Она выражалась весьма туманно.

— Что-нибудь особенно угнетало ее в последнее время?

— Нет. Она была в довольно хорошем расположении духа.

— Вы согласны с доктором Франклином, что у нее было хорошее настроение вечером, накануне смерти?

— Пожалуй... — запнулась сестра Крейвен, — она была возбуждена. Днем она жаловалась на боли и головокружение, однако вечером, похоже, ей стало лучше, хотя ее бодрое настроение казалось каким-то неестественным. В нем было что-то лихорадочное и показное.

— Вы не видели какой-нибудь пузырек или что-либо в таком роде, что могло содержать яд?

— Нет.

— Что она ела и пила?

— Она съела суп, отбивную котлету, горошек, картофельное пюре и вишневый пирог. И выпила стакан бургундского за обедом.

— Откуда взялось бургундское?

— В ее комнате была бутылка. В ней осталось вино, но, полагаю, его взяли на анализ и выяснили, что с ним все в порядке.

— Могла она незаметно для вас подлить себе яд в стакан?

— О да, легко. Я занималась в комнате уборкой и не следила за миссис Франклин. Рядом с ней был маленький саквояж, а также сумочка. Она могла подмешать что угодно в бургундское, или в кофе, который пила позже, или в горячее молоко — она попросила его на ночь.

— А как вы полагаете, что она могла потом сделать с этим пузырьком?

Сестра Крейвен задумалась.

— Ну что же, пожалуй, позднее она могла выбросить его в окно, или в корзину для бумаг, или даже вымыть в ванной и поставить в шкафчик для лекарств. Там есть несколько пустых пузырьков. Я храню их — иногда могут пригодиться.

— Когда вы в последний раз видели миссис Франклин?

— В десять тридцать. Я уложила ее в постель. Она выпила горячего молока и попросила принести ей таблетку аспирина.

— Как она себя чувствовала в тот момент?

Свидетельница с минуту подумала.

— Да, пожалуй, как обычно... Нет, я бы сказала, что она была немного перевозбуждена.

— Но не подавлена?

— Нет, скорее взвинчена, так сказать. Но если предполагать самоубийство, то она могла быть возбуждена мыслью о своем благородстве, могла впасть в экзальтацию по этому поводу.

— Вы полагаете, что она была способна покончить с собой?

Возникла пауза. Казалось, сестра Крейвен никак не может прийти к решению.

— Ну что же, — проговорила она наконец, — и да, и нет. Я... да, в целом я так думаю. Она была неуравновешенной.

Следующим был сэр Уильям Бойд Каррингтон. Он, по-видимому, искренне горевал, но четко давал показания.

Он играл в пикет с покойной вечером накануне ее смерти. Тогда он не заметил никаких признаков депрессии. Однако несколькими днями раньше миссис Франклин затронула в разговоре тему самоубийства. Она была склонна к самопожертвованию, и ее очень расстраивала мысль, что она мешает карьере мужа. Миссис Франклин была очень предана мужу и гордилась им. У нее бывали приступы глубокой депрессии по поводу ее слабого здоровья.

Вызвали Джудит, но ей особенно нечего было рассказывать.

Она ничего не знала о пропаже физостигмина из лаборатории. Вечером того дня, когда случилась трагедия, ей показалось, что миссис Франклин вела себя как обычно — разве что была несколько перевозбуждена. Она никогда не слыхала, чтобы миссис Франклин говорила о самоубийстве.

Последним свидетелем был Эркюль Пуаро. Его показаниям было уделено особое внимание, и они произвели сильное впечатление. Он описал свою беседу с миссис Франклин за день до ее смерти. Она была сильно подавлена и несколько раз выразила желание, чтобы всему этому пришел конец. Ее огорчало собственное здоровье, и она призналась Пуаро, что у нее бывают приступы глубокой меланхолии, когда жить не хочется. Она говорила, что иногда думает, как чудесно было бы заснуть и не проснуться.

Следующий ответ Пуаро вызвал еще большую сенсацию.

— Утром десятого июня вы сидели неподалеку от двери лаборатории?

— Да.

— Вы видели, как миссис Франклин выходила из лаборатории?

— Видел.

— У нее было что-нибудь в руках?

— В правой руке она сжимала маленький пузырек.

— Вы в этом совершенно уверены?

— Да.

— Смутилась ли она, увидев вас?

— Она выглядела, пожалуй, только сильно испуганной.

Свою заключительную речь коронер начал с того, что следует решить, каким образом получилось, что покойная умерла. У суда нет сложностей с определением причины смерти, поскольку медицинская экспертиза уже дала ответ. Покойная была отравлена сульфатом физостигмина. Единственное, что нужно определить, — приняла ли она его случайно или намеренно, или кто-то другой отравил ее. Все присутствующие здесь слышали, что у покойной бывали приступы меланхолии, что она хворала и, не имея никакого органического заболевания, тем не менее страдала тяжелым нервным расстройством. Мистер Эркюль Пуаро, свидетельские показания которого имеют особый вес, учитывая его имя, со всей определенностью заявил, что видел, как миссис Франклин выходила из лаборатории с маленьким пузырьком в руке и выглядела испуганной при виде свидетеля. Можно прийти к заключению, что она взяла из лаборатории яд с намерением покончить с собой. По-видимому, она страдала навязчивой идеей, будто является обузой для мужа и мешает его карьере. Справедливость требует отметить, что доктор Франклин, по-видимому, был добрым и любящим мужем и что он никогда не выражал раздражения по поводу ее слабого здоровья и не жаловался, что она мешает его карьере. Вероятно, эта идея исключительно ее собственная. У женщин при определенном состоянии нервной системы возникают такие навязчивые идеи. Нет никаких доказательств того, в какое именно время и каким образом был принят яд. Пожалуй, несколько необычно, что пузырек, в котором содержался яд, не был найден, но не исключено, что, как предположила сестра Крейвен, миссис Франклин вымыла его и поставила в аптечку, откуда, возможно, первоначально и взяла его. Принять решение должно жюри присяжных.

Вердикт был оглашен после очень незначительной задержки.

Жюри присяжных пришло к решению, что миссис Франклин покончила с собой в состоянии временного помрачения рассудка.

II

Спустя полчаса я сидел в комнате Пуаро. Он выглядел очень утомленным. Куртис, уложив моего друга в постель, хлопотал вокруг него с разными сердечными средствами.

Я просто умирал от желания поговорить, но пришлось сдерживаться, пока слуга не закончил все дела и не вышел из комнаты.

Тогда меня прорвало.

— Это правда, Пуаро? То, что вы сказали? Что вы видели пузырек в руке миссис Франклин, когда она выходила из лаборатории?

Слабая улыбка тронула посиневшие губы Пуаро.

Он прошептал:

— А разве *вы* его не видели?

— Нет, не видел.

— Но вы же могли его не заметить, ведь так?

— Да, возможно. Я, конечно, не могу поклясться, что у нее не было пузырька. — Я с сомнением взглянул на него. — Вопрос в том, говорите ли вы правду?

— Вы полагаете, я бы мог солгать?

— Я бы не поручился, что это не так.

— Гастингс, я потрясен и изумлен. Куда подевалась ваша знаменитая доверчивость?

— Ну, — нехотя признал я, — полагаю, вы бы не пошли на клятвопреступление.

Пуаро мягко заметил:

— Это не было бы клятвопреступлением. Я не был под присягой.

— Значит, это была ложь?

Пуаро слабо взмахнул рукой.

— То, что я сказал, mon ami, уже сказано. Нет необходимости это обсуждать.

— Я вас просто не понимаю! — воскликнул я.

— Что вы не понимаете?

— Ваши показания — ваши слова о депрессии миссис Франклин, о том, что она говорила о самоубийстве.

— Enfin, вы сами слышали, как она это говорила.

— Да. Но это было всего лишь одно из множества настроений. Вы это не пояснили.

— Возможно, я этого не хотел.

Я посмотрел на Пуаро в упор.

— Вы *хотели,* чтобы был вынесен вердикт о самоубийстве?

Пуаро сделал паузу, прежде чем ответить. Затем он сказал:

— Я думаю, Гастингс, что вы недооцениваете серьезность ситуации. Да, если хотите, мне нужно было, чтобы вынесли вердикт о самоубийстве.

— Но вы... вы сами не думали, что она действительно совершила самоубийство?

Пуаро медленно покачал головой.

— Вы думаете... что ее убили? — спросил я.

— Да, Гастингс, ее убили.

— Тогда зачем же пытаться это замять, навесить ярлык «самоубийство» и отправить дело в архив? Ведь таким образом оно оказывается закрытым.

— Совершенно верно.

— Вы этого хотите?

— Да.

— Но *почему?*

— Неужели вы сами этого не понимаете? Впрочем, не важно. Давайте оставим это. Вы должны поверить мне на слово, что это убийство — изощренное, заранее спланированное убийство. Я говорил вам, Гастингс, что здесь будет совершено преступление и что нам вряд ли удастся его предотвратить, потому что убийца безжалостен и решителен.

Я вздрогнул и спросил:

— А что же случится дальше?

Пуаро улыбнулся:

— Это дело закрыто — на него навешен ярлык «самоубийство», и оно отправлено в архив. Но мы с вами, Гастингс, продолжаем работать под землей, как кроты. И рано или поздно мы *доберемся до X.*

— А вдруг тем временем кто-нибудь еще будет убит?

Пуаро покачал головой:

— Я так не думаю. Только в случае, если кто-нибудь увидел что-то или знает что-нибудь. Но если так, они, конечно, уже заявили бы об этом, не так ли?

Глава 16

I

Я довольно смутно помню события тех дней, что последовали сразу же за дознанием по делу миссис Франклин. Конечно, были похороны, на которых присутствовало множество любопытных Сент-Мэри-Стайлз. Именно там ко мне обратилась старуха со слезящимися глазами и неприятно фамильярными манерами.

Она подошла, когда мы гуськом тянулись с кладбища.

— А я вас помню, сэр, это уж точно.

— Да? Э-э... возможно...

Она продолжала, не слушая меня:

— Годков двадцать с лишком это было. Когда старая леди умерла в особняке. Это было первое убийство у нас тут в Стайлз. Да и не последнее, скажу я вам. Старая миссис Инглторп. Это муж ее укокошил, сказали мы все. Уж мы в этом не сомневались. — Она бросила на меня хитрый взгляд. — Может, и на этот раз муженек постарался.

— Что вы имеете в виду? — вспылил я. — Разве вы не слышали вердикт о самоубийстве?

— Так ведь это коронер сказал. А ведь он мог и ошибиться, а? — Она слегка подтолкнула меня локтем. — Доктора, они знают, как избавиться от своих жен. А от нее, кажись, ему не было никакого проку.

Я смерил старуху сердитым взглядом, и она поспешила прочь, бормоча, что ничего такого не хотела сказать, а только как-то странно, что уже второй раз такое случается.

— И чудно как-то, что вы, сэр, оба раза тут как тут, а?

На какую-то долю секунды мне пришла дикая мысль: уж не подозревает ли она, что я совершил оба преступления? Это было крайне неприятно. Я воочию убедился в том, насколько живучи местные кривотолки.

И в конце концов, старуха не так уж далека от истины. Ведь кто-то убил миссис Франклин.

Как я уже говорил, я мало что помню об этих днях. Во-первых, меня серьезно беспокоило здоровье Пуаро. Ко мне явился Куртис, и даже на его тупом, лишенном всякого выражения лице проступала легкая обеспокоенность, когда он сообщил, что у Пуаро был сильный сердечный приступ.

— Мне кажется, сэр, что он должен показаться врачу.

Я помчался к Пуаро, который весьма энергично отверг это предложение. Мне подумалось, что это не похоже на него. По моему мнению, он всегда слишком уж носился со своим здоровьем. Опасался сквозняков, укутывал шею шелком и шерстью, смертельно боялся промочить ноги и при малейшем намеке на простуду измерял температуру и укладывался в постель. «Потому что иначе это может для меня кончиться fluxion de poitrine![1]» При самых пустяковых недомоганиях, как мне было известно, он сразу же обращался к врачу.

А теперь, когда он действительно болен, все переменилось.

Впрочем, возможно, именно в этом-то дело. Прежние болезни были пустячными. А теперь, когда он серьезно заболел, то, наверно, боялся это признать и поверить в реальность болезни. Он не придавал значения недугу только лишь из страха перед ним.

В ответ на мои увещевания Пуаро с горечью воскликнул:

— Но я же консультировался с врачами! И не с одним, а с многими. Я был у Блэнка и Дэша (имена двух специалистов) — и что же они сделали? Послали меня в Египет, где мне сразу же стало гораздо хуже. Я также был у Р...

Я знал, что Р. — кардиолог.

— И что же он сказал? — поспешно спросил я.

Пуаро вдруг искоса взглянул на меня — и сердце мое ушло в пятки.

Он спокойно ответил:

— Он сделал для меня все, что только возможно. Прописал лечение, у меня всегда под рукой необходимые лекарства. А больше ничего сделать нельзя. Итак, как видите, Гастингс, бесполезно приглашать ко мне врачей. Машина изнашивается, mon ami. Увы, нельзя, как в автомобиле, поставить новый мотор и продолжать носиться с прежней скоростью.

— Но послушайте, Пуаро, ведь должно быть что-нибудь такое. Куртис...

Пуаро отрывисто переспросил:

— Куртис?

— Да, он пришел ко мне. Он был расстроен. У вас был приступ...

Пуаро кивнул с кротким видом.

— Да, да. Иногда тяжело наблюдать за этими приступами. Думаю, Куртис не привык такое видеть.

---

[1] Воспаление легких (фр.).

— Вы действительно не хотите показаться врачу?

— Это бесполезно, мой друг.

Он говорил очень мягко, но решительно. И снова сердце мое болезненно сжалось. Пуаро улыбнулся мне и сказал:

— Это будет мое последнее дело, Гастингс. А также мое самое интересное дело — и мой самый интересный преступник. Потому что у Х совершенный, потрясающий метод, которым невольно восхищаешься. Пока что, mon cher, этот Х действовал с таким блеском, что обвел меня вокруг пальца — меня, Эркюля Пуаро! Он развернул такую наступательную операцию, которую я не могу отразить.

— Если бы у вас было прежнее здоровье... — принялся утешать его я.

Этого не следовало говорить. Эркюль Пуаро немедленно впал в ярость.

— Боже мой! Неужели я должен вам повторить тридцать шесть раз, а потом еще тридцать шесть, что тут не требуются *физические* усилия? Нужно только думать!

— Ну да... конечно... да, вы это можете хорошо делать.

— Хорошо? Я могу это делать превосходно. Мои члены парализованы, мое сердце играет со мной злые шутки, но мой мозг, Гастингс, — да, мой мозг работает как прежде. Он все еще в полном порядке, мой мозг!

— Это прекрасно, — попытался я его успокоить.

Но когда я медленно спускался по лестнице, то думал про себя, что мозг Пуаро теперь не так уж быстро справляется со своей задачей. Вначале чуть не погибла миссис Латтрелл, теперь умерла миссис Франклин. А что мы предприняли, чтобы этому помешать? Практически ничего.

II

На следующий день Пуаро мне сказал:

— Вы предложили, Гастингс, чтобы я проконсультировался с врачом.

— Да, — ухватился я за его слова. — Мне было бы гораздо спокойнее, если бы вы это сделали.

— Eh bien, я согласен. Я покажусь Франклину.

— Франклину? — переспросил я с сомнением.

— Но он же доктор, не так ли?

— Да, но... он в основном занимается исследованиями.

— Несомненно. Полагаю, он бы не добился успеха как практикующий врач. У него нет соответствующего подхода к больным. Однако он обладает высокой квалификацией. В общем, как говорят в фильмах, «этот парень знает свое дело лучше многих».

Я по-прежнему оставался при своем мнении. Хотя я не сомневался в способностях Франклина, меня всегда удивляло, что его совершенно не интересуют болезни. Возможно, это ценное качество для исследователя, но больному, которого он взялся бы лечить, от этого не легче.

Однако со стороны Пуаро это была уступка, и надо было ею воспользоваться. Поскольку у Пуаро здесь не было своего врача, Франклин охотно согласился его осмотреть. Однако пояснил, что, если требуется длительное лечение, нужно вызвать местного врача. У него самого нет возможности регулярно наблюдать больного.

Франклин провел много времени с Пуаро. Я поджидал его. Когда доктор, наконец, вышел, я увлек его в свою комнату и прикрыл дверь.

— Ну что? — с тревогой спросил я.

Франклин задумчиво ответил:

— Он выдающийся человек.

— Ах да, конечно... — Я отмел этот очевидный факт. — Но как его здоровье?

— О! Его здоровье? — Казалось, Франклин был весьма удивлен, словно я упомянул о чем-то совершенно незначительном. — О! Конечно, здоровье у него никудышное.

Мне показалось, что это вовсе не похоже на профессиональное мнение врача. Однако я слышал от Джудит, что Франклин в свое время был одним из самых блестящих студентов.

— Насколько он плох? — обеспокоенно осведомился я.

Доктор Франклин бросил на меня быстрый взгляд.

— Вы хотите знать?

— Конечно.

О чем думает этот дурак?

Он словно прочел мои мысли и сказал:

— Большинство людей не хотят знать правду. Им нужен утешительный сиропчик. Им нужна надежда. Нужно позолотить для них пилюлю. Конечно, бывают поразительные случаи выздоровления. Но с Пуаро дело обстоит иначе.

— Вы хотите сказать... — Холодная рука снова сжала мое сердце.

Франклин кивнул.

— О да, он обречен. И это произойдет довольно скоро, должен вас предупредить. Я бы не говорил вам этого, если бы он сам мне не разрешил.

— Значит... он знает.

— Да, знает, — ответил Франклин. — Его сердце может остановиться в любой момент. Конечно, нельзя сказать точно, когда именно. — Он помолчал, затем медленно заговорил: — С его слов я понял, что он беспокоится о том, чтобы завершить какое-то дело, начатое им, как он сказал. Вы об этом знаете?

— Да, знаю.

Франклин окинул меня заинтересованным взглядом.

— Он хочет быть уверенным, что закончит работу. Интересно, имеет ли Джон Франклин представление о том, что это за работа?

Он проговорил, взвешивая каждое слово:

— Надеюсь, ему это удастся. Судя по тому, что он сказал, это очень важно для него. — Помолчав, Франклин добавил: — У него методичный ум.

Я спросил с беспокойством:

— Нельзя ли что-нибудь сделать — что-нибудь в плане лечения...

Франклин покачал головой.

— Ничего не поделаешь. У него есть ампулы с амилнитратом, который нужно принять, когда он чувствует приближение приступа. — Затем доктор Франклин сказал довольно любопытную вещь: — У него великое почтение к человеческой жизни, не так ли?

— Да, полагаю, что так.

Как часто я слышал от Пуаро: «Я не одобряю убийство». Это сдержанное высказывание, столь чопорно сформулированное, всегда будило мое воображение.

Франклин продолжал:

— В этом разница между нами. У *меня* нет этого почтения!..

Я с любопытством взглянул на доктора. Он, чуть усмехнувшись, кивнул.

— Да, это так. Поскольку в любом случае все кончается смертью, то какая разница, придет ли она рано или поздно? Это не имеет значения.

— Тогда что же заставило вас стать врачом, если у вас подобные взгляды? — с негодованием осведомился я.

— О, мой дорогой, роль медицины не в том, чтобы помочь избежать конца, а значительно в большем — *усовершенствовать* живое существо. Если умирает здоровый человек, это не имеет значения — особого значения. Если же умирает слабоумный — кретин, — это хорошо. Но если благодаря научному открытию этому кретину подсаживают нужную железу и, таким образом преодолев недостаточность щитовидной железы, превращают его в нормального, здорового человека, помоему, это гораздо важнее.

Я взглянул на Франклина с большим интересом. Я по-прежнему вряд ли обратился бы к доктору Франклину, если бы заболел гриппом, но отдавал должное его пламенной искренности и подлинной силе духа. После смерти жены в нем произошла перемена. Он не предавался скорби, общепринятой в подобных обстоятельствах. Напротив, Франклин казался более оживленным, менее рассеянным и прямо-таки искрился энергией.

Он отрывисто произнес, нарушив ход моих мыслей:

— Вы с Джудит не очень-то похожи, не так ли?

— Да, полагаю, не очень.

— Она похожа на мать?

Я подумал, затем покачал головой.

— Не совсем. Моя жена была веселой, любила посмеяться. Она не принимала ничего всерьез и пыталась сделать меня таким же. Правда, боюсь, без особого успеха.

Он слегка улыбнулся.

— Да, вы довольно-таки несговорчивый отец, не правда ли? Так говорит Джудит. Джудит мало смеется — она серьезная молодая женщина. Наверно, слишком много работает. Тут моя вина.

Он впал в глубокую задумчивость. Я вежливо заметил:

— Должно быть, у вас очень интересная работа.

— Что?

— Я сказал, что у вас, должно быть, интересная работа.

— Только примерно для полудюжины людей. Для всех других она чертовски скучна. Возможно, они правы. Во всяком случае... — Он откинул голову, расправил плечи, и я вдруг увидел его в истинном свете — это был сильный и мужественный человек. — Во всяком случае, теперь у меня есть мой шанс. Боже мой, мне хочется кричать! Сегодня со мной связались люди из министерства. Вакансия все еще открыта, и я ее получил. Я отбываю через десять дней.

— В Африку?

— Да. Это потрясающе.

— Так скоро. — Я был слегка шокирован.

Он пристально взглянул на меня.

— Что вы имеете в виду — *скоро?* О! — Его чело прояснилось. — Вы хотите сказать — после смерти Барбары? А почему бы и нет? Нет нужды притворяться, что ее смерть не была для меня величайшим облегчением. — Казалось, его позабавило выражение моего лица. — Боюсь, у меня нет времени на соблюдение условностей. Я влюбился в Барбару — она была прехорошенькой девушкой, — женился на ней и разлюбил ее примерно через год. Думаю, что у нее это произошло еще быстрее. Она во мне конечно же разочаровалась. Барбара думала, что сможет повлиять на меня. Но она не смогла. Я упрямый эгоист и делаю то, что мне хочется делать.

— Но вы отказались ради нее от этой работы в Африке, — напомнил я ему.

— Да, однако по чисто финансовым соображениям. Я взял на себя обязательства обеспечивать Барбаре тот образ жизни, к которому она привыкла. Если бы я уехал, это означало бы, что она будет весьма стеснена в средствах. Но теперь... — он улыбнулся совершенно откровенной, мальчишеской улыбкой, — все обернулось удивительно удачно для меня.

Меня покоробило. Правда, многие мужчины, у которых умирают жены, не сходят с ума от горя, и все об этом так или иначе знают. Но Франклин высказался слишком уж откровенно.

Он увидел выражение моего лица, но это его, по-видимому, не обескуражило.

Я резко выговорил:

— И вас совсем не удручает, что ваша жена покончила с собой?

Он задумчиво сказал:

— Я не верю, что она действительно покончила с собой. Весьма маловероятно...

— Так что же, по-вашему, произошло?

Франклин прервал мои дальнейшие расспросы, холодно ответив:

— Я не знаю. И не думаю, что... что хочу узнать. Понимаете?

Я посмотрел на него в упор. Он спокойно выдержал мой взгляд.

— Я не хочу знать, — повторил он. — Меня это не... не интересует. Ясно?

Мне было ясно — но я этого не одобрял.

III

Я не знаю, когда именно заметил, что Стивена Нортона неотступно гложет какая-то мысль. Он был очень молчалив после следствия, а когда все закончилось и миссис Франклин похоронили, он все еще ходил глядя себе под ноги и наморщив лоб. У него была забавная привычка ерошить свои седые короткие волосы, так что они становились дыбом. Нортон делал это бессознательно, в глубокой задумчивости. Он рассеянно отвечал на вопросы, и в конце концов до меня дошло, что он определенно чем-то встревожен. Я осторожно осведомился у Нортона, нет ли у него плохих известий, но он поспешно отверг это предположение. Таким образом эта тема оказалась закрыта.

Но несколько позже он попытался неловко, окольными путями выведать мое мнение.

Слегка запинаясь, как всегда, когда он говорил о каких-то серьезных вещах, Нортон принялся излагать некую историю, связанную с этической проблемой:

— Знаете ли, Гастингс, ужасно просто рассуждать о том, что правильно, а что нет, но, когда доходит до дела, все гораздо сложнее. Я имею в виду, можно наткнуться на что-то... что-то, не предназначенное для вас, — чисто случайно, — причем лично вы не можете этим воспользоваться, а между тем это может оказаться ужасно важным. Вы понимаете, о чем я говорю?

— Боюсь, не совсем, — признался я.

Чело Нортона снова избороздили морщины. Он опять запустил руки в волосы, и они забавно взъерошились.

— Это трудно объяснить. Предположим, вы по ошибке распечатали частное письмо — да, что-то в таком роде, — письмо, предназначенное для кого-то другого, и начали читать, потому что считали, что оно адресовано вам. И прочли что-то, чего не должны были читать, прежде чем поняли. Так бывает, знаете ли.

— О да, конечно бывает.

— Ну так вот, я хотел сказать, что в таком случае делать?

— Да... — Я задумался. — Полагаю, вам нужно прийти к этому человеку и сказать: «Я ужасно виноват, но вскрыл его по ошибке».

Нортон вздохнул и сказал, что все не так просто.

— Видите ли, вы могли прочитать что-то компрометирующее, Гастингс.

— Вы имеете в виду то, что скомпрометировало бы другого человека? Я полагаю, вам надо было бы притвориться, будто вы ничего подобного не успели прочесть, так как вовремя обнаружили свою ошибку.

— Да. — Нортон произнес это после небольшой паузы. Казалось, он пока что не пришел к решению, которое его удовлетворило бы. Он сказал довольно задумчиво: — Хотелось бы мне знать, что я должен делать.

Я заметил, что не вижу, что еще тут можно сделать.

Нортон ответил, все еще озадаченно хмуря брови:

— Видите ли, Гастингс, это еще не все. Предположим, то, что вы прочли, это... это... словом, весьма важно для кого-то другого.

Я потерял терпение.

— В самом деле, Нортон, я не понимаю, о чем идет речь. Нельзя же все время читать чужие письма, не так ли?

— Нет, нет, конечно же нет. Я не это имел в виду. Да и вообще, это было не письмо. Я сказал это просто для примера, чтобы объяснить. Естественно, все, что вы увидели, услышали или прочли... случайно, вы будете держать в секрете, если только...

— Если что?

Нортон медленно выговорил:

— Если только это не то, о чем вы *должны* сказать.

Я взглянул на него, внезапно заинтересовавшись. Он продолжал:

— Послушайте, представьте себе, что увидели что-то через... через замочную скважину...

Замочные скважины сразу вызвали у меня в памяти Пуаро! Нортон продолжал мямлить:

— Я имею в виду, что у вас была причина заглянуть в скважину — допустим, ключ не поворачивался, и вы заглянули, чтобы узнать, что там мешает... или у вас была какая-то другая причина, и вы никак не ожидали увидеть то, что увидели...

В следующее мгновение я уже не слышал его бессвязную речь, ибо меня вдруг осенило. Я вспомнил, как в тот день мы стояли на холмике, поросшем травой, и Нортон пытался рассмотреть в бинокль крапчатого дятла. Я вспомнил, как он внезапно смутился и растерялся, как пытался мне помешать в свою очередь взглянуть в бинокль. В тот момент я пришел к выводу, что то, что увидел Нортон, связано со *мной* — словом, что это Аллертон и Джудит. А если предположить, что это не так? Что он увидел совсем другое? Я решил, что там Аллертон с Джудит, поскольку был так одержим этой идеей, что не мог думать ни о чем другом.

Я отрывисто спросил:

— Это то, что вы увидели в свой бинокль?

— Послушайте, Гастингс, как вы догадались? — удивленно и в то же время с облегчением спросил Нортон.

— Это было в тот день, когда мы с вами и Элизабет Коул были на холме, не так ли? — продолжал я жадно расспрашивать.

— Да, верно.

— И вы не хотели, чтобы я увидел?

— Да. Это... это не было предназначено для наших глаз.

— Что же такое там было?

Нортон снова нахмурился.

— Должен ли я говорить? Я имею в виду, это было — ну, словно бы я шпионил. Я увидел то, что мне не следовало. Я не искал это — там действительно был крапчатый дятел, такой красавец, а потом я увидел другое.

Он замолчал. Я просто сгорал от любопытства, но разделял его щепетильность.

— Было ли это что-то... что-то важное? — спросил я.

— Возможно. В этом все дело. Я не знаю.

Тогда я задал другой вопрос:

— Имеет ли это отношение к смерти миссис Франклин?

Нортон вздрогнул.

— Как странно, что вы это сказали.

— Значит, имеет?

— Не прямое. Но, возможно, имеет. — Он медленно произнес: — Это пролило бы свет на многое. Это означало бы, что... О, будь оно проклято, я не знаю, что делать!

Передо мной стояла дилемма. С одной стороны, меня терзало любопытство, однако я чувствовал, что Нортону очень не хочется рассказывать о том, что он видел. Я мог это понять. Я сам ощущал бы то же самое. Всегда неприятно получить информацию способом, который считается сомнительным.

И тут мне в голову пришла идея.

— А почему бы не поговорить с Пуаро?

— Пуаро? — Нортон с сомнением посмотрел на меня.

— Да, попросить у него совета.

— Ну что же, — задумчиво согласился Нортон, — это идея. Правда, он иностранец... — Он замолчал, сильно смутившись.

Я понимал, о чем он говорит. Язвительные замечания Пуаро относительно «игры по правилам» были мне хорошо известны. Я только удивлялся, почему сам Пуаро никогда не прибегал к биноклю! Он бы воспользовался биноклем, если бы додумался до этого.

— Он не станет злоупотреблять вашим доверием, — уговаривал я Нортона. — И вам не обязательно следовать его советам, если они вам не понравятся.

— Это верно, — согласился Нортон, и чело его прояснилось. — Знаете, Гастингс, пожалуй, так я и поступлю.

IV

Я был изумлен реакцией Пуаро на мою информацию.

— Что вы сказали, Гастингс?

Он уронил кусочек тоста, который как раз подносил к губам. И весь подался вперед.

— Расскажите мне во всех подробностях. Быстро!

Я повторил свой рассказ.

— В тот день он увидел что-то в бинокль, — задумчиво повторил Пуаро. — Что-то, о чем он не хочет вам рассказывать. — Он схватил меня за руку. — Он никому больше про это не говорил?

— Думаю, нет. Да, я в этом уверен.

— Будьте очень осторожны, Гастингс. Очень важно, чтобы он никому не рассказывал, — он даже не должен намекать. Это было бы опасно.

— Опасно?

— Очень опасно. — Лицо Пуаро было серьезным. — Договоритесь с ним, mon ami, чтобы сегодня вечером он поднялся ко мне. Просто обычный дружеский визит, вы понимаете. Пусть никто не заподозрит, что имеется особая причина для его визита. И будьте осторожны, Гастингс, очень, очень осторожны. Кто еще, вы говорите, был тогда с вами?

— Элизабет Коул.

— Она заметила что-нибудь необычное в его поведении?

Я попытался вспомнить.

— Не знаю. Возможно, заметила. Мне спросить у нее...

— Ни в коем случае, Гастингс, ни с кем ни слова об этом.

Глава 17

I

Я передал Нортону слова Пуаро.

— Конечно, я к нему зайду. Мне бы хотелось. Но знаете, Гастингс, я сожалею, что упомянул об этом деле даже вам.

— Между прочим, — сказал я, — вы больше никому ничего не говорили об этом, не так ли?

— Нет... по крайней мере... нет, разумеется, нет.

— Вы совершенно уверены?

— Да, да, я ничего не говорил.

— Ну и не говорите. Пока не увидитесь с Пуаро.

Я заметил, что, отвечая в первый раз на мой вопрос, он замялся. Однако второй раз ответил очень твердо. Впоследствии я еще вспомню это легкое замешательство.

II

Я снова поднялся на поросший травой холмик, где мы были в тот день. Там уже был кто-то. Элизабет Коул. Она повернула голову, услышав мои шаги.

— У вас очень взволнованный вид, капитан Гастингс, — сказала она. — Что-нибудь случилось?

Я попытался взять себя в руки.

— Нет, нет, ничего. Я просто запыхался от быстрой ходьбы. — И добавил будничным тоном: — Будет дождь.

Она взглянула на небо.

— Да, наверно.

Мы немного помолчали. В этой женщине было что-то очень милое. С тех пор как она рассказала, кто она такая, и я узнал о трагедии, погубившей ее жизнь, я проникся к ней симпатией. Двух людей, которые страдали, многое связывает. Однако, как мне казалось, к ней пришла вторая весна. Я сказал под влиянием порыва:

— Я больше чем взволнован сегодня, я подавлен. У меня плохие новости о моем дорогом старом друге.

— О мсье Пуаро?

Ее сочувственный интерес заставил меня облегчить душу.

Когда я закончил, мисс Коул мягко произнесла:

— Я понимаю. Итак, конец может наступить в любой момент?

Я лишь кивнул, не в силах говорить.

Через пару минут я вымолвил:

556

— Когда его не станет, я останусь в мире совсем один.

— О нет, у вас есть Джудит... и остальные дети.

— Они разбросаны по миру, а Джудит — ну что ж, у нее есть ее работа, и я ей не нужен.

— Мне кажется, детям не нужны их родители, пока они не попадут в какую-нибудь беду. Я бы приняла это как непреложный закон. Я гораздо более одинока, чем вы. Две мои сестры далеко — одна в Америке, другая в Италии.

— Моя дорогая! — воскликнул я. — Ваша жизнь только начинается.

— В тридцать пять?

— Что такое тридцать пять? Хотел бы я, чтобы мне было тридцать пять. — И добавил не без умысла: — Я не совсем слеп, знаете ли.

Она вопросительно взглянула на меня, потом покраснела.

— Неужели вы подумали... О! Стивен Нортон и я всего лишь друзья. У нас много общего...

— Тем лучше.

— Он... он просто ужасно добрый.

— О, моя дорогая, — возразил я, — не верьте, что это лишь доброта. Мы, мужчины, не так устроены.

Но Элизабет Коул неожиданно побелела как полотно. Она тихо, с усилием заговорила:

— Вы жестоки... слепы! Как я могу помыслить о... о браке? Ведь моя сестра — убийца... или сумасшедшая. Не знаю, что хуже.

— Пусть это вас не мучает, — веско произнес я. — Помните, это может оказаться неправдой.

— Что вы хотите сказать? Это правда.

— Разве вы не помните, как сказали мне однажды: «Это не Мэгги»?

Мисс Коул судорожно вздохнула.

— Я так чувствую.

— То, что чувствуешь, часто оказывается верным.

Она пристально посмотрела на меня:

— Что вы имеете в виду?

— Ваша сестра не убивала вашего отца.

Мисс Коул поднесла руку ко рту. Глаза, широко раскрытые и испуганные, впились в мое лицо.

— Вы с ума сошли! Кто вам это сказал?

— Не важно. Это правда. Когда-нибудь я вам это докажу.

III

Возле дома я столкнулся с Бойд Каррингтоном.

— Это мой последний вечер здесь, — сказал он. — Завтра я переезжаю.

— В Нэттон?

— Да.

— Наверно, это очень волнующее событие для вас.

— Да? Полагаю, что так. — Он вздохнул. — Во всяком случае, Гастингс, должен вам сказать, что рад буду отсюда уехать.

— Конечно, еда тут неважная и обслуживание посредственное.

— Я имел в виду не это. В конце концов, тут дешево, и нельзя многого ожидать от подобных пансионов. Нет, Гастингс, я имею в виду совсем другое. Мне не нравится этот дом — он оказывает какое-то пагубное воздействие. Тут что-то происходит.

— Определенно.

— Не знаю, что это такое. Возможно, дом, в котором однажды произошло убийство, уже никогда не бывает прежним... Нет, мне тут не нравится. Сначала этот несчастный случай с миссис Латтрелл — чертовское невезение. А потом бедная маленькая Барбара. — Он остановился. — Она вовсе не собиралась расставаться с жизнью — это я вам говорю.

Я нерешительно возразил:

— Ну что же, не думаю, что мог бы со всей определенностью сказать...

Бойд Каррингтон меня перебил:

— А я могу. Черт побери, я провел с ней большую часть дня накануне. Она была в хорошем настроении, радовалась нашей прогулке. Единственное, что ее огорчало, — не слишком ли увлекается Джон своими экспериментами и не станет ли пробовать свои растворы на себе. Вы знаете, что я думаю, Гастингс?

— Нет.

— Это он в ответе за смерть Барбары. Изводил ее, я полагаю. Она всегда была веселой, когда оставалась со мной. Он дал ей понять, что она мешает его драгоценной карьере (я бы ему показал карьеру!), и это ее доконало. Он чертовски бездушный, этот парень, даже бровью не повел. Совершенно хладнокровно объявил мне, что отправляется в Африку. Вы знаете, Гастингс, меня бы не удивило, если бы это он убил ее.

— Вы так не думаете, — резко ответил я.

— Нет-нет, не думаю. Правда, главным образом потому, что уж если бы он убил ее, то сделал бы это иначе. Ведь все знали, что он работает над этим физостигмином, поэтому Франклин не стал бы его применять для убийства. Но тем не менее, Гастингс, не я один думаю, что он подозрителен. Мне намекнул один человек, который должен знать.

— Кто же это? — с опаской поинтересовался я.

Бойд Каррингтон понизил голос:

— Сестра Крейвен.

— Что? — Я был крайне удивлен.

— Тише! Не кричите. Да, сестра Крейвен подала мне эту идею. Знаете, она смышленая девушка, очень неплохо соображает. Она не любит Франклина — и никогда не любила.

Это меня удивило. По-моему, сестра Крейвен недолюбливала свою пациентку. И тут мне вдруг пришла мысль, что сестра Крейвен, должно быть, хорошо осведомлена о семейных делах Франклинов.

— Сегодня она здесь ночует, — сказал Бойд Каррингтон.

— Как? — Это показалось мне весьма странным — ведь сестра Крейвен уехала сразу же после похорон.

— Всего одна ночь на чемоданах, — пояснил Бойд Каррингтон.

— Понятно.

Меня смутно обеспокоило возвращение сестры Крейвен, однако я бы не смог сказать почему. Интересно, почему она вернулась? Она не любит Франклина, сказал Бойд Каррингтон...

Стараясь успокоить самого себя, я вдруг с жаром заговорил:

— У нее нет никакого права намекать относительно Франклина. В конце концов, это благодаря ее показаниям было решено, что имело место самоубийство. Да еще то, что Пуаро видел, как миссис Франклин выходила из лаборатории с пузырьком в руках.

Бойд Каррингтон вспылил:

— При чем здесь пузырек? У женщин всегда в руках какие-нибудь пузырьки и бутылочки — с духами, лаком для ногтей, шампунем. Ваша собственная девица бегала в тот вечер с пузырьком в руках, но это же не означает, что *она* подумывала о самоубийстве, не так ли? Чепуха!

Он замолчал, когда к нам подошел Аллертон. И тут весьма кстати, словно в мелодраме, раздался отдаленный раскат грома. Я подумал, как и прежде, что Аллертон определенно создан для роли злодея.

Но в ночь смерти Барбары Франклин его не было в доме. К тому же какой у него мог быть мотив?

И тут я вспомнил, что у Х никогда не было мотива. В этом была его сила. Именно это, и только это оставалось для нас загвоздкой. Но озарение могло прийти в любую минуту.

IV

Здесь мне хотелось бы отметить, что мне никогда, ни на одну минуту не приходило в голову, что Пуаро может потерпеть неудачу. Я не допускал возможности, что из этого конфликта между Пуаро и Х последний может выйти победителем. Несмотря на слабость и болезнь Пуаро, я верил, что он сильнее своего противника. Видите ли, я привык к тому, что Пуаро одерживает верх.

Сам Пуаро первым вселил мне в душу сомнение.

Я зашел к нему перед тем, как спуститься к обеду. Не могу точно припомнить, о чем именно мы говорили, когда он вдруг произнес фразу «Если со мной что-нибудь случится».

Я сразу же громко запротестовал. Ничего не случится — ничего не может случиться!

— Eh bien, значит, вы невнимательно слушали то, что вам сказал доктор Франклин.

— Франклин не знает. Вы будете еще жить и жить, Пуаро.

— Это возможно, но и в высшей степени невероятно. Однако сейчас меня это интересует не теоретически, а практически. Хотя я и могу очень скоро умереть, возможно, это будет недостаточно скоро, чтобы устроить нашего друга X.

— Что? — На лице у меня было написано, насколько я потрясен.

Пуаро кивнул.

— Да, Гастингс. В конце концов, X умен. Весьма умен. И он не может не понимать, что, убрав меня, он получит неоценимое преимущество. Даже если он устранит меня всего на несколько дней раньше естественной кончины.

— Но в таком случае... в таком случае — что же дальше? — Я был в полном недоумении.

— Когда погибает полковник, mon ami, командование принимает следующий по званию. Вы будете продолжать это дело.

— Как же я могу? Я в полном неведении.

— Я все предусмотрел. Если со мной что-нибудь случится, мой друг, вы найдете вот здесь, — он похлопал по запертому портфелю, находившемуся у него под боком, — все необходимые вам ключи к разгадке. Как видите, я предусмотрел все случайности.

— Нет никакой необходимости так умничать. Просто доверьтесь мне до конца.

— Нет, мой друг. То, что вы не знаете всего, что знаю я, — великое благо.

— Вы оставили мне четко написанный отчет обо всем?

— Конечно нет. Им мог бы завладеть Х.

— Так что же вы оставили?

— Своего рода указания. Они ничего не будут значить для Х — не сомневайтесь в этом, — но вас они приведут к раскрытию истины.

— Я в этом не слишком уверен. Почему вы так любите все усложнять, Пуаро? И всегда любили!

— И теперь это сделалось для меня страстью? Возможно. Но будьте уверены, мои указания приведут вас к истине. — Он помолчал, затем продолжил: — И тогда, быть может, вам захочется, чтобы они не завели вас так далеко. Вы бы предпочли сказать: «Опустите занавес».

Что-то в его голосе вновь пробудило в моей душе какой-то смутный, неосознанный страх, приступы которого я уже ощутил один-два раза прежде. Словно бы где-то, вне поля зрения, было нечто, чего я не хотел видеть, — словно я не смог бы вынести истину. Что-то такое, что в глубине души я уже *знал*...

Я стряхнул с себя это наваждение и пошел ужинать.

Глава 18

I

Ужин прошел довольно оживленно. Миссис Латтрелл снова восседала за столом. Она была в ударе — просто фейерверк деланной ирландской жизнерадостности. Франклин никогда еще не был таким веселым и окрыленным. Я впервые видел сестру Крейвен не в форме, а в нарядном платье. Теперь, когда она отбросила профессиональную сдержанность, стало очевидно, что это очень привлекательная молодая женщина.

После ужина миссис Латтрелл предложила бридж, но в конце концов решили играть в игры с неограниченным количеством участников. Около половины десятого Нортон объявил о своем намерении подняться к Пуаро.

— Хорошая идея, — одобрил Бойд Каррингтон. — Жаль, что последнее время он неважно себя чувствует. Я тоже к нему зайду.

Мне нужно было действовать быстро.

— Послушайте, — вмешался я, — не обижайтесь, но для него утомительно беседовать сразу с двумя посетителями.

Нортон понял намек и сразу же подхватил:

— Я обещал дать ему почитать книгу о птицах.

— Хорошо, — отозвался Бойд Каррингтон. — Вы еще вернетесь, Гастингс?

— Да.

Я пошел вместе с Нортоном. Пуаро ждал. Перекинувшись с ним парой слов, я снова спустился вниз. Мы начали играть в карты.

Мне кажется, Бойд Каррингтона раздражала беззаботная атмосфера, царившая в тот вечер в Стайлз. Возможно, он считал, что все слишком быстро забыли разыгравшуюся здесь трагедию. Он был рассеян, путался в картах и наконец, извинившись, вышел из игры.

Подойдя к окну, Бойд Каррингтон открыл его. Издалека доносились раскаты грома. Где-то была гроза — она еще не дошла до нас. Он закрыл окно и вернулся к столу. Минуту-другую постоял, наблюдая за игрой. Затем вышел из комнаты.

Без четверти одиннадцать я пошел спать. Я не стал заходить к Пуаро. Возможно, он уже спит, подумал я. К тому же у меня не было желания думать сейчас о Стайлз и его проблемах. Я хотел спать — уснуть и забыть.

Я как раз засыпал, когда меня разбудил какой-то звук. Мне показалось, что кто-то стучит в мою дверь. Я закричал: «Входите», но никто не отозвался. Тогда я включил свет и, поднявшись с постели, выглянул в коридор.

Я увидел, как Нортон выходит из ванной и направляется в свою комнату. На нем был клетчатый халат ужасающей расцветки; волосы, как всегда, торчали дыбом. Войдя в свою комнату, он закрыл дверь, и я сразу же услышал, как он поворачивает в замке ключ.

С улицы доносились приглушенные раскаты грома. Гроза приближалась.

Я вернулся в постель с чувством легкого беспокойства, вызванным звуком поворачивающегося в замке ключа.

В этом звуке было что-то зловещее. Интересно, запирает ли Нортон обычно дверь на ночь? Посоветовал ли ему Пуаро сделать это? Внезапно я ощутил тревогу, вспомнив, как загадочно исчез ключ Пуаро.

Я лежал в постели, и чувство тревоги все усиливалось — этому способствовала и бушевавшая гроза. Наконец я встал и запер дверь. Потом вернулся в постель и уснул.

II

Перед тем как спуститься к завтраку, я зашел к Пуаро.

Он был в постели. Меня снова поразило, каким больным он выглядит. Глубокие морщины явственно обозначились на его усталом измученном лице.

— Как вы, старина?

Он улыбнулся мне улыбкой, исполненной терпения.

— Я существую, мой друг. Все еще существую.

— У вас боли?

— Нет. Просто устал, — вздохнул он, — очень устал.

Я кивнул.

— А как насчет вчерашнего вечера? Нортон сказал вам, что он видел в тот день?

— Да, сказал.

— Что же это такое?

Пуаро долго и задумчиво смотрел на меня, прежде чем ответить:

— Не уверен, Гастингс, что стоит вам это говорить. Вы могли бы неверно понять.

— О чем вы говорите?

— Нортон рассказал мне, что видел двух людей...

— Джудит и Аллертона! — воскликнул я. — Я тогда так и подумал.

— Eh bien, non[1]. Вовсе не Джудит и Аллертона. Разве я не сказал, что вы неверно поймете? Вы одержимы одной идеей!

— Простите, — сказал я, слегка пристыженный. — Расскажите же мне.

— Я расскажу вам завтра. Мне нужно о многом поразмыслить.

— Это... это поможет в нашем деле?

Пуаро кивнул. Он прикрыл глаза, откинувшись на подушки.

— Дело закончено. Да, закончено. Нужно только завязать кое-какие болтающиеся концы. Ступайте завтракать. И пришлите ко мне Куртиса.

Выполнив его просьбу, я спустился вниз. Мне хотелось увидеть Нортона. Мне было прелюбопытно узнать, что же он сказал Пуаро.

На душе у меня было невесело. Меня неприятно поразила подавленность Пуаро. Отчего эта постоянная скрытность? Отчего эта глубокая необъяснимая печаль? Что за всем этим *кроется?*

За завтраком Нортона не было.

После завтрака я прогулялся по саду. Воздух был свежим и прохладным после грозы. Я заметил, что ночью был сильный дождь. По лужайке навстречу мне шел Бойд Каррингтон. Я был рад его видеть, и мне захотелось довериться ему. Я давно хотел это сделать, сейчас же испытывал особенно сильное искушение. Пуаро не в состоянии справиться в одиночку.

В это утро Бойд Каррингтон выглядел таким полным жизненных сил, таким уверенным в себе, что я почувствовал теплую волну умиротворения.

— Сегодня утром вы поздно встали, — заметил он. Я кивнул:

— Да, поздно уснул.

— Ночью была гроза. Вы слышали?

---

[1] А вот и нет (*фр.*).

Теперь я вспомнил, что сквозь сон услышал удар грома.

— Вчера вечером я себя неважно чувствовал, — сказал Бойд Каррингтон. — Сегодня мне гораздо лучше. — Он потянулся и зевнул.

— Где Нортон? — спросил я.

— Думаю, он еще не вставал. Лентяй!

Не сговариваясь, мы посмотрели вверх. Окна комнаты Нортона были как раз над нами. Я вздрогнул. Потому что только окна Нортона еще были закрыты ставнями.

— Это странно, — сказал я. — Вы думаете, его забыли позвать?

— Забавно. Надеюсь, он не заболел. Давайте поднимемся и посмотрим.

Мы вместе поднялись наверх. В коридоре мы встретили горничную — глуповатого вида простушку. В ответ на наш вопрос она сказала, что Нортон не ответил, когда она постучала в дверь. Она пару раз постучала, но он, по-видимому, не услышал. Его дверь заперта.

Мерзкое предчувствие закралось мне в душу. Я забарабанил в дверь со словами:

— Нортон! Нортон! Проснитесь! — И снова, со все возрастающей тревогой: — Проснитесь...

III

Когда стало ясно, что ответа не будет, мы спустились и нашли полковника Латтрелла. Он слушал нас, и в его выцветших голубых глазах была смутная тревога. Он неуверенно дернул себя за усы.

Миссис Латтрелл, которая всегда быстро принимала решения, не стала церемониться.

— Вам придется каким-то образом открыть эту дверь. Ничего не поделаешь.

Второй раз в своей жизни я видел, как взламывают дверь в Стайлз. Моему взору предстало то же самое зрелище, что и за запертой дверью в прошлый раз. Зрелище *насильственной смерти*.

566

Нортон лежал на кровати в своем халате. Ключ от двери был у него в кармане. В руке — маленький пистолет, совсем игрушечный, но способный сделать свое дело. Точно посредине лба Нортона была маленькая дырочка.

С минуту-другую я силился вспомнить, о чем это мне напоминает. О чем-то, несомненно, очень давнем...

Я слишком устал, чтобы вспомнить.

Когда я вошел в комнату Пуаро, он, увидев мое лицо, быстро спросил:

— Что случилось? Нортон?

— Мертв!

— Как? Когда?

Я вкратце рассказал.

— Говорят, это самоубийство, — устало заключил я. — Что же еще тут можно сказать? Дверь была заперта. На окнах — ставни. Ключ — у него в кармане. Да! Я же видел, как он зашел в комнату, и слышал, как он запирает дверь!

— Вы видели его, Гастингс?

— Да, вчера ночью.

Я объяснил.

— Вы уверены, что это был Нортон?

— Конечно. Я бы где угодно узнал этот ужасный старый халат.

На минуту Пуаро сделался прежним.

— О, но вы же опознаете *человека,* а не *халат*! Ma foi![1] Кто угодно мог быть в халате.

— Я действительно не видел его лица, — неохотно согласился я. — Но волосы были точно его, и он слегка прихрамывал...

— Кто угодно мог прихрамывать, mon Dieu!

Я смотрел на него, пораженный.

— Вы хотите сказать, Пуаро, что я видел не Нортона?

— Я не хочу сказать ничего подобного. Меня просто раздражают доморощенные доводы, которые вы

---

[1] По правде говоря! (*фр.*)

приводите, утверждая, что это был Нортон. Нет, нет, я ни на одну минуту не предполагаю, что это был *не* Нортон. Вряд ли кто-нибудь мог выдать себя за него — ведь все мужчины здесь высокие, гораздо выше него, а рост скрыть невозможно — да, невозможно. У Нортона рост, пожалуй, всего пять с небольшим футов. Tout de même[1], это похоже на фокус, не правда ли? Он заходит в комнату, запирает дверь, кладет ключ себе в карман, и его находят застреленным с пистолетом в руке и ключом, который все еще в кармане.

— Значит, вы не верите, что он застрелился? — спросил я.

Пуаро медленно покачал головой.

— Нет, — ответил он. — Нортон не застрелился. Это предумышленное убийство.

IV

Я сошел вниз, совершенно ошеломленный. Все было настолько необъяснимо, что, надеюсь, меня можно простить за то, что я не предугадал следующий неизбежный шаг. Я был как в тумане. И совсем отупел.

И тем не менее это было так логично. Нортона убили — почему? Чтобы помешать ему сказать, что он видел — так, во всяком случае, мне казалось.

Но он же поведал об этом другому человеку.

Значит, этот человек тоже в опасности...

И не только в опасности, но и совсем беспомощен. Мне следовало знать.

Я должен был предвидеть...

«Cher ami!»[2] — сказал мне Пуаро, когда я выходил из комнаты.

Это были последние слова, которые я от него слышал. Потому что, когда Куртис зашел к своему хозяину, он увидел, что тот мертв...

---

[1] Все равно (*фр.*).
[2] Дорогой друг! (*фр.*)

Глава 19

I

У меня нет ни малейшего желания об этом писать.

Видите ли, мне бы хотелось как можно меньше об этом думать. Умер Эркюль Пуаро — и вместе с ним умерла большая часть Артура Гастингса.

Я приведу вам голые факты, без всяких прикрас. Это все, что я смогу сделать.

Как все утверждают, он умер вследствие естественных причин. То есть от сердечного приступа. Как сказал Франклин, он ожидал именно такого конца. Несомненно, приступ был вызван шоком от известия о смерти Нортона. По-видимому, по оплошности около кровати Пуаро не оказалось ампул с амилнитратом.

Была ли это оплошность? Или кто-то умышленно убрал ампулы? Нет, тут кроется что-то еще. Х не мог полагаться на сердечный приступ Пуаро.

Потому что, видите ли, я отказываюсь верить, что Пуаро умер своей смертью. Его убили, как убили Нортона, как убили Барбару Франклин. И я не знаю, *почему* их убили, и не знаю, кто их убил!

Было дознание по делу Нортона, и вынесли вердикт о самоубийстве. Единственный, кто выразил сомнение, — это врач. Он сказал, что необычно, чтобы человек выстрелил себе точно в центр лба. Во всем остальном ни тени сомнения. Дверь заперта изнутри, ключ в кармане у покойного, ставни на окнах плотно закрыты, в руке — пистолет. Нортон жаловался на головные боли, и в последнее время у него были какие-то неприятности с капиталовложениями. Правда, это вряд ли могло послужить причиной для самоубийства, но следователям надо было за что-то зацепиться.

Очевидно, пистолет принадлежал Нортону. Дважды за время его пребывания в Стайлз горничная видела, как этот пистолет лежал на его туалетном столике. Вот так. Еще одно убийство прекрасно срежиссировано, и, как обычно, нет другой версии.

В дуэли между Пуаро и Х победил последний.

Теперь дело было за мной.

Я зашел в комнату Пуаро и забрал портфель.

Я знал, что он сделал меня своим душеприказчиком, поэтому у меня было полное право так поступить. Ключ был у него на шее.

В своей комнате я открыл портфель.

И сразу же испытал потрясение. *Досье всех случаев Х исчезли.* Я видел их за пару дней до смерти Пуаро, когда он открывал портфель. Это были доказательства, направленные против Х, которые могли мне понадобиться. Либо Пуаро сам уничтожил эти бумаги (что маловероятно), либо это сделал Х.

Х. Х. Этот проклятый дьявол Х.

Но в портфеле кое-что было. Я вспомнил обещание Пуаро, что найду другие указания, о которых не будет знать Х.

Где же эти указания?

Я обнаружил в портфеле маленький томик пьес Шекспира в дешевом издании. Второй книгой была пьеса «Джон Фергюсон» Сент-Джона Эрвина. Третий акт был заложен закладкой.

Я тупо смотрел на две книги.

Это были ключи к разгадке, которые оставил мне Пуаро, — и они совсем ничего мне не говорили!

Что же они *могли* означать?

Единственное, что мне пришло в голову, — это какой-то *код.* Словесный код, основанный на этих пьесах.

Но в таком случае, как же мне его разгадать?

Там не было ни подчеркнутых слов, ни подчеркнутых букв. Я попытался слегка нагреть страницы, но безрезультатно.

Тогда я стал внимательно читать весь третий акт «Джона Фергюсона». Восхитительная и волнующая сцена, в которой Клюти Джон сидит и рассуждает и которая заканчивается тем, что младший Фергюсон отправляется на поиски человека, обесчестившего его сестру. Мастерская обрисовка характеров, однако вряд ли можно было предположить, что Пуаро оставил эти книги для того, чтобы улучшить мой литературный вкус!

И тут, когда я перелистывал страницы книги, из нее выпал клочок бумаги. Это была фраза, написанная рукой Пуаро.

«Поговорите с моим слугой Джорджем».

Ну что же, это уже кое-что. Возможно, ключ к коду — если это код — оставлен у Джорджа. Я должен узнать его адрес и увидеться с ним.

Но вначале предстояло печальное дело — похоронить моего дорогого друга.

Тут он жил, когда впервые приехал в эту страну, тут и останется лежать навсегда.

Джудит была очень добра ко мне в эти дни.

Она проводила со мной много времени, помогла сделать все приготовления. Она была мягка и полна сострадания. Элизабет Коул и Бойд Каррингтон тоже были очень добры.

Смерть Нортона тронула Элизабет Коул меньше, чем я ожидал. Если она и ощущала глубокое горе, то скрывала это.

Итак, все было кончено...

II

Да, я должен это написать.

Это должно быть сказано.

Похороны закончились. Я сидел с Джудит, строя планы на будущее.

И тут она сказала:

— Но видишь ли, дорогой, *меня здесь не будет.*

— Здесь?

— *Меня не будет в Англии.*

Я смотрел на нее, не понимая.

— Мне не хотелось говорить тебе раньше, папа, чтобы не огорчать, когда тебе и так тяжело. Но теперь ты должен знать. Надеюсь, ты не будешь очень уж против. Знаешь, я уезжаю в Африку с доктором Франклином.

Тут я вспылил. Это невозможно! Она не может так поступить. Пойдут сплетни и пересуды. Быть его ассистенткой в Англии, особенно когда была жива его жена, — это одно дело, но ехать с ним в Африку — совсем другое. Это невозможно, и я категорически возражаю. Джудит не должна этого делать!

Дочь не перебивала меня. Она дала мне договорить. И едва заметно улыбнулась.

— Но, мой дорогой, я еду не как его ассистентка. Я еду как его жена.

Это было как гром среди ясного неба.

Я проговорил, запинаясь:

— А как же... Аллертон?

Это ее слегка позабавило.

— У меня никогда ничего с ним не было. Я бы так тебе и сказала, если бы ты не вывел меня из терпения. К тому же мне хотелось, чтобы ты думал... ну, в общем, то, что ты думал. Мне не хотелось, чтобы ты знал, что это... Джон.

— Но я видел, как он целовал тебя однажды вечером... на террасе.

— О, — небрежно отмахнулась Джудит, — очень возможно. Я была несчастна в тот вечер. Такое случается. Неужели тебе это незнакомо?

— Ты не можешь выйти за Франклина... так скоро, — заметил я.

— Нет, могу. Я хочу уехать вместе с ним, а ты только что сам сказал, что так проще. Нам нечего ждать теперь.

Джудит и Франклин. Франклин и Джудит.

Вы понимаете, какие мысли пришли мне на ум? Мысли, которые до поры лежали под спудом?

Джудит с пузырьком в руке, Джудит, заявляющая своим звенящим, страстным голосом, что бесполезные жизни должны исчезнуть и уступить дорогу полезным, — Джудит, которую я люблю и которую любил Пуаро. Эти двое, которых видел Нортон, — Джудит и *Франклин?* Но если так... если так — нет, этого не может быть. Только не Джудит. Возможно, Франклин — странный, безжалостный человек, кото-

572

рый уж если решится убивать, может убивать снова и снова.

Пуаро хотел проконсультироваться с Франклином. Почему? Что он сказал ему тогда утром?

Но не Джудит. Только не моя красивая, серьезная, юная Джудит.

И все же какой странный вид был у Пуаро, когда прозвучали те слова: «Вы бы предпочли сказать: «Опустите занавес»...

И вдруг меня осенила новая идея. Чудовищно! Невозможно! Не была ли сфабрикована вся история X? Не приехал ли Пуаро в Стайлз, потому что боялся трагедии в семье Франклин? Не приехал ли он, чтобы наблюдать за Джудит? И именно поэтому решительно отказывался что-либо рассказывать? Потому что вся история X была лишь выдумкой, дымовой завесой?

Не была ли центром трагедии Джудит, моя дочь?

«Отелло»! Именно «Отелло» я снял с полки в ту ночь, когда умерла миссис Франклин. Не было ли это ключом?

Джудит была похожа в ту ночь, как кто-то сказал, на свою тезку перед тем, как та отрубила голову Олоферну. Джудит — со смертью в сердце?

Глава 20

Я пишу это в Истборне.

Я приехал в Истборн повидать Джорджа, который прежде был слугой Пуаро.

Джордж служил у Пуаро много лет. Он прекрасно справлялся со своими обязанностями, но был при этом человеком прозаическим, начисто лишенным воображения. Он все понимал в буквальном смысле и принимал за чистую монету.

Итак, я поехал, чтобы увидеться с Джорджем. Я рассказал ему о смерти Пуаро, и реакция была именно такой, как и следовало ожидать. Он расстроился и опечалился, и ему почти удалось это скрыть.

Потом я спросил:

— Он оставил для меня какую-то весточку, не так ли?
Джордж без малейших колебаний возразил:
— Для вас, сэр? Нет, насколько мне известно.
Я был удивлен. Начал настаивать, но получил тот же ответ.

Наконец я сдался:
— Полагаю, я ошибся. Ну что ж, ладно. Мне бы хотелось, чтобы вы были с ним в конце его жизни.
— Я бы тоже этого хотел, сэр.
— И все же, поскольку ваш отец заболел, вам, несомненно, нужно было ехать к нему.

Джордж как-то странно взглянул на меня и проговорил:
— Прошу прощения, сэр, я не совсем вас понимаю.
— Вам пришлось уехать, чтобы ухаживать за вашим отцом, разве не так?
— Я не хотел уезжать, сэр. Мсье Пуаро отослал меня.
— Отослал вас? — Я смотрел на него, ничего не понимая.
— Я не хочу сказать, что он уволил меня, сэр. Была договоренность, что несколько позднее я вернусь к нему на службу. Но я уехал по его желанию, и он позаботился о достойном вознаграждении, пока я был со своим престарелым отцом.
— Но почему, Джордж, почему?
— Я ничего не могу сказать, сэр.
— Разве вы не спросили?
— Нет, сэр. Я не считал себя вправе спрашивать. У мсье Пуаро всегда были свои соображения, сэр. Очень умный джентльмен, я это всегда понимал, сэр, и пользовавшийся большим уважением.
— Да, да, — рассеянно пробормотал я.
— Очень разборчив в одежде. Хотя и предпочитал нечто оригинальное, на иностранный манер, если вы понимаете, что я имею в виду. Но это вполне понятно, поскольку он был иностранным джентльменом. И его волосы, и усы.
— Ах, эти знаменитые усы. — У меня защемило сердце, когда я вспомнил, как Пуаро ими гордился.

— Очень заботился о своих усах, очень, — продолжал Джордж. — Теперь такие не носят, но *ему* они шли, сэр, если вы понимаете, что я имею в виду.

Я сказал, что понимаю. Потом спросил шепотом:

— Полагаю, он их красил, и волосы тоже?

— Он... э-э... чуть подкрашивал усы... но волосы нет, во всяком случае, в последние годы.

— Вздор, — возразил я. — Они были черные как вороново крыло — выглядели так неестественно, что походили на парик.

Джордж кашлянул с извиняющимся видом.

— Простите меня, сэр, это и был парик. В последнее время у мсье Пуаро сильно поредели волосы, поэтому он носил парик.

Мне подумалось: как странно, что слуга знает о человеке больше, чем его самый близкий друг.

Я вернулся к вопросу, который меня озадачил.

— Но у вас нет никакого представления, почему мсье Пуаро вас отослал? Думайте, *думайте*.

Джордж попытался это сделать, но ему это с трудом давалось.

— Я могу лишь предполагать, сэр, — сказал он. — Что он уволил меня, поскольку хотел нанять Куртиса.

— Куртиса? А почему он захотел нанять Куртиса?

Джордж снова кашлянул.

— Ну, сэр, я действительно не знаю. Когда я его увидел, он мне не показался... э-э... извините, сэр... очень уж смышленым. Конечно, он силен физически, но я полагаю, что он вряд ли был таким слугой, который требовался мсье Пуаро. Одно время он работал в психиатрической лечебнице, как мне кажется.

Пораженный, я уставился на Джорджа.

Куртис!

Не по этой ли причине Пуаро упорствовал и так мало мне рассказывал? Куртис, единственный, кого я никогда не брал в расчет! Да, и Пуаро это вполне устраивало. Он заставил меня прочесывать всех постояльцев Стайлз в поисках загадочного Х. Но Х *не* был постояльцем.

Куртис!

В прошлом он служил в психиатрической лечебнице. А разве не читал я где-то, что пациенты психиатрической лечебницы или сумасшедшего дома иногда остаются там или возвращаются туда работать?

Странный, молчаливый человек с тупым выражением лица — человек, который мог убить по какой-то, ведомой ему одному дикой причине...

И если так — если так...

О, в таком случае огромное облако, заслонявшее мне горизонт, растает!

Куртис?..

Постскриптум

Запись капитана Артура Гастингса: «Следующая рукопись перешла в мое владение через четыре месяца после смерти моего друга Эркюля Пуаро. Я получил извещение от юридической фирмы, в котором содержалась просьба зайти в их офис. Там, «в соответствии с инструкциями их клиента, покойного мсье Эркюля Пуаро», мне был вручен запечатанный пакет с рукописью. Привожу ее содержание».

Нижеприведенный текст записан рукой Эркюля Пуаро:

«Mon cher ami!

Меня не будет в живых уже четыре месяца, когда вы прочтете эти слова. Я долго взвешивал, стоит ли писать то, что сейчас перед вами, и решил, что кто-то должен знать правду о втором «Affaire[1] Стайлз». Я также рискну высказать догадку, что к тому времени, как вы будете это читать, вы придумаете самые абсурдные теории — и, возможно, они причинят вам боль.

Но позвольте сказать вам следующее: вы должны были бы с легкостью, mon ami, догадаться об истине.

---

[1] Дело (фр.).

Я позаботился о том, чтобы у вас были все указания. Если вы еще не догадались, то виной тому, как всегда, ваша благородная и слишком доверчивая натура. A la fin comme au commencement[1].

Но вам бы по крайней мере следовало знать, кто убил Нортона, даже если вы все еще в полном неведении относительно того, кто убил Барбару Франклин. Последнее может явиться для вас ударом.

Итак, начнем с того, что, как вам известно, я послал за вами. Я сказал, что вы мне нужны. Это правда. Я сказал, что хочу, чтобы вы были моими ушами и глазами. Это тоже верно, причем очень верно, даже если и не в том смысле, как вы это поняли! Вы должны были увидеть то, что я хотел, чтобы вы увидели, и слышать то, что я хотел, чтобы вы слышали.

Вы жаловались, cher ami, что я «нечестно» изложил вам дело. Я утаил от вас информацию, которой располагал. То есть я отказывался сообщить вам, кто такой Х. Совершенно верно. Мне пришлось так поступить — хотя и не по той причине, которую я указал. Вскоре вы поймете, почему я это сделал.

А теперь рассмотрим дело Х. Я показал вам резюме разных случаев. И указал на то, что в каждом отдельном случае человек, которого обвиняли или подозревали, действительно совершил данное преступление, и тут нет *альтернативного* решения. Затем я перешел ко второму важному факту — что в каждом случае Х либо являлся одним из действующих лиц данных событий, либо был тесно связан с ними. И тут вы пришли к заключению, которое, как ни парадоксально, было и верным, и ложным. Вы сказали, что Х совершил все эти преступления.

Но, мой друг, обстоятельства были таковы, что в каждом (или почти в каждом) случае *только* обвиняемый мог совершить это преступление. С другой стороны, если это так, при чем тут Х? За исключением лиц, связанных с полицией или детективным агентством, ни один мужчина и ни одна женщина не мо-

---

[1] В начале, как в конце (*фр.*).

гут фигурировать в пяти делах об убийстве. Понимаете, так не бывает! Никогда не бывает, чтобы кто-то конфиденциально сообщил: «Вы знаете, а ведь я фактически знал пять убийц!» Нет, нет, mon ami, это просто невозможно. Итак, мы имеем тут любопытный случай. Перед нами случай катализа — реакции между двумя веществами, которая происходит только в присутствии третьего вещества, не принимающего участия в реакции и остающегося без изменений. В этом вся суть дела. Это означает, что, когда присутствовал X, имели место преступления, но X не принимал активного участия в этих преступлениях.

Небывалое, ненормальное положение! И я понял, что наконец-то, в конце своей карьеры, я столкнулся с совершенным преступником, который изобрел такой метод, что *его никогда не смогли бы обвинить в преступлении*.

Это было поразительно. Но не ново. Существовали параллели. И здесь мы вспомним первый «ключ», который я вам оставил. Пьеса «Отелло». Потому что в ней мы видим подлинного X, великолепно изображенного. Яго — совершенный убийца. Смерть Дездемоны, Кассио — да и самого Отелло — это преступления Яго, которые он спланировал и осуществил. А сам он остается за пределами круга, вне подозрения — или мог бы остаться. Потому что, мой друг, ваш великий Шекспир столкнулся с дилеммой, которую поставило перед ним его собственное искусство. Чтобы разоблачить Яго, ему пришлось прибегнуть к самому неуклюжему способу — я имею в виду историю с платком. Это никак не вяжется с методами Яго, и он бы никогда не совершил подобный промах.

Да, тут можно говорить о совершенном способе убийства. Ни слова *прямого* внушения. Он всегда удерживает других от насилия, в ужасе опровергая подозрения, которые никому бы и не пришли в голову, не упомяни о них сам Яго!

И тот же метод мы видим в блестящем третьем акте «Джона Фергюсона», где «слабоумный» Клюти Джон побуждает других убить человека, которого сам ненавидит. Это прекрасный пример психологического внушения.

А теперь, Гастингс, вы должны осознать следующее. Каждый человек — потенциальный убийца. У каждого время от времени возникает *желание* убить — но не *намерение* убить. Как часто вы чувствовали сами или слышали, как говорят другие: «Она так разъярила меня, что я бы мог ее убить!» Или: «Я бы мог убить В. за то, что он сказал!» Или: «Я так рассердился, что мог бы его убить!» И все это говорится в буквальном смысле. В такие минуты разум совершенно ясен. Человеку хотелось бы убить такого-то и такого-то. *Но он этого не делает.* Его воля совладает с желанием. У маленьких детей этот тормоз еще не отрегулирован. Я знал ребенка, рассердившегося на своего котенка и сказавшего: «Сиди тихо, или я стукну тебя по голове и убью». И он действительно это сделал, а минуту спустя пришел в ужас и отчаяние, поняв, что котенку не вернуть жизнь. Потому что на самом деле ребенок нежно любил этого котенка. Итак, все мы — потенциальные убийцы. А искусство Х заключалось не в том, чтобы внушить желание убить, а в том, чтобы сломать нормальный тормоз. Это было искусство, усовершенствованное длительной практикой. Х знал точное слово, точную фразу, даже интонацию, с помощью которых воздействовал на слабое место! Это делалось так, что жертва ничего не подозревала. Это не был гипноз — гипноз бы ничего не дал. Это было что-то более коварное, более смертоносное. Таким образом душевные силы человека направлялись на то, чтобы расширить брешь, а не закрыть ее. Это взывало к лучшему в человеке, пробуждая в нем худшее.

Вам бы следовало знать, Гастингс, — ведь это произошло с вами...

Итак, теперь вы, наверно, начинаете понимать, что означали на самом деле мои замечания, которые вас раздражали и смущали. Когда я говорил о преступлении, которое должно совершиться, я не всегда имел в виду одно и то же преступление. Я сказал вам, что нахожусь в Стайлз с определенной целью — потому что здесь должно совершиться преступление. Вы были удивлены моей уверенностью в этом. Но я мог быть абсолютно уверен, потому что преступление должен был совершить *я сам...*

Да, мой друг, это странно — и смешно — и ужасно! Я, который не одобряет убийство, я, который ценит человеческую жизнь, закончил свою карьеру тем, что совершил убийство. Возможно, именно оттого, что я был слишком самодовольным, слишком уверенным в своей высокой нравственности, передо мной встала эта ужасная дилемма. Потому что, видите ли, Гастингс, тут имеется две стороны. Дело моей жизни — *предотвращать* убийство; но, с другой стороны, убийство — единственный способ, имевшийся в моем распоряжении! Не заблуждайтесь, Х недосягаем для закона. Он в безопасности. Даже используя всю свою изобретательность, я не смог бы придумать, как победить его другим способом.

И тем не менее, мой друг, мне не хотелось это делать. Я понимал, что нужно сделать, но не мог себя заставить. Я был как Гамлет — вечно оттягивал этот страшный день... И тут случилось первое покушение — покушение на миссис Латтрелл.

Мне было любопытно посмотреть, Гастингс, сработает ли ваше знаменитое чутье на очевидное. Оно сработало. Вашей самой первой реакцией было легкое подозрение на Нортона. И вы были совершенно правы. У вас не было оснований для этого подозрения, кроме абсолютно разумного, пусть и несколько вялого предположения, что он незначителен. Тут, полагаю, вы подошли очень близко к истине.

Я довольно тщательно ознакомился с историей жизни Нортона. Он был единственным сыном властной и деспотичной женщины. По-видимому, он не способен был самоутверждаться или навязывать свою волю другим. Он всегда немного прихрамывал и не мог принимать участия в школьных играх.

Одна из самых важных вещей, которую вы мне поведали, — это замечание о том, что над ним смеялись в школе, потому что его чуть не стошнило при виде мертвого кролика. Я думаю, именно этот случай произвел на Нортона неизгладимое впечатление. Он не выносил крови и насилия, и вследствие этого страдал его престиж. Он подсознательно ожидал возможности реабилитироваться, сделавшись смелым и безжалостным.

Вероятно, еще совсем юным он обнаружил, что способен влиять на людей. Он был хорошим слушателем, обладал спокойным нравом, вызывал к себе симпатию. Он нравился людям, и в то же время его не очень-то замечали. Нортона это обижало, но затем он стал этим пользоваться. Он открыл для себя, как до смешного просто можно, употребляя верные слова и стимулы, влиять на людей. Единственное, что требуется, — это понимать их, проникать в их мысли, в их тайные реакции и желания.

Вы понимаете, Гастингс, что подобное открытие могло подпитывать ощущение власти? Вот он, Стивен Нортон, которого все любят и слегка презирают, и он заставит людей делать то, что им не хочется, — или (заметьте!) — то, что, как им кажется, они не хотят делать.

Я могу представить себе, как он все больше увлекался этим своим хобби... И мало-помалу у него развился нездоровый вкус к насилию, так сказать, из вторых рук. Насилие, на которое он сам был не способен в силу физических причин — за что его высмеивали.

Да, постепенно это хобби становится страстью, необходимостью! Это было наркотиком, Гастингс, наркотиком, которого он теперь так же жаждал, как жаждут опиума или кокаина.

Нортон, мягкосердечный и любящий, был тайным садистом. Наркотиком для него была боль, душевная пытка. В последние годы в мире возникла эта эпидемия. L'appétit vient en mangeant[1].

Этот наркотик питал две жажды — жажду садиста и жажду властолюбца. Он, Нортон, обладал ключами жизни и смерти.

---

[1] Аппетит приходит во время еды (*фр.*).

Как любому наркоману, ему требовался запас наркотика. Он находил жертву за жертвой. Не сомневаюсь, что были еще случаи — кроме тех пяти, которые я проследил. В каждом из них он сыграл аналогичную роль. Он знал Этерингтона, он провел лето в деревне, где жил Риггз, и выпивал с Риггзом в местном пабе. В круизе он познакомился с Фредой Клей и сыграл на неотчетливой мысли, что, если ее старая тетушка умрет, это будет благо — избавление для старушки и материально обеспеченная и полная удовольствий жизнь для нее самой. Он был другом Личфилдов. Беседуя с ним, Маргарет Личфилд увидела себя в новом свете — героиней, избавляющей своих сестер от пожизненного заключения. Но я не верю, Гастингс, что *кто-нибудь из этих людей совершил бы то, что они совершили,* если бы не влияние Нортона.

А теперь мы переходим к событиям в Стайлз. Я уже некоторое время шел по следам Нортона. Он познакомился с Франклинами, и я сразу же почуял опасность. Вы должны понимать, что даже Нортону нужно иметь некий зародыш, который он мог бы культивировать. Нужно иметь зерно, которое уже находится в почве и из которого можно что-то вырастить. Например, что касается «Отелло», то я всегда считал, что в душе Отелло уже присутствует убеждение (возможно, правильное), что любовь Дездемоны к нему — страстное, неуравновешенное преклонение девушки перед знаменитым героем-воином, а не зрелая любовь *женщины* к Отелло-*мужчине.* Возможно, он сознавал, что настоящая пара для Дездемоны — Кассио и что со временем она тоже может это понять.

Франклины представляли весьма заманчивую перспективу для Нортона. Какие разнообразные возможности! Теперь вы, несомненно, поняли, Гастингс (любой здравомыслящий человек давно бы это понял), что Франклин был влюблен в Джудит, а она — в него. Его резкость, привычка никогда не смотреть на нее, пренебрежение элементарными правилами вежливости должны были бы вам подсказать, что этот человек по уши влюблен в Джудит. Но Франклин — человек с очень сильным характером и высокими моральными принципами. Его речь грубовата и лишена сантиментов, но он придерживается определенных правил. Согласно его кодексу чести, мужчина должен оставаться с женой, которую избрал.

Полагаю, даже вы бы увидели, что Джудит питает к нему глубокую любовь и несчастна. Она полагала, что вы это поняли, найдя ее на скамейке в розарии. Отсюда ее яростная вспышка. Люди с таким характером, как у нее, не выносят малейшего выражения жалости или сочувствия. Это словно коснуться открытой раны.

Затем Джудит обнаружила, что вы думаете, будто она увлечена Аллертоном. Она не стала вас разубеждать, защитившись таким образом от неуклюжих попыток выразить сочувствие и бередить ее рану. Она флиртовала с Аллертоном, находя в этом отчаянное утешение. Она ни на минуту не заблуждалась на его счет. Но он ее забавлял и отвлекал. Однако Джудит никогда не испытывала к нему ни малейшего чувства.

Разумеется, Нортон прекрасно знал, как обстоят дела. Он видел большие возможности в этом треугольнике. Могу сказать, что начал он с Франклина, но потерпел полное фиаско. Франклин человек того типа, который обладает иммунитетом к коварным внушениям Нортона. У доктора Франклина ясный ум, для него существуют только черная и белая краски. Он отдает себе полный отчет в своих чувствах и совершенно невосприимчив к давлению извне. К тому же величайшая страсть его жизни — работа. Его поглощенность наукой делает его еще более неуязвимым.

Что касается Джудит, тут Нортон добился большего успеха. Он очень тонко сыграл на теме бесполезных жизней. Это было кредо Джудит, и она резко отрицала тот факт, что это совпадает с ее тайными желаниями. Но для Нортона такое совпадение было просто находкой. Он действовал очень умно — высказывал противоположную точку зрения, добродушно подшучивая над Джудит. Дескать, у нее никогда не хватит мужества на такой решительный шаг. «Так говорят все молодые — но никто никогда не делает!»

Дешевый прием — и тем не менее как часто он срабатывает, Гастингс! Они так уязвимы, эти дети! Так готовы принять *вызов*, хотя и не осознают это!

А если бесполезную Барбару устранить, то путь свободен для Франклина и Джудит. Это никогда не говорилось, и никогда не допускалось, чтобы подобная мысль стала кому-то очевидной. Напротив, подчеркивалось, что *личный* аспект не имеет к этому делу никакого отношения — совсем никакого. Потому что если бы Джудит это осознала, ее реакция была бы очень бурной. Но для такого закоренелого наркомана убийства, как Нортон, одной трагедии недостаточно. Он видит возможности для удовольствия повсюду. Одну из них он находит в чете Латтрелл.

Вернемся назад, Гастингс. Припомните тот первый вечер, когда вы играли в бридж. И замечания Нортона, которыми он поделился с вами позже, — он говорил так громко, что вы испугались, как бы не услышал полковник Латтрелл. Конечно! Нортон *хотел,* чтобы тот услышал! Он никогда не упускал возможности подлить масла в огонь, посыпать солью раны — и наконец его усилия увенчались успехом. Это случилось у вас под самым носом, Гастингс, а вы так и не поняли, как это было сделано. Фундамент уже был заложен — тяготы жизни, растущие день ото дня, чувство стыда за то, какой смехотворной фигурой он предстает перед другими мужчинами, глубокая обида на жену.

Вспомните точно, что именно произошло. Нортон сказал, что хочет пить. (Знал ли он, что миссис Латтрелл воспротивится намерению мужа?) Полковник реагирует немедленно, как и подобает гостеприимному хозяину — таков он по натуре. Он предлагает выпить. И идет за напитками. Вы все еще сидите под окном. Появляется его жена — и возникает неизбежная сцена, которую, как известно полковнику, невольно подслушивают. Он выходит. Все еще можно было сгладить — Бойд Каррингтон прекрасно бы с этим справился. (У него есть определенная доля жизненного опыта и светский такт, хотя в остальном это один из самых напыщенных и скучных людей, каких я только знал! Как раз такого сорта личность, которая вызывает восхищение у *вас*!) Да и вы сами недурно справились бы с этой задачей. Но Нортон начинает молоть вздор, делая неуклюжие попытки спасти положение, и делает только хуже. Он болтает о бридже (снова вызывая в памяти унижения), без всякой связи переходит к несчастным случаям с огнестрельным оружием. И, сразу же подхватив эту тему (как и рассчитывал Нортон), этот старый осел Бойд Каррингтон рассказывает историю об ирландском денщике, застрелившем своего брата. Ту историю, Гастингс, которую *сам же Нортон рассказал Бойд Каррингтону*, прекрасно понимая, что этот старый дурак выдаст ее за свою собственную, если ему вовремя подсказать. Вот видите, самая главная идея исходила *не* от Нортона. Mon Dieu, non![1]

Итак, все подготовлено. Накопление отрицательных эмоций произошло. Критическая точка достигнута. Оскорбленный в своих чувствах хозяина, опозоренный перед товарищами, страдающий при мысли, что, по их убеждению, у него не хватит смелости что-то предпринять, разве что кротко выносить издевательства, — он слышит ключевые слова, подсказывающие выход. Ружье, несчастные случаи — человек, застреливший своего брата, — и тут неожиданно над травой показывается голова его жены... «Никакого риска... несчастный случай... Я покажу им... Я покажу *ей*... черт ее побери! Я хочу, чтобы она умерла... Она умрет!»

Он не убивал ее, Гастингс! Лично я думаю, что даже когда он выстрелил, то инстинктивно промазал, *потому что хотел промазать*. А потом — потом эти злые чары были разрушены. Она была его женой, женщиной, которую он любил несмотря ни на что.

Одно из преступлений Нортона, которое не вполне удалось.

Да, но его следующая попытка! Вы понимаете, Гастингс, что следующим были *вы?* Оглянитесь назад и

---

[1] Боже мой, нет! (*фр.*)

вспомните все. Вы, мой честный, добрый Гастингс! Он нашел все ваши слабые места, а также сильные — такие, как порядочность, совестливость.

Аллертон — человек того типа, который вы инстинктивно недолюбливаете и боитесь. Это тот тип, который, по вашему мнению, *должен* быть уничтожен. И все, что вы слышали о нем и думали о нем, — это правда. Нортон рассказывает вам одну историю об Аллертоне — абсолютно правдивую историю, что касается фактов. (Хотя на самом деле девушка, о которой шла речь, была невротического типа и сделана из непрочного материала.)

Итак, ставка была сделана на ваше почтение к условностям и несколько старомодные взгляды. Этот человек негодяй, соблазнитель, он губит девушек и доводит их до самоубийства! Нортон подключает также Бойд Каррингтона. Вас убеждают «поговорить с Джудит». Джудит, как и следовало ожидать, немедленно отвечает, что сделает со своей жизнью все, что захочет. Это заставляет вас поверить в худшее.

А теперь посмотрите, на каких разных струнах играет Нортон. Ваша любовь к дочери. Старомодное чувство ответственности за своих детей, свойственное такому человеку, как вы. Некоторое самомнение, присущее вашей натуре: «*Я* должен что-нибудь сделать. Все зависит от *меня*». Ваше чувство беспомощности оттого, что вы лишены мудрого совета вашей жены. Ваша преданность — я не должен ее подвести. И, что касается более низменных побуждений — ваше тщеславие: ведь благодаря нашему с вами знакомству вы узнали все фокусы нашей профессии! И, наконец, чувство, которое испытывают все отцы, имеющие дочерей, — подсознательная ревность и неприязнь к мужчине, который ее отберет у отца. Нортон играл, как виртуоз, на всех этих струнах. И вы отозвались, Гастингс.

Вы слишком легко принимаете все за чистую монету. И всегда были таким. Вы легко приняли за факт, что именно Джудит говорила в беседке с Аллертоном. И однако вы ее *не видели,* вы даже *не слышали ее голос.*

586

И, что совсем невероятно, вы даже на следующее утро продолжали считать, что это была Джудит. Вы радовались тому, что она «передумала».

Но если бы вы потрудились изучить факты, то обнаружили бы, что вопрос о поездке *Джудит* в тот день в Лондон никогда не вставал! И вы не смогли сделать еще один очевидный вывод. Был кто-то, кто *собирался* уехать в тот день — и кто пришел в ярость оттого, что поездка сорвалась. Сестра Крейвен. Аллертон не такой человек, чтобы ограничиться флиртом с одной женщиной! Его отношения с сестрой Крейвен зашли гораздо дальше, чем легкий флирт с Джудит.

И тут опять сценическая постановка Нортона.

Вы видели, как Аллертон и Джудит целуются. Потом Нортон тянет вас обратно за угол. Ему, несомненно, хорошо известно, что у Аллертона назначено свидание с сестрой Крейвен в беседке. В конце концов он вас отпускает, но продолжает следовать за вами. Фраза Аллертона, которую вы подслушали, как нельзя лучше подходит для целей Нортона. И он быстро уводит вас, пока вам не представился шанс узнать, что эта женщина не Джудит!

Да, виртуоз! И ваша реакция мгновенна! Сработали все струны! Вы решаетесь на убийство.

Но, к счастью, Гастингс, у вас был друг, мозг которого все еще функционировал! И не только мозг!

Я сказал в начале этой рукописи, что если вы не докопались до истины, это потому, что у вас слишком доверчивая натура. Вы верите тому, что вам говорят. Вы поверили тому, что вам сказал *я*...

И однако вы совсем легко могли раскрыть правду. Я отослал Джорджа — почему? Я заменил его менее опытным и явно менее толковым человеком — почему? Я не показывался докторам — я, который всегда заботился о своем здоровье, — почему? И слышать не хотел о врачах — почему?

Теперь вы понимаете, зачем вы мне понадобились в Стайлз? Мне нужен был кто-то, кто *принимал бы на веру все, что я скажу.* Вы приняли мое утверждение, что я вернулся из Египта в гораздо худшем состоянии, чем когда уезжал. Это не так. Я вернулся в гораздо лучшем состоянии! Вы бы обнаружили этот факт, если бы постарались. Но нет, вы поверили. Я отослал Джорджа, потому что мне не удалось бы заставить его думать, что я вдруг стал совершенно бессильным и беспомощным. Джордж крайне наблюдателен. Он бы понял, что я притворяюсь.

Вы понимаете, Гастингс? Все то время, что я притворялся неспособным двигаться и обманывал Куртиса, я *вовсе не был беспомощным.* Я мог ходить — прихрамывая.

Я слышал, как вы поднялись по лестнице в тот вечер. Слышал, как вы, немного поколебавшись, вошли в комнату Аллертона. И я сразу же насторожился. Меня уже сильно беспокоило ваше состояние.

Я не стал мешкать. Я был один — Куртис ушел ужинать. Я выскользнул из своей комнаты и пересек коридор. А услышав, что вы в ванной Аллертона, я, мой друг, быстро сделал то, что вы так осуждаете, — опустился на колени и посмотрел в замочную скважину двери ванной. К счастью, все было видно, поскольку там задвижка, а не ключ изнутри.

Я наблюдал за вашими манипуляциями с таблетками снотворного. И понял, в чем заключается ваша идея.

Итак, мой друг, я начал действовать. Я вернулся в свою комнату и занялся собственными приготовлениями. Когда пришел Куртис, я послал его за вами. Вы пришли, зевая, и объяснили, что у вас болит голова. Я сразу же ужасно засуетился и стал предлагать вам разные средства. Чтобы отвязаться от меня, вы согласились выпить чашку шоколада. Вы быстро проглотили его, торопясь уйти к себе. *Но у меня тоже, мой друг, есть таблетки снотворного.*

Итак, вы заснули — и проспали до утра, а проснувшись, вновь стали собой и ужаснулись тому, что чуть было не совершили.

Теперь вы были в безопасности — такое не пытаются сделать дважды. Во всяком случае, с тем, кто вновь обрел здравомыслие.

Но это придало решимости *мне,* Гастингс! Потому что если я мог чего-то не знать о других людях, то вас-то я знал! *Вы* не убийца, Гастингс! Однако вас могли повесить — за убийство, совершенное другим человеком, который был бы невиновен в глазах закона.

Вас, мой хороший, мой честный, мой — о! — такой благородный Гастингс, такой добрый, такой совестливый, такой невинный!

Да, я должен был действовать. Я знал, что дни мои сочтены, и был этому рад. Потому что самое худшее в убийстве, Гастингс, — это его воздействие на убийцу. Я, Эркюль Пуаро, мог поверить, что мое божественное предназначение — нести смерть всем без исключения... Но, по счастью, слишком мало времени оставалось, чтобы это могло произойти. Скоро должен был наступить конец. И я боялся, что Нортон добьется успеха с кем-то, кто бесконечно дорог нам обоим. Я говорю о вашей дочери...

А теперь мы переходим к смерти Барбары Франклин. Каковы бы ни были ваши идеи на этот счет, Гастингс, не думаю, чтобы вы хоть на минуту заподозрили правду.

Потому что, видите ли, Гастингс, это вы убили Барбару Франклин.

Mais oui, вы!

Итак, был еще один угол треугольника. Тот, который я не особенно принимал во внимание. Когда это случилось, казалось, Нортон тут ни при чем. Но я не сомневаюсь, что он тут также замешан...

Вам когда-нибудь приходилось задумываться о том, почему миссис Франклин пожелала приехать в Стайлз? Ведь это место, Гастингс, совсем не в ее вкусе. Она любит комфорт, хорошую еду и интересный круг общения. В Стайлз невесело; обслуживание посредственное; место довольно безлюдное. И тем не менее именно миссис Франклин настояла на том, чтобы провести здесь лето.

Да, был и третий угол. Бойд Каррингтон. Миссис Франклин была разочарованной женщиной. В этом крылся корень ее невроза. Она честолюбива и в социальном, и в финансовом плане. Она вышла замуж за Франклина, потому что ожидала, что он сделает блестящую карьеру.

Он блестящий ученый, но не в том ракурсе, в каком ей бы хотелось. Его блистательные успехи никогда не создадут ему репутацию в медицинском мире, о нем не напишут в газетах. Доктора Франклина будут знать с полдюжины его коллег, и его статьи опубликуют лишь скучные научные журналы. Мир о нем не услышит, и он определенно не сделает состояния.

И тут появляется Бойд Каррингтон, который вернулся домой с Востока. Он только что получил титул баронета и наследство. Бойд Каррингтон всегда питал сентиментальные чувства к хорошенькой семнадцатилетней девочке, которой едва не сделал предложение. Он едет в Стайлз и предлагает Франклинам тоже туда отправиться — и Барбара едет.

Она убеждается, что не потеряла прежнего очарования для этого богатого, привлекательного человека, но он старомоден и — это просто доводит ее до бешенства — не из тех, кто одобряет развод. И Джон Франклин также против развода. Если бы Джон Франклин умер, она могла бы стать леди Бойд Каррингтон — о, какая бы это была чудесная жизнь!

Думаю, Нортон нашел в ней очень послушное орудие.

Все было слишком очевидно, Гастингс, стоит только вдуматься. Те первые пробные попытки показать, как она любит мужа. Она немного переигрывала — вспомните ее слова о том, чтобы «покончить со всем этим», дабы не быть ему в тягость.

А затем — совсем новая линия поведения. Она боится, что Франклин может поставить эксперимент на себе самом.

Мы должны были догадаться, Гастингс, все было так очевидно! Она готовила нас к тому, что Джон Франклин умрет от отравления физостигмином. Не возникает никакого вопроса, что кто-то пытался его отравить, — о нет, просто научные исследования. Он принимает безобидный алкалоид, а тот оказывается вредным.

Единственное, что можно отметить, — это что она поспешила. Вы сказали мне, что она была недовольна, увидев, как сестра Крейвен предсказывала по руке судьбу Бойду Каррингтону. Сестра Крейвен — привлекательная молодая женщина, которая не прочь пококетничать с мужчинами. Она попыталась пококетничать с доктором Франклином, но не имела успеха. (Отсюда ее неприязнь к Джудит.) У нее роман с Аллертоном, но она прекрасно понимает, что у него это несерьезно. Она неизбежно должна была положить глаз на богатого и все еще привлекательного сэра Уильяма, а сэр Уильям, возможно, был очень даже не прочь, чтобы его завлекли. Он уже заметил, что сестра Крейвен — пышущая здоровьем, красивая девушка.

Барбара Франклин испугалась и решила действовать быстро. Чем раньше она станет трогательной, очаровательной и вовсе не безутешной вдовой, тем лучше.

Итак, после целого утра на нервах она приступает к осуществлению своего плана.

Знаете ли, mon ami, я питаю некоторое уважение к калабарскому бобу. На этот раз он сработал. Он пощадил невинного и убил виновного.

Миссис Франклин приглашает вас всех к себе в комнату. Она с большой помпой и суматохой варит кофе. Как вы рассказывали мне, ее чашка была возле нее, а чашка ее мужа — по другую сторону столика-этажерки.

И тут появляются падающие звезды, и все выходят на балкон. Остаетесь только вы, мой друг, со своим кроссвордом и своими воспоминаниями. И чтобы скрыть свои эмоции, вы поворачиваете этажерку и ищете цитату из Шекспира.

А потом они возвращаются, и миссис Франклин выпивает кофе, полный алкалоидов калабарского боба, который предназначался для дорогого ученого Джона, а Джон Франклин выпивает чашечку чудесного кофе, которая предназначалась для умной миссис Франклин.

Но знаете, Гастингс, хотя я и понял, что произошло, мне стало ясно: я не смогу *доказать,* что случилось на самом деле. И если решат, что миссис Франклин не совершала самоубийства, подозрение неизбежно падет либо на Франклина, либо на Джудит. То есть на двух людей, которые абсолютно невиновны. И тогда я сделал то, на что имел полное право, — я убежденно повторял и акцентировал крайне неубедительные слова миссис Франклин о том, что она хочет покончить с собой.

Я мог это сделать — и, вероятно, был единственным, кто мог. Потому что, видите ли, мои показания имели вес. Я — человек, имеющий опыт в вопросах убийства. И уж если *я* убежден, что это самоубийство, то эта версия будет принята.

Я видел, что это вас озадачило и вы недовольны. Но, к счастью, вы не подозревали об истинной опасности.

Однако не станете ли вы думать об этом после того, как я уйду? Не таится ли на дне вашего разума нечто, подобное темной змее, которая время от времени приподнимает голову и говорит: «Предположим, Джудит?..»

Это может произойти. Поэтому я и пишу эти строки. Вы должны знать правду.

Был один человек, которого не устраивал вердикт о самоубийстве. Нортон. Он лишился своего фунта мяса. Как я уже говорил, он садист. Он жаждет всей гаммы эмоций, подозрений, страха, судебных разбирательств. Он не получил всего этого. Убийство, которое он организовал, произошло не так, как надо.

Но вскоре он увидел возможность компенсации для себя. Он начал сыпать намеками. Раньше он притворялся, что увидел что-то в бинокль. Тогда он хотел создать впечатление, что видел Аллертона и Джудит в какой-то компрометирующей ситуации. Но поскольку он не сказал ничего определенного, теперь он мог по-другому использовать этот эпизод.

Предположим, например, что он скажет, будто видел *Франклина* и Джудит. Это придаст новый интересный аспект делу о самоубийстве! И возможно, заронит сомнение, что это было самоубийство...

Итак, mon ami, я решил: то, что следует сделать, нужно сделать немедленно. Я устроил так, чтобы вы в тот вечер привели его ко мне в комнату...

Я расскажу вам в точности, что случилось. Несомненно, Нортон с восторгом рассказал бы мне свою выдуманную историю. Я не дал ему времени. Я четко и определенно выложил ему все, что о нем знаю.

Он не стал отрицать. Нет, мой друг, он откинулся на стуле и самодовольно ухмыльнулся. Mais oui, я не нахожу другого слова — именно ухмыльнулся. И спросил меня, что же я собираюсь делать со своей забавной теорией. Я ответил, что собираюсь казнить его.

— А, понятно, — сказал он. — Кинжал или чаша с ядом?

Мы как раз собирались вместе пить шоколад. Он был сладкоежкой, этот мистер Нортон.

— Самое простое, — ответил я, — чаша с ядом.

И передал ему чашку шоколада, который только что налил.

— В таком случае, — предложил он, — вы не возражаете, если я выпью из вашей чашки, а не из моей?

— Вовсе нет.

Это не имело никакого значения. Как я уже говорил, я тоже принимал снотворное. А поскольку я уже довольно давно принимал его на ночь, то до некоторой степени привык к этим таблеткам. Поэтому доза, от которой заснул бы мсье Нортон, на меня бы подействовала очень слабо. Снотворное было в шоколаде. Мы оба получили равную дозу. На него она подействовала, а на меня — почти нет. Тем более, что я параллельно принял свое тонизирующее средство.

Итак, мы переходим к последней главе. Когда Нортон заснул, я перенес его в мое кресло на колесиках — довольно легко, поскольку в нем полно всяких механизмов. Затем отвез кресло на обычное место — в нишу за занавесью.

Потом Куртис «уложил меня в постель». Когда все стихло, я отвез Нортона в его комнату. Мне оставалось лишь воспользоваться глазами и ушами моего превосходного друга Гастингса.

Возможно, вы это не заметили, Гастингс, но я ношу парик. И уж конечно не заметили, что у меня фальшивые усы. (Даже Джордж об этом не знает!) Я притворился, что опалил их случайно вскоре после того, как у меня появился Куртис, и сразу же заказал копию своему парикмахеру.

Я надел халат Нортона, взъерошил свои собственные седые волосы, прошел по коридору и постучал в вашу дверь. Вскоре вы выглянули в коридор и посмотрели вокруг заспанными глазами. Вы увидели, как Нортон выходит из ванной и, прихрамывая, идет по коридору в свою комнату. Вы услышали, как он поворачивает ключ в замке, запирая дверь изнутри.

Затем я снова надел халат на Нортона, уложил его на кровать и выстрелил в него из маленького пистолета, который приобрел за границей и держал под замком. Только два раза, убедившись, что никого нет поблизости, я оставил этот пистолет в отсутствие Нортона на его туалетном столике.

Потом я покинул комнату, после того, как вложил ключ в карман Нортона. Я сам запер дверь снаружи вторым ключом, которым владею уже некоторое время. И отвез кресло на колесиках обратно в свою комнату.

С тех пор я пишу это объяснение.

Я очень устал — усилия и напряжение не прошли даром. Думаю, теперь уже недолго...

Мне бы хотелось подчеркнуть вот что.

Преступления Нортона совершенны.

Мое — нет. Оно и не должно таким быть.

Для меня самым простым и наилучшим способом убить его было бы сделать это открыто — скажем, это мог быть несчастный случай с моим маленьким пистолетом. Я бы изобразил испуг, сожаление — такой прискорбный несчастный случай! И обо мне сказали бы: «Бедный старичок — не понял, что пистолет заряжен, — ce pauvre vieux»[1].

---

[1] Этот бедный старик (*фр.*).

Я не хотел это делать.

И скажу почему.

Потому, Гастингс, что я решил быть «спортивным».

Mais oui, спортивным! Я делаю все, чего не делал раньше и за что вы меня так часто укоряли! Я веду с вами честную игру. Я веду себя спортивно. У вас есть все шансы открыть правду.

На случай, если вы мне не верите, позвольте перечислить все ключи к отгадке.

Ключ к двери.

Вы знаете, *поскольку я вам это сказал,* что Нортон прибыл сюда *после* меня. Вы знаете, *потому что вам это сказали,* что я сменил комнату после того, как приехал сюда. Вы знаете, *потому что это опять-таки было вам сказано,* что за время моего пребывания в Стайлз у меня пропал ключ от комнаты и я заказал другой.

Поэтому когда вы спрашиваете себя: кто мог убить Нортона? Кто мог выстрелить и выйти из комнаты, запертой изнутри (ключ был в кармане у Нортона)?

Ответ будет: «Эркюль Пуаро, у которого за время пребывания здесь появился дубликат ключа от одной из комнат».

Человек, которого вы видели в коридоре.

Я сам спросил вас, уверены ли вы, что человек, которого вы видели в коридоре, Нортон. Вы удивились. И спросили меня, не собираюсь ли я предположить, что это был *не* Нортон. Я правдиво ответил, что вовсе не собираюсь предполагать, что это был не Нортон. (Естественно, поскольку я приложил столько усилий, чтобы думали, будто это Нортон.) Затем я коснулся вопроса о *росте.* Все мужчины здесь, сказал я, гораздо выше Нортона. Но *был* мужчина ниже ростом, чем Нортон, — это Эркюль Пуаро. И можно сравнительно легко с помощью каблуков увеличить свой рост.

У вас сложилось впечатление, что я — беспомощный инвалид. Но почему? Только потому, что *я так сказал.* И я отослал Джорджа. Это было мое последнее указание вам: «Езжайте и поговорите с Джорджем».

Отелло и Клюти Джон показывают вам, что X — Нортон.

Тогда кто же мог убить Нортона?

Только Эркюль Пуаро.

И как только вы бы это заподозрили, все бы стало на место — и то, что я говорил и делал, и моя необъяснимая скрытность. Свидетельство докторов в Египте и моего собственного доктора в Лондоне, что я способен ходить. Свидетельство Джорджа, что я носил парик. Тот факт, который я был не способен скрыть и который вы должны были заметить, — что я хромаю гораздо сильнее, чем Нортон.

И, наконец, выстрел из пистолета. Моя единственная слабость. Мне следовало бы выстрелить ему в висок. Я не мог заставить себя настолько нарушить симметрию. Нет, я застрелил его симметрично, попав в самый центр лба...

О, Гастингс, Гастингс, уж это-то должно было открыть вам истину.

Но возможно, в конце концов вы все-таки подозревали истину? Может быть, когда вы читаете это, вы уже *знаете*.

Однако почему-то я так не думаю...

Нет, вы слишком доверчивы...

У вас слишком прекрасная натура...

Что еще мне вам сказать? И Франклин, и Джудит знали правду, но вряд ли скажут вам ее. Они будут счастливы вместе, эти двое. Они будут бедны, их будут кусать бесчисленные тропические насекомые и терзать странные лихорадки — но ведь у всех нас собственное представление о совершенной жизни, не так ли?

А вы, мой бедный одинокий Гастингс? Ах, сердце мое истекает кровью при мысли о вас, дорогой друг. Примете ли вы в последний раз совет вашего старого Пуаро?

После того как вы это прочтете, садитесь в поезд, автомобиль или автобус и отправляйтесь на поиски Элизабет Коул, которая также Элизабет Личфилд. Дайте ей это прочесть или расскажите, о чем там речь. Скажите ей, что вы тоже могли бы сделать то, что сделала ее сестра Маргарет, только у Маргарет Личфилд не было под рукой бдительного Пуаро. Избавьте ее от этого кошмара, объясните, что ее отец был убит не его дочерью, а добрым другом семьи, полным сочувствия, «честным Яго» — Стивеном Нортоном.

Потому что неправильно, мой друг, чтобы такая женщина, еще молодая и привлекательная, отказывалась от жизни из-за того, что, как она считает, на ней пятно. Нет, это неправильно. Скажите ей это вы, мой друг, вы, еще не утративший привлекательности для женщин...

Eh bien, больше мне нечего добавить. Не знаю, Гастингс, оправдано ли то, что я сделал. Да, не знаю. Я не верю, что человек должен брать закон в свои руки...

Но с другой стороны, я и есть закон! Когда молодым человеком я служил в бельгийской полиции, то застрелил отчаянного преступника, который сидел на крыше и палил в людей, находившихся внизу. В критической ситуации действует закон военного времени.

Отняв жизнь у Нортона, я спас другие жизни — невинные жизни. Но я все-таки не знаю... Может быть, это и правильно, что не знаю. Я всегда был таким уверенным — слишком уверенным...

Но сейчас я исполнен смирения и говорю, как маленький ребенок: «Я не знаю...»

До свидания, cher ami. Я убрал ампулы с амилнитратом с тумбочки у моей постели. Я предпочитаю отдаться в руки bon Dieu. Да будет его кара или его милосердие скорым!

Мы больше не будем охотиться вместе, мой друг. Наша первая охота была здесь — и наша последняя...

Это было хорошее время.

Да, очень хорошее время...»

(Конец рукописи Эркюля Пуаро.)

Последняя запись капитана Артура Гастингса: «Я закончил читать... Пока еще не могу во все это поверить... Но он прав. Мне следовало бы знать. Я должен был догадаться, когда увидел отверстие от пули, симметрично расположенное в самом центре лба.

Странно, я вдруг вспомнил ту мысль, которая мелькнула у меня в голове в то утро.

Отметина на лбу у Нортона — она похожа на печать Каина...»

КОММЕНТАРИИ

«УБИЙСТВО В ВОСТОЧНОМ ЭКСПРЕССЕ»

В тридцатых годах Агата Кристи часто сопровождала своего мужа археолога Макса Мэллоуэна, когда он отправлялся на раскопки в Ирак. Она не раз пересекала Европу в Восточном экспрессе, конечная остановка которого была в Стамбуле, и хорошо изучила этот путь. Ее наблюдения не пропали даром. Поводом для создания произведения послужили случаи киднеппинга, похищения детей, а потом уже и взрослых людей, с целью вымогательства выкупа. В 1932 году в США, в Нью-Джерси, был похищен, а затем убит малолетний сын известного американского летчика Чарлза Линдберга. Чарлз Линдберг в 1927 году совершил первый беспосадочный полет через Атлантический океан из США во Францию, став национальным героем своей страны. Случай похищения и убийства его сына потряс Европу и Америку. Агата Кристи знала обо всем этом.

Интересно отметить, что лишь в этом произведении и еще в рассказе «Коробка шоколадных конфет» (сборник «Пуаро ведет следствие», 1924) писательница позволяет участникам самосуда избежать наказания. Хотя Эркюль Пуаро и считает себя сторонником существующего в Англии правопорядка, его решение в данном случае продиктовано прежде всего тем, что американская Фемида проявила очевидную небрежность, позволив преступнику уйти от заслуженной кары. Пуаро помогает обстановка «закрытого общества», изолированного от окружающего мира, — прием, к которому писательница не раз прибегала в своем творчестве.

В 1974 году на экраны вышел английский фильм «Убийство в Восточном экспрессе». Английский критик Филип Дженкинсон писал в связи с этим: «Произведение «Убийство в Восточном экспрессе» убедительно доказывает, что магическое мастерство Агаты Кристи вполне подходит и для кино».

В этом фильме даже маленькие роли исполняли звезды мирового экрана — Алберт Финни, Ингрид Бергман, Джон Гилгуд, Ванесса Редгрейв, Майкл Йорк и другие. Фильм пользовался огромным успехом.

В Англии произведение было опубликовано издательством «Коллинз» в 1934 году В США книга издана под названием «Убийство в спальном вагоне «Стамбул—Кале».

«ПРИЛИВ»

Романтическая поэма «Енох Арден» (1864) Теннисона также послужила своеобразным стимулом для создания произведения «Прилив» Агаты Кристи. В поэме Теннисона моряк Енох Арден оставляет в Англии жену и детей и уходит в море. Его корабль терпит крушение, а сам он попадает на необитаемый остров. Через много лет ему удается вернуться на родину. Жена его, решив, что он погиб, вышла замуж за его друга. Узнав о том, что его жена и дети счастливы, Енох Арден решает не нарушать их покой. Истинную правду они должны узнать лишь после его смерти.

Требования современного детективного жанра исключали для Агаты Кристи столь благородный финал. Ведь хотя писательница и использует в своем произведении ситуацию, сходную с той, что в романтической поэме Теннисона, именем великодушного Еноха Ардена она наделяет подставное лицо, шантажиста. «Даже понимающий детектив-дилетант знает, как поступать, когда речь идет о богатстве и нескольких сомнительных претендентах на него. Ему все уже известно, точно собаке Павлова», — к такому выводу приходит Эмма Латен, американская писательница, сама автор детективов, и заключает: — Затем наступает славная развязка. Автор допускает неясное предположение, что если уж богатое наследство стоит обмана, то по крайней мере одной смерти тут не избежать». Но мошенником оказывается не тот, кого, по всей видимости, может подозревать читатель, а тот, кто уже владеет богатством. По такому принципу строится ряд произведений Агаты Кристи, считает Эмма Латен. В том числе и то, с которым уже познакомился читатель.

Английское название этого произведения Агаты Кристи восходит к словам Брута в трагедии «Юлий Цезарь» (1598—1600) Шекспира. Брут говорит, что «в делах людей прилив есть и отлив. С приливом достигаем мы успеха». И в том, и в другом случае человека уносит поток. В той или иной степени это характерно для многих действующих лиц в данном произведении Агаты Кристи.

Можно также отметить, что в этом произведении Агаты Кристи, написанном в первые годы после Второй мировой войны, нашли отражение реалии того времени. Тут говорится о налетах фашистской авиации на Лондон, бомбежках и гибели людей под развалинами домов, участии женщин в войне, невзгодах и лишениях, которые претерпевало в то время мирное население страны. Обычно «приметы времени» ускользали от внимания писательницы. Но в годы войны она находилась в Лондоне, работала в госпитале и нередко в часы налетов немецкой авиации спускалась в бомбоубежище. Она «была» со своим «народом», если позволено чуть изменить слова Анны Ахматовой, там, где ее «народ к несчастью был». Это расширило рамки духовного опыта Агаты Кристи и обогатило ее творческую палитру.

Произведение «Прилив» было опубликовано в Англии в 1948 году издательством «Коллинз». В том же году оно вышло в Нью-Йорке в издательстве «Додд, Мид энд Кº» под названием «С приливом...».

«ЗАНАВЕС»

Этот роман был написан в Лондоне во время Второй мировой войны и опубликован лишь в семидесятых годах. Агата Кристи решила тогда поставить точку в истории Пуаро, ибо не знала, сколько ей самой осталось жить под бомбами. Видимо, мысль о смерти часто посещала ее тогда, и она выразила свое драматическое мироощущение в романе о последних днях Пуаро. Великий сыщик встречает смерть спокойно и достойно, выполняя свой долг борьбы со злом даже в инвалидном кресле. Как и его великий предшественник Шерлок Холмс, Пуаро умирает холостяком, ибо семейная жизнь, требующая эмоций, мешает работе «серых клеточек». Напротив, его друга Гастингса, который, как и доктор Ватсон, не может похвастаться столь мощными умственными способностями, всегда обуревали чувства — он женился, обзавелся детьми, овдовел и остался все таким же наивным и доверчивым.

В романе Агата Кристи использует свои любимые приемы создания соответствующей атмосферы — прибегает к цитатам из классиков английской литературы, содержащим в себе намеки на мотивы тех или иных преступлений. Таково предупреждение Яго остерегаться ревности, обращенное к Отелло. Известный шекспировский злодей циник Яго, по пути которого идет в романе Агаты Кристи Нортон, раздувает ревность Отелло и провоцирует его на убийство. Подобные параллели, встречающиеся во многих произведениях писательницы, убеждают читателя в том, что на протяжении веков англичане остаются самими собой, что в них бушуют шекспировские страсти, окрашивающие в трагические тона современную, совсем не шекспировскую жизнь. Но понять эти страсти, разобраться в порождаемых ими преступлениях можно с помощью Шекспира и других выдающихся представителей английской литературы, запечатлевших удивительный, особый английский характер.

Роман «Занавес» был опубликован в 1975 году в Лондоне в издательстве «Коллинз» и в США в издательстве «Додд, Мид энд Кᵒ».

А. Шишкин

СОДЕРЖАНИЕ

Литературно-художественное издание

Агата Кристи

Весь Эркюль Пуаро

УБИЙСТВО В ВОСТОЧНОМ ЭКСПРЕССЕ

Романы

Ответственный редактор *З.В. Полякова*

Художественный редактор *И.А. Озеров*

Технический редактор *Н.В. Травкина*

Ответственный корректор *В.А. Андриянова*

Изд. лиц. ЛР № 065372 от 22.08.97 г.
Подписано к печати с готовых диапозитивов 15.12.2000
Формат 84х108$^{1}/_{32}$. Бумага газетная. Гарнитура «Таймс»
Печать офсетная. Усл. печ. л. 31,92. Уч.-изд. л. 30,4
Тираж 8000 экз. Заказ № 401

ЗАО «Издательство «Центрполиграф»
111024, Москва, 1-я ул. Энтузиастов, 15
E-MAIL: CNPOL@DOL.RU

Отпечатано с готовых диапозитивов
в ГУП ИПК «Ульяновский Дом печати»
432980, г. Ульяновск, ул. Гончарова, 14

ЦЕНТРПОЛИГРАФ

Книга-почтой

Если Вы желаете приобрести книги издательства «Центрполиграф» без торговой наценки, то можете воспользоваться услугами отдела «Книга-почтой»

Все книги будут рассылаться наложенным платежом без предварительной оплаты. Заказы принимаются на отдельные книги, а также на целые серии, выпускаемые нашим издательством. В последнем случае Вы будете регулярно получать по 2 новых книги выбранной серии в месяц.

Для этого Вам нужно только заполнить почтовую карточку по образцу и отправить по адресу:

111024, Москва, а/я 18, «Центрполиграф»

ПОЧТОВАЯ КАРТОЧКА

B РОССИЯ

Куда ___ г. Москва, а/я 18 ___

Кому **«ЦЕНТРПОЛИГРАФ»**

Индекс предприятия связи и адрес отправителя

680011

г.Хабаровск, ул. Мира, д. 10, кв. 5. Ивановой Г.П.

=111024

Пишите индекс предприятия связи места назначения

Мин. связи России. Издательство «Марка». 1992. з. 105870. ППФ Гознака. Ц 55 к.

На обратной стороне открытки необходимо указать, какую книгу Вы хотели бы получить или на какую из серий хотели бы подписаться. Укажите также требуемое количество экземпляров каждого названия.

Стоимость пересылки почтового перевода наложенного платежа оплачивается отделению связи и составляет 10—20% от стоимости заказа.

Книги оплачиваются при получении на почте.

К сожалению, издательство не может долго удерживать объявленные цены по независящим от него причинам, в связи с общей ситуацией в стране. Надеемся на Ваше понимание.

МЫ РАДЫ ВАШИМ ЗАКАЗАМ!